D1249739

LE MÉTIER

D'ANIMATEUR

RADIO

ET DE DIRECTEUR DE LA PROGRAMMATION RADIO

Deuxième édition

DARCY KIERAN

LE MÉTIER D'ANIMATEUR RADIO

ET DE DIRECTEUR DE LA PROGRAMMATION RADIO

Deuxième édition

Données de catalogage avant publication (Canada)

Kieran, Darcy, 1963-

Le métier d'animateur radio et de directeur de la
programmation radio

2e éd. rev. et corr.
Comprend des réf. bibliogr.

ISBN 2-9802428-1-0

1. Radio - Production et réalisation. 2. Art de parler
à la radio. 3. Publicité radiodiffusée. 4. Radio -
Emissions. I. Titre.

PN1991.8.A6K53 1993   791.44   C93-096257-5

ÉDITIONS SAINT-MARTIN

5000, rue Iberville, bureau 203
Montréal (Québec) H2H 2S6
Tél. : (514) 529-0920
Téléc. : (514) 529-8384

Imprimé au Canada

Dépôt légal: premier trimestre 1993
          Bibliothèque nationale du Québec
          Bibliothèque nationale du Canada

ISBN 2-9802428-1-0

SOMMAIRE

TABLE DES MATIÈRES

LISTE DES FIGURES

LISTE DES TABLEAUX

INTRODUCTION

En 1990, le président de la compagnie General Electric, John F. Welch Jr., affirmait au sujet de l'économie américaine:

> «La dure compétition des années 90 fera ressembler les années 80 à une promenade dans un parc.»[1]

[1] WELCH, F. Jr., Winning in the '90s, magazine AREA DEVELOPMENT, mai 1990, p.19 - traduction libre.

Une déclaration faite sur mesure pour l'industrie radiophonique canadienne! Pour s'en convaincre, il suffit de jeter un coup d'oeil à la liste des éléments marquant l'évolution actuelle de cette industrie: augmentation considérable de la variété et du nombre de médias rejoignant les consommateurs, spécialisation des médias d'information, redéfinition du rôle de la télévision et de la radio, développement des communications par satellite, multiplication des licences de radiodiffusion, fin des monopoles radiophoniques en région, arrivée des services de musique par câble, «montréalisation» des ondes avec augmentation de la diffusion d'émission réseau, informatisation de la programmation et automatisation de l'animation. À cette liste, il faut également ajouter la rationalisation, de plus en plus systématique, des opérations des entreprises de radiodiffusion, une rationalisation qui contribue à réduire le nombre de postes d'animateur et, par le fait même, le nombre de portes d'entrée pour les aspirants animateurs.

Dans un tel contexte, il n'est pas surprenant de constater que seuls les meilleurs survivent. La compétition entre médias n'a d'égale que la compétition entre animateurs radio! L'obsession ou la recherche constante de l'excellence est d'ailleurs encouragée par une spécialisation de plus en plus marquée de chaque station de radio et par des stratégies de marketing de plus en plus sophistiquées. On essaie de faire vibrer un consommateur de plus en plus critique et désabusé, dans une société aux valeurs changeantes et sous un ciel annonçant la venue de la radio numérique, cette technologie d'excellence qui rendra à la fois le AM et le FM désuets.

Succès un jour, échec le lendemain: c'est de plus en plus probable!

La capacité à réagir et à s'adapter rapidement et efficacement aux changements fera de plus en plus la différence entre les gagnants et les perdants. Succès un jour, échec le lendemain: c'est de plus en plus possible et même de plus en plus probable.

Pour faire face à cet avenir incertain, vous avez certes avantage à maîtriser chaque aspect de votre emploi, aussi insignifiant qu'il puisse paraître. L'excellence, c'est le mariage d'une foule de détails.

Malheureusement, il n'existe pas de recette-miracle pour atteindre l'excellence ni pour connaître le succès dans l'industrie de la radio. Nous verrons d'ailleurs que le principal élément précurseur au succès, c'est vous: votre détermination, votre créativité, votre sens de l'initiative, votre confiance en vous, votre patience et vos efforts. Mais il n'en demeure pas moins que les principes de base de la radio sont simples et doivent être connus.

Théoriquement, il suffit de mettre en ondes, jour après jour, un produit répondant aux besoins, aux attentes et aux goûts du public-cible. En ce sens, la radio ne se distingue d'aucun autre produit de consommation. Il n'y a qu'un seul grand principe de base: donner à son public ce qu'il veut, de la façon dont il le veut, au moment où il veut. Il est donc impératif d'être à l'écoute de son public et d'évoluer avec lui. Votre capacité à attribuer à votre station une personnalité propre et à lui conserver un cachet intime dans une société en évolution est un élément déterminant dans votre quête du succès.

Quant à l'animation proprement dite, ce n'est fondamentalement pas plus compliqué que d'entretenir une conversation intéressante. Pas plus compliqué, mais tout aussi exigeant! Combien de fois par jour ne nous retrouvons-nous pas en discussion avec quelqu'un de royalement ennuyeux? Cette personne est souvent quelqu'un qui aurait quelque chose d'intéressant à dire mais qui a oublié, ou n'a jamais compris, les principes de base de la conversation. Un des objectifs du présent ouvrage est précisément de fournir ces règles élémentaires de la conversation-animation radio.

Lorsque l'on débute dans le métier, on espère évidemment découvrir et apprendre le plus rapidement possible ces règles afin d'accéder tout aussi rapidement au statut de professionnel. Mais comment savoir ce qui est professionnel et ce qui ne l'est pas lorsqu'il n'existe même pas un seul manuel de référence sur le sujet? Beaucoup d'énergie risque d'être dépensée en tâtonnements.

Il y a, bien sûr, plusieurs ouvrages sur les communications et les médias de masse. Malheureusement, dans la plupart des cas, la télévision y prend toute la place. Il en est d'ailleurs de même dans certains cours de communication et dans plusieurs journaux. Par exemple, une chronique radio publiée en février 1992 dans un important quotidien québécois contenait 107 lignes dont 46 étaient consacrées à la radio de Radio Canada et le reste, soit 57% de la chronique radio... à la télévision!

Ce livre vise donc à combler un vide: à parler de radio aux gens de radio! Et à aider tous ceux qui doivent offrir un produit de qualité, sans formation préalable, ni support adéquat, dans une industrie où la compétition est de plus en plus féroce et le client-auditeur de plus en plus difficile à satisfaire.

Plusieurs des règles et des principes énoncés dans le présent ouvrage vous sont probablement déjà familiers. Vous avez déjà effectué une réflexion semblable ou avez déjà lu quelque chose de similaire dans un autre ouvrage. Mais il est également possible que vous soyez en désaccord avec certains autres énoncés du présent ouvrage. C'est correct! Une bonne programmation radio est beaucoup plus qu'une simple recette de cuisine et comme disait je ne sais plus trop qui, «il y a bien des façons de bien faire les choses». Vous avez quand même avantage à ne pas perdre complètement de vue les bornes suggérées ici. Lorsque vous maîtriserez le parcours de base et que vous connaîtrez bien les raisons du positionnement des bornes, vous pourrez, pour des raisons logiques et dans un but précis, dévier du parcours tracé. Tout comme vous pouvez naviguer par-

Il y a bien des façons de bien faire les choses.

dessus un récif avec votre bateau, même si une bouée vous indique d'en faire le tour, du moment que vous avez vérifié, auparavant, la profondeur de l'eau au-dessus de ce récif et que vous connaissez le tirant d'eau de votre bateau!

Autrement dit, le contenu de cet ouvrage ne constitue pas une recette-miracle, mais simplement une liste d'ingrédients que vous devrez ensuite passer au moulin de votre créativité pour produire des résultats concrets.

Le présent ouvrage se veut un manuel d'apprentissage pour les débutants, mais aussi un guide de référence pour les animateurs expérimentés qui, souvent sans s'en rendre compte et bien involontairement, ont oublié, au fil d'une carrière active et fructueuse, certains principes de base.

Et même si dans son style rédactionnel, et comme son titre l'indique, cet ouvrage s'adresse d'abord aux animateurs radio; directeurs musicaux, chefs de promotion, directeurs de la programmation, opérateurs de mise en ondes, rédacteurs publicitaires et réalisateurs y trouveront aussi matière à discussion. Cela tient au fait que nous sortons fréquemment, et même abondamment, hors du sujet strict de l'animation. Cette couverture élargie des opérations d'une station de radio nous a semblé nécessaire étant donné que la plupart des animateurs sont appelés, principalement au début de leur carrière, à faire un peu de tout dans la station. Une meilleure connaissance des divers rouages d'une station de radio ne peut, d'ailleurs, qu'aider un animateur dans le développement de sa carrière.

> **Une liste d'ingrédients...**

AVERTISSEMENTS

Ce livre a été rédigé en fonction de la radio commerciale. Les gens oeuvrant dans des stations de radio spécialisées, publiques, communautaires, éducatives, institutionnelles et étudiantes, devront adapter certaines parties du contenu de cet ouvrage à leur situation spécifique.

De même, quelques énoncés ne s'adressent pas à toutes les stations de radio avec le même degré d'importance. Certaines techniques de programmation fondamentales pour une station musicale peuvent être moins importantes pour une station misant presqu'exclusivement sur l'information et le contenu verbal!

De nombreux sujets s'entrecroisent dans plus d'un chapitre. Ainsi, le contenu du chapitre sur la création et la production publicitaire peut être très utile pour la production de chroniques ou de capsules humoristiques. Et le contenu de la section sur le public, présentée dans le chapitre sur la programmation radio, est vital pour une animation efficace. Afin de vous assister dans votre lecture, nous avons ajouté des notes de renvoi en marge des paragraphes traitant de sujets sur lesquels vous pouvez spécifiquement trouver de l'information complémentaire ailleurs dans le présent ouvrage.

Les termes techniques utilisés dans le texte sont définis dans le lexique annexé. C'est pourquoi ils ne sont pas, sauf exception, expliqués dans le texte même. Les non-initiés peuvent avoir avantage à commencer par la lecture de ce lexique.

Les exemples fournis ne visent aucunement à critiquer des individus, des entreprises ou des stations de radio spécifiques. Ils servent simplement à illustrer les principes énoncés. Toute ressemblance avec des personnages ou des faits réels ne peut être que fortuite.

Le texte est rédigé au masculin dans le but simplement d'en alléger la lecture. Ainsi, lorsque vous voyez le mot «animateur», vous pouvez lire «animatrice»!

CHAPITRE 1

LA PROGRAMMATION RADIO

Qu'est-ce qu'une bonne programmation radio? Il est aussi difficile de répondre à cette question que de définir ce qu'est une bonne chanson.

Il existe plusieurs exemples de stations de radio qui offraient, selon les normes généralement acceptées, une excellente programmation mais qui, pourtant, ont subi un échec monumental dans les cotes d'écoute. À l'opposé, certaines stations de radio qui semblaient avoir défié toutes les règles du métier et de la logique ont connu un succès fou.

Produire une bonne programmation radio n'est certes pas aussi simple que de résoudre une équation mathématique. Il ne suffit pas de suivre des règles. D'ailleurs, une application trop stricte des règles serait dangereuse. Être strictement obsédé par la prévention des facteurs de décrochage (*tune-out factors*) risquerait de vous amener à produire un «son» identique à celui de vos compétiteurs qui appliquent les mêmes règles de programmation que vous. Le résultat serait probablement un «son» constipé, sans élément différenciateur et sans âme!

Peu importe votre recette ou votre formule, la folie et l'extravagance doivent faire partie des ingrédients, même si ce n'est qu'au niveau de l'assaisonnement. D'ailleurs, quand vous entrez dans une station où des «maniaques de radio» travaillent, vous sentez la différence. Vous sentez la radio! Et c'est lorsque cette odeur disparaît que vous pouvez prévoir le naufrage d'une station ayant obtenu auparavant du succès.

Un peu de folie et d'extravagance...

La radio étant à la fois une entreprise de service et un produit culturel, son succès dépend d'un équilibre fragile entre la science et l'art, entre les règles et la créativité, entre le savoir-faire et le savoir-être. Son succès repose aussi sur la cohabitation, souvent difficile, entre les gestionnaires et les artisans passionnés!

Évidemment, il faut le reconnaître, moins votre marché est compétitif, moins vous avez besoin de l'art et de la folie. Il est alors moins nécessaire d'être créatif pour avoir de bons résultats. Il peut même alors être suffisant de simplement adapter à son marché des idées ramassées ailleurs.

LE CONTEXTE

LE PRODUIT RADIO

Le produit radio a la particularité d'être double: la programmation est le produit offert aux clients-auditeurs, alors que ces clients-auditeurs deviennent eux-mêmes un produit, celui offert aux clients-annonceurs. C'est cette dualité qui est représentée à la figure 1.

Les auditeurs achètent le produit que vous leur offrez, la programmation, lorsqu'ils décident d'écouter votre station. Les annonceurs achètent, eux, le produit que vous leur offrez lorsqu'ils jugent que le profil de vos auditeurs correspond à celui du public auquel ils désirent livrer un message (à la condition, bien sûr, qu'ils jugent raisonnable le tarif que vous exigez pour parler à ce public).

Le produit radio offert aux annonceurs n'est donc pas du temps d'antenne. Les annonceurs n'ont rien à foutre de «d'air» que vous leur offrez. Pour eux, le temps d'antenne, loin d'être le produit, n'est qu'un simple véhicule leur permettant de rejoindre le produit qui les intéresse: les oreilles et subséquemment le portefeuille de vos auditeurs.

Le processus de vente du produit radio est forcément, lui aussi, double: d'un côté, la vente aux auditeurs sous la responsabilité du directeur de la programmation et de l'autre côté, la vente aux annonceurs publicitaires sous la responsabilité du directeur «des ventes». Cette situation d'apparence simple est compliquée par le fait que les clients-annonceurs peuvent aussi être des clients-auditeurs. Il n'est effectivement pas rare de voir un client-annonceur accepter ou refuser de placer de la publicité sur les ondes de votre station à cause du jugement qu'il porte sur votre station à titre d'auditeur.

Les besoins et les attentes des clients-auditeurs et ceux des clients-annonceurs ne sont pas toujours faciles à concilier. Mais cette conciliation est vitale. Et c'est, depuis longtemps, l'une des forces des stations visant le public adulte: les acheteurs de publicité des entreprises, majoritairement âgés entre 30 et 50 ans, sont aussi des auditeurs de ce type de radio.

LE MARKETING RADIO

LES 4 «S»

En anglais, certains dirigeants d'entreprise de radiodiffusion vous diront que la radio, c'est une équation se résumant à 4 «S»:

$$\text{Signal + Sound + Sales} = \$$$

Le *signal* (les ondes), c'est le moyen physique de véhiculer le son (*sound*), c'est-à-dire la programmation, auquel se greffe les ventes de publicité (*sales*) dans l'objectif de faire des profits (\$), la radio étant une entreprise à but lucratif.

Figure 1 La dualité du produit radio

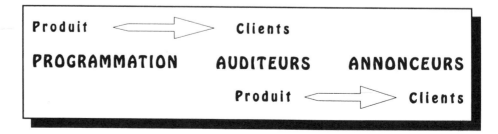

Cette façon de poser l'équation radio néglige complètement tout l'aspect du marketing et de la promotion qui, pourtant, est l'élément démarquant de plus en plus les enfants des adultes. L'industrie de la radio, c'est un peu comme celle de la bière: le marketing y est roi et maître.

En fait, cette équation des 4 «S» représente la vieille formule radio, celle datant de l'époque des monopoles.

Les 4 «P»

Par définition, le succès du marketing d'un produit repose sur l'équilibre et le succès individuel des 4 éléments classiques suivants:

- le produit,
- la distribution,
- le prix et
- la promotion.

En anglais, il est facile de mémoriser ces quatre éléments comme étant les 4 «P» du marketing: *Product, Pipeline, Price, Promotion.*

Pour vos clients-annonceurs, le produit, c'est l'ensemble ou une partie de vos auditeurs; la distribution est effectuée par le biais du temps d'antenne disponible et offert par les représentants publicitaires; le prix est fixé en fonction des cotes d'écoute et de la durée du temps d'antenne utilisé par l'annonceur; et finalement, la promotion, c'est l'ensemble des actions visant à augmenter le nombre de clients-annonceurs et les revenus publicitaires.

Pour vos clients-auditeurs, par contre, le produit offert gratuitement, c'est votre programmation; la distribution est effectuée par l'ensemble de l'équipement technique incluant votre émetteur et le récepteur radio de l'auditeur; et finalement, la promotion est l'ensemble des activités visant le développement de la station par l'accroissement des cotes d'écoute ou l'amélioration du profil de l'auditoire.

Il y a donc bel et bien dualité du produit et cette dualité doit se réfléter dans le plan d'action de votre station de radio.

La programmation vs les ventes

Pas de programmation, pas de vente; pas de vente, pas de programmation. C'est la boucle sans fin de l'oeuf et de la poule. Qu'est-ce qui est venu en premier: l'oeuf ou la poule? La programmation ou les ventes?

Dans n'importe quel secteur d'activité économique, il faut investir (à ne pas confondre avec dépenser) avant de pouvoir vendre quoi que ce soit. Ainsi, tout comme il faut semer avant de récolter, il faut investir dans la programmation et la promotion avant de pouvoir récolter des revenus publicitaires. Il se peut que la situation financière de l'entreprise ou celle de ses propriétaires vous oblige à y aller graduellement (on améliore un peu la programmation, on réussit à augmenter les revenus et on réinvestit en programmation) mais le début du processus demeure la programmation.

D'ailleurs, une station de radio avec une bonne cote d'écoute pourra toujours trouver un moyen de vendre de la publicité si ses dirigeants et ses représentants publicitaires sont compétents tandis que même la meilleure équipe de vente au monde éprouvera, tôt ou tard, de la difficulté à vendre une station que personne n'écoute.

Il y a, bien sûr, des exemples de stations de radio qui, même avec une programmation de piètre qualité et peu d'auditeurs, réussissent à ramasser

---

La radio, c'est comme de la bière!

Dans le chapitre sur la promotion, nous reviendrons sur la dualité de l'action marketing (pages 220 et suivantes).

suffisamment de revenus publicitaires pour terminer l'année avec des profits. Tout comme il existe des exemples de gens qui ont fumé toute leur vie et qui sont morts à 100 ans. Cela ne signifie pas pour autant que la cigarette soit bonne pour la santé!

Il y a aussi des exemples de stations qui, même avec une excellente programmation et des cotes d'écoute phénoménales, ne réussissent pas à recueillir suffisamment de revenus publicitaires pour boucler leur budget. Cela ne signifie toutefois pas que les ventes sont plus importantes que la programmation. Le fait qu'il y ait un problème dans le département des ventes ne veut pas dire que la programmation soit moins importante. Cela signifie simplement qu'il faut régler un problème dans le département des ventes! Tout comme une crevaison sur une voiture de Formule Un ne met pas en jeu la performance du moteur.

Cette précision étant apportée, il demeure néanmoins que l'optimisation des résultats ne peut passer que par l'harmonisation du travail de ces deux départements. L'objectif ultime est d'avoir des auditeurs... pour vendre! On ne veut pas perdre d'auditeurs, ni perdre de revenus. Le directeur des ventes doit donc forcément bien connaître le produit radio et le directeur de la programmation, connaître les objectifs et les stratégies de vente.

Et comme les échanges entre les gens de la programmation et ceux des ventes n'ont aucune raison de se faire naturellement, chacun travaillant quotidiennement de son côté sur sa partie de l'équation radio sans avoir de liens obligatoires avec l'autre partie (dans certaines stations de radio, ils ne travaillent même pas dans le même édifice), ces échanges doivent être initiés par la direction de l'entreprise. C'est une question sérieuse parce que le manque de communication entre ces deux entités peut être à la source de bien des problèmes dans une station de radio. Cela peut même, dans certains cas, être une raison suffisante pour expliquer pourquoi une excellente programmation n'a pas de résultats similaires en chiffres de vente: si la programmation vise les "12-34" mais que les représentant publicitaires vendent une station "35 ans et plus", les revenus publicitaires diminueront forcément même si les cotes d'écoute sont phénoménales parce que les clients-annonceurs n'auront pas les résultats escomptés.

Le directeur de la programmation doit collaborer étroitement et généreusement avec le directeur des ventes. Fermement mais généreusement. *Fermement*, parce que vous ne devez pas vous laisser intimider par le vendeur qui vous lancera un retentissant «C'est moi qui paye ton salaire!». Un vendeur de publicité radio ne paye pas plus votre salaire que le camelot du journal ne paye le salaire des journalistes ou le vendeur d'automobiles, celui des employés de l'usine de fabrication. Mais *généreusement*, parce que plutôt que d'attendre, par exemple, que le directeur des ventes vous présente une promotion qui ne cadre pas dans votre programmation, vous devriez prendre l'initiative de suggérer des idées de promotions pouvant être vendues à des annonceurs.

LA STRUCTURE ORGANISATIONNELLE D'UNE STATION DE RADIO

Établir l'organigramme d'une station de radio privée indépendante est relativement simple: d'un côté, vous avez le service de la programmation qui développe et gère le produit destiné aux clients-auditeurs et de l'autre, le service des ventes publicitaires s'occupant des clients-annonceurs. À ces deux pôles majeurs d'attraction viennent se greffer les services administratifs et techniques. Deux organigrammes-types sont présentés à la figure 2. Le deuxième est celui généralement utilisé par les petites stations de radio indépendantes.

Mais lorsque vous décidez d'établir l'organigramme d'un réseau de stations de radio, vous faites face à un casse-tête digne d'une thèse de doctorat. Généralement, le directeur de la programmation de la station-tête du réseau a

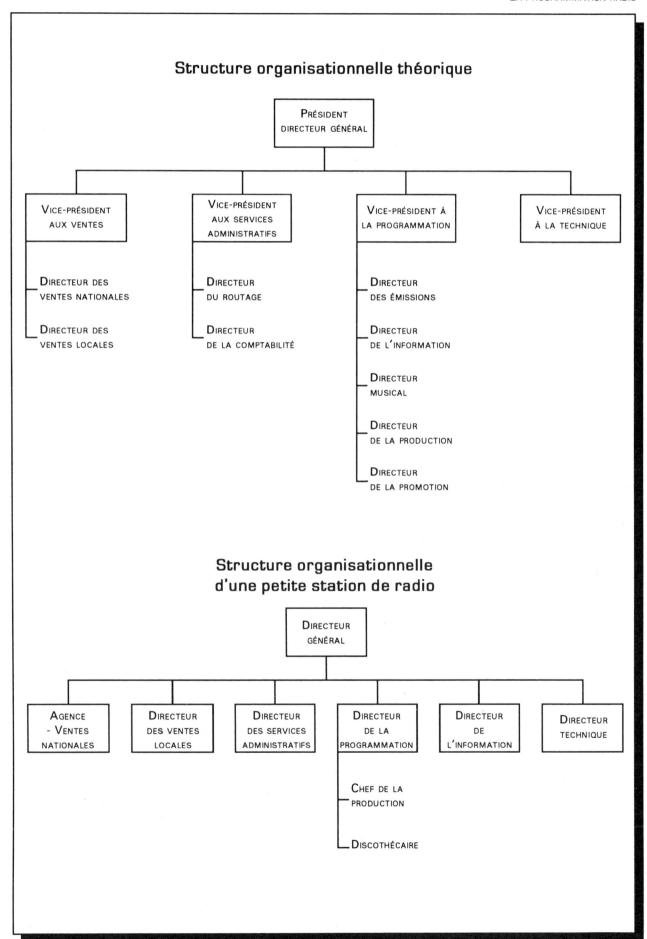

Figure 2 La structure organisationnelle d'une station de radio

son mot à dire sur la programmation des autres stations du réseau, même si chaque station a son propre directeur de la programmation locale relevant officiellement du directeur général de cette station. Cela ressemble à une structure organisationnelle matricielle, un cas étudié occasionnellement dans les cours de gestion du personnel.

LE PUBLIC

Vous ne devenez pas animateur radio lorsque que vous ouvrez le micro pour parler, vous devenez animateur radio lorsque des gens décident de vous écouter.

Le public, c'est votre raison de vivre! Dans n'importe quelle entreprise, le client est important, mais à la radio son importance est doublée par la dualité du produit radio.

La formule de programmation, le contenu de votre émission, le style de votre animation et le type de promotion sont tous définis en fonction du public visé. La définition de cet auditoire-cible sert aussi à définir la clientèle commerciale à qui on va essayer de vendre de la publicité et comment ces messages publicitaires seront produits.

VOTRE NICHE ET L'OBSESSION DU NUMÉRO UN

Votre niche, c'est la portion du marché global dans laquelle votre station de radio est bien établie. Cette niche peut être définie en segmentant le marché d'une multitude de façons différentes: selon le territoire géographique, l'environnement urbain ou rural, l'âge, le sexe, la langue, le revenu annuel, le niveau d'instruction, les intérêts communs.

La multitude de façons de segmenter le marché fait en sorte que la plupart des stations de radio sont «Numéro Un»... dans un segment quelconque du marché. Et c'est correct! À la condition de ne pas trop se prendre au sérieux, ni d'exagérer au point de rendre la segmentation ridicule comme le soulignait ironiquement le journaliste de LA PRESSE, Daniel Lemay, lors du dévoilement des cotes d'écoute de l'automne 1992.

> «Comme d'habitude, toutes les stations de radio peuvent prétendre être Numéro Un dans une colonne ou dans l'autre: chez les femmes 35-54 ans qui restent au foyer tout en ayant l'usage d'une auto ou chez les hommes 18-34 qui dépensent plus de 60 p. cent de leur paye dans les disco-bars.»[1]

Mais être «Numéro Un» dans un segment que les vendeurs peuvent vendre efficacement est beaucoup plus profitable que d'être «Le Grand Numéro Un». Plusieurs stations de radio classées troisième ou quatrième dans leur marché global sont plus rentables que la station en tête des cotes d'écoute parce qu'elles ont un marché bien ciblé et limité, parce qu'elles sont «Numéro Un» dans ce marché (leur niche) et parce que les clients-annonceurs sont intéressés par ce marché.

Pour vous installer dans une niche, vous devez développer un ensemble de caractéristiques faisant de vous la station de radio la plus crédible, fiable et satisfaisante pour ce public. Ces caractéristiques peuvent être tangibles comme un émetteur de 100 000 watts offrant une meilleure couverture que le 10 000 watts de votre principal compétiteur, semi-tangibles comme une programmation satisfaisant davantage les goûts de cette clientèle ou intangibles comme une image à la mode. Par la suite, vous devez communiquer ces caractéristiques au public que vous visez de façon à ce que ces clients-auditeurs vous perçoivent comme la station offrant le meilleur produit.

[1] LEMAY, Daniel, CKOI tient sa cadence de millionnaire, article publié dans le journal La Presse de Montréal, vendredi 4 décembre 1992, p. 1.

Prenez donc le temps de bien comprendre le positionnement de votre station et sachez vous enorgueillir de sa réussite face à son public-cible plutôt que de regarder seulement le nombre total d'auditeurs rejoints.

LA CONNAISSANCE DU PUBLIC

Pour connaître le succès à la radio, vous devez réussir à vous immiscer dans la vie quotidienne des gens, à établir un lien d'amitié avec eux en étant attentif à leurs problèmes, à leur joie, à leur rythme de vie. Cela, évidemment, n'est possible que si vous connaissez bien ce public.

Mais comme votre carrière d'animateur radio vous amènera à changer occasionnellement, sinon fréquemment, de ville, il est normal que vous ne vibriez pas toujours au rythme de la vie locale. Il est même probable qu'avant la fin de votre carrière, vous ayez à vivre un certain temps dans une ville que vous détesterez jusqu'à en faire frémir la moëlle de vos os. Mais il est de votre devoir professionnel de vous imprégner le plus rapidement possible de la vie de cette communauté et ce, même si vous ne prévoyez pas demeurer longtemps dans cette région. En fait, mieux vous connaîtrez votre public, plus facilement vous le satisfairez, plus rapidement vous vous améliorerez et plus rapidement vous vous trouverez un meilleur boulot ailleurs!

La meilleure façon de savoir ce qu'il y a dans le jardin, c'est de faire soi-même le tour du jardin. Prenez le temps de compléter une enquête d'immersion dans la vie locale telle que celle suggérée à la figure 3.[1] Sortez et promenez-vous en gardant l'oeil ouvert et l'oreille attentive. Prenez note des patois locaux et des sujets de conversation favoris. Vous serez ainsi en mesure de prouver discrètement à vos auditeurs que vous connaissez bien leur milieu, que vous en faites partie. Et comme on est davantage porté à écouter un voisin qu'un étranger...

Évidemment, dans vos recherches comme dans vos interventions, vous devez vous concentrer sur l'auditeur-type. Si votre public-cible est composé principalement d'adolescents, vous devriez probablement parler un peu moins de politique et vous devriez faire le tour des écoles. Assoyez-vous à la cafétéria, écoutez les jeunes parler et identifiez leurs principaux sujets de conversation. Vérifiez ensuite ce que les professeurs pensent des jeunes d'aujourd'hui. Puis, si vous avez un sketch humoristique à produire, faites-le coller à la réalité de la vie dans une école.

LES VALEURS DE LA SOCIÉTÉ

Pour établir une relation solide avec vos auditeurs, vous devez leur parler de ce qui les intéresse intellectuellement d'une façon qui les touche émotivement. Pour ce faire, vous devez d'abord avoir une bonne idée des valeurs de ce public.

À notre époque, les valeurs ne sont pas faciles à cerner: elles ne font pas qu'évoluer rapidement, elles évoluent dans toutes sortes de direction quelquefois même divergeantes. Par exemple, la protection de l'environnement est un sujet très sérieux pour certains individus alors que pour d'autres, les produits «amis de l'environnement» ne sont que des attrape-nigauds, une blague des spécialistes du marketing. Des tendances générales peuvent toutefois être identifiées.

Quelques tendances de l'évolution des valeurs de la société québécoise et nord-américaine.

Le rejet des années 80

La démarcation entre les années 80 et les années 90 est si forte que, selon la présidente de l'agence de publicité Natcom, Anne Darche, le rejet des années 80 caractérisera les années 90.[2]

[1] Des fiches-questionnaires similaires sont proposées dans le livre produit par THE AMERICAN COMEDY NETWORK, The Method To The Madness: Radio's Morning Show Manual, États-Unis, 1985, p. 61; et dans celui de Dan O'DAY, Personality Radio, Volume Two: The Dangerous Air Personality, États-Unis, 1991, p. 42 à 49.

[2] Information extraite d'un article de Danielle BONNEAU, Les valeurs des consommateurs en train de changer, journal LA PRESSE, mercredi 29 janvier 1992, p. E7.

L'honnêteté, la vérité et la simplicité

Alors que durant les années 80, l'image et la performance étaient des dieux, les années 90 seront plutôt dominées par des valeurs plus profondes. Les valeurs traditionnelles reprennent de la popularité, alors qu'un certain vent de conservatisme souffle et que le code d'éthique ressort du fond du tiroir. L'honnêteté et la vérité seront recherchées dans le discours, mais aussi dans les émotions. On prend conscience des horreurs vécues sur la planète et on accorde plus d'importance au bonheur quotidien.

Le retour à la maison

Parmi les valeurs traditionnelles qui reprennent de l'importance, on remarque notamment la vie familiale. La maison redevient un lieu pour relaxer, pour vivre pleinement et même, dans certains cas, pour travailler avec ordinateur et modem en compagnie des êtres qui nous sont chers. La maison reprenant ainsi de l'importance, la plupart des activités domestiques et de loisirs doivent impliquer toute la famille.

La protection de l'environnement ou le non-abus matériel

On réalise que la surconsommation et l'abondance de biens matériels ne nous ont pas apporté, durant les années 80, le bonheur escompté. Alors, même les gens qui ne sont pas encore préoccupés par la protection de l'environnement, seront quand même de moins en moins enclins à dépenser simplement pour le plaisir de dépenser. Fini, l'ère du jeter après usage!

L'efficacité, l'intelligence et la précision

Le règne des entreprises vendant des produits qui ne fonctionnent pas arrive à sa fin. Finies, les grosses voitures pleines de gadgets défectueux! On veut des appareils utiles et fonctionnels. La qualité prime sur la quantité. Place à l'ergonomie!

Le fait sur mesure

Le consommateur des années 90 ne veut plus suivre aveuglement les autres, mais obtenir ce qui satisfait ses besoins propres et vivre selon son style de vie. La mode est de ne pas suivre la mode! La production sur mesure remplace la production à la chaîne.

La gestion efficace du temps

On vit à une époque où la gestion efficace du temps devient de plus en plus cruciale alors que, parallèlement, les loisirs continuent à prendre de l'ampleur. Les outils nous permettant d'épargner du temps sont plus populaires que les gadgets qui nous en feraient dépenser davantage.

> La production sur mesure remplace la production à la chaîne.

Cela dit, que les valeurs décrites ci-dessus correspondent ou non à celles de notre société est une question plus ou moins importante. Ce qui est vital, c'est d'identifier les cordes sensibles du public auquel vous vous adressez. Les valeurs générales de la société peuvent même, dans certains cas, être diamétralement opposées à celles de votre public-cible.

LES CORDES SENSIBLES DU PUBLIC-CIBLE

Dans la production d'un message publicitaire, tout comme dans l'animation et l'information, vous devez être en mesure d'identifier la corde sensible qui fera vibrer les gens auxquels ce message ou cette information s'adresse spécifiquement. En publicité, les cordes sensibles sont des thèmes qui, bien développés et bien appliqués, aideront à pousser un individu à l'action en le faisant réagir positivement au message publicitaire.

ENQUÊTE D'IMMERSION DANS LA VIE LOCALE

Les thèmes ci-dessous devraient faire l'objet d'études et de recherches de la part de tout animateur arrivant dans une nouvelle ville. Les petits détails jouent un grand rôle dans l'impression qu'auront vos auditeurs que vous êtes un des leurs.

Géographie et transport

Les noms des différents secteurs de la ville.

Les principales rues et intersections.

Les principales routes régionales et les autoroutes.

Les principaux ponts.

Les principaux lieux d'accidents routiers.

Les problèmes habituels de trafic aux heures de pointe, la semaine et les week-ends.

Le système de transport en commun, son niveau d'utilisation, sa fiabilité et sa réputation.

Les éléments particuliers du relief géographique: montagnes, lacs, rivières.

Les principales attractions touristiques.

Histoire

Les rivalités ancestrales avec les villes voisines.

Les citoyens célèbres.

Les origines de la ville (exemple: l'exploration minière).

Langue

Les particularités du langage local: expressions et accent.

Les noms généralement mal prononcés par les nouveaux arrivants.

Les minorités ethniques.

Économie

Le fondement de l'économie (exemples: mines, industries, tourisme).

Les plus gros employeurs.

Les entreprises ayant une bonne image dans la communauté.

Les entreprises ayant une mauvaise image dans la communauté.

Les entreprises polluantes.

Les artères commerciales et les centres commerciaux.

Les principaux clients de votre station.

Vie communautaire et sociale

Les bars et restaurants populaires.

Les restaurants huppés.

Les restaurants romantiques.

Les bars pour célibataires.

Les places réputées pour prendre un café.

Les places réputées pour rencontrer des gens d'affaires.

Les endroits où les adolescents se tiennent en groupe.

Les principaux restaurants, stations-service et dépanneurs ouverts 24 heures.

Les habitudes alimentaires particulières et les plats typiquement régionaux.

Les activités populaires (exemple: la chasse et la pêche).

Les clubs de sports professionnels et amateurs (exemple: le club de hockey junior local).

La réputation de gagnant ou de perdant des clubs de sports locaux et régionaux.

Les festivals annuels.

Les goûts musicaux particuliers (exemple: le country).

Les salles de théâtre et de spectacles.

Les cinémas.

Les coins «durs» de la ville.

Éducation

Les universités et les collèges.

Les principales écoles secondaires et primaires.

Les écoles privées.

Les écoles les plus réputées pour le sport.

Les écoles les plus réputées pour la formation académique.

Les principales garderies.

Politique et vie municipale

Le député provincial, le député fédéral et le maire.

Le nombre de mandats successifs accomplis par les députés et le maire.

Les principaux candidats défaits aux dernières élections.

Les conseillers municipaux connus.

Les traditions politiques (exemple: le créditisme).

Les récents scandales.

Les controverses actuelles.

Le chef de police.

Le chef des pompiers.

Le directeur général de la ville.

Le commissaire industriel.

Le président et le directeur général de la Chambre de commerce.

Autres médias

Les stations de télévision locales.

La télévision communautaire.

Les émissions de télévision les plus écoutées.

Les journaux locaux.

Le journal local le plus lu.

Les journalistes et chroniqueurs les plus connus.

La disponibilité et l'heure de disponibilité des grands quotidiens nationaux.

Généralités

Le cycle habituel des saisons (exemple: la dernière tempête de neige, en mai).

Les tendances climatiques (exemple: des hivers de plus en plus pluvieux).

Les grands projets (exemple: la construction d'un nouveau pont).

La disponibilité ou la popularité de la téléphonie cellulaire.

Figure 3 Enquête d'immersion dans la vie locale

Nous aborderons à nouveau la question des cordes sensibles de votre public-cible, dans le chapitre sur l'animation, dans la section sur le contenu de vos interventions en ondes (page 94 et suivantes).

Voici une série de cordes sensibles classiques:

- la santé,
- la sécurité financière,
- la popularité,
- la beauté d'apparence naturelle,
- l'indépendance,
- la sécurité,
- le confort physique.

D'autres cordes sensibles traditionnelles sont «négatives». Par exemple, la plupart d'entre nous voulons éviter:

- le ridicule,
- les risques inutiles,
- l'embarras en public ou
- l'ennui.

Ces cordes sensibles dites négatives jouent un rôle considérable dans la vente de tous les produits *In*: si vous ne vous le procurez pas, vous aurez l'air épais, retardé et ridicule, vous serez embarrassé en public. C'est notamment la force de frappe des produits rince-bouche!

La liste des cordes sensibles possibles est presque infinie. À vous d'identifier celles qui feront vibrer votre public-cible.

LA PÉNÉTRATION D'UN NOUVEAU MARCHÉ

L'introduction sur le marché d'une nouvelle programmation radio est régie par les mêmes règles de marketing que celles guidant l'introduction de n'importe quel produit sur le marché. Vous passerez d'abord par une période d'introduction durant laquelle des «innovateurs» essayeront votre produit et ce n'est que durant les phases subséquentes de croissance et de maturité que vous pouvez espérer rejoindre la majorité de votre public potentiel.

Notre but, ici, n'est pas d'approfondir cette question théorique de marketing, mais simplement de souligner que le profil d'un auditoire ne peut pas être changé du jour au lendemain. Trop souvent, on a vu des directeurs généraux de stations de radio exiger un changement de formule de programmation et s'attendre ensuite à des résultats immédiats dès le sondage de cote d'écoute suivant.

Lorsque l'on change une formule de programmation, on bouleverse instantanément les habitudes d'écoute des auditeurs qu'on a déjà et plusieurs d'entre eux profiteront de l'occasion pour «aller voir ailleurs», souvent instinctivement, poussés par une sorte d'esprit de vengeance. Et alors que ces anciens auditeurs s'en vont, on a encore du travail à faire pour convaincre les auditeurs des autres stations de changer leurs habitudes d'écoute pour venir «nous essayer». C'est d'ailleurs pourquoi il est utile pour vous de développer la fidélité d'écoute de vos auditeurs: c'est un excellent outil de défense face aux autres stations!

Bref, pour lancer une nouvelle programmation ou procéder à un changement majeur dans celle-ci, il faut:

- être certain de son plan avant de commencer,
- être patient, et
- avoir de l'argent en réserve!

Avoir un plan bien défini est particulièrement important parce que vous n'avez probablement pas les moyens financ rs de vous payer deux lancement successifs!

De votre plan de marketing, découleront les détails de la programmation, le style d'animation, le plan de promotion, l'échéancier et la stratégie d'introduction du produit sur le marché. Par exemple, une station de radio désirant conquérir le marché des adolescents et des jeunes adultes amateurs de musique rock pourrait choisir de lancer sa programmation avec une sélection musicale très rock, ne visant que les adolescents, de façon à développer initialement une solide image de leader musical crédible auprès de ce segment de la population, pour ensuite, adoucir graduellement et discrètement la sélection musicale durant les périodes de pointe de la journée afin d'élargir l'auditoire en y ajoutant les jeunes adultes.

LA COMPÉTITION

«La guerre contre la compétition.»

Très souvent entendue, cette expression est erronée. D'abord, sous un angle artistique, la radio n'est pas plus en guerre contre ses voisins que Céline Dion ne l'est contre Bryan Adams. Comme un artiste, vous créez votre produit en espérant que les consommateurs l'apprécieront et qu'ils l'achèteront, pas nécessairement au détriment de votre voisin.

D'ailleurs, augmenter vos cotes d'écoute ne signifie pas nécessairement réduire celles de vos compétiteurs. Par exemple, aux États-Unis, la couverture de la «guerre du golf» au début de 1990 a fait augmenter les cotes d'écoute des stations AM sans réduire celles des stations FM. Évidemment, cette situation était très particulière et il est vrai que vous amélioreriez relativement plus rapidement votre situation si les autres stations de radio reculaient en même temps que vous avancez. Mais comme le succès arrive généralement lorsqu'on concentre ses efforts et son énergie à servir ses clients plutôt qu'à combattre son compétiteur, vous n'avez jamais avantage à vous «battre» et ce, même si vous êtes «Le Grand Numéro Un» dans votre marché. Ne tombez pas dans le panneau de Goliath face à David: n'affrontez pas David, laissez-le courir seul!

> La guerre contre la
> compétition...

Si votre analyse du marché est bien effectuée, vous devriez être en mesure d'identifier un segment non satisfait de la population, de créer un produit qui répondra à cette demande et de vous établir dans ce segment de marché comme le leader incontesté avant que vos pseudo-compétiteurs n'aient eu le temps de réagir efficacement.

Même en ce qui concerne la vente de publicité, les stations de radio ne devraient pas être en compétition l'une contre l'autre. Elles devraient plutôt travailler ensemble à réduire la quantité faramineuse de dollars dépensés en publicité dans les autres types de médias. Ce qui serait tout à fait logique comme stratégie si on considère que la radio est probablement le média le plus sous-utilisé par les annonceurs publicitaires. Le potentiel de revenus à récupérer est beaucoup plus élevé du côté des autres médias que du côté des autres stations de radio.

Gardez quand même un oeil sur les activités de vos compétiteurs. Ça fait partie de votre étude de marketing et ça vous gardera éveillé!

LA CRÉATIVITÉ

SON RÔLE

Certains animateurs radio et même certains directeurs de la programmation cherchent à prouver leur potentiel et leurs talents en innovant presqu'à n'importe quel prix. Inconsciemment, ils recherchent la reconnaissance de leur milieu professionnel et même le respect de leurs compétiteurs, alors qu'ils devraient plutôt chercher à obtenir la reconnaissance et le respect de leurs auditeurs.

Votre prochaine augmentation salariale sera établie en fonction du niveau d'appréciation de vos auditeurs et non pas en fonction de celui des autres individus oeuvrant comme vous dans le milieu radiophonique. Et vos auditeurs vous jugeront en fonction de l'intérêt qu'ils croiront que vous avez pour eux et non pas en fonction de l'estime que vous vous portez.

Il est vrai que la créativité joue un rôle majeur à la radio et même, un rôle vital dans la création de la magie de la radio. C'est elle qui fait la différence entre deux stations de radio ou deux animateurs qui contrôlent le même savoir-faire technique. C'est pour elle que le directeur choisira de mettre en ondes un animateur radio plutôt qu'un robot. Et c'est grâce à elle qu'un auditeur choisira de vous écouter plutôt que d'écouter ses cassettes de musique.

Mais votre créativité doit servir à satisfaire les besoins de votre clientèle et non pas à flatter votre ego. D'ailleurs, vous devriez d'abord utiliser votre créativité pour développer des trucs vous permettant de bien comprendre vos auditeurs afin d'être en mesure, par la suite, de communiquer efficacement avec eux.

> ## La créativité: un outil pour réaliser des objectifs précis.

La créativité n'est qu'un outil de travail vous aidant à atteindre un but et à réaliser des objectifs précis, elle n'est pas une fin en soi. Et l'originalité seule n'est pas une preuve de créativité valable à la radio. L'efficacité de votre originalité sera, par contre, une preuve de créativité fructueuse.

Dans le processus de programmation comme dans celui de création et de production publicitaire, la création entre en jeu après que le marché-cible et les objectifs à poursuivre aient été bien définis. La créativité sert alors à imaginer différentes façons de réaliser ces objectifs en analysant le problème sous tous les angles possibles et en évitant de répéter les mêmes vieilles formules basées sur des idées préconçues. C'est un peu ce qu'énonçait Richard Desmarais en parlant des changements survenus à CKAC depuis sa nomination au poste de directeur général:

> «Les innovations qu'on est en train d'apporter découlent d'une stratégie réfléchie, étudiée. Si l'improvisation a toujours beaucoup de place en radio, ça doit être à l'intérieur de balises stratégiques. Sans ça, les pertes peuvent vite devenir énormes.»[1]

Citation

[1] LEMAY, Daniel, Richard Desmarais a peur d'être deuxième... CKAC aussi!, article publié dans le journal La Presse de Montréal, samedi 3 août 1991, p. C-1.

Ainsi, dans la création-production publicitaire, la recherche en marketing (les sondages, l'analyse de statistiques, les études de marché) travaille davantage le contenu des messages publicitaires alors que la créativité s'attaque, elle, davantage au contenant. Autrement dit, la recherche a un rôle prédominant dans la définition de ce qui doit être dit, alors que la créativité a un rôle prédominant dans la façon de capter et de maintenir l'attention du public.

COMMENT LA DÉVELOPPER

On est tous nés créatifs, mais on a tous plus ou moins mis de côté nos capacités créatives au fur et à mesure qu'on apprenait les règles du comportement en société. Vouloir s'intégrer à la société ou à un groupe, c'est foncièrement s'efforcer d'imiter des comportements et des façons de penser. Et on a tous voulu, à un moment ou à un autre, être membre d'un groupe. On a tous voulu devenir «une grande personne». L'ironie d'ailleurs dans le manque de créativité des personnes travaillant dans un média vivant de la publicité, c'est que la publicité est elle-même un des éléments contribuant à réduire notre créativité en nous présentant des normes de comportements et en nous incitant subtilement à les suivre pour être membre à part entière de la société.

Mais heureusement, la créativité, contrairement à ce que plusieurs pensent, ça se développe. Même lorsqu'elle a été noyée par 16 ans de scolarité! Il suffit de puiser à l'intérieur de soi dans des tiroirs fermés.

Le premier pas dans la bonne direction, c'est d'accepter d'avoir occasionnellement l'air ridicule. Les meilleurs animateurs ont tous eu l'air stupides un jour ou l'autre. Les seuls qui ne sont pas passés par là, sont ceux qui n'ont rien essayé.

> «Pointer les faiblesses de l'autre est facile [...]. Créer est plus risqué, car on expose alors ses propres faiblesses. En réalité, les artistes sont beaucoup plus forts que leurs critiques qui n'ont pas besoin, eux, de s'exposer.»[1]

Alors commencez par faire, vous-même, preuve d'ouverture d'esprit! Et intéressez vous à tout ce qui se passe autour de vous parce que l'inspiration vient simultanément de nulle part et de partout. Tout ce que vous voyez et entendez peut vous inspirer, sur le coup ou beaucoup plus tard. Le mélange graduel de plusieurs éléments tout à fait disparates peut éventuellement être à l'origine d'une idée de génie. Gardez donc votre «récepteur» ouvert et variez vos activités et vos champs d'intérêt. Passez du cinéma à la lecture, du rock au jazz, de théâtre à la danse, des centres commerciaux aux expositions.

Et à travers tout cela, développez votre propre personnalité, vos opinions et vos émotions en réaction à tout ce qui vous fait face. La créativité trouve peu de terrain fertile dans un automate!

Sur ce sujet de la créativité, le livre de Claude Cossette, LA CRÉATIVITÉ: UNE NOUVELLE FAÇON D'ENTREPRENDRE[2] est une excellente lecture qui présente notamment différentes techniques de créativité dont les plus connues sont le remue-méninges ou *Brainstorming* de l'Américain Alex F. Osborn et la pensée latérale du britannique Edward deBono.

Citations

[1] COSSETTE, Claude, La créativité: une nouvelle façon d'entreprendre, Collection Les Affaires, Publications Transcontinental, Canada, 1990, p. 22.

[2] Ibid., 196 p.

PRINCIPES GÉNÉRAUX

«Divertir et informer» vs l'invasion de la télévision

Faire de la radio, c'est faire du *showbiz*. C'est tellement vrai que même si on a toujours dit que le rôle de la radio était d'informer et de divertir, aujourd'hui il faudrait plutôt corriger en disant «divertir et divertir en informant». L'accès à l'information étant de plus en plus facile avec l'apparition de nombreux médias spécialisés, le divertissement s'impose comme le principal cheval de bataille de la radio. Ce qui, d'ailleurs, n'aide pas les stations de radio en périphérie des grands centres urbains, parce que ces stations étaient traditionnellement écoutées pour l'information locale et régionale.

Cette spécificité de plus en plus précise du rôle de la radio provoque des réactions de frustration chez certains nostalgiques du «bon vieux temps», ceux qui se plaignent sans cesse que la télévision «fait de la radio» notamment en produisant des émissions matinales et des émissions comme MONGRAIN DE SEL. Pourtant, ce n'est pas d'hier que la télévision copie la radio: c'est ainsi depuis le début! Les téléromans ont vu le jour après les radioromans. Les soirées à regarder la télévision en famille sont arrivées après les soirées à écouter la radio en famille. UN HOMME ET SON PÉCHÉ et Séraphin Poudrier sont apparus au petit écran après avoir fait explosé les cotes d'écoute de la radio de CBF 690 au début des années 40.

Alors, de nos jours, l'histoire ne fait que poursuivre son chemin et elle n'est pas prête à changer de direction. Avec le développement de la télévision interactive, même la météo et la circulation, ces traditionnels châteaux forts de l'information radiophonique, seront de plus en plus accessibles à la télévision. Imagez le jour (pas très lointain) où, du bout du doigt, vous pourrez instantanément obtenir les

Le rôle de la radio:
divertir
et
divertir en
informant.

33

prévisions météorologiques pour Drummondville et les conditions routières sur l'autoroute 30!

Mais comment d'ailleurs peut-on se plaindre d'être plagié lorsqu'on a nous même grandi en plagiant? Au début de l'histoire de la radio, celle-ci ne faisait-elle pas que copier les journaux? D'où venait l'idée de l'horoscope et des avis de décès, sinon des journaux? À cette époque, «l'ampleur de la concurrence énervait la presse écrite. Pourquoi lire un journal si on pouvait recevoir les nouvelles sans délai, chez soi, par le biais des ondes?»[1] Et gratuitement, de surcroît! La guerre entre la radio et les journaux était tellement forte que «l'Association des directeurs de journaux demanda (...) aux agences Associated Press et United Press International de mettre un stop à leur collaboration avec les stations de radio.»[2] On connaît la suite: la radio n'est pas morte! Les journaux non plus! Et lorsqu'une nouvelle sensationnelle fait la manchette à la radio, les journaux du lendemain se vendent comme des petits pains chauds!

Bref, plutôt que de lutter contre l'invasion de la télévision, définissons-nous simplement un créneau différent et complémentaire. Lequel? À nous de trouver! Mais d'ores et déjà, il en existe un sur lequel la radio peut être assurée de maintenir sa suprématie pour encore longtemps: le divertissement pour les gens en mouvement: au travail, dans l'ascenseur, dans la cuisine, sous la douche, dans l'automobile, sur le bateau ou sur la plage.

LA MAGIE

La radio plate et constipée n'est pas la conséquence, comme trop de gens le prétendent, des formules de programmation spécialisées mais plutôt de la présence d'un surnombre de plombiers procédant à la programmation, à la sélection musicale, à l'animation et à la mise en ondes avec autant d'émotion que vous faites votre commande d'épicerie. Il n'y a aucune magie dans l'air. On passe du point A au point C par le point B à 89km/h.

Une formule de programmation et une horloge de programmation comme celle de la figure 5 (page 57) sont des outils créés notamment avec l'aide de la science du marketing dans le but de définir un produit satisfaisant les attentes d'un public précis, en fonction de ses goûts et de ses besoins et en fonction de ce que la compétition offre. Mais par la suite, lorsque vient le temps de produire une intervention en ondes, de livrer la météo et de choisir la musique, le moule doit être suffisamment flexible pour s'adapter aux besoins de l'instant présent. La structure d'une programmation est là simplement comme le squelette de l'être humain, pour supporter la chair et ses plaisirs! Trop souvent, au lieu d'utiliser sa créativité pour créer la magie de la radio, on étend du plastique sur une structure de métal. Mettez-y plutôt de la chair et vous vous distinguerez vraiment de la compétition.

Citations

[1] PROULX, Gilles, La radio d'hier à aujourd'hui, Éditions Libre Expression, Canada, 1986, p. 40.
[2] Ibid.

Le divertissement des gens en mouvement.

Du plastique sur une structure de métal...

Dans les annales de la radio...

Le dimanche 30 octobre 1938, sur le réseau radiophonique américain CBS, le désormais légendaire Orson Welles a prouvé de façon indiscutable l'impact que la radio peut avoir sur la population par ce qui aurait pû être le plus gros poisson d'avril de l'histoire de la radio.

Dans un radioroman inspiré du livre de Herbert G. Wells, LA GUERRE DES MONDES, Orson Welles annonçait l'invasion de la Terre par des Martiens! ...et des milliers d'Américains ont soudainement cru à l'arrivée de monstres affreux venus conquérir les États-Unis d'Amérique avec des rayons laser.

La magie de la radio peut et doit être présente dans chaque élément de la programmation. Prenons un exemple bien simple, celui d'un concours radiophonique, et jetons un coup d'oeil sur deux façons de procéder au même concours:

- Vous annoncez que le «7ᵉ appel» gagnera une paire de billets pour le spectacle de Marjo et 50$ d'argent de poche.
- Vous annoncez simplement que le «7ᵉ appel» gagnera une paire de billets pour le spectacle de Marjo. Puis, en ondes, en discutant avec le gagnant, vous êtes tellement content pour lui que vous «décidez soudainement» d'ajouter 50$ qui lui permettront d'aller souper avec son amie avant le spectacle et ce, même si «ce n'est pas prévu» dans votre budget.

Selon vous, laquelle de ces deux formules est la plus intéressante pour les auditeurs et même pour le gagnant? Laquelle est la plus divertissante pour l'auditeur? Laquelle fera davantage parler de vous? La réponse semble évidente, n'est-ce pas? Pourtant, dans les deux cas, le squelette du concours prévoyait le même dénouement: l'attribution d'une paire de billets et d'une somme de 50$. La façon de livrer la marchandise fait toute la différence.

Prenons un autre exemple. Un auditeur vous téléphone pour vous demander une chanson qui, par pur hasard, est déjà pointée et prête à entrer en ondes dans les secondes suivantes. Selon vous et parmi les deux façons suivantes de répondre à cet auditeur, quelle est celle qui fera en sorte que l'auditeur au bout du fil vous aimera davantage?

- «Hé bien! Cette chanson était justement déjà prête à entrer en ondes après celle-ci!»
- «Écoute! Je vais essayer de trouver cela le plus rapidement possible pour toi!»

Utiliser votre imagination et votre créativité pour créer de la magie, c'est tout simplement divertir vos auditeurs. Et c'est cela votre boulot! C'est ainsi que vous serez un véritable *entertainer*.

Mais faites quand même attention à l'équilibre entre la magie et la crédibilité. Pour que la magie fonctionne, il faut que les situations soient plausibles. Par exemple, si vous enregistrez votre discussion avec un auditeur vous demandant la chanson Amère América de Luc De Larochellière et que vous diffusez plus tard l'enregistrement de cette discussion sur l'intro de la chanson, assurez-vous que le début de l'intro musicale ne précède pas l'endroit sur le ruban où l'auditeur dit «Amère América de Luc De Larochellière».

Dans les annales de la radio...

Un soir d'octobre 1992, une station de radio FM retransmet une conversation entre l'animateur en ondes et un auditeur. Ce dernier demande à entendre la chanson Heaven de Bryan Adams. L'animateur lui demande alors à qui il veut la dédier et pendant que l'auditeur répond, on entend le début de la chanson Heaven. Presque instantanément, l'auditeur s'exclame: «C'est en plein ça! Merci!».

Cette mise en scène est non seulement crédible, elle est parfaite: elle donne un spectacle!

Il est possible de donner un spectacle magique et divertissant sans mettre en jeu la confiance qu'ont vos auditeurs en vous, en votre sincérité et en votre honnêteté. La sincérité et l'honnêteté sont des valeurs à la mode!

L'ÉMOTION

Citation

[1] GUILBERT, Édouard, DE LA «VOIX RADIOPHONIQUE» AUX «VOIX DE LA VIE», article publié dans le livre L'état des médias, Éditions du Boréal, Éditions La Découverte, Médiaspouvoirs et CFPJ, Canada et France, 1991, p. 75.

«La radio, média chaud, donne à imaginer et libère les facultés créatrices et émotionnelles.»[1]

Un auditeur quelque part est fier d'écouter «La puissance musicale de Montréal», cette grande ville à une heure de route de chez lui! Un autre, s'identifie au rock, le vrai, le pur! Un autre, écoute le pouls de son patelin en synthonisant «sa» radio locale. Un autre, place une confiance presque aveugle dans son chroniqueur sportif préféré. Un autre, affiche son allure décontracté au son du «Rock détente». Un autre, s'identifie publiquement à une station de radio qui s'adresse à l'élite. Un autre...

Cette énumération pourrait être longue parce que derrière le choix de chaque individu d'écouter ou non une station de radio, se cache une décision en partie objective et en partie subjective. Subjective, parce que prise par un être humain. Humain et émotif.

En publicité, le meilleur message est celui qui dose efficacement l'émotion et la raison. Les bénéfices présentés de manière à éveiller un désir auront davantage d'impact positif sur les ventes du produit annoncé qu'une simple liste de caractéristiques. Similairement, la meilleure programmation radio est celle qui mélange efficacement le savoir-faire technique à une espèce de savoir-être permettant l'établissement d'un lien émotivement fort avec l'auditeur.

Avec un peu de bonne volonté et beaucoup de pratique, tout le monde peut maîtriser le savoir-faire technique. Il est donc facile de copier votre produit et même, de le vendre moins cher. Mais il est très difficile de briser des liens émotifs. Les sentiments et les émotions sont donc à la base du succès en radio.

Un lien émotif fort, c'est la fierté qu'ont vos auditeurs à écouter mais aussi à s'identifier à votre station de radio. Ce lien doit se retrouver également entre votre produit et votre image, entre votre programmation et les valeurs de votre public, entre votre promotion et les cordes sensibles du public-cible.

Le *feeling* de la situation, s'il est inspiré d'une bonne connaissance de la radio, du public et de la communauté, doit donc avoir le dernier mot. Par exemple, une chanson qui cadre théoriquement très bien dans votre programmation musicale peut devenir un facteur de décrochage si elle a une quelconque connotation négative chez une partie de votre public. À l'inverse, il peut occasionnellement être à votre avantage d'insérer dans votre programmation musicale une chanson qui n'y cadre théoriquement pas, si celle-ci touche, pour quelque raison que ce soit, aux cordes sensibles de vos auditeurs.

LA RÉGULARITÉ ET LES HABITUDES D'ÉCOUTE

Chaque personne a ses habitudes de vie, son petit train-train quotidien. Chaque personne a également ses habitudes d'écoute de la radio. Le matin, nombreux sont ceux qui utilisent un radio-réveil et qui sont habitués à se sortir du lit avec un élément particulier de la programmation, que ce soit la météo, les nouvelles, une capsule d'humour ou simplement de la musique. Un amateur de sports, par exemple, prendra l'habitude d'écouter son journaliste sportif préféré à une heure précise avant d'arriver au bureau. La variation de l'heure de diffusion du bulletin de sports risquerait de provoquer de la frustration chez cet auditeur.

Il est donc préférable que l'heure de diffusion des éléments d'information clefs de la programmation tels que les bulletins de nouvelles générales et sportives, les prévisions météorologiques et les rapports sur la circulation ne changent pas d'une journée à l'autre et même, d'une période de la journée à l'autre. Cette régularité vous procure d'ailleurs un autre avantage non négligeable: celui de satisfaire vos auditeurs même en dehors de leurs périodes normales d'écoute. Ainsi, lorsqu'un de vos concitoyens désire soudainement s'informer, il sait instinctivement qu'à votre station de radio, il y aura de l'information à «moins quart», par exemple, peu importe l'heure de la journée.

Dans certaines stations de radio, le directeur de la programmation vous donnera carte blanche, ou presque, pour décider de l'heure de diffusion et de l'agencement des éléments non préalablement prévus et inscrits sur le registre des émissions. Vous devrez alors préparer vous-même un registre parallèle plus détaillé. Par exemple, vous devrez décider à quelle heure vous effectuerez quotidiennement un rappel des grands titres de l'actualité.

Mais cette régularité dans la programmation doit se limiter au positionnement des éléments d'information. La façon de les livrer en ondes doit, elle, être moins prévisible. Et le positionnement des autres éléments de la programmation doit varier au moins un peu. Parce que votre rôle à la radio est principalement de divertir et que la régularité est généralement synonyme de prévisibilité et d'ennui, alors que le divertissement est plutôt synonyme d'imprévisibilité et de surprise.

Il n'est évidemment pas facile d'inclure de l'imprévisibilité dans une émission lorsque la totalité de la programmation, y compris le positionnement et la durée de vos interventions, est aussi répétitive qu'un mouvement d'horlogerie (d'où l'expression «horloge de programmation»). Mais c'est précisément pour cette raison que votre rôle d'animateur est si important. Vous êtes le seul qui, en bout de ligne, pouvez ajouter un élément de spontanéité et de surprise par des interventions variées et surprenantes. À vous de ne pas endormir vos auditeurs! C'est le temps d'être créatif. Vous n'êtes pas obligé de toujours livrer une farce du même style à la même heure. Et vous pouvez trouver 10 façons différentes de livrer le même message.

La fiabilité totale

La plupart des gens s'identifient à une station de radio. L'image de celle-ci est un peu la leur. Ils ont confiance en elle. Les décevoir pourrait être catastrophique! Pourtant, c'est ce que font de nombreuses stations de radio en diffusant des émissions spéciales qui ne cadrent pas du tout dans leur type de programmation. Par exemple, en programmant une émission de musique classique le dimanche soir sur une station rock.

Ces écarts à la programmation sont souvent effectués dans le but de satisfaire une quelconque promesse de réalisation faite à un CRTC qui a longtemps cru à l'importance absolue d'offrir de la variété. Le résultat? Toutes les stations de radio ont programmé ces émissions «complémentaires» à des heures durant lesquelles presque personne n'est porté à écouter la radio. Et presque personne n'est exposé à cette diversité! Heureusement, le CRTC semble maintenant plus ouvert à reconnaître l'importance de la constance dans la programmation.

Un amateur de musique douce s'attend à retrouver de la musique douce sur sa station de radio favorite peu importe le jour ou l'heure. S'il se rend en automobile au dépanneur du coin un dimanche soir, il est important qu'il puisse reconnaître et apprécier sa station de radio favorite même si la période d'écoute ne dure que quelques minutes. C'est ainsi, à la longue, que la confiance en la station et la fidélité de l'écoute se bâtissent. C'est ainsi que les récepteurs radio demeurent à une position fixe.

Dans les annales de la radio...

Nous sommes à la fin des années 80. Après un demi-siècle d'exploitation en situation monopolistique, une station de radio AM

L'information à heure fixe, le divertissement imprévisible.

Dans la section sur la préparation, présentée dans le chapitre sur l'animation (page 110 et suivantes), nous reviendrons sur le dilemme de l'équilibre entre la régularité de la programmation et la spontanéité de l'animation.

se proclamant le «Leader de l'information» dans sa région fait soudainement face à la compétition d'une station FM.

À la même époque, les maires de cette région demandent aux dirigeants de la station de radio AM d'équiper celle-ci d'une génératrice d'électricité afin d'assurer un service d'information fiable en tout temps. Ces dirigeants refusent. Suite à ce refus, les maires présentent la même requête aux dirigeants de la nouvelle station FM musicale. Ceux-ci acceptent. Les maires effectuent alors eux-même la promotion de cette station FM en soulignant l'importance pour la sécurité des gens de la région qu'une station de radio soit équipée d'une génératrice.

Pour être le leader de l'information dans sa région, il faut d'abord être en mesure de livrer l'information lorsque cela compte! Surtout si, en plus, vous diffusez en ondes les messages du Gouvernement du Canada incitant les gens à toujours avoir chez-soi un récepteur radio portatif fonctionnant à piles au cas où un sinistre surviendrait!

Cela aussi, c'est une question de «fiabilité totale»!

● ●

Évidemment, les exceptions existant partout, il y en a ici aussi! Le principe de la fiabilité totale dans le style de programmation peut être oublié dans le cas d'une station de radio misant sur une programmation dite «mixte» (*Block programming*), c'est-à-dire sur une programmation offrant diverses émissions très différentes les unes des autres et s'adressant chacune à un public-cible particulier. C'est le type de programmation que l'on retrouve généralement sur les ondes des stations de radio en marché monopolistique. Il s'agit alors d'une programmation similaire à celle d'une station de télévision: les émissions offertes et le public visé varient en fonction de l'heure. Dans un tel cas, les stratégies promotionnelles sont particulières à chaque émission plutôt qu'à l'ensemble de la programmation, les auditeurs développant une fidélité à une émission précise plutôt qu'à une station de radio. Pour offrir ce type de programmation dans un marché compétitif, il faut être en mesure de produire des émissions au contenu «très solide» avec un niveau de qualité de production irréprochable parce que vous avez la lourde tâche de ramener les auditeurs à votre station au début de «leur» émission, à chaque fois.

Autres informations

Il sera à nouveau question de la programmation «mixte» dans la section traitant des formules de programmation (page 52).

La qualité totale

Même si la durée moyenne d'écoute de la radio par les Canadiens âgés de plus de 12 ans est supérieure à 20 heures par semaine et que de nombreuses personnes écoutent la radio plus de 30 heures par semaine, plusieurs autres Canadiens ne l'écoutent que quelques minutes par jour. D'autre part, même parmi ceux qui écoutent la radio 30 heures par semaine, combien d'entre eux vous accordent la totalité de ces 30 heures? Très peu!

Alors, même si certains éléments de votre programmation vous semblent répétitifs, n'oubliez jamais qu'il y a toujours quelqu'un qui l'entend pour la première fois, quelqu'un qui vient tout juste d'ouvrir son récepteur radio. Vous ne pouvez donc jamais relâcher vos efforts à bien livrer votre message, même pas une seule petite fois!

Ce sujet est d'autant plus sérieux que pour aller chercher un nouvel auditeur, vous devez convaincre un individu dans les premières secondes durant lesquelles il synthonisera votre station, souvent par hasard au gré du balayage électronique. C'est une raison suffisante en soi pour ne négliger aucun élément de programmation, aussi minime soit-il.

Chaque élément de la programmation doit être préparé et produit comme s'il devait être présenté à un auditeur qui n'a jamais écouté votre station et que vous voulez convaincre de l'adopter. C'est d'ailleurs la seule façon d'assurer également un degré constant de satisfaction de vos auditeurs actuels et, simultanément, de les encourager à vous écouter pendant un plus grand nombre d'heures à chaque semaine.

La qualité totale c'est aussi éviter tout accroc illogique à la programmation, c'est faire contribuer chaque élément de la programmation à la création d'un ensemble cohérent et agréable pour votre public-cible. Aucune exception ne devrait être tolérée. Chaque chronique ou élément de programmation doit être produit dans le respect du type et du style de programmation de la station. Par exemple, une programmation entièrement musicale ne devrait pas accepter de chronique de 10 minutes: tout devrait être emballé dans un format de 90 secondes ou moins. Faire des accrocs illogiques à votre programmation ne vous nuiera peut-être pas à court terme mais minera lentement votre crédibilité et la confiance qu'ont vos auditeurs en votre station.

L'environnement de chaque chronique ou élément de programmation doit correspondre aux principes de programmation s'appliquant aux autres éléments de cette programmation. Par exemple, si pour une raison ou une autre, vous choisissez de ne jamais diffuser de messages publicitaires après les bulletins de nouvelles, de façon à pouvoir enchaîner rapidement avec de la musique, le même format devrait s'appliquer à vos chroniques même si un client voudrait placer un message publicitaire avant et après la chronique.

Autrement dit, la programmation ne doit pas être modifiée au gré des demandes des clients ou des représentants publicitaires. De grâce, ne tombez pas dans le panneau classique «Les ventes sont difficiles, on prend tout ce qu'on peut», parce que tôt ou tard les ventes seront encore plus difficiles! Un bon vendeur est capable de vendre ce que son poste de radio offre, à la condition bien sûr qu'il connaisse le produit radiophonique et les besoins de ses clients. Certains représentants publicitaires vendent «de l'air» au lieu de vendre des clients additionnels (vos auditeurs) à leurs clients. Un vendeur de publicité radio doit agir comme un vendeur d'automobiles: si vous travaillez pour un concessionnaire GM et que quelqu'un vous demande une Honda, vous ne lui vendrez pas de Honda parce que vous n'en avez pas! Vous avez alors le choix entre lui vendre quand même une GM ou lui expliquer le plus court chemin pour se rendre chez le concessionnaire Honda en espérant qu'un jour, il reviendra vous voir parce qu'il aura apprécié la qualité de votre service.

> «Les ventes sont difficiles, on prend tout ce qu'on peut...»

Évidemment, tout cela est vrai seulement si vous avez des voitures en inventaire! Si vous n'avez pas d'auditeurs, il est très difficile d'en offrir à vos clients! Dans un tel cas, il vaut alors sans doute mieux accepter n'importe quoi... en attendant de faire faillite!

L'INSTANTANÉITÉ

La rapidité, la mobilité et l'instantanéité de la radio font partie du mythe de la «radio qui sait tout». Alors, considérant que les gens ont un préjugé favorable envers la radio en ce qui concerne la rapidité d'exécution, malgré le fait que la télévision soit en train de nous damer le pion, il faut savoir renforcer cette image positive à chaque fois qu'une occasion se présente. Votre auditeur doit être convaincu que si un événement majeur se produit, vous serez le premier à le savoir et qu'il sera le deuxième.

La rapidité d'exécution devient un élément d'autant plus marquant que, pour plusieurs auditeurs, le meilleur média sera le premier média sur place. C'est une situation dont on n'a pas à se plaindre puisque nous pouvons facilement donner l'impression d'être sur place simplement en enregistrant des témoignages par téléphone et en produisant un topo dans le studio de production à l'abri de la pluie et sans s'être tapé un embouteillage sur l'autoroute. Voilà un gros avantage de la radio sur la télévision en terme de *showbusiness*, de magie! La télévision, elle, doit forcément se procurer des images, donc déplacer ses caméras, pour que les gens croient qu'elle était sur les lieux.

La volonté d'informer le plus rapidement possible vos auditeurs risque toutefois de créer un conflit avec l'autre nécessité: celle d'être crédible. La crédibilité étant définie comme la confiance qu'ont vos auditeurs dans l'exactitude de vos informations, elle exigerait de votre part de plus grandes recherches et de nombreuses vérifications avant la diffusion de la nouvelle. Ces deux éléments, rapidité et crédibilité, peuvent être équilibrés par le jeu des bulletins spéciaux préliminaires qui ne vous forcent pas à livrer toute l'information du premier coup, vous laissant ainsi un peu plus de temps pour l'approfondir.

Ce sujet de l'instantanéité, même s'il concerne surtout l'information, entre aussi en jeu dans l'animation. Faites attention aux détails qui détruiraient votre réputation de média bien informé ou bien «branché». Par exemple, si vous utilisez le contenu des journaux de la semaine précédente, il est fort probable que votre intervention «sonnera bizarre» aux oreilles de vos auditeurs. Même le contenu des journaux du matin peut être complètement dépassé en fin d'après-midi. Pour ne pas avoir l'air dépassé, vous devez faire attention autant au style de la présentation qu'au contenu. Et comme règle générale, établissons que vous devriez utiliser un «vieux sujet» seulement lorsque vous y apportez un commentaire nouveau ou un élément d'information supplémentaire.

L'INDIVIDUALITÉ DE L'ÉCOUTE RADIO

La plupart des gens écoutent la radio en solitaire. En fait, même s'il y a plusieurs personnes dans un endroit où la radio joue, l'écoute de celle-ci demeure une expérience foncièrement personnelle et individuelle. On écoute la radio en pratiquant d'autres activités, bien souvent pour ne pas se sentir seul.

Vous devez donc conserver présent à l'esprit l'importance de l'établissement d'une relation entre vous et un auditeur solitaire qui compte sur vous. Il doit vous sentir proche. Il doit sentir que quelqu'un lui parle et non une machine. Alors, de grâce, mettez un peu de chaleur humaine et de naturel dans vos interventions. Comme disait je ne sais plus trop qui, il serait démoralisant de devoir reconnaître qu'à l'aube de l'an 2000, nous soyons parvenu à produire un son radio techniquement parfait mais si humainement froid!

Le constat de l'individualité de l'écoute radio ne fait qu'ajouter du poids à la théorie voulant que le média radio soit de plus en plus un média de divertissement. On écoute pour se sentir entouré, se sentir en vie!

LES COMPOSANTES DE LA PROGRAMMATION

La programmation radio pourrait être disséquée de bien des façons, mais la plus simple consiste à ne reconnaître que deux types d'éléments de programmation: la musique et le contenu verbal, cette dernière catégorie regroupant l'animation, l'information, la publicité et les éléments diffusés pour identifier la station.

LA MUSIQUE

La musique n'est qu'un des éléments de la programmation d'une station de radio, mais un élément souvent dominant!

Instantanéité
vs
crédibilité

Nous reviendrons sur le dilemme entre l'instantanéité et la crédibilité, dans la section sur les bulletins spéciaux d'information (page 43).

Pour plusieurs auditeurs, votre sélection musicale sera l'élément déterminant dans leur décision d'écouter ou de ne pas écouter votre station. Même des auditeurs intéressés strictement par les bulletins de nouvelles choisiront leur station de radio parmi celles dont la formule musicale leur convient (à moins bien sûr qu'il n'opte pour une station à contenu exclusivement verbal) sans prendre en considération la qualité des nouvelles des stations dont la programmation musicale leur déplaît.

Le nombre de minutes par heure consacrées à la programmation musicale (pouvant théoriquement varier entre 60 minutes et zéro) donnera le ton général à la station, alors que la sélection et l'agencement des pièces musicales (la programmation musicale proprement dite) contribuera à définir la personnalité de votre station en vous aidant à rejoindre un public spécifique.

La programmation musicale étant un sujet complexe et important pour les animateurs oeuvrant dans une station musicale, un chapitre complet lui sera consacré.

Autres informations

Dans la section sur la publicité (page 44 et suivantes), nous aborderons la question du rôle de la musique dans l'intégration ou le camouflage de la publicité.

L'ANIMATION

L'animation constitue à la fois l'élément principal du spectacle et un simple pont entre les divers autres éléments de la programmation.

Le nombre d'interventions de l'animateur, la durée moyenne de ces interventions, leur positionnement parmi les autres éléments de la programmation, et même le choix des catégories de sujets traités, découlent de la stratégie marketing ayant conduit à la définition de la programmation. Ces décisions relèvent du directeur de la programmation et vous sont généralement imposées.

L'animation étant le sujet principal de ce livre(!), un chapitre complet lui sera consacré.

L'INFORMATION

Il devient de plus en plus difficile de produire un bon bulletin de nouvelles. D'un côté, les auditeurs sont de plus en plus bombardés d'information et atteignent de plus en plus rapidement un seuil de saturation au-delà duquel «ils ne veulent plus rien savoir». Ils sont, consciemment ou non, de plus en plus exigeants. De l'autre côté, l'actualité évolue à un rythme foudroyant, les délais de production raccourcissent et les ressources sont de plus en plus limitées.

L'INFORMATION À LA RADIO

Les nouvelles radiophoniques font partie de la chaîne d'information *mass media*: le trio radio-télévision-journaux.

En principe, la radio éveille l'attention en fournissant instantanément les grandes lignes de l'information. Traditionnellement, c'est la radio qui est la bougie d'allumage, qui livre les primeurs, les *scoops*, mais en se limitant généralement au «Qui», «Quoi» et «Quand». Quelques fois, on ajoutera le «Comment» et le «Pourquoi», mais de façon brève.

Théoriquement, la télévision suit dans la chaîne d'information en ajoutant les images. Les journaux complètent le processus, le lendemain, avec tous les détails du «Comment» et du «Pourquoi» en laissant les gens libres de choisir les sujets qui les intéressent.

D'ailleurs, parmi vos auditeurs, ceux qui voudront plus d'information sur un sujet donné iront probablement voir dans les journaux ou au bulletin télévisé, même si vous leur livrez toute l'information à la radio. Ils voudront voir de leurs propres yeux ou lire à leur propre rythme. De toute façon, la plupart de vos auditeurs, lorsqu'ils écoutent la radio, sont dans une situation qui ne leur accorderait pas le temps d'arrêter suffisamment longtemps pour écouter un long reportage ou pour comprendre l'analyse détaillée d'une situation complexe.

Tout cela peut toutefois être légèrement différent pour une station de radio dans une région où il n'y a ni quotidien, ni caméra de télévision. La radio étant alors la seule source d'information quotidienne, la diffusion de bulletins de nouvelles plus approfondies peut être un élément-clef de votre marketing.

Les stations de radio se spécialisant dans le contenu verbal constituent une autre exception à la règle quoique, même dans ce cas-là, l'animation journalistique d'enquête répondant au «Pourquoi» d'une question complexe doit garder un style bref, précis et rapide.

L'INFORMATION DANS LA PROGRAMMATION RADIO

L'information n'est qu'un autre élément de programmation, avec ses règles propres, y compris des règles d'éthique sévères, mais un élément de programmation quand même. Inutile de penser sauver l'humanité par la recherche de la vérité au détriment des principes de marketing radio: si personne n'écoute, personne ne pourra être sauvé!

Les journalistes qui livrent de l'information en ondes doivent donc être de bons animateurs. Des animateurs spécialisés sans doute, mais des animateurs quand même. Il y a encore beaucoup trop de stations de radio qui diffusent la lecture d'une série de textes plutôt que de communiquer de l'information à leurs auditeurs. La lecture est effectuée sur un ton articificiel, on s'endort et on perd le fil du sujet. Ce problème origine souvent du simple fait que les nouvelles ont été rédigées comme des textes conventionnels avec une absence évidente de naturel dans la structure de la phrase. On s'entête, par exemple, à placer des incidentes en début de phrase pour ajouter des précisions, même si cela nous éloigne dangereusement du style «parlé».

En fait, certains directeurs de la programmation sont beaucoup trop tolérants envers les journalistes. Pourquoi accepter dans la livraison du bulletin d'information ce qu'on ne tolérerait jamais dans une intervention faite par un animateur?

Il est grand temps qu'on se réveille! D'autant plus que la télévision entre de plein fouet sur le marché traditionnel de la radio avec la couverture d'événements sociaux et politiques de façon presque instantanée (si non en direct), mais aussi avec la production d'émissions comme CANADA A.M., GILLES LAPOINTE M.D. et MONGRAIN DE SEL.

Face à cette invasion continue de la télévision, la radio doit absolument miser sur un de ses atouts majeurs: celui d'être un média personnalisé et proche de son public. La radio peut adapter l'actualité (le contenu et la forme) aux besoins et aux attentes des gens qui l'écoutent beaucoup plus facilement que la télévision parce que chaque station de radio a un public beaucoup plus spécifique et mieux défini que celui de la télévision. Quel impact un événement d'envergure nationale ou internationale aura-t-il sur la vie de notre communauté? Et, surtout, quel impact cet événement aura-t-il sur les personnes constituant votre auditoire-cible (les jeunes, par exemple)?

LA DURÉE

Compte tenu du rôle «d'éveilleur» de l'information à la radio, la durée moyenne d'une nouvelle radio ne devrait pas dépasser 30 secondes. Occasionnellement, vous pourriez développer une nouvelle pendant 60 ou même 90 secondes, mais seulement lorsqu'il s'agit du sujet du jour, celui qui touche profondément l'ensemble de votre public-cible, qui fait vibrer les cordes sensibles de vos auditeurs et dont tout le monde parle en ville.

On tolère, dans la livraison du bulletin de nouvelles, ce qu'on ne tolèrerait jamais dans une intervention d'un animateur.

Rallonger la durée totale d'un bulletin de nouvelles devrait être l'occasion d'aborder un plus grand nombre de sujets plutôt que de parler de chacun d'eux plus longtemps.

Même une station consacrée uniquement, ou presque, à l'information doit garder chaque élément d'information le plus bref possible afin de maintenir l'attention de ses auditeurs (des auditeurs en mouvement, rappelons-le).

LES EXTRAITS SONORES

Les extraits sonores insérés dans votre bulletin de nouvelles ajoutent de la crédibilité à la nouvelle en plus d'attirer l'attention comme le font les photos dans un journal.

L'extrait sonore ou extrait de voix, n'a pas besoin d'être long ni élaboré. Il peut ne durer que 3 secondes, être réalisé par téléphone et être constitué d'à peu près n'importe quoi: la réceptionniste d'une entreprise voisine de celle qui a pris feu, le mari d'une employée d'un commerce qui vient de déclarer faillite, le père d'un des jeunes joueurs de l'équipe gagnante du tournoi de hockey pee-wee.

Faites travailler votre imagination!

LES BULLETINS SPÉCIAUX ET LES CAROTTES

Les journalistes doivent pouvoir entrer en ondes, pour la diffusion d'un bulletin spécial, avec un indicatif sonore approprié, à chaque fois qu'un événement majeur survient ou que des éléments nouveaux sont découverts dans un dossier chaud. La flexibilité du média radio le permet. La télévision exploite d'ailleurs de plus en plus cette formule qu'elle intègre à ses blocs de publicité.

Ces bulletins spéciaux doivent toutefois demeurer brefs, entre 15 et 60 secondes, sauf peut-être s'il s'agit d'une nouvelle vraiment extraordinaire et inquiétante.

Par souci de crédibilité et de fiabilité, certains journalistes seront portés à attendre d'avoir tout investigué et vérifié avant d'entrer en ondes. Ils risquent alors de se faire damer le pion par un de leurs compétiteurs. Si vous n'êtes pas tout à fait certain de quelques aspects de la nouvelle, diffusez un court bulletin spécial d'information annonçant que votre station est au courant, en précisant les éléments d'information dont vous êtes déjà certains et en ajoutant que vous aurez plus de détails prochainement. C'est une façon de rétablir l'équilibre entre la fiabilité et l'instantanéité. Non seulement vous faites ainsi figure de leader de l'information, mais vous encouragez les auditeurs à demeurer à l'écoute pour les prochains bulletins de nouvelles.

Mais attention à la formulation de ces carottes. Elles doivent servir à inciter les auditeurs à demeurer à l'écoute de votre station et non pas à les inciter à se précipiter à la télévision ou à la station de radio concurrente en espérant avoir plus de détails immédiatement. Ainsi, l'idée d'annoncer seulement que la nouvelle s'en vient (dans le style: «Du nouveau dans la guerre au Golf Persique. Tous les détails au bulletin de midi.») est douteuse. S'il y a vraiment du nouveau, les gens veulent le savoir tout de suite ou au moins en connaître les grandes lignes. Il est donc souvent préférable de donner des carottes sur des sujets moins chauds et de produire de véritables bulletins spéciaux sur les sujets chauds.

Techniquement, les bulletins spéciaux peuvent être effectués de n'importe où. La téléphonie cellulaire est une invention très pratique en radio! Et il n'est pas nécessaire d'être sur son quart de travail pour faire un appel à la station. Vous pouvez, par exemple, être témoin d'un carambolage monstre en retournant à la maison après votre journée de travail... Un bon journaliste est en fonction 24 heures par jour. Un animateur aussi.

> **Les extraits sonores sont à la radio ce que les photos sont au journal.**

La publicité

Au fil des années, la publicité s'est taillée une place de choix dans notre société. Elle ne se contente pas de nous suggérer quelle voiture conduire et quelle bière consommer, elle nous indique un style de vie, elle définit des bornes à nos comportements, elle choisit nos sujets de discussion à la pause-café, elle modèle notre type d'humour et elle dresse ou fait tomber des tabous. Bref, elle sert de locomotive aux changements, bons ou mauvais, de comportement social.

Qu'on le veuille ou non, la publicité est omniprésente. Directement et indirectement. Consciemment et inconsciemment. Dès l'instant où vos sens s'éveillent le matin jusqu'au moment ou vous vous endormez le soir.

À la radio, la publicité est plus qu'omniprésente: elle est la colonne vertébrale de cette industrie. Elle est une partie importante de la programmation, occupant plusieurs minutes de chaque émission, et elle est l'unique source de revenus. Elle paye votre salaire!

Intégration ou camouflage ?

Au fil des années, différentes stratégies ont été développées pour tenter de camoufler la publicité, pour la faire «passer en douce».

Ainsi, certaines stations de radio offrant une programmation musicale généralement douce ont choisi de toujours diffuser la publicité après une chanson, sans intervention préalable de l'animateur, celui-ci ne devant intervenir qu'après le bloc publicitaire. Cette intervention éveille alors l'attention des auditeurs qui ont ensuite droit à une autre chanson. Évidemment, cette méthode de camouflage ne peut être efficace que si les messages publicitaires sont tout à fait adaptés au style musical de la station. Mais si cette méthode est excellente pour les cotes d'écoute, elle ne l'est pas nécessairement pour l'impact des campagnes publicitaires: en tentant de faire passer la publicité incognito, on en réduit forcément l'impact sur les auditeurs.

À l'inverse, certaines stations musicales, généralement des stations plus rock et pop, ont adopté comme stratégie de toujours faire intervenir l'animateur avant le bloc publicitaire de manière à ce qu'après la publicité, on enchaîne avec un indicatif chanté et un gros succès musical. L'intervention précédant le bloc publicitaire sert alors à annoncer le gros succès qui suivra la diffusion des messages publicitaires. L'implantation de cette stratégie repose sur la théorie que l'intervention de l'animateur «réveillera» l'auditeur avant la diffusion des messages publicitaires qui seront ainsi plus écoutés et auront plus d'impact, tout en croyant que celui-ci s'habituera à attendre la fin du bloc publicitaire, sachant qu'un gros succès s'en vient. On espère conserver l'écoute en fournissant un bonbon: les gros succès musicaux qui s'en viennent et que l'animateur annonce dans son intervention. Le problème, évidemment, c'est qu'on fait alors penser à l'auditeur que c'est le temps de «pitonner» en attendant la fin du bloc publicitaire.

D'autres directeurs de la programmation, afin d'augmenter l'attrait de la station auprès des audiophiles, ont développé un format de programmation devenu très populaire particulièrement aux États-Unis au cours des années 80: celui des *Blitz* musicaux ou blocs musicaux *Non-Stop*. «10 chansons *Non-Stop* à chaque heure.» «40 minutes de *Blitz* musical.» Cette formule a le désavantage de repousser dans un seul segment horaire tous les messages publicitaires et de créer ainsi un impact sur l'auditeur beaucoup plus négatif dans ce segment particulier, tout en noyant les messages des annonceurs dans un océan publicitaire et en réduisant les possibilités de maximisation de la portée de la campagne publicitaire (si vous n'avez jamais de publicité dans la première demi-heure de chaque heure, les gens qui n'écoutent la radio qu'entre 8h00 et 8h30 ne seront jamais «exposés» aux messages publicitaires véhiculés par votre station). D'autre part, cette formule perd tous ses avantages lorsque la guerre des *Non-Stop* débute entre les stations de radio: vous en jouez 10 en ligne, ils en jouent 12; vous augmentez à 15, ils augmentent à 20. Aux États-Unis, où cette guerre a fait rage, plusieurs stations ayant adopté cette stratégie sont revenues à une formule de programmation dans laquelle les messages publicitaires sont répartis plus uniformément dans l'heure, de façon à garder chaque chaque bloc publicitaire le plus court possible. Et lorsque qu'un segment de *blitz* musical est effectué, il l'est sans qu'il en soit question en ondes: on le fait plutôt que d'en parler! Ce qui peut d'ailleurs être très utile en début d'émission, lorsque vous cherchez à accrocher les auditeurs: le premier bloc publicitaire normalement prévu selon l'horloge régulière de programmation pourrait être éliminé, un peu comme le font souvent les programmeurs de télévision pour le premier bloc de publicité d'un film.

Bref, aucune stratégie de camouflage n'a jamais vraiment fonctionné parce que la publicité est vraiment là! Et on veut qu'elle soit écoutée, pleinement! La publicité est au coeur de la radio commerciale. Ceux qui n'en veulent absolument pas, n'écoutent pas la radio.

La vraie clef du succès réside dans la profession de foi suivante: la publicité n'est pas un facteur de décrochage (*tune-out factor*) et un message publicitaire peut devenir aussi populaire qu'une chanson à succès. Il faut donc procéder à l'intégration harmonieusement de la publicité dans la programmation plutôt que de tenter de la camoufler.

> L'intégration harmonieuse de la publicité...

Vos trois fronts d'attaque pour réaliser l'intégration harmonieuse de la publicité:

La programmation

Le nombre de minutes publicitaires, le nombre de messages publicitaires et l'agencement des messages dans un bloc publicitaire sont des facteurs d'intégration importants et nous en discuterons dans les paragraphes suivants.

La création et la production

La qualité de la création et de la production des messages publicitaires joue un grand rôle dans la qualité d'ensemble de votre programmation. À la télévision, certains messages sont devenus aussi populaires que des téléromans. Pourquoi n'aurions-nous pas comme objectif de créer des messages publicitaires aptes à devenir aussi populaires qu'une chanson à succès? Il est vrai que les agences de publicité engouffrent des sommes d'argent incroyables dans la production pour la télévision et très peu dans la production pour la radio, mais c'est à nous de vendre notre média. Qu'on investisse nous-même avant de demander aux autres de le faire!

> Il ne dépend que de vous qu'un message publicitaire puisse devenir aussi populaire qu'une chanson à succès.

Étant donné l'importance du sujet de la création et de la production de messages publicitaires de qualité, nous y consacrerons un chapitre complet.

L'animation

Pour que la publicité s'intègre à la programmation, il faut d'abord que les animateurs évitent d'être raciste! Pourquoi, par exemple, annoncer la prochaine chanson-succès en utilisant des expressions telles que «Après la pause...» ou «Au retour...» comme si l'émission arrêtait lorsque la publicité commence? Accepter la publicité, elle fait partie de votre émission! Et pour l'intégrer hamonieusement, pourquoi ne

Dans la section sur les clichés, présentée dans le chapitre sur l'animation (page 88 et suivantes), nous reparlerons des expressions similaires à "Après la pause...".

pas considérer les deux minutes de publicité précédant le bulletin de nouvelles comme faisant partie du bloc d'information? Pourquoi ne pas dire simplement «C'est maintenant l'heure du bulletin de nouvelles» avant de diffuser les deux minutes de publicité et d'enchaîner avec le bulletin de nouvelles? Vous êtes là pour donner un spectacle et non pour expliquer vos procédures de mise en ondes. Soyez un peu moins technicien et un peu plus «vendeur»!

LE NOMBRE DE MINUTES ET DE MESSAGES

De plus en plus de stations de radio nord-américaines se fixent, non seulement une limite quant au nombre de minutes de publicité par heure mais aussi quant au nombre de messages par bloc publicitaire.

L'établissement de cette deuxième restriction est basé sur la théorie qu'un auditeur aura l'impression qu'un bloc publicitaire contenant 3 messages de 30 secondes et 2 messages de 15 secondes (5 messages pour une durée totale de 2 minutes) est plus long qu'un bloc contenant 3 messages de 30 secondes et un de 60 secondes (4 messages pour une durée totale de 2 minutes et demie).

L'AGENCEMENT DES MESSAGES

Il est généralement admis que la première position d'un bloc publicitaire est la plus rentable pour un annonceur puisqu'elle permet de rejoindre ceux qui changeront de station de radio au début du bloc publicitaire et ceux qui réduiront mentalement le volume même s'ils ne changent pas de station. C'est d'ailleurs pour «réveiller» cette dernière catégorie d'auditeurs qu'il est avantageux d'intervenir quelques secondes au milieu d'un long bloc publicitaire, afin d'attirer leur attention et d'augmenter l'impact du message publicitaire suivant. Cela peut être accompli simplement en mentionnant l'heure, en effectuant un bref rappel météo («2°C au Centre-ville de Trois-Rivières.») ou en y insérer un concours rapide, d'une durée maximale de 30 secondes.

D'autres théoriciens, par contre, prétendent que la deuxième position d'un bloc publicitaire est la plus rentable. Cette affirmation serait basée sur les conclusions de certaines études de sujets en laboratoire.

La question de l'ordre de diffusion des message à l'intérieur d'un bloc publicitaire est donc complexe et s'il existe de nombreuses théories sur le sujet, aucune n'a jamais été prouvée de façon irréfutable. En fait, un seul critère de programmation est indiscutable: celui de la non-compétitivité. Deux messages publicitaires annonçant des produits ou des commerçants en compétition l'un avec l'autre ne doivent pas être diffusés dans le même bloc car l'impact de chaque message risquerait d'annuler celui de l'autre.

Comme point de référence et comme amorce de discussion, voici quand même un résumé de quelques règles générales d'agencement des messages:

- le message le plus important doit être diffusé en première ou en deuxième place;
- le message *a cappella* doit être diffusé au milieu du bloc publicitaire, particulièrement s'il s'agit d'un message en direct (*live*), afin d'aider l'animateur en fonction à faire la transition entre son rôle d'animateur et son rôle de porte-parole d'un annonceur;
- le message en extérieur (*remote*) doit être diffusé à la fin;
- le pire message doit être diffusé à la fin (ou en avant-dernière position, s'il y a un *remote*);
- deux messages produits en utilisant la même voix ne doivent pas être diffusés consécutivement;

- deux messages promotionnels de la station ne doivent pas être diffusés consécutivement et, autant que possible, ne doivent pas être diffusés dans le même bloc;
- deux messages de compétiteurs ne doivent pas être diffusés dans le même bloc.

Mais quelle que soit votre politique d'agencement des messages publicitaires, la collaboration de l'opérateur de mise en ondes est nécessaire puisque l'ordinateur du service du routage ne peut pas toujours tenir compte simultanément de tous les critères et n'est pas fiable à 100%. Mais avant de commencer à modifier l'ordre de diffusion des messages dans les blocs publicitaires de votre émission, obtenez préalablement l'approbation du directeur de la programmation sur les critères qui doivent vous guider. Et attention! Il se peut qu'un message soit vendu à une heure fixe: par exemple, juste avant le bulletin de nouvelles. Le registre des programmes devrait indiquer par un code spécial ces messages "fixes" pour vous aviser de ne jamais les permuter avec un autre.

L'IDENTIFICATION DE LA STATION

La radio commerciale est une entreprise à but lucratif qui vit des revenus générés par la diffusion de messages publicitaires. Pour augmenter les revenus publicitaires et améliorer les chances d'engendrer des profits d'opération, il faut rejoindre un bon nombre d'auditeurs, mais il faut aussi pouvoir démontrer ce nombre aux annonceurs publicitaires. La preuve la plus universellement acceptée est celle de l'évaluation de l'écoute par sondage. Ce sont les fameux sondages de cotes d'écoute. Bref, un de vos objectifs en programmation est d'obtenir une bonne cote d'écoute, parce qu'avoir de nombreux auditeurs ne suffit pas.

> Avoir de nombreux auditeurs ne suffit pas. Il faut encore être capable de le prouver.

Alors, si vous voulez que vos cotes d'écoute soient bonnes, il faut forcément vous assurer que les gens qui écoutent votre station de radio sachent clairement quelle station ils écoutent de façon à ce qu'ils puissent l'inscrire dans leur cahier de sondage. Élémentaire, n'est-ce pas? Pourtant, on entend des animateurs passer plus d'une heure en ondes sans identifier leur station ou d'autres, l'identifier de façon tellement confuse qu'on se demande si une seule personne a retenu le message.

Dans notre société contemporaine, le choix des médias est de plus en plus varié et la compétition entre stations de radio, de plus en plus féroce. Bien des auditeurs se promènent d'une station à l'autre, souvent sans même s'en rendre vraiment compte. Alors, pour que vous soyez certain d'obtenir le crédit qui vous revient, vous devez vous identifier souvent et clairement.

Cela est vrai même si vous ne participez jamais à un sondage de cotes d'écoute. Vous devrez alors faire preuve d'imagination et de détermination pour rassurer autrement les clients-annonceurs, mais entre-temps, vous pouvez au moins bénéficier de la publicité de bouche à oreille que vos auditeurs satisfaits feront sûrement, s'ils peuvent vous identifier clairement lorsqu'ils parlent de vous.

LE CONTENU

Les cinq éléments de base servant à l'identification d'une station de radio sont:

- l'indicatif d'appel,
- la bande (AM ou FM),
- la fréquence,
- la ville ou la région géographique couverte,
- le type de programmation et le slogan de la station.

Le choix du contenu de l'identification est une question de marketing sur laquelle nous reviendrons dans le chapitre sur la promotion (page 224).

Au Canada, l'indicatif d'appel est obligatoirement constitué de quatre lettres dont la première est un C. La deuxième, peut être un F, un H, un I, un J ou un K (ou, encore, un B pour les stations de Radio-Canada). Les deux dernières lettres peuvent être n'importe quelle combinaison de lettres de l'alphabet. Une seule station de radio peut avoir une combinaison spécifique de quatre lettres.

LA FORME

L'identification de la station s'effectue à la fois par la diffusion d'indicatifs préenregistrés et par les interventions des animateurs. L'utilisation conjointe des deux méthodes permet de maximiser l'impact de ce qui est, en fait, une campagne publicitaire dans laquelle l'objectif est le développement de la connaissance de l'existence de votre produit.

L'identification de la station doit donc respecter toutes les règles propres à une campagne publicitaire, notamment en ce qui concerne la clarté du message. Si votre identification risque d'être confondue avec celle d'une autre station de radio, vous avez un gros problème. De même, si vos *lettres d'appel* sont mal prononcées par l'animateur qui les répéte machinalement sans penser à ce qu'il dit, vous avez aussi un problème.

Certaines stations de radio utilisent des indicatifs chantés de 30 secondes diffusés généralement après les blocs publicitaires. Si cette formule permet de vanter davantage votre produit, il semble qu'elle ait aussi un fort impact négatif chez l'auditeur qui attend impatiemment le retour de la musique ou de son animateur préféré. Cette constatation a fait dire à plus d'un que la meilleure stratégie pour promouvoir en ondes une programmation musicale est de «prouver qu'on est musical» plutôt que de le dire.

Il semble d'ailleurs que les indicatifs chantés soient surtout populaires auprès des gens de radio qui éprouvent beaucoup de fierté à mettre en ondes de belles identifications. Mais il est loin d'être certain que ces productions de maître aient un quelconque impact sur la vente de votre produit auprès de l'auditeur. C'est d'ailleurs pourquoi certains grands réseaux de radio préfèrent maintenant ne plus défrayer le coût de production d'indicatifs chantés: on opte plutôt pour une identification très brève, produite *a capella* ou sur fond musical dans le studio de production de la station.

LE POSITIONNEMENT

Une théorie assez généralement reconnue est celle avançant qu'il est préférable de toujours coller l'identification de la station à de la musique: la première chose que l'animateur dit après une chanson; la dernière, avant une chanson. En contrepartie on ne doit alors jamais mentionner l'élément d'identification juste avant un bloc publicitaire. Cette théorie repose sur la croyance que les auditeurs relieront inconsciemment les *lettres d'appel* ou le slogan de la station à de la bonne musique.

Cette théorie peut être bonne, mais doit être appliquée sans exagération sinon le tout ne deviendra qu'un cliché. Vous ne devez pas vous mettre à répéter l'indicatif d'appel ou le slogan de la station machinalement, sans penser à ce que vous dites, car l'impact s'en trouverait forcément réduit.

Bref, l'identification d'une station de radio musicale devrait:

- être effectuée dans chaque intervention,
- être très fréquemment collée à de la musique,
- n'être jamais collée à des messages publicitaires.

L'identification par un artiste invité

Les identifications du type «Bonjour, ici Luc De Larochellière, vous écoutez CHYC 90» doivent être utilisées juste avant une chanson de l'artiste effectuant ainsi l'identification de la station.

Il est très frustrant pour un amateur de Luc De Larochellière d'entendre la voix de son chanteur préféré, d'augmenter le volume de son récepteur radio et d'écouter... Shona! Et ce, même s'il aime aussi Shona.

LA FORMULE DE PROGRAMMATION

Les catégories

Il serait difficile d'établir un système de classification des différents types de programmation qui ferait l'unanimité dans l'industrie de la radio et du disque. Tout comme il est difficile d'encadrer l'élément créateur! C'est la variété de définitions de formules de programmation qui a d'ailleurs fait dire au journaliste Patrick Pierra que les formules de programmation étaient «aussi précises dans leur définition que floues dans leurs contours»![1]

Cela dit, on entend généralement parler des stations de radio en fonction du type de musique qu'elles diffusent: une telle est rock; l'autre, country. Un système de classification complet devrait toutefois comprendre au moins les 3 éléments suivants:

- le type général de programmation (verbal ou musical),
- l'âge ou la description sommaire du public-cible,
- le type de musique diffusée (si applicable).

Par exemple, une station pourrait être «Musicale/18-34/Rock» et une autre, «Verbale/25-49».

Verbale ou musicale

À la base, il n'existe que deux types de spécialisation en programmation: verbale et musicale.

Les stations de radio offrant une programmation verbale diffusent principalement, comme le nom l'indique, du «contenu verbal» même si elles conservent à l'occasion certaines émissions plus musicales. Vous y retrouvez de l'information, des émissions d'intérêt public et communautaire, des tribunes téléphoniques, des émissions d'enseignement religieux, des retransmissions de joutes de hockey et des chroniques de toutes sortes. En bref, de l'information, des débats et des chroniques. C'est la formule de programmation que les américains appellent *News/Talk*. Dans cette catégorie, on retrouve notamment les stations montréalaises CKAC, CJMS et CKVL.

Les stations de radio se spécialisant dans la programmation musicale diffusent aussi de l'information et, quelquefois même, des émissions d'intérêt public et des tribunes téléphoniques, mais le tout est présentée de manière courte et rapide.

Au Québec, la presque totalité des stations AM des marchés majeurs se sont spécialisées dans le verbal et les FM, dans le musical, alors qu'au Canada anglais, cette démarcation n'existe pas aussi clairement, du moins pas encore.

[1] PIERRA, Patrick, Les «formats» de radio, ou l'oreille normalisée, article publié dans le livre L'état des médias, Éditions du Boréal, Éditions La Découverte, Médiaspouvoirs et CFPJ, Canada et France, 1991, p. 82.

En fonction du public-cible

Le type de public rejoint ou plus particulièrement l'âge du public-cible est une information particulièrement fondamentale pour les annonceurs publicitaires, ceux qui décideront si votre public-cible est celui auprès duquel ils veulent annoncer leur produit. Cette information fournit aussi, généralement, une bonne indication du type de programmation que l'on peut retrouver sur votre station.

En fonction de la formule musicale

C'est ici que les chicanes commencent! Personne ne s'entend sur la catégorisation des types musicaux ni même sur le bien-fondé de la segmentation. Sur ce sujet, l'industrie de la radio et l'industrie du disque sont rarement sur la même longueur d'ondes.

Selon le président de la National Academy of Recording Arts and Sciences des États-Unis, Michael Greene, «la radio gèle le cerveau des américains alors que le magnifique spectrum musical est grossièrement comprimé pour passer dans un tout petit trou appelé radio»[1]. Et selon Michel Rivard, animateur du Gala de l'ADISQ en 1990, la radio *formatée* ne ferait qu'attirer les auditeurs avec les New Kids On The Block au détriment des Richard Séguin.[2] L'harmonie ne règne pas toujours dans les relations entre l'industrie du disque et l'industrie de la radio! D'autant plus que le débat sur le montant à payer pour les droits d'auteur lors de la diffusion de la musique à la radio est loin d'être clos. Parallèlement à ce débat, le lien entre la diffusion d'extraits d'un disque à la radio et le nombre de copies de ce disque vendues n'est pas évident: on connaît de nombreux exemples de microsillons qui n'ont jamais tourné à la radio mais qui ont été vendus comme des petits pains chauds et, vice versa, des chansons qui ont tourné jusqu'à l'usure sur toutes les stations de radio mais dont la vente de l'album n'a pas été un succès.

Il est évident que certaines créations musicales peuvent très difficilement être classifiées dans un style précis. Cela ne leur rend pas justice. Mais comme la radio est un produit commercial visant à satisfaire un public précis, il faut bien que la programmation se fixe des bornes et des catégories dictées par les règles du marketing, ces même règles qui régissent d'ailleurs tout autant l'industrie du disque. Les gens des compagnies de disques sont les premiers à tenter de *formatter* un artiste pour qu'il vende. Ils sont les premiers à parler de commercialisation, de relations publiques, de publicité et de marché-cible. Comment pourrait-on d'ailleurs expliquer autrement la pléiade d'artistes rejetés par les producteurs de disques après avoir proposé un produit «différent»? Et comment expliquer que certains de ceux qui ont alors décidé de produire eux-mêmes leur album se soient retrouvés sur les ondes des stations de radio?

Mais, s'il est vrai que la radio a avantage à ce qu'il y ait des productions musicales de qualité et originales pour maintenir la qualité de son produit en ondes, il est également vrai que plusieurs stations de radio sont tellement constipées dans leur sélection musicale qu'elles nuisent à l'ensemble de l'industrie. En fait, avec le début des années 90, il semble même y avoir eu naissance d'une vague de conservatisme ou de peur viscérale de tenter toute expérience. On n'est même plus sûr d'avoir de la musique québécoise le jour de la St-Jean-Baptiste!

Pourtant, avoir un public-cible bien défini (une niche) ne signifie pas automatiquement que le style musical doive être limité à l'extrême. La génération actuelle des jeunes adultes, par exemple, est une génération aux goûts musicaux plutôt variés. Une station de radio leur offrant une programmation satisfaisant pleinement leurs goûts pourrait donc être une station diffusant un mélange bien balancé de chansons ayant des influences à la fois *Dance*, Rock, Pop, jazz, blues et country.

Citations

[1] BREEN, Julian H., Replace Confrontation With Compromise; Radio, Music Biz Aren't Married, article publié dans le magazine américain Billboard, 13 avril 1991, p. 11 - traduction libre.

[2] BRUNET, Alain, Michel Rivard... sans prétention!, article publié dans le journal La Presse de Montréal, samedi 4 janvier 1992, p. E1 et E11.

Les gens des compagnies de disques sont les premiers à tenter de *formatter* un artiste pour qu'il vende.

LES CATÉGORIES DU CRTC

Jusqu'au début des années 90, le CRTC faisait une distinction entre le rock accentué, le rock léger, la musique populaire et la musique de danse. Mais depuis le 1er septembre 1991, seules les catégories suivantes sont utilisées par le CRTC pour les promesses de réalisation des stations de radio.

- Groupe I: Musique populaire, rock et de danse.
- Groupe II: Country et genre country.
- Groupe III: Musique spécialisée.

La définiton de la musique spécialisée inclut le jazz, la musique classique, la musique folklorique, l'opéra et la musique religieuse. Pour le CRTC, le groupe III regroupe également les stations se spécialisant dans les émissions de nouvelles ou à prépondérance verbale.

Cette nouvelle classification a pour résultat que la plupart des stations de radio commerciales se retrouvent dans le groupe I. L'industrie est donc maintenant libre de procéder elle-même à la segmentation du marché et à la définition de différents types de programmation selon les règles du marketing et de la libre entreprise.

LES CATÉGORIES AMÉRICAINES

Les magazines américains BILLBOARD et RADIO & RECORD travaillent avec une imposante liste de catégories musicales dont les principales sont énumérées dans le tableau I. Notez les abréviations, vous les rencontrerez souvent, même si vous faites carrière en français.

Formule	Description sommaire	Âge du public-cible
Contemporary Hit Radio (CHR)	Les succès les plus récents. (Le TOP 40 en est une variante.)	12-34
Adult Contemporary (AC)	Les succès récents.	25-49
Oldies (Gold)	Les succès souvenirs.	35 et plus
Urban Contemporary (UC)	Mélange de musique rock, rhythm & blues, rap et funk jouée principalement par des artistes et pour un public de race noire.	18-44
Album Oriented Rock (AOR)	Musique extraite des albums des artistes rock sans qu'il s'agisse nécessairement d'un succès.	18-34
Classic Rock (CR)	Les plus grands succès-souvenirs du rock.	25-44
Beautiful & Easy Listening (B/EZ)	Musique douce.	35 et plus
Country	Musique country.	25 et plus

Tableau I Les principales formules nord-américaines de programmation musicale

Les catégories québécoises

Dans le magazine québécois Radio Activité, les stations de radio s'identifient à une des deux catégories suivantes: Rock ou Pop adulte. Le choix semble limité!

Avec un peu plus de précision, nous pourrions établir la liste suivante de catégories présentes au Québec:

- Pop Adulte
- Pop
- Rock
- Musique douce
- Country
- Mixte

La catégorie musique de danse n'est pas inscrite dans cette liste parce qu'elle n'existe, à toute fin pratique, plus. D'abord, parce que presque n'importe quelle création musicale pourrait être considérée comme de la musique de danse (on est bien libre de danser comme on veut!). Ensuite, parce qu'avec l'arrivée des années 90, les stations FM de Radiomutuel se sont retirées de cette niche dans laquelle elles étaient les seules à s'être positionnées.

Les tendances nord-américaines et québécoises

Mixte (Block Programming)

Dans les différentes régions du Québec, de nombreuses stations de radio s'identifient comme "Pop Adulte" alors qu'elles offrent, en fait, une programmation "Mixte", ce que les américains appellent du *Block Programming*. Ce type de radio offre une programmation tentant de satisfaire un peu tout le monde: les adultes, le midi, avec un *talk show*; les *teenagers*, le soir, avec du rock; et les amateurs de musique country, le samedi soir, par exemple. C'est une programmation similaire à celle d'une station de télévision en ce sens que les émissions et le public visé varient en fonction de l'heure.

Ce type de programmation est généralement présent dans les régions où une situation monopolistique existe, ce qui est devenu de plus en plus rare avec la multiplication du nombre de stations de radio durant les années 80, ces années durant lesquelles le CRTC se sentait l'âme d'un Père Noël! Plusieurs stations de radio ayant auparavant offert ce type de programmation ont dû se recycler dans une programmation plus constante et plus fiable ou ont dû s'adapter à la compétition en continuant à offrir ce type de programmation mais dans un emballage ressemblant davantage à ce qui est produit par les stations de radio montréalaise CKAC et CJMS, c'est-à-dire du *News/Talk*.

Verbal (News/Talk)

Le *News/Talk* est, souvent, une formule spécialisée de *Block Programming*.

Ce type de programmation a de plus en plus de difficulté à survivre face à l'invasion croissante de la télévision sur son terrain, face à la difficulté d'intéresser un public âgé de moins de 50 ans et face à des coûts de production qui sont devenus faramineux.

On peut donc s'attendre à ce que le nombre de stations dans ce *format* diminue au cours des prochaines années d'autant plus qu'au prorata de la population, il y en a plus au Québec que dans l'ensemble de l'Amérique du Nord. On peut aussi s'attendre à bien des efforts de rajeunissement de l'auditoire et de l'image.

Nous apporterons des précisions sur chacune de ces catégoires dans la prochaine section consacrée à l'analyse des tendances du marché.

Autres informations

Le sujet de la programmation dite «mixte» a été abordé dans la section sur la fiabilité totale (page 37).

POP ADULTE (*AC*)

La formule *Adult Contemporary* continuera à se développer au cours des prochaines années notamment parce que ce type de programmation est, en fait, un vase englobant presque tout. Des nuances dans la programmation peuvent en faire du Rock Adulte (*Hot AC*) comme du Rock Détente (*Soft AC*). Une plus grande concentration de succès souvenirs en fait une station *Oldies*.

Le Pop Adulte se définit souvent davantage par ce qu'il ne joue pas que par ce qu'il joue. Pas de *Heavy Rock*, pas de *rap*, pas de quétaineries. De la musique populaire non agressante, principalement vocale et à succès. C'est une programmation visant traditionnellement les adultes de 25 à 49 ans.

POP (*CHR* ET *TOP 40*)

Cette formule est en perte de vitesse partout en Amérique du Nord et presqu'inexistante au Québec. C'est une formule destinée aux jeunes mais ceux-ci, en plus de leur intérêt traditionnel pour les disques et les cassettes, sont de plus en plus attirés par les vidéos de Musique Plus. D'autre part, les stations de radio Rock ou *Hot AC* rejoignent maintenant une partie de l'auditoire traditionnel de ce type de radio, particulièrement la partie plus âgée.

ROCK

Une formule musicale en pleine croissance. Les nuances dans la programmation en font une radio de jeunes ou d'adultes.

La spécialisation *Classic Rock* est particulièrement appelée à se développer en rejoignant les jeunes adultes et adultes dans un style ressemblant à du *Hot AC*.

Quant à la spécialisation *Album Oriented Rock*, malgré la suprématie du disque audionumérique, son nom tient toujours. D'abord, parce qu'un «album» peut être autant sur disque audionumérique que sur disque de vinyle. Ensuite, parce que la formule demeure populaire!

Comme son nom l'indique, la formule *Album Oriented Rock* est particulièrement reconnue pour jouer des chansons «non-succès» extraites d'albums.

MUSIQUE DE DÉTENTE (*EASY LISTENING* ET *MOR*)

Ce type de programmation offre de la musique principalement d'ambiance visant un public relativement âgé. Mais comme les personnes âgées deviennent graduellement d'anciens jeunes amateurs de musique rock et pop, ce type de radio tend à disparaître pour laisser place au *Soft Adult Contemporary*.

Les appellations *Easy Listening*, *MOR* et *Beautiful Music* seraient donc appelées à disparaître du décor radiophonique.

COUNTRY

En fonction du nombre de stations de radio, le Country est la formule musicale dominante aux États-Unis. C'est également une formule à succès dans plusieurs coins du Canada.

Au Québec, la musique country a été longtemps *snobée* et ne fait que sortir lentement d'un ghetto où elle avait été confinée par les soi-disant bien pensants de l'industrie du disque et de la radio. Bien sûr, comme le reconnaissait l'artiste country Bourbon Gauthier, «il y a trop de chansons, mal écrites sur des mélodies insignifiantes, qui se contentent de parler de cheval et de campagne»[1] mais cela ne nous justifie pas de classer la musique country comme «quétaine». Il y a autant, sinon davantage, de mélodies insignifiantes et de textes mal écrits dans la chanson rock, pop et de danse!

Citation

[1] Déclaration de l'artiste Bourbon Gauthier, extraite d'un article de Christian RIOUX, Quand le country cause français, publié dans le magazine québécois L'ACTUALITÉ, janvier 1992, p. 74.

Les amateurs de musique country constituent généralement un auditoire fidèle, écoutant la radio pendant de longues heures et n'écoutant, souvent, qu'une seule station de radio: la leur! Ce type de radio visant traditionnellement un public majoritairement au-dessus de 35 ans, a toujours créé des liens émotifs très forts avec son public, des liens aussi forts que ceux qui existent entre les artistes country et leur public.

Il est donc difficile de comprendre pourquoi, au moment d'écrire ces lignes, certaines régions du Québec, comme l'Abitibi et Montréal, n'ont toujours pas de stations de radio francophones country. C'est d'autant plus surprenant que les nouveaux styles country se rapprochent du rock et semblent pouvoir attirer des auditeurs plus jeunes incluant des amateurs de musique rock à la recherche d'une ambiance différente. Comme l'affirmait l'artiste Gildor Roy, «des gens sont tannés de la musique synthétique, ils veulent entendre des instruments acoustiques et avoir du plaisir.»[1] D'ailleurs, la musique country véhicule parfaitement bien plusieurs des valeurs à la mode présentement dans notre société.

Au Québec, une station de radio country pourrait même élargir son répertoire musical en allant piger dans les discographies de groupes et d'artistes populaires comme Kashtin, Beau Dommage, Michel Rivard, Marjo, Richard Desjardins, Carole Laure, Paul Piché, Roch Voisine et Gaston Mandeville qui déclarait d'ailleurs au Journal de Montréal: «des gens recommencent à apprécier les sonorités country [et] (...) c'est ce que j'ai toujours fait.»[2]

[1] Déclaration de Gildor Roy, extraite d'un article de Christian RIOUX, Quand le country cause français, publié dans le magazine québécois L'actualité, janvier 1992, p. 73.

[2] Déclaration de Gaston Mandeville, extraite d'un article de Patrick GAUTHIER, L'éternel recommencement de Gaston Mandeville, publié dans Le Journal de Montréal, 12 août 1992, p. 57.

L'HORLOGE DE PROGRAMMATION

Les formules de programmation présentées dans la section précédente décrivent le *format* macroscopique mais ne disent rien sur la formule microscopique de programmation, c'est-à-fire sur la répartition horaire des différents éléments de la programmation.

Une excellente façon de planifier cette formule microscopique est de représenter les éléments de programmation sur une horloge comme celle de la figure 4.

Vous établissez un code de couleur pour chaque élément de la programmation, puis vous les inscrivez sur l'horloge telle que représentée à la figure 5. Vous pouvez aussi inclure, dans le cercle extérieur, un code de deux ou trois lettres définissant la sélection musicale s'appliquant durant les heures couvertes par cette horloge. Même si, à première vue, cette horloge semble complexe, une fois que vous l'avez analysée et comprise, elle devient très simple et sert de base de référence pour tout le monde. C'est la boussole de l'animateur.

Nous reviendrons sur l'horloge de programmation musicale dans le chapitre sur la programmation musicale (page 203).

Évidemment, différentes horloges peuvent être utilisées pour différentes heures de la journée. Une station pourrait, par exemple, utiliser six horloges, soit une pour chacun des segments suivants: l'émission du matin de 6h à 9h, la mi-journée de 9h à 15h, le retour à la maison de 15h à 18h, la soirée de 18h à 22h, la fin de soirée de 22h à minuit et la nuit, de minuit à 6h.

Le besoin d'avoir différentes horloges provient simplement du besoin de varier la programmation en fonction du mandat précis de chaque émission. Par exemple, dans l'horloge du matin vous pourriez prévoir des bulletins de météo plus nombreux et plus longs, alors que l'horloge de mi-journée serait plus musicale.

La préparation de ces horloges incombe évidemment au directeur de la programmation. N'importe qui peut garrocher n'importe quoi sur un bout de papier et appeler ça son horloge de programmation. Mais en faire une vraie, une

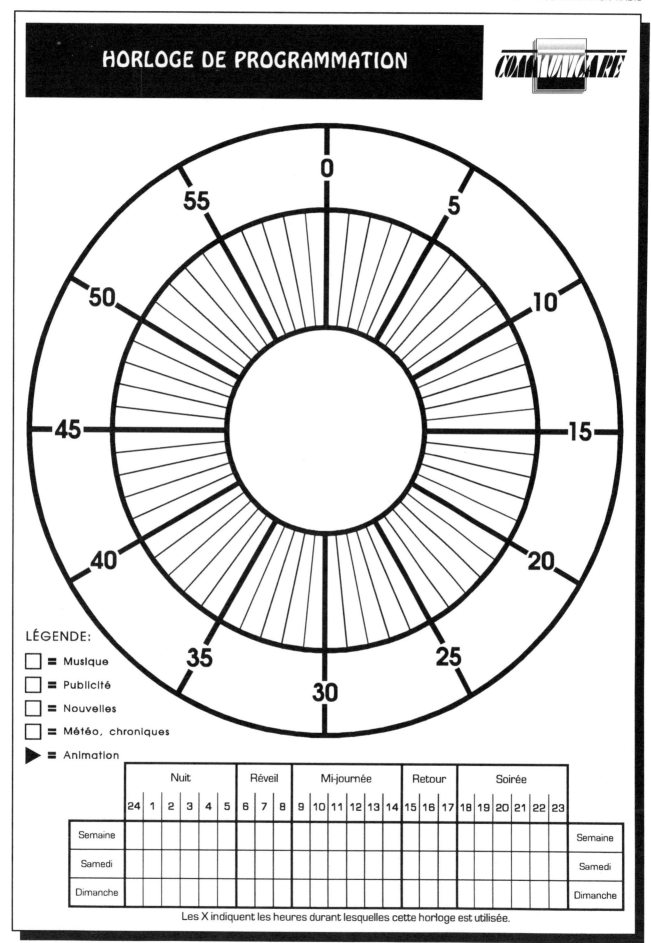

Figure 4 Horloge de programmation

gagnante, demande énormément de réflexion, de recherche et de préparation. C'est une opération de marketing et de créativité. Et comme vous ne pouvez pas la changer trop souvent si vous voulez développer les habitudes d'écoute de vos auditeurs, il est vital qu'elle soit initialement bien préparée.

LE CRTC ET SON VOCABULAIRE

[1] Information extraite du document L'année en rétrospective, CONSEIL DE LA RADIODIFFUSION ET DES TÉLÉCOMMUNICATIONS CANADIENNES, Ministre des Approvisionnements et Services Canada, 1991, Canada, p. 13.

Le Conseil de la radiodiffusion et des télécommunications canadiennes (CRTC) est un organisme du gouvernement fédéral qui règne sur l'industrie canadienne de la radio, de la télévision et des télécommunications.

Les objectifs fondamentaux du CRTC dans le domaine de la radiodiffusion sont[1]:

- d'encourager la production et la distribution d'émissions à caractère canadien distinctif;
- de promouvoir les talents canadiens;
- de procurer aux Canadiens un vaste choix d'émissions;
- de soutenir la croissance d'une industrie à la fois créative et financièrement saine;
- de permettre aux Canadiens d'avoir voix au chapitre quant à l'évolution du système de radiodiffusion;
- d'aider les Canadiens qui sont mal desservis (comme les groupes minoritaires, les personnes handicapées et les populations en région éloignée) à avoir accès au système de radiodiffusion et à en tirer pleinement avantage.

Vous devriez obtenir du CRTC un résumé de leur politique FM et AM de même que son glossaire de termes techniques. Le CRTC étant l'organisme suprême de règlementation dans l'industrie de la radio, vous devriez connaître au moins son vocabulaire. D'ailleurs, la connaissance de ces définitions est essentiel à la compréhension de la promesse de réalisation de votre station, un autre document que vous devriez lire!

Les informations contenues dans les sections suivantes concernant le CRTC et la réglementation radio, peuvent avoir changé depuis la parution de cet ouvrage. D'autre part, les normes minimales énoncées dans les prochains paragraphes ne s'appliquent pas à votre station si celle-ci s'est engagée envers le CRTC à dépasser les normes minimales.

CHANSON-SUCCÈS

Pour le CRTC, un "succès" est une sélection musicale qui a atteint l'une des 40 premières positions du palmarès publié par toute importante publication spécialisée à caractère national ou international. Les palmarès reconnus sont principalement ceux de RPM et de THE RECORD au Canada anglais, le *TOP Singles* et le *TOP 50 Country* de BILLBOARD aux États-Unis et les palmarès anglais et français de RADIO ACTIVITÉ au Québec.

Les sélections diffusées pendant la retransmission en direct d'une émission ou d'un spectacle ne sont pas comptées comme succès, de même que les pièces canadiennes diffusées au cours d'une période de 12 mois suivant leur première apparition dans les 40 premières positions d'un des palmarès reconnus.

Votre définition d'un succès pour fin de programmation pourra être différente de celle du CRTC, mais l'évaluation du respect ou non de votre promesse de réalisation sera basée sur sa définition.

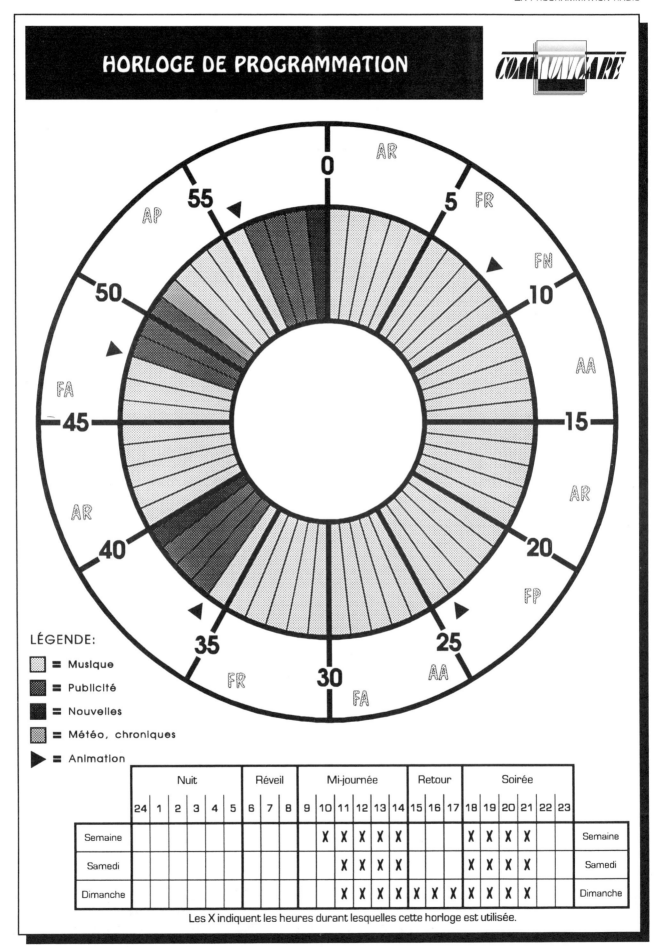

Figure 5 Horloge de programmation - exemple

TENEUR CANADIENNE

Le CRTC accorde une grande importance à la teneur canadienne (*Canadian Content*) de la programmation musicale.

Pour être reconnue comme étant canadienne, une pièce musicale doit satisfaire une des trois conditions suivantes:

1) être l'interprétation instrumentale d'une oeuvre musicale composée par un Canadien ou dont le parolier est un Canadien;

2) être l'interprétation d'une oeuvre musicale composée par un Canadien exclusivement pour des instruments;

3) remplir au moins 2 des quatres sous-conditions ci-dessous:

   • La majorité des musiciens ou des chanteurs sont des artistes canadiens.

   • La musique a été composée par un Canadien.

   • Les paroles ont été écrites par un Canadien.

   • L'interprétation originale a été enregistrée en entier au Canada ou a été interprétée en entier et diffusée en direct au Canada.

C'est la troisième condition qui sert à juger la presque totalité des pièces musicales diffusées sur les ondes des stations de radio musicales. Le résultat de ce jugement est généralement représenté sur les disques promotionnels envoyés aux stations de radio par un logo en forme de tarte. Sur ce logo, chacune des quatre pointes représente une des sous-conditions. C'est le logo "MAPL", faisant allusion à la Feuille d'érable canadienne (*Canadian MAPLe Leaf*), tout en étant l'abréviation de *Music* (musique), *Artist* (musiciens et chanteurs), *Production* (enregistrement) et *Lyrics* (paroles). Ce logo, dont un exemple est présenté à la figure 6, a été créé en 1970 par Stan Klees pour le magazine canadien RPM.

L'exemple de la figure 6 est celui d'une chanson dont le chanteur (A), l'auteur des paroles (L) et le compositeur de la musique (M) sont canadiens, mais dont la production (P) ne l'est pas. Cette chanson obtenant un pointage de 75% serait considérée canadienne par le CRTC (la note de passage étant de 50%: deux conditions sur quatre).

De plus, depuis 1993 (mais rétroactivement au 1er septembre 1991), si un Canadien est responsable à la fois d'au moins 50% des paroles et 50% de la musique (co-auteur et co-compositeur) d'une chanson, celle-ci sera créditée d'un des deux points qui lui sont nécessaires pour être qualifiée de canadienne.

Cette bonification du système de pointage est venue après l'émoi causé en 1991 lorsque les chansons de l'album WAKING UP THE NEIGHBOURS, du canadien Bryan Adams, avaient été jugées «non canadiennes» même si Bryan Adams est un artiste canadien. Le problème venait du fait que Bryan Adams avait écrit les paroles et composé la musique en collaboration avec le producteur qui n'était pas canadien. Aucun point n'avait donc été attribué dans ces deux catégories.

PIÈCE MUSICALE, MONTAGE ET POT-POURRI

Pour le CRTC, une pièce musicale est une chanson ou une pièce instrumentale diffusée de façon intégrale ou, au moins, pendant plus de 60 secondes.

C'est cette condition du «60 secondes minimum» qui a encouragé, pendant des années, la diffusion de chansons françaises en version très abrégée, particulièrement en fin de soirée, de façon à augmenter le nombre de chansons françaises et canadiennes diffusées et à satisfaire ainsi, hypocritement, la promesse de réalisation. Cette pratique n'est toutefois plus tolérée.

Comme ne l'est plus, d'ailleurs, le subterfuge qui consistait à créer des montages sonores dans lesquels quelques extraits de plus de 60 secondes de chansons d'expression française étaient noyés dans un océan d'extraits de moins de 60 secondes de chansons d'expression anglaise. Cela permettait de diffuser un long bloc de musique très fortement anglais tout en comptabilisant la diffusion de quelques chansons françaises.

Figure 6 Logo MAPL représentant la teneur canadienne d'une chanson

Les montages et les pots-pourris sont maintenant considérés comme une seule sélection musicale et le fait qu'une chanson dans le montage dure plus de 60 secondes ne fait pas de celle-ci une sélection musicale par elle-même, tout comme le fait qu'une chanson dure moins de 60 secondes ne permet pas qu'elle soit soustraite au calcul. Pour déterminer la teneur d'un montage ou d'un pot-pourri vous devez plutôt calculer le type de matériel qui prédomine en durée. Si durant la majorité du temps, ce sont des chansons de langue anglaise, à succès et non-canadiennes, le montage sera considéré comme une chanson anglaise, à succès et non-canadienne.

Pour le CRTC, un montage, c'est un ensemble d'extraits de plusieurs pièces musicales «savamment mélangées»[1] alors qu'un pot-pourri, c'est un ensemble de pièces musicales dans lequel un artiste ou une formation musicale interprète des extraits de plusieurs chansons au cours d'une seule exécution.

Musique populaire, rock et musique de danse

Cette catégorie du CRTC regroupe «la musique qui couvre tout l'éventail de la musique populaire, rock et de danse; elle va de styles généralement décrits comme de la musique de détente, la belle musique, le pop adulte, le rock léger, la musique de danse, le rock and roll, le rhythm and blues, le jazz rock, le folk rock et le heavy metal; et elle comprend d'autres formes musicales généralement qualifiées de MOR (middle of the road) ou rock (...) et comprend les pièces musicales figurant sous la rubrique AC (Adulte contemporain), AOR (Album-genre rock) ou musique de danse dans les listes des publications spécialisées reconnues.»[1]

Création orale

Sous cette catégorie est regroupée toute la programmation autre que la musique, les productions musicales et la publicité. Ce qui inclut notamment les nouvelles.

Production musicale

Une production musicale est une «matière musicale radiodiffusée par une station afin de s'identifier ou d'identifier un élément de sa programmation, y compris les continuités pour mettre en lumière des éléments de sa radiodiffusion.»[1]

Ce qui comprend les éléments suivants:

* les thèmes, continuités (transitions) et effets musicaux;
* les vérifications techniques;
* l'indicatif musical de la station;
* l'identification musicale des animateurs et des émissions;
* la publicité musicale effectuée pour certains animateurs et certaines émissions.

Citation

[1] CONSEIL DE LA RADIODIFFUSION ET DES TÉLÉCOMMUNICATIONS CANADIENNES, Avis public CRTC 1990-111, Une politique MF pour les années 90, Gouvernement du Canada, Ottawa, 17 décembre 1990.

Publicité

La publicité est la «matière radiodiffusée dans le but d'encourager les services ou les produits offerts au public par les personnes qui ont recours à la publicité dans le cours normal de leurs affaires.»[1]

Ce qui comprend:

- les messages publicitaires,
- l'identification d'un commanditaire,
- les messages promotionnels avec mention du commanditaire;

mais exclut:

- les concours promotionnels avec ou sans mention d'un commanditaire.

Un message promotionnel avec mention de commanditaire est un message publicitaire encourageant l'écoute d'une émission ou d'une chronique, lorsque ce message est accompagné de la mention d'un commanditaire.

Un concours promotionnel est un concours mis en ondes dans le but d'encourager les gens à écouter la station.

Nouvelles

Les nouvelles sont constituées du «reportage et [de] la lecture des informations sur des événements locaux, régionaux, nationaux ou internationaux qui ont eu lieu au cours de la journée ou des derniers jours.»[1]

Cette définition, en vigueur depuis le 1er septembre 1991, inclut l'interprétation, l'explication et le commentaire de ces nouvelles, mais exclut toujours les bulletins météorologiques, sportifs ou de divertissement.

Émissions souscrites

Les émissions souscrites sont des émissions produites par une entreprise autre que la station de radio et acquises par cette dernière pour diffusion sur ses ondes.

Citation

[1] CONSEIL DE LA RADIODIFFUSION ET DES TÉLÉCOMMUNICATIONS CANADIENNES, Avis public CRTC 1990-111, Une politique MF pour les années 90, Gouvernement du Canada, Ottawa, 17 décembre 1990.

LA PROMESSE DE RÉALISATION

"La promesse de réalisation" est la façon familière de désigner le document regroupant et présentant l'ensemble des promesses de réalisation faites au CRTC pour l'obtention ou le renouvellement de la licence de diffusion.

Les règlementations AM et FM peuvent être modifiées de temps à autre. Demandez donc au directeur de la programmation de vous tenir à jour. Même si c'est à lui qu'incombe la responsabilité de s'assurer que toutes les promesses et tous les règlements soient respectés, vous trouverez avantageux de comprendre les raisons justifiant certaines décisions de programmation.

Sa portée

La promesse de réalisation concerne les émissions diffusées entre 6h et 24h. C'est pourquoi on remarque souvent une différence marquée entre la musique diffusée à 23h45 et celle diffusée après minuit, les radiodiffuseurs profitant des dernières heures de la journée pour satisfaire leurs quotas de toutes sortes.

Même si très peu de stations de radio ont perdu leurs licences pour non-conformité à la promesse de réalisation, celle-ci demeure une condition intégrale de la licence et son respect facilite le processus de renouvellement de la licence, en plus d'améliorer considérablement la crédibilité d'une entreprise qui voudrait acquérir d'autres stations de radio.

André Arthur a goûté à la médecine du CRTC en 1990, et à nouveau en 1991, lorsqu'est venu le temps de renouveler le permis de diffusion de sa station et que le CRTC a accepté, mais pour un an seulement, plutôt que pour la période habituelle de 5 ans.

> «Le Conseil a rendu sa décision à la suite d'une audience publique tenue le 13 mars 1990, au cours de laquelle il a examiné les circonstances entourant certains propos tenus sur les ondes par un animateur de CHRC. Ayant pesé les faits, il est arrivé à la conclusion que ces propos allaient à l'encontre des exigences de la Loi sur la radiodiffusion concernant la présentation d'une programmation de haute qualité et l'obligation d'assurer l'équilibre au cours de la discussion de questions d'intérêt public.
>
> Il est rare que le Conseil rende une décision de la sorte. En pratique, le CRTC penche toujours en faveur de la liberté d'expression. De fait, c'est seulement dans les cas d'abus des plus manifestes qu'il décrète qu'on a outrepassé ce droit. Lorsqu'il n'est pas évident qu'on a manqué à la norme de haute qualité, le CRTC concède la liberté d'expression. Sa politique vise à assurer un minimum de protection aux gens au détriment desquels s'exerce cette liberté d'expression, qui constitue un instrument très puissant lorsqu'on en use en ondes.»[1]

Par un curieux hasard, c'est également à une entreprise de la ville de Québec que le CRTC avait, quelques années plus tôt, refusé le renouvellement d'une licence (celle de CJMF-FM) pour non-conformité flagrante à la promesse de réalisation.

Certains dirigeants de stations, comme ceux de CJMF, décideront en toute connaissance de cause de ne pas respecter leurs engagements ou, du moins, d'arrondir les coins. Cette décision doit toutefois venir de la haute direction. Comme animateur, n'en assumez jamais la responsabilité et ne modifiez jamais votre émission de façon à mettre en jeu le respect d'une promesse de réalisation. Votre carrière en dépend peut-être! André Arthur, lui, avait le privilège d'être à la fois l'animateur controversé et le propriétaire de la station!

[1] CONSEIL DE LA RADIODIFFUSION ET DES TÉLÉCOMMUNICATIONS CANADIENNES, L'année en rétrospective, Ministre des Approvisionnements et Services du Canada, 1991, Canada, p. 17.

CRITÈRES ET CONTRAINTES DE PROGRAMMATION RADIO

LA LANGUE DES ÉMISSIONS

La langue des émissions ne peut, pour aucune considération, être modifiée ne serait-ce que pour quelques minutes. Une station française ne peut parler en anglais à ses auditeurs, ni dans la publicité, ni dans l'animation. Et vice versa. À moins que cela ne soit expressément prévu dans la promesse de réalisation.

L'ORIGINE DES ÉMISSIONS

Chaque station est liée par le nombre d'heures minimales d'émissions locales promis au CRTC et devant être réalisé hebdomadairement.

Avec la récession de 91-92, on a toutefois assisté à un grand nombre de contraventions face auxquelles le CRTC ne pouvait pas faire grand chose. En essayant de réduire leurs coûts d'opération, les radiodiffuseurs remplaçaient allégrement les animateurs par des émissions en provenance de la tête du réseau, des robots (systèmes d'automation) et des émissions pré-enregistrées.

LA CRÉATION ORALE

Depuis le 1er septembre 1991, en remplacement des traditionnelles promesses d'émissions premier plan et mosaïque, les stations de radio FM sont simplement tenues de consacrer au moins 15% de leur semaine de radiodiffusion à de la création orale incluant les nouvelles. Soit 18 heures 54 minutes entre 6h et 24h.

Les stations AM, par contre, ont toujours été passablement libres de leurs décisions à cet égard.

LES NOUVELLES

Les stations FM doivent diffuser au moins 3 heures de nouvelles par semaine. Les stations AM, elles, sont simplement liées par ce qu'elles ont choisi de promettre lors de la présentation de la promesse de réalisation.

De nombreuses stations de radio sont toutefois prises avec des promesses largement exagérées, faites par des propriétaires qui se rabattaient sur une promesse d'augmenter les nouvelles locales lorsqu'ils voulaient amadouer le CRTC afin d'obtenir l'autorisation d'acheter une station de radio ou simplement de se voir accorder le renouvellement de leur licence.

LA PUBLICITÉ

Il n'y a aucune limite imposée aux stations AM quant au nombre total de minutes publicitaires, mais les stations FM, elles, ne peuvent diffuser plus de 1 134 minutes de publicité par semaine, soit 15% de la semaine de radiodiffusion entre 6h et 24h. Ces restrictions quant au nombre de minutes de publicité au FM ont toujours eu pour but de protéger les stations AM.

Toutefois, le CRTC tenant à encourager l'utilisation d'émissions souscrites canadiennes, la publicité diffusée dans le cadre d'une telle émission n'est pas retenue aux fins du calcul du matériel publicitaire d'une station FM. L'utilisation de cette mesure est limitée à un maximum de 60 minutes de publicité additionnelles par semaine.

POLITIQUES ET NORMES

Chaque station doit s'engager à se conformer notamment au code de la publicité radiotélévisée destinée aux enfants et au code de l'industrie relatif aux stéréotypes sexuels. Chaque station doit également se soumettre aux diverses exigences relatives à la tenue du registre des émissions et des bandes-témoins.

Une section entière sera consacrée aux lois, règlements et codes d'éthique (page 69 et suivantes).

CRITÈRES ET CONTRAINTES DE PROGRAMMATION MUSICALE

Les stations AM peuvent faire jouer presque n'importe quoi, n'importe quand et aussi souvent qu'elles le veulent. Elles doivent toutefois, comme les stations FM, respecter les critères de langue et de teneur canadienne.

Les stations FM, par contre, doivent se conformer simultanément à toutes les contraintes présentées ci-dessous. Ces contraintes et restrictions ont pour but, encore une fois, de protéger les AM qui pourraient avoir de la difficulté à survivre à la popularité des FM.

Les propriétaires de station FM étant, pour la plupart, également propriétaires d'une station «AM soeur», ils n'allaient quand même pas s'opposer à cette respiration artificielle de la radio AM! Une respiration articificielle qui n'a fait que permettre à certains radiodiffuseurs dépourvus d'imagination de survivre au détriment de ceux qui auraient, autrement, eu le chemin libre pour faire évoluer l'industrie. Mais maintenant que les difficultés financières de l'industrie de la radio prennent allure de catastrophe, on se réveille et on proteste plus ouvertement: «des politiques qui visaient hier à assurer la diversité ne sont plus pertinentes et ne font que nuire à la mise en place de dispositions commerciales sensées.»[1]

LA LANGUE

Les stations de radio de langue française, tant AM que FM, doivent promettre de diffuser hebdomadairement au moins 65% de musique de langue française. Certaines exceptions, à 55%, ont toutefois été permises dans le passé.

LA FORMULE MUSICALE

Chaque station s'engage, face au CRTC, à respecter un *format* musical déterminé. Mais comme les catégories de *format* du CRTC sont maintenant très générales, ce n'est plus très significatif sauf pour les stations à prédominance verbale, les stations de musique country et les stations spécialisées.

LE RAPPORT VOCAL/INSTRUMENTAL

Le pourcentage de pièces instrumentales qu'une station s'engage à diffuser dans l'ensemble de sa programmation musicale fait partie de la promesse de réalisation et le CRTC s'attend à ce que chaque titulaire de licence respecte son quota de musique instrumentale avec une marge ne variant pas de plus de 5%.

LA TENEUR CANADIENNE

L'exigence hebdomadaire de teneur canadienne dans l'ensemble de la sélection musicale d'une station (*Canadian content*) varie en fonction du niveau de diffusion de musique instrumentale auquel la station s'est engagée. Ces niveaux de teneur canadienne sont présentés au tableau II. Comme la presque totalité des stations de radio diffusent moins de 35% de pièces instrumentales, on peut dire qu'en général la teneur canadienne minimale est de 30%. Pour les émissions de musique traditionnelle, l'exigence de teneur canadienne n'est que de 10% et pour la musique à caractère ethnique, de 7%.

D'autre part, pour les stations AM et FM tenues au minimum de 30%, le CRTC s'attend à ce qu'au moins 25% des pièces de musique populaire diffusées entre 6h et 19h, du lundi au vendredi, soient des pièces canadiennes. Il n'est donc plus question de satisfaire son quota de musique canadienne entre 20h et minuit!

LES SUCCÈS

Parmi les règlements visant à protéger les AM, la limitation du nombre de succès pouvant être diffusés par les stations FM était certes la plus frustrante, tant pour les vrais radiodiffuseurs FM, que pour les auditeurs.

Mais depuis le 1er septembre 1991, reconnaissant que la presque totalité des stations francophones AM du Québec se consacrent principalement au contenu verbal, ces barrières ont été levées pour les stations FM de langue française. Les

Les catégories du CRTC ont été présentées dans la section sur la formule de programmation (page 51).

[1] GROUPE CONSULTATIF DU PLAN D'ACTION POUR LA RADIO, «L'industrie de la radio privée en crise» et «Perspectives nouvelles pour l'industrie de la radio canadienne», rapport présenté au ministre des Communications du Canada, 17 juin 1992, Canada, p. 25.

Tableau II Teneur canadienne minimale de la programmation musicale

Le niveau de musique instrumentale...	...détermine....	...la teneur canadienne minimale dans la programmation musicale.
moins de 35%	⟹	30%
de 35% à 50%	⟹	20%
50% et plus	⟹	15%

stations FM du Canada anglais, par contre, sont encore tenues de diffuser moins de 50% de succès dans toutes les pièces musicales qu'elles diffusent hebdomadairement.

Une des stratégies des FM pour contourner cette contrainte est d'être très avant-gardiste quant à la sélection musicale: on «fait un succès» d'une chanson non encore officiellement considérée comme succès. Pour une station de radio populaire, il est certes préférable de jouer des «nouveautés non-succès» qui deviendront des succès que de diffuser des chansons souvenirs qui demeurent à jamais des «non-succès».

LE FACTEUR DE RÉPÉTITION ET LA LISTE DE DIFFUSION HEBDOMADAIRE

Comme dans le cas du pourcentage de succès, la liste minimale de diffusion et le facteur maximal de répétition sont des contraintes imposées aux FM dans le but d'assurer théoriquement une certaine diversité musicale et de protéger les AM.

Depuis le 1er septembre 1991, les stations de radio FM de langue française sont toutefois exemptées de ces 2 contraintes en raison, semble-t-il, de l'approvisionnement limité de musique de langue française. Eh oui!

Chez les stations de radio FM anglaises, le facteur maximal de répétition d'une même pièce est de 18 fois par semaine et la liste de diffusion hebdomadaire doit contenir au moins 850 pièces distinctes.

LES RÉPERTOIRES ACTUEL, RÉCENT ET PASSÉ

Avec la règlementation en vigueur depuis le 1er septembre 1991, le CRTC ne tient plus compte, dans la promesse de réalisation, du rapport de musique actuelle, récente et passée que les stations de radio diffusent.

Dans le chapitre sur la programmation musicale, nous reviendrons sur les répertoires temporels (page 204 et suivantes).

LES COTES D'ÉCOUTE

On l'a déjà dit: la radio commerciale est une entreprise privée à but lucratif qui n'a, comme principale source de revenus, que la vente aux annonceurs publicitaires du droit de parler sur ses ondes à ses auditeurs. Et la raison pour laquelle des annonceurs sont prêts à payer pour l'utilisation de votre temps d'antenne, c'est que vous avez suffisamment d'auditeurs correspondant au type de personnes qu'ils cherchent à rejoindre.

Cette section est complémentaire à celle intitulée «Votre niche et l'obsession du Numéro UN» présentée au début du présent chapitre (page 26).

C'est pourquoi les sondages de cotes d'écoute ont tellement d'importance: c'est l'évaluation du nombre et l'analyse du type d'individus que votre station rejoint. Autrement dit, c'est le moyen d'évaluation du noeud central de la chaîne de production du produit radio (figure 1): les auditeurs. On procède par sondage, parce qu'il est impossible avec la technologie actuellement disponible de répertorier à coût raisonnable chaque auditeur de votre station de radio.

> «Les sondages sont la vie des stations. Notre direction, à Radiomutuel, a passé les derniers jours à étudier les résultats du sondage d'automne avec les spécialistes d'une firme de consultants. Ils ont décortiqué les résultats, déterminé les forces et les faiblesses de notre programmation, étudié en détail la composition de notre auditoire.»[1]

[1] Déclaration de Jean Gagnon au journaliste Michel MAROIS et rapportée dans la chronique ANTENNES sous le titre «Les sondages, c'est la bible!», journal LA PRESSE, samedi 1er février 1992, p. G5.

Évidemment, comme tout le monde se cherche une niche, tout le monde trouvera une façon de se déclarer «Numéro Un». Mais le seul élément vraiment crucial pour un annonceur publicitaire, c'est la moyenne d'auditeurs au quart d'heure dans le segment horaire durant lequel il diffusera ses messages par rapport au prix du 30 secondes dans ce segment horaire. Pire, l'annonceur publicitaire ne sera généralement intéressé que par la moyenne au quart d'heure d'auditeurs répondant au profil de son public-cible et non par le nombre total d'auditeurs de votre station.

Traditionnellement, les sondages les plus significatifs pour l'industrie sont ceux de l'automne. Certains marchés n'ont d'ailleurs de sondage qu'une fois par année, à l'automne.

Pour vous, animateur, les sondages de cotes d'écoute, ça signifie une «période de folie». Cette méthode d'évaluation de l'écoute a des conséquences sur votre horaire: il est notamment strictement interdit de prendre des vacances durant la période des sondages! Et en ce qui vous concerne, cette période débute environ un mois avant la période vraiment couverte par les sondages (parce que les habitudes d'écoute ne peuvent pas se changer instantanément) et se termine une semaine après (parce que des gens peuvent remplir leur cahier de sondage durant les jours suivant la fin de la période de sondage).

LES FIRMES DE SONDAGE

Aux États-Unis, jusqu'en 1991, les firmes Birch-Scarborough et Arbitron se faisaient concurrence sur le marché de l'évaluation de l'écoute radio: Birch effectuant ses sondages par téléphone en sondant un répondant par foyer et Arbitron procédant comme BBM, avec des cahiers de sondage et en sondant chaque individu d'une maison. Mais depuis la fermeture de Birch-Scarborough en décembre 1991, Arbitron file fin seul.

Au Canada, la compétition est inexistante alors que la firme BBM est la seule spécialisée dans les sondages de cotes d'écoute radio et la référence de l'industrie de la publicité.

BBM est l'abréviation de *Bureau of Broadcast Measurement*. C'est un organisme coopératif, sans but lucratif, fondé en 1944 et qui a pour unique vocation de mesurer des auditoires. Les stations de radio qui désirent se prévaloir des services de BBM doivent en être membres. Le prix d'adhésion est établi en fonction notamment de la carte de tarifs de la station, du nombre de sondages effectués par année et de la taille du marché.

Les annonceurs et les agences de publicité ont également accès au membership de BBM comme utilisateurs des données. Et toute autre entreprise peut aussi être membre, mais alors sans droit de vote.

LA MÉTHODE DE SONDAGE BBM

Les sondages sont effectués auprès de citoyens qui acceptent de remplir un cahier dans lequel ils sont sensés noter, quart d'heure par quart d'heure, les stations qu'ils écoutent, en spécifiant l'endroit où ils sont au moment de l'écoute. Chaque individu doit remplir ce cahier pour une période de 7 jours. La période sondée est uniquement celle qui se situe entre 5h du matin et 1h, le lendemain matin.

Ces cahiers expédiés par la poste contiennent plusieurs autres questions secondaires servant à établir le profil socio-économique du répondant: notamment le sexe, l'âge, la langue parlée à la maison, le niveau d'études complété, le nombre d'heures par semaine au travail et l'occupation. A l'intérieur du cahier, une page est spécifiquement destinée à recueillir les commentaires du répondant.

L'échantillonnage est effectué par téléphone, donc seulement auprès des ménages occupant un logement privé et ayant un numéro de téléphone non confidentiel. Dans chaque foyer sondé, chaque personne de plus de 12 ans est sondée.

Dans les grands marchés, à compter de 1993, on effectue 3 sondages par année, chacun d'une période de 8 semaines consécutives. Auparavant, la période de sondage comportait 3 semaines prises au hasard à l'intérieur d'une fenêtre de 5 ou 6 semaines déterminées à l'avance. Chaque répondant n'est mis à contribution que durant une semaine.

Une fois compilées, les données sont transmises aux membres dans des bouquins ou sur disquettes pour les abonnés de Micro-BBM. Fonctionnant sur ordinateur IBM ou compatible, Micro-BBM permet d'analyser et de présenter l'information selon les besoins de segmentation de chacun.

LES RÈGLES DE CONDUITE BBM

Si vous travaillez pour une station membre de BBM, procurez-vous et lisez le document intitulé RÈGLES DE CONDUITE de BBM. Voici quelques points soulignés par ces règles de conduite:

- Vous ne devez poser aucun geste en vue d'influencer les sondages ou d'en dénaturer les résultats.
- Vous ne devez en aucune façon, en ondes, tenter d'influencer ou d'aider les répondants aux sondages.
- Il vous est interdit d'obtenir ou de tenter d'obtenir les noms, adresses et numéros de téléphone des répondants aux sondages et, conséquemment, il vous est interdit d'entrer en contact ou de tenter d'entrer en contact avec des répondants aux sondages.
- Vous ne devez conseiller personne sur la façon de remplir un cahier de sondages et, bien sûr, vous et les membres de votre famille immédiate ne devez pas remplir de cahier, même si BBM vous en expédie un par erreur.
- Si vous travaillez pour une station membre, vous ne devez pas faire référence, en ondes ou en-dehors des ondes, aux cahiers d'écoute.

Ainsi, même s'il est de notoriété publique que toutes les stations de radio «se donnent au maximum» et mettent en ondes de nombreux concours et promotions durant les périodes de sondages BBM, ceci ne doit officiellement pas être le cas. C'est pourquoi, vous devez commencer les concours au moins deux semaines avant le début de la fenêtre de sondage de façon à pouvoir affirmer (le plus sérieusement du monde!) que ces concours ne sont pas reliés au sondage.

PROBLÈMES DES SONDAGES BBM

Évaluer l'auditoire de la radio est beaucoup plus difficile que de déterminer celui de la télévision ou d'évaluer le «lectorat» des journaux. La journaliste Nathalie Funès a très clairement résumé ce problème dans le livre L'ÉTAT DES MÉDIAS:

> «Dans la plupart des pays industrialisés, le public de la radio est beaucoup moins ausculté que celui de la télévision, sans doute en raison de difficultés techniques. L'écoute est individuelle, souvent en dehors du foyer; les appareils récepteurs sont nombreux (5,6 postes dans chaque foyer aux États-Unis) et techniquement variés (du transistor à l'auto-radio en passant par le walkman); la mémoire de l'auditeur est plus fragile encore qu'en télévision ou en presse: quand on écoute la radio, on s'attache la plupart du temps à un fond sonore tout en continuant à vaquer à ses occupations, on peut changer continuellement de station, on ne sait parfois même pas sur quelle radio on est branché.»[1]

Il est logique de penser que plusieurs personnes complètent leur cahier BBM de façon rapide et désinvolte. Il est difficile de compter pendant 7 jours sur l'attention soutenue d'un individu acceptant gentiment de rendre service à la

Citation

[1] FUNÈS, Nathalie, QUI ÉCOUTE LA RADIO? UNE COMPARAISON INTERNATIONALE, article publié dans le livre réalisé sous la direction de Jean-Marie CHARON, L'état des médias, Éditions du Boréal, La Découverte, Médiaspouvoirs et CFPJ, Canada et France, 1991, p. 197 et 199.

firme BBM! Il s'agit donc d'un outil de collecte d'information relativement lourd et envers lequel il existe forcément de nombreuses questions quant à la validité et à la précision de l'information recueillie.

Et une certaine tranche de la population peut avoir davantage de prédispositions à ne remplir le cahier qu'à la dernière minute, d'un seul trait, ou à ne pas le remplir et ne pas le retourner. Par exemple, les hommes entre 18 et 24 ans sont, semble-il, une tranche de la population très peu portée à répondre aux sondages. Si cette tranche de la population est précisément votre public-cible, vous êtes forcément désavantagé.

La méthode d'échantillonnage par téléphone tend d'ailleurs à exclure les étudiants et les personnes en résidence de même qu'une certaine catégorie de gens d'affaires ou publiques ayant un numéro de téléphone confidentiel.

D'autre part, l'histoire a prouvé que certaines stations de radio avaient réussi à manipuler les cahiers de sondages de façon à avantager leur station. C'est d'ailleurs ce problème que reconnaît indirectement BBM en utilisant les slogans «Aidez-nous à éviter la manipulation des sondages» et «Crayonner des cahiers, ça peut barbouiller une réputation» à l'intérieur même des livres de compilation des cotes d'écoute.

Il faut également préciser que les données BBM ne sont pas suffisantes pour permettre au directeur de la programmation ou à l'animateur d'évaluer les raisons pour lesquelles leur programmation ou leur émission a du succès ou est un échec. C'est un outil d'évaluation quantitative, mais non qualitative. On vous donne seulement le nombre et le profil général de votre auditoire sans vous donner d'indication sur les raisons qui l'incite à vous écouter.

Finalement, dans le cas d'une petite station de radio, adhérer à BBM présente souvent les désavantages supplémentaires suivants:

- Les données sont incomplètes à cause d'un échantillon trop petit.
- La précision des résultats en est d'autant réduite.
- L'utilité de l'information est presque nulle au niveau local, lorsque les clients-annonceurs ne savent pas lire les données de BBM ou préfèrent se fier aux résultats de leurs campagnes publicitaires antérieures sur vos ondes, plutôt qu'à des sondages.
- Le coût d'adhésion est donc relativement élevé par rapport aux revenus publicitaires à en tirer.
- Les régions d'écoute de BBM (les cellules BBM) ne correspondent pas toujours au véritable marché central de la station.

LES ALTERNATIVES À BBM

En attendant l'arrivée de l'audimètre passif[1], présentement développé par la firme américaine Arbitron, il faut vivre avec les sondages traditionnels réalisés par téléphone et par courrier. Et il faut reconnaître qu'il est extrêmement difficile pour une station de radio de vendre de la publicité aux agences nationales ou de la publicité dans un milieu compétitif sans les résultats des sondages BBM, parce que l'ensemble des intervenants de l'industrie de la publicité ont fait de BBM un grand sage sinon un dieu.

Plusieurs stations de radio se payent des sondages de firmes privées en remplacement ou en complément de ceux de BBM de façon à obtenir de l'information supplémentaire et des réponses plus précises à des questions spécifiques reliées à leur marché. Ces études ne peuvent toutefois que très rarement être utilisées par les vendeurs, les annonceurs continuant généralement

Note

▼

[1] L'audimètre est un appareil qui enregistre automatiquement l'exposition d'un individu aux signaux radio et télévision à la condition que cet individu porte sur lui l'audimètre durant toute la journée. Pour que ce mode de sondage puisse fonctionner, il faut que les stations de radio et de télévision émettent un signal sonore continuel inaudible à l'oreille humaine, mais perçu par l'audimètre.

de réclamer les données de BBM avec lesquelles ils sont habitués de travailler et la maison de sondages indépendante n'ayant souvent pas la crédibilité ou la notoriété nécessaire pour établir la confiance de l'acheteur de publicité.

Une bonne façon d'améliorer l'utilité de cette pratique alternative serait de regrouper des stations locales. Par exemple, toutes les stations de la Gaspésie pourraient se regrouper pour commander une étude mieux adaptée à leur région et répondant à des questions spécifiques. Cette étude serait plus crédible pour les annonceurs et, par le fait même, plus utile aux représentants publicitaires de la station parce qu'elle serait reconnue par tous les compétiteurs d'une même région. Cette alternative devient très populaire aux États-Unis, principalement dans les nombreux marchés non desservis par Arbitron et où la fermeture de Birch a laissé un trou béant.

LE VOCABULAIRE DES COTES D'ÉCOUTE

Dans le chapitre sur la création et la production publicitaire, nous fournirons la définition des termes reliés plus spécifiquement à la vente de publicité (page 159).

BBM a préparé, pour ses membres, différents guides d'interprétation expliquant la façon de lire, de comprendre et d'utiliser les données fournies.

Dans la présente section, nous ne présentons qu'un résumé sommaire des principaux termes de ce vocabulaire spécialisé, notre but étant simplement de vous initier à ce jargon.

TERRITOIRE TOTAL DE DIFFUSION

En anglais: *Full Coverage.*

C'est l'ensemble de toutes les régions où le signal de votre station pénètre directement ou par relais et dont l'écoute est décrite dans les cahiers BBM.

Aucune donnée ne peut être calculée en pourcentage de la population sur ce territoire puisqu'aucune région géographique de référence n'est définie.

RÉGION CENTRALE

En anglais: *Central Area.*

La région centrale est une région géographique spécifique définie comme région principale de diffusion pour fin de sondage. Ces régions correspondent généralement à celles définies par Statistiques Canada.

AUDITOIRE CUMULATIF

Synonymes: Portée, auditoire sans duplication, pénétration.

En anglais: *Cumulative Audience, Cume, Reach, Unduplicated Audience, Circulation.*

L'auditoire cumulatif, c'est le nombre de personnes différentes écoutant votre station pendant au moins un quart d'heure au cours d'une période de référence donnée. Si cette période de référence est l'ensemble de la semaine, il s'agit de l'auditoire cumulatif hebdomadaire (*Weekly Cume*).

L'auditoire cumulatif peut aussi être exprimé en pourcentage par rapport à la population de votre région (cellule). Il s'agit alors du niveau d'écoute (*Listening Level*).

AUDITOIRE EXCLUSIF

En anglais: *Exclusive Reach.*

L'auditoir exclusif représente le nombre d'auditeurs de la radio rejoints uniquement par votre station.

AUDITOIRE MOYEN PAR QUART D'HEURE

En anglais: *Average Quarter Hour Audience, AQH Audience.*

C'est le nombre moyen de personnes à l'écoute de votre station à chaque quart d'heure au cours d'une période donnée.

Cette donnée peut être exprimée en pourcentage de la population (*AQH Rating*) ou en pourcentage de l'auditoire de l'ensemble des postes de radio dans ce quart d'heure (*AQH Share*).

VOLUME D'ÉCOUTE

En anglais: *Total Hours Tuned.*

Le volume d'écoute est la somme de toutes les heures d'écoute consacrées à votre station par l'ensemble de vos auditeurs.

DURÉE D'ÉCOUTE MOYENNE

En anglais: *Average Hours Tuned.*

C'est le nombre moyen d'heures que chaque auditeur de votre station consacre à l'écoute de votre station.

LOIS, RÈGLEMENTS ET CODES D'ÉTHIQUE

Les lois, règlements et codes d'éthique s'appliquant à la publicité sont de plus en plus nombreux, contraignants, sévères et surtout, comme l'expliquait l'avocat Robert B. Legault, frustrants.

> «Il est bien connu qu'un message de 30 secondes n'a toujours que 30 secondes. Or, les annonceurs sont de plus en plus obligés, par les différentes lois ou par les exigences des réseaux, d'ajouter de l'information à leurs messages. Que ce soit le CRTC, la Direction des pratiques commerciales, l'Office de la protection du consommateur, la Régie des permis d'alcool, les Aliments et drogues, la Régie des loteries et courses, et j'en passe, tout le monde en somme veut fourrer son nez dans votre message. À telle enseigne qu'une fois tout ceci inclus, l'annonceur n'a plus de place pour inclure son propre message.»[1]

Mais aussi frustrant soit-il, ce sujet ne peut pas être pris à la légère. Votre station de radio et vous-même êtes tenus de respecter, comme tout autre citoyen, toutes les lois en vigueur. Et n'oubliez jamais que la Loi fédérale sur la concurrence spécifie notamment qu'un annonceur publicitaire effectuant une déclaration trompeuse est coupable d'un acte criminel et est passible d'un emprisonnement de 5 ans. Attention! On ne rit plus.

L'ACRTF et le Conseil canadien des normes de la publicité, entre autres, sont en mesure de vous fournir de la documentation sur ce sujet.

DANS LA PUBLICITÉ

Les documents suivants sont particulièrement importants:

- la Loi québécoise sur la protection du consommateur,
- la Loi fédérale sur la concurrence,
- le Code canadien des normes de la publicité.

Citation

[1] LEGAULT, Robert B., De moins en moins lisible: la multiplication des réglementations obscurcit les messages publicitaires, magazine québécois INFO PRESSE COMMUNICATIONS, juin 1991, p. 18; Robert B. Legault est un associé du cabinet d'avocats Legault, Joly.

Nul n'est sensé ignorer la Loi.

Ces documents traitent notamment des sujets suivants auxquels vous devez accorder une attention toute particulière:

- la publicité destinée aux enfants,
- les stéréotypes,
- la publicité sur l'alcool, le tabac, les médicaments et les aliments,
- la publicité politique,
- la publicité comparative.

La publicité destinée aux enfants

Au Québec, il est strictement interdit de s'adresser aux enfants de moins de 13 ans dans un message publicitaire. Les fabricants de jouets n'ont pas encore digéré cette loi, mais la Cour Suprême du Canada a donné raison au gouvernement du Québec le 28 avril 1989 même si les juges ont reconnu que la loi québécoise restreignait la liberté d'expression.

Dans le reste du Canada, un Code interdit la publicité destinée aux enfants de moins de 6 ans.

Il est toutefois difficile de croire que les enfants soient ainsi soustraits à l'influence de la publicité. Ils sont, eux aussi, d'avides consommateurs de médias électroniques et ne ferment ni les yeux ni les oreilles à la publicité destinée aux adultes. Et certaines émissions de télévision comme celle des *Ninja Turtles* ne constituent rien de moins qu'une forme déguisée de publicité qui fait vendre des millions de dollars de produits.

Les stéréotypes

La règlementation fédérale de la radio stipule notamment qu'aucune station de radio ne peut diffuser:

- de propos discriminants basés sur la race, la nationalité, le groupe ethnique, la couleur de la peau, la religion, le sexe, l'âge ou les capacités mentales ou physiques;
- de propos obscènes.

Les lignes directrices de l'industrie de la publicité sur les stéréotypes sexistes fournies par le Conseil des Normes de la Publicité stipulent notamment que:

- la publicité doit présenter à la fois les femmes et les hommes dans des rôles de décideurs, en tant qu'acheteurs et utilisateurs de biens, que ce soient des biens et services coûteux et importants ou non;
- la publicité doit utiliser des termes génériques qui incluent les deux sexes: il faut dire «gens d'affaires» et non pas «hommes d'affaires».

La publicité sur l'alcool, le tabac, les aliments et les médicaments

La publicité sur le tabac est strictement interdite dans les médias électroniques.

Quant à la publicité de bière ou de produits alcoolisés, le texte du message doit être approuvé et un numéro d'autorisation obtenu avant la diffusion.

La publicité politique

De nombreuses règles s'appliquent particulièrement à la publicité politique en période électorale ou référendaire. Lors de la prochaine campagne, assurez-vous de mettre la main sur les règles de conduite en période électorale ou référendaire et lisez-les, pour éviter de vous mettre les pieds dans les plats!

En 1988, la politique du CRTC relative à la radiodiffusion en période électorale était résumée dans un document de 19 pages[1]. Et pour vous aider, l'Association canadienne des radiodiffuseurs produit généralement avant chaque élection un document de renseignements sur les élections.

LA PUBLICITÉ COMPARATIVE

Pour comparer son produit à celui d'un compétiteur, il faut être capable d'étayer ses affirmations par une preuve objective. D'abord, parce que la loi l'oblige, mais aussi parce que, sinon, le concurrent pourra revenir à la charge en vous assommant d'un seul coup bien placé.

La loi ne s'arrête pas à obliger l'objectivité: elle précise, par exemple, que même en comparant, il ne faut jamais discréditer son adversaire que ce soit par des intonations de voix ou autrement.

Et comme, en plus, certaines études ont démontré que les consommateurs sont peu enclins à croire les publicités comparatives, il est certes préférable de laisser ce type de publicité aux professionnels de la planification marketing.

LA LOI QUÉBÉCOISE SUR LA PROTECTION DU CONSOMMATEUR

Cette loi interdit notamment[2]:

- de faire une affirmation fausse ou trompeuse;
- de prétendre faussement qu'un avantage pécuniaire résulterait de l'acquisition ou de l'utilisation d'un produit;
- d'attribuer faussement à un produit une dimension, un poids, une mesure, un volume ou une caractéristique de rendement;
- de déprécier faussement un produit offert par un autre;
- de prétendre faussement à un mode de fabrication déterminé ou à une origine géographique déterminée;
- de donner plus d'importance aux paiements périodiques qu'au prix total;
- d'indiquer faussement le prix courant ou une réduction de prix;
- d'omettre un fait important;
- d'accorder plus d'importance à la prime qu'au produit;
- de s'appuyer faussement sur une analyse scientifique ou un témoignage.

LA LOI FÉDÉRALE SUR LA CONCURRENCE

Cette loi remplaçant la Loi sur les coalitions interdit notamment[3]:

- de donner des indications fausses ou trompeuses sur un point important;
- de faire des affirmations concernant le rendement, l'efficacité ou la durée utile d'un produit sans pouvoir fournir de preuves;
- de promettre une garantie ou un remplacement s'il n'y a aucun espoir raisonnable qu'elle soit respectée;
- d'annoncer à «prix d'occasion» un produit dont on ne dispose pas en quantité raisonnable par rapport à la nature du marché, de l'entreprise et de la publicité qui en est faite;
- de prétendre à une attestation quelconque ou d'affirmer que le produit a passé des épreuves de rendement, d'efficacité ou de durée de vie si on n'est pas en mesure de prouver que ces épreuves ont été effectuées avant la publicité.

Pour déterminer si les indications sont fausses ou trompeuses, il faut tenir compte autant de l'impression générale que du sens littéral.

Notes

[1] CONSEIL DE LA RADIODIFFUSION ET DES TÉLÉCOMMUNICATIONS CANADIENNES, Une politique relative à la radiodiffusion en période électorale, avis public CRTC 1988-142, 2 septembre 1988, Canada, 19 p.

[2] Cette liste est adaptée de la Loi sur la protection du consommateur, L.R.Q. chapitre P-40.1, à jour au 12 mars 1991, Gouvernement du Québec, articles 216 à 244.

[3] Cette liste est adaptée de la Loi sur la concurrence, Gouvernement du Canada, décembre 1990, p. 36 à 38 et 41.

LE CODE CANADIEN DES NORMES DE LA PUBLICITÉ

Le Code canadien des normes de la publicité adopté par les publicitaires canadiens et administré par le Conseil des Normes de la Publicité, n'a pas force de loi. Il vise simplement à encourager les annonceurs à s'autocensurer de façon à développer de la publicité honnête et à éviter que des lois encore plus sévères viennent un jour gérer l'industrie de la publicité.

Ce Code aborde les 15 sujets suivants:

- la véracité, la clarté et l'exactitude des messages;
- les techniques publicitaires déguisées;
- les indications de prix;
- les appâts et les produits de substitution;
- les garanties;
- la publicité comparative;
- les témoignages;
- les déclarations de professionnels ou de scientifiques;
- l'imitation de la publicité d'un concurrent;
- la sécurité d'utilisation du produit;
- l'exploitation des personnes handicapées;
- les superstitions et les frayeurs;
- la publicité destinée aux enfants;
- la publicité destinée aux mineurs;
- le bon goût et les convenances.

Tous ces points sont expliqués dans un livret de 14 pages[1] distribué gratuitement par le Conseil des Normes de la Publicité. Procurez-vous-en donc un!

Note

[1] LA FONDATION CANADIENNE DE LA PUBLICITÉ, Le Code canadien des normes de la publicité, publié par le Conseil des Normes de la Publicité, mars 1991, 14 p.

DANS L'ANIMATION

Même si la plupart des lois, règlements et codes d'éthique de l'industrie traitent spécifiquement de publicité, à titre d'animateur, vous pourriez quand même avoir des surprises si vous ne faites pas attention.

Le libelle diffamatoire est sans doute le plus grand danger qui vous guette. Même si votre station a des assurances, vous n'avez aucune raison de diffamer un individu ou de véhiculer de la fausse information à moins, bien sûr, que votre émission soit ce qui est convenu d'appeler de la *trash radio* et que vous cherchiez précisément à provoquer. La décision de produire une telle émission ne peut toutefois venir que de la haute direction parce que les conséquences légales et les conséquences possibles sur votre licence de radiodiffusion émise par le CRTC sont considérables.

La course aux cotes d'écoute est financièrement lourde de conséquences mais il doit quand même y avoir une limite à la violence verbale. Et ce n'est pas juste une question de loi, c'est aussi une question d'image et de relation avec le public. Vous pourriez avoir de mauvaises surprises à véhiculer sexisme, racisme ou tout autre stéréotype non acceptable dans la société.

Dans les annales de la radio...

Voici un commentaire extrait de la chronique EN COULISSES de Lise Giguère publié dans le journal LE SOLEIL de Québec en juillet 1991:

«Je m'ennuie d'Alain Dufresne! Depuis qu'il est parti de l'animation matinale de CHOI, c'est Michel Carrier qui le remplace. Sa spécialité: les répliques machos dignes de la pièce

Citrouille écrite il y a plus de 15 ans pourtant. Peut-être quelqu'un devrait-il l'avertir que son auditoire est composé majoritairement de femmes?»[1]

Croyez-vous que de faire parler de soi ainsi dans les journaux soit vraiment une bonne publicité pour votre station?

● ●

[1] GIGUÈRE, Lise, <u>En Coulisses</u>, journal LE SOLEIL de Québec, dimanche 7 juillet 1991, p. B4.

CHAPITRE 2

L'ANIMATION

Les illusions de jeunesse se perdant en vieillissant et l'effet d'une féroce compétition se faisant de plus en plus sentir sur le moral comme dans le porte-monnaie des gens de radio, nombreux sont ceux qui ont commencé plus ou moins consciemment à se comporter comme si la vie n'était rien d'autre qu'un long combat. Le *fun* est mort! On travaille pour gagner sa vie, un point c'est tout. Et voilà précisément le début de la fin! Pourquoi? Parce que le succès en radio est largement basé sur le divertissement. Faire de la radio, c'est faire du *showbiz*.

C'est d'ailleurs pour cette raison qu'un «animateur» radio n'est vraiment pas un «annonceur». Il existe une distinction fondamentale entre ces deux termes. Un annonceur, c'est un client qui achète de la publicité. Il annonce. Un animateur, par contre, c'est ce que les américains appellent un *entertainer*. Il anime une émission. Il ne fait pas qu'annoncer des choses. Cette nuance, d'apparence strictement sémantique, fait pourtant toute la différence dans la façon dont vous percevez et accomplissez votre boulot... d'animateur. Adoptez un style impersonnel et froid, annoncez des choses sans vraiment animer votre émission, et vous n'irez pas loin!

Votre travail d'animateur consiste à capter et à conserver l'attention des gens qui, pour une raison ou pour une autre, écoutent votre station à l'instant où vous parlez. Comme auditeur, il vous est sans doute déjà arrivé d'ouvrir la radio pour connaître les prévisions météorologiques, d'attendre pendant 15 minutes le prochain bulletin de météo, d'écouter les premiers mots du bulletin, puis de vous mettre à penser à autre chose pour vous rendre soudainement compte que vous aviez manqué le bulletin. Vous l'avez entendu, mais n'avez rien retenu. Conserver l'attention de vos auditeurs est un immense défi, même si le sujet dont vous parlez les intéresse vraiment.

Dans un dialogue en face à face, le langage corporel est souvent plus significatif que celui des mots. Vous comprenez ce que votre interlocuteur pense par les mouvements de sa tête, de ses épaules, de ses lèvres et de ses sourcils. À la radio, vous êtes coupé de ce feed-back. Cela entraîne plusieurs animateurs à penser davantage à eux et à leur performance qu'à la personne à qui ils parlent. Ils s'écoutent parler. La parole devient plus mécanique.

Un animateur n'est pas un annonceur.

Votre travail: capter l'attention et la soutenir.

Nous reviendrons sur le sujet de «l'emballage» dans la section sur le langage radiophonique (page 82 et suivantes).

Nous reviendrons sur le sujet du «contenu» dans la section sur les sujets traités (page 94 et suivantes).

Nous reviendrons sur le sujet de la «livraison» dans la section traitant de la voix (page 78 et suivantes).

Afin d'éviter ce piège, imaginez le visage d'un auditeur et ses réactions au fur et à mesure que vous parlez. Oubliez-vous et concentrez-vous sur cet auditeur pour établir une proximité physique, aussi fictive soit-elle.

Pour établir une relation intime avec vos auditeurs, vous devez travailler simultanément sur trois fronts:

Les mots et le langage (l'emballage)

Même si vous parlez réellement à plusieurs personnes, vous devez le faire en fonction de plusieurs relations individuelles simultanées et non pas comme si vous vous adressiez à une foule. Évitez donc les expressions du style «Mes chers auditeurs» et «Bonjour tout le monde». Personne ne s'identifie comme étant "tout le monde"! Dites simplement «Bonjour!» et chaque auditeur le prendra personnellement.

De plus, impliquez vos auditeurs dans la formulation de vos idées en présentant les choses selon leur angle de vue. Par exemple, au lieu de dire «Nous avons des billets à remettre pour le spectacle de Marjo», pourquoi ne leur diriez-vous pas «Voici votre chance d'assister gratuitement au spectacle de Marjo»?

Les sujets de vos interventions (le contenu)

Pour que vos auditeurs sentent que vous faites partie de leur univers, vous devez parler leur langage, mais vous devez aussi parler de ce qui les intéresse. Vous devez être collé à leur réalité, être concerné par ce qui les touche, vivre ce qu'ils vivent. Et cela ne peut se réaliser qu'en additionnant une foule de petits détails. Par exemple, le premier lundi après le changement d'heure, pourquoi ne pas donner l'heure un peu plus souvent? Vous simplifieriez ainsi la vie à ceux qui se demanderaient durant toute la journée si l'heure indiquée par l'horloge en face d'eux a déjà été avancée ou s'ils sont en retard.

Pour réaliser cet objectif sur une base quotidienne, vous devez bien connaître votre communauté et votre public-cible. L'enquête d'immersion dans la vie locale présentée à la figure 3 (page 29) vous aidera à réaliser cet objectif.

Le développement d'une ambiance intime implique aussi que vous ne fassiez jamais de ces fameuses *Inside Jokes*, celles que vous seul, et peut-être une autre personne dans le studio, comprenez. Quand avez-vous ri avec quelqu'un qui riait de quelque chose dont vous n'êtes pas au courant? Jamais! Il en est de même pour vos auditeurs.

Votre voix (la livraison)

Vous devez animer comme si vous racontiez une histoire à un ami au téléphone de manière à éviter absolument le style discours. Là est la différence entre un animateur et un «annonceur».

VOTRE PERSONNALITÉ EN ONDES

Dans la vie de tous les jours, votre personnalité, c'est un peu le mélange de votre tempérament, de vos sentiments et de votre expérience mais en ondes, c'est tout simplement ce que vous avez décidé d'être. Comme il est impératif que votre personnalité en ondes soit constante d'une journée à l'autre et d'un segment de programmation à l'autre, il est certes préférable que votre personnage en ondes ait une personnalité se rapprochant de la vôtre.

Être constant et fidèle à votre personnage en ondes est une des plus belles preuves de professionnalisme, parce que la clarté et la constance de votre personnage sont primordiales au développement de la fidélité de l'écoute. Comme un acteur jouant Macbeth sur scène, vous avez une personnalité et une image qui sont reliées à l'émission que vous animez. Les gens qui achètent un billet pour aller voir une pièce de théâtre d'Ionesco n'apprécieraient pas voir un film de Steven Spielberg même s'ils aiment Spielberg.

Alors, si votre personnage est, par exemple, clairement féministe et que vous créez (hors des ondes) une farce sexiste, refilez-la à une autre personne intervenant dans votre émission afin de vous donner la chance en ondes d'y réagir négativement ou attribuez-la à quelqu'un d'autre dans le style "Vous ne devinerez jamais ce que mon beau-frère a dit hier soir..."

Pour avoir une personnalité constante en ondes, il faut aussi être capable de contrôler ses émotions. Les gens qui écoutent régulièrement votre émission n'apprécieraient probablement pas d'avoir soudainement droit à une dramatique de quatre heures sur la vie, le jour où vous n'êtes pas de bonne humeur. Vous pouvez être humain et vulnérable sans décevoir les auditeurs qui s'attendent à un certain type d'émission de votre part. Lorsque vous payez pour aller voir Phil Collins en spectacle, vous n'apprécieriez pas que celui-ci décide de jouer l'opéra Carmen au complet parce qu'il en a soudainement envie!

Et comme il est très difficile de ne pas laisser paraître ses vraies émotions dans sa voix, d'autant plus que l'émotion joue un rôle décisif dans le succès de votre émission, vous devriez vous conditionner à penser positivement. Vous pouvez vous discipliner à oublier vos frustrations et émotions négatives avant d'entrer en ondes. C'est le principe de la pensée positive.

Un autre excellent truc pour vous aider à toujours donner le maximum de vous-même consiste à vous répéter, avant chaque émission, qu'aujourd'hui, le directeur général a finalement décidé d'écouter votre émission au complet; que simultanément, le directeur de la programmation a décidé de vous évaluer; et qu'en même temps, un nouvel arrivant dans votre ville fait le tour des stations sur son récepteur radio pour choisir la sienne (cette dernière raison est, sans l'ombre d'un doute, la plus importante).

DES QUALITÉS À LA MODE

La vedette parfaite et intouchable n'épate plus personne. Depuis longtemps! Elle agace même. N'importe quel grand stratège politique vous confirmerait qu'un chef de parti doit mettre en évidence des petits défauts, bien calculés, qui le rapprochent de la «populace». On aimait l'allure brouillon de René Lévesque et l'arrogance de Pierre E. Trudeau!

L'animateur à succès des années 90 est donc avant tout un individu humain et imparfait.

Dans les annales de la radio...

En Estrie, à la fin des années 80, un animateur du matin qui avait d'excellents résultats dans son bulletin de cote d'écoute croyait tellement en l'importance de propager une image d'être humain vulnérable et imparfait qu'il s'assurait de faire de temps à autre... des erreurs en ondes! Des petites erreurs drôles, occasionnelles et sans gravité. Mais des erreurs quand même! Des erreurs qui avaient toujours pour conséquence de faire parler de lui en ville. On soulignait la qualité de cet animateur qui «accomplissait un boulot si difficile sans qu'on s'en rende vraiment compte».

Être humain, c'est être imparfait, mais c'est aussi être émotif et vulnérable. Ne faites pas que parler de sentiments: choisissez vos sujets, préparez-les et livrez-

Vulnérabilité.
Sincérité.
Générosité.
Émotivité.

[1] LAPLANTE, Raymond, La communication verbale: quelques aspects, Centre de formation professionnelle des journalistes, Canada, 1982, p. 43.

Autres informations

Des commentaires supplémentaires seront apportés sur la définition de votre personnage en ondes dans la section sur l'animation en équipe (page 132).

les avec émotion et conviction. Vos auditeurs doivent vous sentir sincère quel que soit le sentiment véhiculé. Cela ne signifie pas de tout dramatiser, parce qu'au contraire, cela pourrait devenir très agaçant, mais vous devez «vivre» ce dont vous parlez.

Vous ne devez d'ailleurs rien faire dans le but, conscient ou inconscient, de satisfaire le registre des émissions ou le directeur de la programmation. Tout ce que vous faites, à chaque seconde, doit être fait dans le but de satisfaire votre auditeur, votre client. Comme dans toute entreprise, vous devez découvrir ce que votre client désire et le lui fournir. Cela passe par la générosité du don de soi à ses auditeurs. «Communiquer, c'est toujours livrer une part de soi-même.»[1]

D'autre part, plus vous apporterez de vous-même dans votre émission, moins vulnérable vous serez face à la compétition parce que vous êtes unique sur cette planète! Tout le monde peut copier des formules toutes faites, tout le monde peut lire cet ouvrage, mais personne ne peut copier de façon identique un individu unique: vous-même!

LA DÉFINITION DE VOTRE PERSONNAGE

Même si vous devez être proche de vos auditeurs, vous avez quand même avantage à être un peu différent d'eux. Vous serez d'autant plus fascinant! Votre personnage en ondes pourrait, par exemple, être celui d'un gars qui a beaucoup de plaisir et de succès: votre vie est palpitante et excitante. Vous leur fournissez une dose quotidienne de positivisme dans leur vie souvent ennuyante.

Ainsi, être humain, vulnérable, sincère et généreux en ondes ne doit surtout pas vous empêcher de créer un personnage. Sous certain aspects, l'idée de créer un personnage, c'est, en fait, simplement l'idée d'améliorer votre personnalité. Ce qui exige beaucoup de préparation et de concentration. Votre personnalité se perçoit autant dans ce que vous ne dites pas que dans ce que vous dites: même les pauses peuvent être chargées de signification.

Et s'il y a plusieurs intervenants dans votre émission de radio, il devient encore plus impératif que chacun se définisse un personnage précis et différent de celui des autres.

Précis à quel point? Vous devriez être capable de décrire, par écrit, en détails, ce qu'est votre personnage: son tempérament, ses goûts, ses phobies, son style d'humour, ses valeurs, sa façon de conduire.

Lorsque vous faites cet exercice, décrivez ensuite votre public-cible et vérifiez si l'un correspond à l'autre: si votre personnage est susceptible d'intéresser ce public.

Ce sujet est vital parce que votre personnalité est la seule raison pour laquelle vous êtes en ondes au lieu d'un système automatisé d'animation et de diffusion de la musique.

LA VOIX

La voix n'a plus la prédominance qu'elle a déjà eue. Une bonne «voix radiophonique» n'est plus un élément essentiel et encore moins suffisant en soi, pour être engagé et pour réussir dans ce métier. La profondeur de votre personnalité est beaucoup plus importante parce qu'on recherche, maintenant, des animateurs qui ont des choses à dire entre deux segments contrôlés par l'ordinateur de mise en ondes. On recherche de la chaleur humaine pour réchauffer un peu la froideur de notre vie moderne.

«Le stéréotype de la voix radiophonique s'est estompé pour laisser entrer dans les micros et surgir des haut-parleurs les voix de la vie.»[1]

Cela dit, même si la prépondérance de la «voix radiophonique» n'est plus, la maîtrise de votre voix demeurera toujours un atout supplémentaire dans votre jeu. Votre voix, c'est la scie du charpentier, comme disait je ne sais plus trop qui. Vous devez donc travailler à l'améliorer et à la rendre agréable à l'oreille. La recherche de l'excellence est devenue pour plusieurs gens d'affaires un dada et une obsession, mais aussi une nécessité en situation concurrentielle.

La pose de voix, la diction et la respiration sont les éléments les plus difficiles à apprendre dans un livre. Alors, si vous voulez vous perfectionner, offrez-vous un cours! Surtout si vous n'avez pas encore commencé votre carrière: profitez-en pour vous préparer adéquatement.

LA DICTION ET LA PRONONCIATION

Quel niveau de qualité doit-on maintenir en ondes?

Il est clair que la prononciation exagérée vous éloigne de l'auditeur. Et comme votre premier objectif est de communiquer avec celui-ci de façon à ce qu'il vous comprenne, le naturel est essentiel et implique, par exemple, que vous vous adaptiez aux particularités locales. Ne parlez pas la langue de Paris quand vous êtes à Chicoutimi et n'utilisez pas l'accent de la Beauce quand vous êtes en Abitibi. Être naturel, c'est ce qui vous permettra d'éviter le phénomène de schizophrénie énoncé si éloquemment par Jacques Larue-Langlois.

> «Le niveau de langue parlée des Québécois francophones ayant longtemps été considéré comme quasi honteux, tous ceux qui avaient à intervenir à la radio se sont sentis tenus, depuis des lustres, de recourir à leur "langue du dimanche", toute construite de beaux mots rares proférés avec une diction de fesses serrées et de bouche en cul de poule. Ce genre de schizophrénie constitue une erreur grave qui installe, entre le radiophone et l'auditeur, une barrière artificielle difficile à surmonter.»[2]

Cela ne vous autorise toutefois pas à verser dans l'autre extrêmité! Même si la radio n'a pas à remplacer le système scolaire, elle n'a pas non plus à encourager la décomposition d'une langue et d'une culture. Il est de votre devoir de maintenir un niveau minimal de qualité. Et enlevez-vous tout de suite de la tête que bien parler est synonyme d'avoir l'air bizarre. Personne ne rira de vous si vous prononcez «è» pour «est» au lieu du «é» fréquemment entendu sur la rue ou si vous dites «une contravention» au lieu d'un «ticket» de vitesse ou, encore, si vous parlez de la hausse du prix des «timbR» au lieu des «timB».

L'animation est votre métier, vous êtes un professionnel de la communication parlée, vous ne pouvez donc pas vous laisser aller sur le chemin de la facilité.

Il est crucial que vous connaissiez au moins les règles de base de prononciation des voyelles et des consonnes (par exemple, la différence entre un «o» fermé comme dans «beau» et un «o» ouvert comme dans «bord») et les règles souvent bizarres de la liaison qui nous font prononcer «mot à mot» avec une liaison («mo ta mo») mais «nez à nez» sans liaison («né à né»). La connaissance de l'alphabet phonétique international vous aidera, notamment pour trouver dans le dictionnaire que «référendum» doit être prononcé «référindum».

Bref, votre défi est de marier, avec le plus de naturel possible, une bonne diction à une articulation non excessive. Parler un bon français de façon naturelle vient avec la pratique quotidienne. En principe, ce que vous racontez en ondes doit être dit de la même façon que vous le diriez au propriétaire du dépanneur du coin. Cela implique donc que vous parliez un bon français en dehors du studio.

[1] GUILBERT, Édouard, DE LA «VOIX RADIOPHONIQUE» AUX «VOIX DE LA VIE», article publié dans le livre L'état des médias, Éditions du Boréal, Éditions La Découverte, Médiaspouvoirs et CFPJ, Canada et France, 1991, p. 75.

[2] LARUE-LANGLOIS, Jacques, Manuel du Journalisme radio-télé, Éditions Saint-Martin, Canada, 1989, p. 92.

(1) GENDRON, Jean-Denis, <u>Phonétique orthophonique à l'usage des Canadiens français</u>, Les presses de l'université Laval, Canada, 1973, 264 p.

«Le microphone est l'oreille de l'auditeur.»

Pour vous préparer au métier ou vous aider dans votre cheminement, il existe de nombreux ouvrages spécialisés sur la question, notamment le livre de Jean-Denis Gendron, PHONÉTIQUE ORTHOPHONIQUE À L'USAGE DES CANADIENS FRANÇAIS[1].

LE TON

Il existe trois tons généraux de voix: intime, public et personnel.

INTIME

Ce ton est utilisé dans les conversations entre 2 personnes très proches l'une de l'autre. Vous utilisez ce ton lorsque vous faites l'amour, demandez un prêt ou racontez un secret.

Ce ton est peu utilisé en radio sauf, exceptionnellement, dans le cadre d'une émission adoptant spécifiquement ce style, comme une tribune téléphonique sur le sexe, l'amour et les rencontres.

PUBLIC

Ce ton est utilisé devant une foule ou, du moins, devant plusieurs personnes. Ce ton de voix est plutôt forcé.

De nombreux animateurs ont tendance à adopter ce style parce qu'ils s'adressent mentalement à une foule plutôt qu'à quelques amis et parce qu'ils désirent donner un *show* se rapprochant d'ailleurs beaucoup trop souvent de celui des politiciens. C'est une grave erreur!

«Pourquoi me criez-vous dans les oreilles? Ne pourriez-vous pas enfin réaliser que le microphone est l'oreille de l'auditeur?»[2]

PERSONNEL

Ce ton modéré est utilisé dans la majorité de nos conversations quotidiennes. C'est un ton de voix naturel et rassurant pour un auditeur avec qui vous tentez d'établir une relation quasi-personnelle.

Vous pouvez démontrer de l'enthousiasme et de l'énergie tout en conservant un ton personnel. Écoutez vous parler à vos amis et écoutez-les vous parler: c'est ce ton-là que vous devez utiliser en ondes.

LES ACCENTS

(2) COMPEAU, W. Michael, FOR SURVIVAL'S SAKE, DO SOMETHING DIFFERENT, article publié dans l'édition de février 1993 du magazine <u>Broadcast & Technology</u>, Canada, p. 42 - traduction libre.

(3) LAPLANTE, Raymond, <u>La communication verbale: quelques aspects</u>, Centre de formation professionnelle des journalistes, Canada, 1982, p. 24.

Dans la langue française, en général, le ton est *plano*. Ce qui signifie notamment que la «phrase française s'attaque en douceur»[3] et se poursuit avec des accents à peine perceptibles. Cela exige «un souffle abondant, régulier et soutenu jusqu'à la dernière syllabe sonore de la phrase».[3]

L'ACCENT TONIQUE

Dans la langue française, l'accent tonique frappe toujours la dernière syllabe du mot (et non pas la première, comme en anglais).

Dans une phrase, par contre, cet accent marque la fin du groupe rythmique plutôt que la fin de chaque mot. Le dernier accent de la phrase est livré sur une note plus grave pour bien marquer la fin.

L'ACCENT D'INSISTANCE

C'est l'accent ajouté pour souligner les mots importants de la phrase. Cet accent est généralement mis sur la première syllabe du mot sur lequel on veut insister. Il ne faut évidemment pas abuser de cet accent parce qu'alors, plus aucun mot ne ressortirait de l'ensemble.

LE DÉBIT ET LES PAUSES

Il est normal d'être porté à réduire le débit lorsqu'on parle devant un micro: on veut être sûr de ne faire aucune erreur et d'être bien compris. On met alors l'accent sur les détails. Et voilà la première erreur!

Des études ont démontré que le cerveau humain comprend et mémorise mieux l'information lorsque celle-ci est livrée rapidement. En fait, l'oreille et le cerveau fonctionnent beaucoup plus rapidement que la bouche.

Mais comme augmenter trop radicalement votre débit normal pourrait nuire au naturel de votre intervention, il est plus approprié de trouver un débit légèrement supérieur au débit normal, c'est-à-dire moins rapide que le débit optimal pour le cerveau, mais quand même suffisamment rapide pour ne pas perdre l'attention de vos auditeurs.

Le premier moyen à utiliser pour accélérer votre débit est d'abord d'éviter les pauses inutiles et les détours ennuyants. Lorsque vous ouvrez le micro, vous devez savoir exactement ce que vous direz et vous devez le dire sans détour.

Attention! Cela ne signifie pas d'éliminer toutes les pauses. Au contraire, les pauses doivent être couramment utilisées pour marquer les passages importants de votre intervention, pour attirer l'attention, pour permettre un changement de ton ou pour retarder légèrement le clou d'une intervention. Ce qu'il faut éliminer, ce sont strictement les pauses inutiles, ce qui ne fera d'ailleurs qu'accentuer l'effet des pauses voulues et souhaitables.

LA RESPIRATION

Le contrôle de votre respiration est un sujet sérieux et important, autant pour vos intonations que pour votre débit. Une respiration trop courte est «un handicap sérieux à la communication verbale».[1] Il est effectivement très fatiguant d'écouter quelqu'un lorsqu'on a l'impression qu'il ne se rendra pas au bout de sa phrase.

Votre condition physique influence vos capacités respiratoires, mais le point le plus déterminant est encore d'avoir fait des exercices de respiration et d'avoir appris à relaxer ou, du moins, à maîtriser le stress.

PROBLÈMES SPÉCIFIQUES

LA VOIX CHANTANTE

Il est particulièrement vital que vous évitiez de «chanter», ce qui vous enlèverait toute chance de «sonner naturel».

Une voix chantante peut être le résultat de plusieurs facteurs dont:

- l'adoption d'un ton de voix trop élevé,
- le déplacement de l'accent tonique de la fin du mot au début de celui-ci (comme en anglais),
- l'ajout d'accents toniques indus au milieu de chaque groupe phonique,
- l'abus des accents d'insistance,
- la peur des silences en ondes entraînant la prolongation inutile de syllabes.

> L'oreille travaille plus rapidement que la bouche.

▼ *Citation*

[1] LAPLANTE, Raymond, La communication verbale: quelques aspects, Centre de formation professionnelle des journalistes, Canada, 1982, p. 15.

LE NEZ ET LE BOUT DE LA LANGUE

Si vous parlez du nez ou sur le bout de la langue, vous risquez de faire face à un sérieux problème: c'est agaçant pour l'oreille et ça distrait l'auditeur.

Certains aspirant animateurs ont ce problème mais n'en sont pas conscient parce que personne ne le leur a dit. Comme il est effectivement gênant pour les autres de vous faire ce type de remarque, il est de votre devoir de vous en informer, si vous n'êtes pas sûr. Vous ouvrez ainsi la porte à une réponse franche et directe. ...et à des mesures correctives!

LA PRATIQUE

La pratique quotidienne est la seule façon d'arriver à «sonner» naturel et professionnel et de réussir à maintenir un haut niveau d'excellence. Rodez votre voix comme le boucher aiguise ses couteaux, comme le charpentier affûte sa scie.

Votre voix est une machine à produire des sons. Apprenez à la manier habilement et rodez-la par des exercices quotidiens. En prenant votre douche, en conduisant votre automobile, en regardant la télévision. Chantez, parlez, criez. Le plus haut que vous pouvez et le plus bas. Essayez d'imiter la voix de ceux que vous entendez parler. Essayez d'imiter n'importe quel son.

LE LANGAGE RADIOPHONIQUE

LE PRINCIPE DU DÉCODEUR

Vous êtes l'émetteur. Vos auditeurs sont les récepteurs. Et puisque c'est vous et votre station de radio qui voulez que les auditeurs vous écoutent, c'est votre responsabilité de vous adapter à eux et non le contraire.

Tout message non codé dans un langage adapté à vos auditeurs devra être décodé puis recodé par vous, pour eux. Tout comme, lorsque vous avez une disquette de données Macintosh et que vous voulez livrer l'information à un ordinateur IBM, c'est à vous de décoder le langage Macintosh et de recoder les données dans un langage compréhensible par l'appareil IBM.

Le décodeur.

Ainsi, si vous vous inspirez d'un article de journal, c'est à vous de décoder le langage journalistique écrit pour le recoder en langage radiophonique parlé.

Malheureusement pour l'auditeur, la plupart des animateurs radio sont allés à l'école! Ce lieu où on nous apprend à écrire et à lire à voix haute, mais non à parler. Lorsque vous préparez vos interventions, votre formation vous portera à rédiger un beau texte. C'est une très mauvaise habitude. Vous devez structurer ce que vous voulez dire et non ce que vous voulez écrire. Il y a une grande différence entre la communication écrite et la communication verbale, cette dernière n'étant pas une retransmission de la première.

LE CHOIX DES MOTS ET LA STRUCTURE DES PHRASES

Il est facile de se faire entendre: il suffit d'ouvrir le micro et de parler. Il est plus difficile de se faire comprendre. À la radio, vous vous adressez à un public distrait qui écoute en faisant autre chose et qui n'a pas la possibilité de relire ce qu'il n'a pas compris. Le message doit donc être clair et précis, du premier coup.

SIMPLICITÉ

Le principal conseil quant au choix des mots et de la structure des phrases en est un de simplicité. Comme l'écrivait Raymond Laplante, un «bon communicateur est souvent un excellent vulgarisateur qui sait rendre simples les choses parfois compliquées».[1] Votre objectif est que tout ce que vous dites en ondes soit compris par tout le monde qui vous écoute, c'est-à-dire par des avocats et des ingénieurs, mais aussi par des analphabètes. C'est à vous de doser.

Et attention, un message simple n'est pas nécessairement simpliste. Un message simple, c'est tout bonnement un message qui est livré avec des mots familiers et précis à l'intérieur de phrases courtes et directes. Des phrases qui respectent la structure sujet-verbe-complément. Une idée par phrase. Laissez de côté les phrases pleines d'incidentes et de propositions subordonnées.

Ne cherchez pas non plus des formulations compliquées simplement pour éviter les répétitions de mots. Mieux vaut répéter trois fois le même mot dans une phrase que de livrer un message trop difficile à décoder pour l'auditeur au volant de sa voiture.

Par exemple, au lieu de dire:

> «Avec une fiche cumulative de 282, six sous la normale, Payne Stewart et Scott Simpson n'ont pu faire de maître aujourd'hui au 91e Omnium de golf des États-Unis après avoir tous les deux joué la normale de 72 et devront s'affronter demain lors d'une prolongation de 18 trous.»

Vous pourriez dire:

> «Aucun gagnant au 91e Omnium de golf des États-Unis. Les 2 meneurs, Payne Stewart et Scott Simpson, ont tous deux joué 72 aujourd'hui pour une fiche cumulative de 282, six sous la normale. Stewart et Simpson s'affronteront demain dans une prolongation de 18 trous.»

FAMILIARITÉ

On vit à une époque où les mots servent à jeter de la poudre aux yeux de la population. Les gens ne sont plus assassinés, ils ont été victimes d'un projectile fatal! On ne peut plus chercher un hôpital dans le bottin téléphonique, il faut regarder dans les «C» pour trouver «Centre hospitalier». Cette fâcheuse habitude de créer de nouvelles expressions, plus belles et plus diplomates, augmente considérablement le nombre de mots utilisés et rend plus difficile la compréhension du message livré.

Vos informateurs peuvent avoir intérêt à utiliser des mots complexes pour tenter de camoufler des informations ou en croyant que la pilule sera ainsi plus facile à faire avaler, mais votre intérêt réside dans la compréhension du sujet par vos auditeurs. Votre devoir est d'informer, non d'éduquer, ni de développer le vocabulaire de la population, et encore moins de leur jeter de la poudre aux yeux!

Évitez donc les mots non familiers à votre auditoire, les mots trop recherchés, les termes de jargon, les clichés éculés et les sigles tels SAQ, SQ, RAMQ et SAAQ. Si les gens doivent se concentrer sur la compréhension des mots, ils perdront le fil du message. Évidemment, vous pouvez utiliser des mots non familiers si votre objectif est précisément d'attirer l'attention par des mots bizarres, mais cela ne peut être qu'un cas d'exception.

Et puisque la meilleure façon d'être naturel et crédible en ondes est de vous exprimer dans vos propres mots, apprenez vite les particularités du langage local. Le vocabulaire de vos auditeurs et le vôtre doivent se confondre pour vous permettre d'encoder facilement le message à livrer en fonction du récepteur.

Citation

[1] LAPLANTE, Raymond, La communication verbale: quelques aspects, Centre de formation professionnelle des journalistes, Canada, 1982, p. 7.

Simplicité.
Familiarité.
Précision.
Dynamisme.

Précision

Être précis dans son expression est sans doute ce qui demande le plus de travail de préparation. Et ça exige un niveau minimal de culture générale. Quel mot signifie quoi? Est-ce que cette expression a un double sens?

Dans les annales de la radio...

Lors de la «guerre du Golfe» en janvier 1991, une dépêche de l'agence de presse Reuter rapportait que le ministre israélien de la Défense avait déclaré que son pays «riposterait» aux missiles lancés par l'Irak contre Israël. Pourtant, le ministre avait simplement dit qu'ils allaient «réagir». Réagir est radicalement moins grave que riposter: ça aurait pû simplement se traduire par une réunion du conseil des ministres!

Ce fut une erreur magistrale qui a stressé bien du monde sur la planète Terre!

Dynamisme

Vous devez systématiquement utiliser des verbes actifs de façon à impliquer et motiver l'auditeur. Voici quelques exemples autodescriptifs:

- Au lieu d'annoncer qu'il «y aura» un concours dans les prochaines secondes, pourquoi ne diriez-vous pas: «Dans un instant, vous courrez la chance de gagner un voyage au Yukon»? C'est plus personnel et plus invitant.
- Plutôt que de raconter que le dévoilement du contrat entre Hydro-Québec et Alcan «est exigé par» Greenpeace, vous pouvez dire que Greenpeace «exige» le dévoilement public du contrat liant Hydro-Québec à l'Alcan. C'est plus dynamique comme image.
- Dans la publicité, au lieu d'annoncer que «pour acheter» ce livre, vous devez composer le XXX-XXXX, vous pourriez inviter les auditeurs à passer à l'action en utilisant une formulation les impliquant davantage, comme «procurez-vous ce livre en...».

La «conséquence avant le fait» ou le «commentaire avant l'information»

La technique de la «conséquence avant le fait» ou du «commentaire avant l'information» est un des outils les plus puissants dont vous disposez pour maintenir l'intérêt de l'auditeur et donner un bon spectacle. Cette technique implique toutefois d'aller, exceptionnellement, à l'encontre du naturel.

Prenons l'exemple fictif suivant:

«Le gardien de buts Patrick Roy s'est blessé grièvement à une cheville lors de l'entraînement du Canadien ce matin. Il a dû se rendre à l'hopital général de Montréal et il risque de ne pas pouvoir jouer ce soir. Mauvaise nouvelle pour les Canadiens qui doivent affronter les Bruins ce soir dans le 7e et décisif match de la série finale de la division Adams!»

Cette intervention manque d'impact. Pourquoi? Parce qu'après vous avoir entendu dire que Patrick Roy ne jouerait probablement pas ce soir, n'importe qui est capable de déduire que ça augure mal pour le Canadien. Il n'y a donc aucun intérêt à vous l'entendre dire: vous ne leur apprenez rien et vous êtes même quelques secondes en retard sur eux. Même dire qu'il a dû se rendre à l'hôpital, est peu intéressant: on s'en doute puisqu'il s'est blessé grièvement!

Par contre, si vous aviez d'abord livré à vos auditeurs le commentaire suivant:

> «Mauvaise nouvelle pour les Canadiens de Montréal qui affrontent ce soir les Bruins de Boston dans le 7e et dernier match de la série finale de la division Adams.»

Le commentaire avant l'information.

...vous auriez immédiatement capté leur attention. Tout le monde se serait demandé pourquoi. Alors que ce même commentaire ne servait à rien dans l'intervention précédente. Vous pourriez ensuite enchaîner avec l'information proprement dite:

> «Le gardien Patrick Roy a dû se rendre à l'hôpital général de Montréal ce matin...»

Vous augmentez encore l'intérêt des amateurs de sports de divan: «Hein? Patrick Roy! Pourquoi?»

> «...après avoir été grièvement blessé à une cheville lors de l'entraînement du Canadien ce matin au Forum».

Le principe est simple: vous livrez d'abord le commentaire ou la conséquence logique d'un événement avant de livrer l'information ou d'expliquer les faits précurseurs.

LA «MÉMOIRE DÉBRANCHÉE»

Lorsque vous lisez un journal, vous pouvez revenir au premier paragraphe d'un reportage si un élément d'information vous a échappé ou si vous ne saisissez pas bien le deuxième paragraphe. Ce n'est pas le cas à la radio.

Comme animateur, vous devez donc bien positionner l'auditeur par rapport à ce dont vous parlez et vous devez livrer votre message de manière à ce qu'il ne soit pas obligé de mémoriser une grande quantité d'informations.

Prenons, en exemple, l'intervention fictive suivante:

> «Dans les autres joutes à l'horaire hier soir, les Kings de Los Angeles, les Sabres de Buffalo, les Maple Leafs de Toronto et les Flames de Calgary ont gagné respectivement contre Edmonton, Tampa Bay, St-Louis et Vancouver.»

Cette intervention oblige la mémorisation d'information pour comprendre le message: l'auditeur doit mémoriser le nom de 4 équipes avant de savoir si elles ont gagné ou non, et il doit même en mémoriser l'ordre, pour savoir contre qui elles jouaient. Dans un journal, cela serait tout à fait compréhensible, mais pas à la radio. Ce style d'intervention crée de la frustration chez l'auditeur qui aimerait pouvoir comprendre sans avoir à se casser la tête.

La mémoire débranchée.

Cette même information aurait été mieux adaptée à la radio sous la forme suivante:

> «Les autres équipes qui ont gagné hier soir sont: les Kings de Los Angeles contre Edmonton, les Sabres de Buffalo contre Tampa Bay, les Maples Leafs de Toronto sur St-Louis et les Flames de Calgary au détriment de Vancouver.»

C'est beaucoup plus facile à comprendre! C'est une intervention qui n'oblige pas l'auditeur à utiliser sa mémoire. C'est ce que nous avons baptisé une "forme sans mémoire".

LA STRUCTURE «AIDA»

Le processus AIDA sera décrit plus explicitement dans le chapitre sur la création et la production publicitaire (page 162).

L'attention et l'intérêt du lecteur d'un journal est éveillé dès le début de la lecture d'un article: il a pris la décision de le lire parce que le sujet l'intéresse. Ce n'est pas le cas à la radio, un média écouté par des gens faisant simultanément autre chose. À chaque fois que vous abordez un nouveau sujet, bien des gens qui seraient intéressés par ce sujet sont distraits et ne débuteront leur écoute qu'à la mi-chemin de votre intervention. Pour réduire ce nombre d'individus «en retard», vous devez vous assurer d'éveiller l'attention sur le sujet avant d'en élaborer le contenu.

Ce qui nous amène au processus AIDA, acronyme des 4 phases du processus d'assimilation de la publicité par le consommateur:

- Attention
- Intérêt
- Désir
- Action

Vous devez d'abord éveiller l'attention des auditeurs par une attaque du sujet éveillant la curiosité, même de ceux pour qui le sujet est spontanément moins captivant. Ensuite, vous devez maintenir leur intérêt par du contenu intéressant et un style de livraison compréhensible. Puis, si votre but est de les inciter à une action, que ce soit de vous téléphoner sur la ligne musicale, de participer à un rassemblement populaire ou d'écouter la prochaine chanson, vous devez développer leur désir pour la cause ou la chose et les pousser à l'action.

Dans les annales de la radio...

Voici une intervention entendue en février 1992 sur les ondes d'une station de radio canadienne:

> «L'association des citoyens de Ville Île-Perrot invite la population à signifier son désaccord face au règlement 409 qui stipule un paiement d'honoraires pour la réfection du Grand Boulevard et du boulevard Don Quichotte. L'acceptation dudit règlement ne couvrirait que les honoraires professionnels et non le coût même des travaux qui s'est élevé à près de 4 millions et demi de dollars. Les personnes intéressées à manifester leur dissentiment pourront se présenter à l'Hôtel de Ville jusqu'à 19 heures ce soir.»

D'abord, on n'a rien compris! Pourquoi devrais-je être en désaccord si la ville vote un règlement qui n'inclut pas le paiement de certains travaux? Ne serait-ce pas au contracteur de se plaindre?

Ensuite, le choix des mots éloigne cet animateur de ses auditeurs. «Dissentiment» et «dudit règlement» ne sont pas des expressions courantes.

De plus, la structure des phrases ne permet aucun contact direct avec l'auditeur. «Invite la population» et «les personnes intéressées» auraient dû être remplacés par «vous invite».

Finalement, et c'était la raison première de choisir cet exemple, l'intervention ne positionne pas adéquatement l'auditeur au début de l'intervention et ne le fait pas cheminer jusqu'à l'incitation à passer à l'action.

Si on avait respecté la structure AIDA, on aurait d'abord éveillé l'attention en positionnant le sujet: les deux boulevards en question. Ensuite, on aurait pu susciter de l'intérêt par un exposé clair du problème (quel est-il d'ailleurs?) puis éveiller le désir de faire quelque chose en mentionnant l'avantage pour un citoyen de protester (on ne le sait toujours pas) avant d'en arriver à inviter les gens à l'action: se présenter à l'Hôtel de Ville.

Pourquoi prendre le temps d'expliquer aux gens comment passer à l'action («signifier son désaccord») jusqu'à se déranger pour se rendre à l'Hôtel de Ville, si on ne leur a pas d'abord exposé clairement l'avantage pour eux de protester?

LA «STRUCTURE PYRAMIDALE»

La technique de la «structure pyramidale», aussi connue sous le nom de «pyramide renversée» et de «pyramide inversée», s'applique principalement à la communication journalistique, tant écrite qu'électronique. Mais elle peut aussi s'appliquer à l'animation radio dans le cas d'une intervention visant à livrer des éléments spécifiques d'information, ou dans le cas de la réalisation d'une entrevue. Dans ce dernier cas, on pourrait la rebaptiser la technique ou le principe de la «prochaine question logique».

À l'école on apprend que, pour rédiger un texte, il faut entrer dans le sujet sous un angle général, puis développer graduellement une argumentation de plus en plus étoffée et des réflexions de plus en plus précises jusqu'à la conclusion. Autrement dit, comme Pierre Sormany l'a écrit, on construit d'abord, «pour son argumentation, une solide base sur laquelle pourront ensuite s'appuyer des faits de plus en plus précis et les conclusions qui en découlent».[1]

Avec la technique de la pyramide inversée, c'est tout le contraire: on entre directement dans le sujet avec l'élément principal à retenir (la conclusion, par analogie) puis on développe les éléments secondaires du sujet (l'argumentation) en commençant par les points les plus importants, pour terminer par les détails.

À la radio, l'utilisation de cette technique est justifiée par le fait que, dans la livraison d'une nouvelle, on ne sait jamais combien de temps on aura pour parler. Il est possible que vous ayiez à couper abruptement votre intervention ou votre entrevue pour passer à autre chose. Le fait que les éléments importants aient été livrés au début permet de mettre fin à l'intervention en ondes rapidement et sans problème.

Le mot d'ordre à conserver en tête pour appliquer efficacement cette technique: «l'urgence des informations à donner»[2]. C'est la *priorisation* des informations. Lors de la préparation de votre intervention, pensez à ce que vous diriez si vous aviez seulement 10 secondes. Préparez votre texte. Mais si vous aviez plutôt 20 secondes, que diriez-vous de plus? Ajoutez du texte à la suite du premier. Puis, 30 secondes? Rajoutez encore du texte. Et ainsi de suite, jusqu'à ce que tout soit dit ou que la durée probable de l'intervention soit comblée.

Nous reviendrons sur le principe de «la prochaine question logique» dans la section sur l'entrevue (page 130).

[1] SORMANY, Pierre, Le métier de journaliste: Guide des outils et des pratiques du journalisme au Québec, Éditions du Boréal, Canada, 1990, p. 79.

[2] Ibid., p. 80.

Dans les annales de la radio...

Entendu dans un bulletin de nouvelles diffusé en février 92 pendant les Jeux Olympiques d'hiver:

«Myriam Bédard de Neufchâtel vient de donner une troisième médaille au Canada. Elle a remporté le bronze dans la discipline du biathlon sur 15 kilomètres au Jeux d'Albertville. Bédard a excellé au tir, atteignant la cible 18 fois sur 20. La Québécoise a ainsi justifié sa deuxième position au classement de la Coupe du Monde l'an dernier. Elle a d'ailleurs été choisie l'athlète de l'année de sa discipline au pays en 90-91.»

Chaque phrase apporte un détail d'information supplémentaire non nécessaire à la compréhension de la phrase précédente. Vous pourriez donc terminer la lecture de cette nouvelle après n'importe quelle phrase, bien qu'il serait évidemment préférable de livrer au moins les 2 premières.

••••••••••••••••••••••••••••••••••

En animation, cette technique de la pyramide inversée peut, occasionnellement, entrer en conflit avec la théorie exigeant une attaque captivante et avec celle suggérant de livrer le commentaire avant l'information. À vous de doser chacun de ces principes en fonction de la situation.

LES CLICHÉS

Les clichés sont présents partout, notamment en publicité:

«La plus grosse vente de l'année.»

«50% de rabais et plus.»

«Une vente à ne pas manquer.»

«L'inimitable.»

«Votre produit favori.»

«Méfiez-vous des imitations.»

Mais aussi dans l'animation:

«Une chanson qui promet.»

«Un spectacle à ne pas manquer.»

«C'est un rendez-vous.»

Ces clichés ne font que remplir de l'espace. Pire, ils volent du temps d'antenne à ce que vous pourriez dire d'intelligent et d'utile. Ils bloquent le développement créatif de votre cerveau et vous ramènent au même niveau que tous ces animateurs qui racontent tous la même chose de la même façon.

Les clichés sont une des plus grandes plaies de la radio, peut-être même de notre société. Ce sont des expressions par elles-mêmes vides de sens comme «L'incomparable» ou des expressions qui perdent leur impact par une utilisation abusive comme «Conduisez prudemment». La surutilisation d'une expression fait que celle-ci ne communique plus rien. Le message est peut-être bon, mais le véhicule est usé.

Votre objectif étant de communiquer efficacement, vous devez éviter les clichés comme la peste. Et il n'y a qu'une seule façon d'identifier les expressions que vous utilisez trop fréquemment: enregistrez votre émission et notez-les.

La liste des expressions à éviter pourrait être très longue. La liste ci-dessous fournit quelques exemples. À vous de poursuivre la chasse!

Quelques expressions à éviter:

«Après la pause» et «De retour»

Ces deux expressions nourrissent l'impression, chez l'auditeur, que la publicité dérange leur écoute de la radio. Effectivement, si vous dites à l'auditeur que vous faites une «pause» lorsque vous diffusez de la publicité, vous ne faites que renforcer une image négative de la publicité et vous encouragez cet auditeur à profiter de la «pause» pour aller écouter ce qui se passe ailleurs. Vous ne pouvez pas non plus être «de retour dans un instant», parce que si vous «serez de retour», c'est que vous partez, c'est que votre émission arrête, c'est que l'auditeur a avantage à aller «voir ailleurs» s'il y a quelqu'un.

Il est normal pour vous comme pour l'auditeur de percevoir la publicité comme étant un élément en surplus de la programmation (dans votre

Cette section sur les clichés «Après la pause» et «De retour» est complémentaire à celle sur l'intégration ou le camouflage de la publicité présentée dans le chapitre sur la programmation radio (page 44 et suivantes).

cas, un mal nécessaire pour payer votre salaire!), mais vous devez quand même vous efforcer de traiter la publicité comme un élément de programmation faisant intégralement partie de votre émission.

Le comble du ridicule, c'est cet animateur qui annonçait: «On s'arrête quelques instants, le temps de faire une pause, et au retour (...)»! Autrement dit, je vous le dis et vous le répète et le reprécise pour les malentendants: allez ailleurs parce qu'ici tout est arrêté!

De grâce! Arrêtez de toujours rappeler à vos auditeurs qu'il y a de la publicité. Ils le savent! Et dites-vous bien, d'ailleurs, que la vraie «pause» dans une émission, c'est souvent une intervention plate de l'animateur!

«Dans quelques instants»

Cette expression est boiteuse. Dites plutôt «dans un instant» ou «dans quelques secondes». Il est difficile de compter des «instants».

«Écoutez» et «Ne manquez pas»

Croyez-vous vraiment que les gens vous écouteront parce que vous les suppliez de le faire? Profitez plutôt de tout le temps dont vous disposez pour leur expliquer ce que vous leur offrez, puis terminez brièvement votre intervention ou votre message promotionnel dans le style «Les plus grands succès de Daniel Lavoie, ce soir, 20 heures».

«Comme vous savez»

S'ils le savent, pourquoi le dites-vous? S'ils ne le savent pas, sont-ils sensés se sentir ignorants?

«Si vous me permettez l'expression...»

Autrement dit: «Je veux dire quelque chose, mais je ne sais pas comment le formuler, alors j'utilise une expression que mon *boss* n'aimera peut-être pas, mais je suis dans un cul-de-sac et je ne sais pas comment m'en sortir.»

Dites simplement ce que vous avez à dire. Sans détour et sans vous sentir coupable!

«Vous voyez ce que je veux dire»

Si ce que vous dites n'est pas clair, préparez davantage vos interventions!

«Le dernier»

Faites attention aux phrases du style «le dernier microsillon de Daniel Lavoie». Cela peut porter à confusion, même si la plupart des gens savent que Daniel Lavoie est encore en vie. Dites plutôt «de plus récent microsillon de Daniel Lavoie» et, oui, «de dernier album de Daniel Balavoine».

Dans la section sur l'autopublicité présentée dans le chapitre sur la promotion radio, nous reviendrons sur les clichés du type «Ne manquez pas» (page 229, le syndrome du «Mur des lamentations»).

LA STRUCTURE GÉNÉRALE DE VOS INTERVENTIONS

L'ATTAQUE

Les premiers mots de votre intervention servent à faire le lien avec ce qui se déroulait en ondes juste avant que vous ouvriez le micro et à introduire (de façon radiophonique et non rédactionnelle) le sujet de cette intervention. Ce doit être une véritable attaque éveillant et captant l'attention de l'auditeur. C'est durant ces quelques premières secondes que l'auditeur décidera d'augmenter ou de diminuer le volume.

Pour chatouiller la curiosité de vos auditeurs, votre meilleure arme est la technique de la «conséquence avant le fait» ou du «commentaire avant l'information» dont nous avons parlé précédemment. Le meilleur commentaire est, bien sûr, un commentaire inhabituel.

Dans les annales de la radio...

En juin 1991, juste avant le repêchage junior par la Ligue nationale de Hockey, un animateur préparait ses auditeurs à une nouvelle en déclarant: «Éric Lindros aurait reçu une offre de 6 millions de dollars.»

Ah bon! C'est un gros montant. Mais on est habitué aux grosses sommes d'argent dans le sport professionnel. De toute façon, peut-être est-ce 6 millions pour 7 ans? On sait que les Nordiques le repêcheront et qu'ils veulent faire une bonne offre à Lindros, alors ce sont probablement eux qui ont décidé de commencer les négociations plus tôt que prévu. Bref, ce n'est pas très excitant comme information, sauf sans doute pour les mordus du hockey professionnel.

Mais, surprise!, dans la nouvelle, on apprend que l'offre vient d'une certaine Ligue continentale qui tenterait de s'organiser pour le printemps suivant pour compétitionner la LNH!

Alors, le préambule n'aurait-il pas dû être «Éric Lindros pourrait ne jamais jouer dans la LNH»? Une attaque comme celle-là aurait vraiment éveillé la curiosité. Comme vous l'avez sans doute remarqué, il s'agit alors d'un commentaire plutôt que d'un élément d'information.

Le commentaire avant l'information... La conséquence avant le fait...

Pour faire le lien entre votre intervention et ce qui l'a précédé, il s'agit simplement d'être créatif, mais sans exagération. Et surtout, de rester bref.

Dans les annales de la radio...

Entendu sur les ondes d'une station de radio de Québec à l'été de 1991 après la diffusion d'une chanson de Luc De Larochellière:

«Cash City de Luc De Larochellière. C'est bon! C'est excellent! Mais ça pourrait l'être encore plus! ...par exemple, en l'écoutant, le volume au max dans votre nouveau système de son d'auto.»

Ce qui suivait? La description d'un concours promotionnel de la station qui devait procéder dans les jours suivants à l'attribution d'un système de son pour auto.

Il n'y a rien de phénoménal dans cette intervention. Sauf qu'elle coule bien et, surtout, que le préambule prépare exceptionnellement bien ce qui suit.

LA SORTIE

Le *punch* final... C'est tout ce dont la plupart des gens se rappelleront! Alors, même si on livre un commentaire accrocheur au tout début de l'intervention, il faut aussi prévoir un bon *punch* final. En fait, lorsque vous préparez une intervention, vous devriez toujours commencer par prévoir la finale puis, ensuite, préparer le reste de l'intervention en gardant en tête l'effet final que vous voulez créer.

N'oubliez pas non plus que vous donnez un spectacle et que c'est à vous de maintenir le rythme. Comme un joueur de hockey, à un certain moment il faut arrêter de passer la rondelle et lancer au but. Et après le but, on arrête. Réduisez toujours votre conclusion au nombre minimal de mots, de façon à sortir très rapidement de scène. La plupart des conclusions ratées le sont simplement parce que l'animateur la trouvait tellement bonne qu'il a tenté de l'éterniser. Laissez votre auditoire demander le rappel!

Et de grâce, n'expliquez pas aux gens que vous avez terminé, ils le comprennent lorsque quelque chose d'autre commence. C'est évident, non? Trop souvent, on entend des interventions dans le style «Voilà, c'est tout ce que je voulais vous dire à ce sujet. Dans un instant, Joseph Arthur et les sports.» ou «Voilà, c'est tout pour les nouvelles du sport, dans un instant la météo.» Dès que vous dites «voilà», les gens ont déjà enregistré dans leur tête que les nouvelles du sport sont terminées. Rappelez-vous que le cerveau comprend plus vite que la bouche ne livre les sons. Alors pourquoi ne diriez-vous pas simplement quelque chose comme «Ici Joseph Arthur. Place maintenant à la météo.» ou «Vous écoutez le Groupe Radio Pelmorex. Voici la météo.»? Vous auriez alors, au moins, effectué votre identification plutôt que de simplement gaspiller des secondes!

LA DURÉE

Votre émission est comme un chapitre dans un livre et vos interventions sont comme les paragraphes de ce chapitre. Certains paragraphes sont plus longs que d'autres, tout étant fonction du sujet et de son importance dans le chapitre. Mais il n'y a jamais de paragraphe de cinq pages parce qu'on perdrait le fil du sujet. De même, à la radio, il ne doit jamais y avoir d'interventions trop longues.

Comme chaque individu qui vous écoute est quotidiennement bombardé d'informations et de publicité, il atteint rapidement un seuil de saturation au-delà duquel il ne vous écoute plus. Les stations de radio spécialisées dans la parlotte peuvent généralement compter sur un seuil relativement plus élevé que la moyenne, mais elles doivent quand même tenir compte de ce facteur de saturation rapide en relançant ou changeant fréquemment le sujet. Dans le cas d'une station musicale, il faut, en plus, tenir compte du facteur de frustration face aux segments non-musicaux (ce qui fait que plusieurs directeur de la programmation de station de radio musicale limitent les interventions des animateurs à 45 secondes).

Mais comment réussir à être bref? Il n'y a qu'une seule façon: couper les mots inutiles et les phrases trop longues, particulièrement les phrases dont on connaît la fin avant même qu'elles ne se terminent. Vous pouvez toujours raccourcir une intervention. Ce qui dure 45 secondes peut être livré en 30 et ce qui en dure 30, en 20. À la condition de bien vous préparer.

Un très bon exercice de pratique consiste à enregistrer sur cassette une demi-heure ou une heure de votre émission, puis à écrire le script des interventions que vous avez faites durant cette période en transcrivant vraiment tout, y compris les «eee» et les «hum hum». Ensuite, vous prenez un crayon rouge et rayez tout ce qui n'a rien apporté à la compréhension ou à l'intérêt de votre message. Vous serez surpris de la quantité de ratures rouges sur votre feuille!

LE NOMBRE DE SUJETS PAR INTERVENTION

Règle générale: limitez-vous à un seul sujet par intervention. Par souci de brièveté, mais aussi parce que les chances que les auditeurs retiennent votre message sont inversement proportionnelles à la quantité d'information livrée. Et en plus, pour une station musicale, c'est bien sûr la question de diffuser le maximum de musique possible.

Arrêtez de passer la rondelle et lancez au but!

Vous pouvez toujours raccourcir votre intervention.

Exceptionnellement, vous pourriez vous permettre, dans une intervention, un sujet principal et un sujet secondaire, mais questionnez-vous sérieusement sur la pertinence de ce sujet secondaire: si un sujet ne mérite pas d'être le sujet principal d'une intervention, il ne mérite peut-être pas d'être «un sujet».

Pour l'application de cette règle, les éléments tels que l'heure, le nom de l'interprète et le titre de la chanson, l'identification de la station et votre nom ne sont pas considérés comme des sujets. Une intervention, c'est le contenu verbal livré par un animateur entre deux éléments autres que l'animation (par exemple, entre deux chansons ou entre une chanson et de la publicité). Sur une station à prédominance verbale, ce pourrait être l'animation contenue entre deux thèmes sonores de transition. Dans ce dernier cas, chaque intervention est séparée par un thème de transition, de façon à relancer le sujet en captant de nouveau l'attention de ceux qui ont été distraits de leur écoute ou d'introduire un nouveau sujet en «réveillant» ceux pour qui le premier sujet n'était pas intéressant. C'est d'ailleurs pour cette raison que des thèmes de transition devraient également être utilisés à l'intérieur d'un long bulletin d'information.

Le rappel du sujet

Bien des auditeurs n'entendent que la fin de vos interventions. Certains, parce qu'ils viennent juste d'ouvrir leur récepteur radio; d'autres, parce que le début de votre intervention n'a pas éveillé leur intérêt alors que, soudainement, un élément d'information ou un mot pique leur curiosité. Pour ces auditeurs qui ont manqué le début de votre intervention, il est primordial que vous répétiez le nom de la personne dont vous parlez ou le sujet que vous traitez.

Trop d'animateurs se sont fait dire d'éviter les répétitions, comme si on était en train d'écrire un texte destiné à être lu! Ils parlent de Madonna en la nommant au début puis en disant «elle» dans tout le reste de l'intervention. Il est très désagréable d'entendre parler pendant 30 secondes de ce que «elle» a fait de scandaleux sans savoir qui est «elle». Il est préférable de répéter que de ne pas être clair dans son exposé.

> La précision de l'intervention prime sur l'esthétique du texte que personne ne voit!

Dans un journal, il est esthétiquement beau d'éviter les répétitions du même mot. Et si le lecteur est perdu, il peut remonter de quelques paragraphes. Mais à la radio, la précision de l'intervention prime sur l'esthétique du texte que personne ne voit! Les répétitions sont donc non seulement normales mais nécessaires. Entraînez-vous à renommer, dans le dernier tiers de votre intervention, le sujet ou la personne dont il est question.

Dans les annales de la radio...

Entendu sur les ondes d'une station de radio FM de Montréal, vers 16h, pendant l'émission du retour à la maison après une journée d'été chaude et humide:

> «Un auditeur dans le bout de Saint-Hubert nous a téléphoné sur son cellulaire pour nous dire qu'il y avait une tornade là-bas: des arbres déracinés sur le bord de la route, des vans dans le fossé, etc. Il paraît que ce n'est pas beau! La conduite est très difficile. Eh ben! Nous, on va attacher le juke-box pour qu'il ne parte pas au vent. Une tornade! Faites attention si vous allez dans ce bout-là!»

Que s'est-il passé dans la tête de l'auditeur pendant cette intervention? La première phrase n'attire en rien son attention. Qu'un auditeur de quelque part ait téléphoné sur son cellulaire est une phrase qu'il entend très régulièrement, ça n'éveille donc aucunement son attention, ni son intérêt pour ce qui va suivre. Mais lorsque le mot «tornade» retentit, le volume mental augmente, l'attention est éveillée parce qu'il est sur la route et que le ciel est noir au-dessus de sa tête.

«Une tornade? Où ça?».

Mais tout le reste de l'intervention ne répond pas à sa question! L'animateur répète «là-bas».

«Où ça, là-bas?»

Lorsque l'intervention est terminée, quelle est la réaction la plus normale? Changer rapidement de station pour en sélectionner une (peut-être le «Numéro Un de l'information») qui nous dira ce qui se passe. Là, il apprendra qu'il y a risque de tornade, particulièrement dans la région de Saint-Hubert. Et il demeurera probablement à l'écoute de cette dernière station pour être sûr de connaître la suite des événements.

● ●

Dans la structure de vos interventions, vous devez toujours penser à livrer l'information, à répondre aux questions de l'auditeur, au moment où il se pose ces questions. Cela implique notamment que vous nommiez la personne ou le sujet traité après avoir éveillé l'attention.

Dans les annales de la radio...
● ●

Entendu dans un bulletin de nouvelles diffusé en février 92 pendant les Jeux Olympiques d'hiver:

«Myriam Bédard de Neufchâtel vient de donner une troisième médaille au Canada. Elle a remporté le bronze dans la discipline du biathlon sur 15 kilomètres au Jeux d'Albertville. Bédard a excellé au tir, atteignant la cible 18 fois sur une possibilité de 20. La Québécoise a ainsi justifié sa deuxième position au classement de la Coupe du Monde l'an dernier. Elle a d'ailleurs été choisie l'athlète de l'année de sa discipline au pays en 1990-91.»

Pourquoi introduire le sujet avec le nom d'une personne très peu connue dans l'ensemble de la population? Non seulement cela n'éveille pas l'attention, mais ceux qui voudraient retenir le nom après avoir été mis au courant du succès d'une Québécoise ne le peuvent pas, à moins d'avoir initialement mémorisé le nom d'une inconnue.

L'attaque aurait eu beaucoup plus d'impact si elle avait été conçue comme suit:

«Une Québécoise vient de donner une troisième médaille au Canada...»

C'est ça, la vraie nouvelle pour tous ceux qui ne suivent pas régulièrement les athlètes du biathlon. Ensuite, afin de ne pas dévoiler le nom (le *punch*) trop rapidement et de ne pas avoir à le répéter, on aurait pu continuer ainsi:

«... en remportant le bronze dans la discipline du biathlon sur 15 kilomètres aux Jeux d'Albertville.»

Maintenant qu'on a positionné l'auditeur, qu'il sait qu'une Québécoise vient de donner une médaille au Canada, c'est le temps de dévoiler le nom de cette Québécoise, un nom à retenir pour la fierté.

«Myriam Bédard de Neufchâtel a excellé au tir, atteignant la cible 18 fois sur une possibilité de 20. Elle a ainsi justifié sa deuxième position (...)».

La nouvelle est demeurée presque totalement intact. Nous avons seulement interchangé les mots «Myriam Bédard de Neufchâtel», «Québécoise» et «elle».

● ●

LES SUJETS TRAITÉS

(1) LAPLANTE, Raymond, La communication verbale: quelques aspects, Centre de formation professionnelle des journalistes, Canada, 1982, p. 8.

Il faut être audible et intelligible, sinon personne ne comprendra ce dont vous parlez, mais il faut aussi avoir quelque chose d'intéressant à dire parce que «celui qui parle pour ne rien dire, aurait-il la plus belle voix du monde et la diction la plus parfaite, nous lassera bien vite».[1] Comme Raymond Laplante l'écrivait, «cela tend à prouver que dans le message parlé [...], le fond et la forme se confondent au point qu'il n'est pas facile d'en déterminer les frontières».[1]

LE CHOIX DES SUJETS

Cette section sur le contenu de vos interventions en ondes est complémentaire à celle sur les valeurs et les cordes sensibles de votre public-cible présentée dans le chapitre sur la programmation radio (page 27 et suivantes).

Un bon animateur radio est celui qui traite de sujets retenant l'attention de ses auditeurs, même si cela peut sembler trivial aux oreilles de ses collègues et de ses concitoyens pseudo-intellectuels. Il est là pour satisfaire ses clients. C'est pourquoi il connaît bien le profil de ses auditeurs et demeure au fait de l'évolution de leurs valeurs.

Traditionnellement, les sujets les plus attirant ont toujours été les activités policières, le sexe et les moeurs, les taxes, la drogue, les incendies, les morts, les accidents, les congédiements massifs, les guerres de mots entre les personnalités locales, la vie mouvementée des vedettes et, de façon générale, tout ce qui est insolite. En fait, au cours des années 80, tout ce qui était outrageant était au goût du jour. C'était les beaux jours du Zoo de New York et de Québec.

Mais les années 90, sans laisser complètement tomber les sujets précédents, font une plus grande place à l'honnêteté, au dévouement, aux héros de 9-1-1. L'émotion humaine prend plus de place avec les histoires de lutte contre la maladie et le succès du «p'tit gars du coin». La politique, même si elle demeure passionnante pour certains, est en chute libre dans la liste des sujets d'intérêt de la majorité des gens.

D'autre part, même si un sujet est «chaud» pour l'ensemble de la population, cela ne signifie pas qu'il le soit pour vos auditeurs. La radio est un média au public très ciblé. Il est inutile de parler de moyens pour bien vivre sa retraite si vous visez un public entre 12 et 34 ans! Et attention, le portrait de votre public-cible peut varier durant la journée. Vous devez donc bien connaître les variations démographiques de votre auditoire et utiliser chaque sujet au moment le plus opportun.

Il faut prendre en considération le fait que de nombreuses personnes, même si elles ne l'avoueront jamais, ne sont pas intéressées par ce qui se passe dans l'actualité, sauf si cela les concerne directement, eux ou leur entourage immédiat. En imprégnant les sujets de vos interventions d'une certaine saveur locale, vous maximiserez vos chances d'être intéressant.

UNE SAVEUR LOCALE

Avant de conclure qu'un sujet sera intéressant pour vos auditeurs, demandez-vous toujours sérieusement si cela est d'un quelconque intérêt pour votre communauté et votre public-cible. Le fait que l'information soit arrivée sur le fil de presse, ou qu'un autre média ait traité de ce sujet, n'est vraiment pas une raison suffisante pour lui consacrer du temps d'antenne.

Dans les annales de la radio...
● ●

En janvier 1992, un animateur d'une station de radio de la Beauce terminait son bulletin de nouvelles du sport par les résultats des joutes de hockey de la veille dans la ligne de hockey junior majeur du Québec suivis des résultats détaillés de la ligne de hockey junior majeur... de l'Ontario!

Cet animateur avait-il jugé que ces résultats étaient intéressants pour ses auditeurs? Non! Cet animateur ne faisait que lire intégralement ce qu'il avait reçu sur le fil de presse de NTR.

NTR avait raison de fournir ces résultats: les stations de radio de langue française de l'Ontario sont abonnés au service de NTR. Mais quelle était la raison de cet animateur de les livrer en ondes, intégralement, en Beauce?

● ●

Certains sujets n'ayant théoriquement aucun rapport avec la vie de votre communauté peuvent quand même être d'un grand intérêt pour plusieurs auditeurs: le décès de René Lévesque ou le mariage de René Simard, par exemple. En fait, ces deux personnes sont des personnages qui ont touché et peut-être influencé la vie de bien des gens dans votre communauté. Vos auditeurs se sentent donc concernés. C'est la règle américaine du *Names make News*: un nom connu crée par lui-même une nouvelle.

Names make News.

Mais même si une nouvelle est intéressante en soi, pourquoi ne pas tenter d'y ajouter une saveur locale? À quand remonte la dernière visite de René Lévesque ou de René Simard dans votre communauté? Quelles personnes avaient-ils alors rencontrées? Pouvez-vous recueillir des commentaires auprès de ces personnes?

Analyser un événement national ou international sous un angle local constitue d'ailleurs une excellente façon d'ajouter de la nouveauté à un vieux sujet.

Nous vivons à l'ère du village global. Tout ce qui se passe sur la planète risque d'avoir de l'impact sur notre vie locale. Et tout événement, qu'il se soit déroulé à Toronto ou à Port Douglas en Australie, peut faire l'objet d'un commentaire par une personnalité locale. Les questions de base à vous poser demeurent:

- Est-ce que cela peut arriver chez-nous?
- Qui, dans notre communauté, risque d'être affecté par cet événement?
- Quel impact cet événement pourrait-il avoir sur notre communauté locale?
- Est-ce qu'une similitude peut être établie avec un événement local ayant eu lieu?

Téléphonez à des gens pouvant vous aider à répondre à ces questions et demandez-leur des commentaires. Ne vous contentez pas du contenu des communiqués de presse reçus à la station et des journaux locaux pour donner une saveur locale à votre émission.

Il est surprenant de constater le nombre de stations de radio ressemblant à des *no man's land*: on pourrait les écouter pendant une journée complète et ne rien apprendre sur la ville où on se trouve. Pourtant, la radio est un média rejoignant un public ciblé localement...

Dans les annales de la radio...

Un animateur matinier d'une station de radio FM de l'Abitibi annonçait, la veille du long week-end de la Saint-Jean-Baptiste:

«Mauvaise nouvelle pour les vacanciers: vous ne pourrez probablement pas vous promener en forêt ce week-end. Interdiction formelle de circuler en forêt en vigueur jusqu'à nouvel ordre dans plusieurs régions du Québec.»

Réaction normale de l'auditeur: «Ah non! ...mais quelle région?»

L'animateur matinier de la station de radio compétitrice annonçait, lui, que cette interdiction ne concernait pas l'Abitibi. Elle touchait surtout la région de la Côte Nord, à deux jours de route de l'Abitibi!

Réaction du même auditeur qui est allé vérifier à cet autre poste: «Ah bon! On va pouvoir aller en camping ce week-end.»

Devinez qui était «Numéro Un» dans les cotes d'écoute!

SORTIR DES SENTIERS BATTUS

Même si vous traitez d'un sujet qui intéresse l'ensemble de vos auditeurs, si vous ne faites que répéter ce qu'ils savent déjà, ils ne seront pas intéressés. Le niveau de nouveauté contenu dans votre intervention joue donc un rôle dans l'évaluation de la pertinence d'un sujet.

Par exemple, en ce qui concerne vos interventions sur la musique que vous diffusez, au lieu de toujours répéter les mêmes vieux clichés sur chaque artiste ou répéter inlassablement l'information que l'agent de promotion a envoyée à toutes les stations de radio, essayez de trouver quelles questions se posent vos auditeurs sur cet artiste et faites des recherches pour trouver les réponses. C'est le temps de faire fonctionner votre créativité!

Le mot d'ordre: toujours aller chercher plus loin, s'éloigner de ce qui est trop évident, rechercher l'inédit. Il s'agit souvent simplement de regarder tout près, ce qu'on a sous le nez et qu'on ne voit pas. Ce sont les détails qui font la différence entre l'excellence et l'ordinaire.

Par exemple, par une belle journée de printemps alors que le soleil brille de tout son éclat et que les automobilistes roulent dans la gadoue en s'éclaboussant à qui mieux mieux, au lieu de répéter ce que tous les animateurs et chroniqueurs au trafic ont déjà dit, soit une phrase stéréotypée dans le style «Il vous faudra beaucoup de lave-glace aujourd'hui, conduisez prudemment!», vous pourriez profiter de l'occasion pour faire une intervention sur l'importance de conduire avec ses phares allumés, parce qu'il y a forcément des automobilistes qui vont manquer de lave-glace et parce que les gens qui conduisent avec le soleil dans le dos ne pensent pas toujours que l'automobiliste qu'ils croisent a, lui, le soleil en plein visage et ne voit rien. Et parce qu'aucun système de lave-glace n'existe pour les fenêtres de côté permettant de voir lors des changements de voie!

Dans les annales de la radio...

En février 1992, le groupe Paparazzi lançait son troisième album simplement intitulé Paparazzi et, sur toutes les stations de radio, on parlait du trio Paparazzi.

Cet état de fait était tout à fait normal pour un animateur se contentant de répéter en ondes ce que ses collègues ont dit avant lui ou ce que l'agent de promotion veut qu'il soit dit.

La recherche de l'inédit.

Autres informations

Nous reviendrons sur la recherche de l'inédit, dans la section sur la recherche et la documentation (page 114 et suivantes).

Mais c'est tout autant insuffisant pour l'animateur qui veut vraiment servir ses auditeurs. Pourquoi? Parce que sur leur album précédent, le trio Paparazzi était... un duo! Que pensez-vous qui se passe dans la tête de l'auditeur qui était un *fan* de ce duo? Eh oui! Il se demande ce qui s'est passé ou il se demande s'il a perdu la tête: «Pourtant, il me semble bien que Paparazzi, c'était un duo!?!»

Pourquoi ne répondez-vous pas à sa question? Eh oui! Parce que vous ne vous êtes pas donné la peine de vous poser la question suivante: qu'y a-t-il de plus à dire que ce que je sais déjà ou ce que j'ai appris à la lecture du communiqué de presse?

Et ne blâmez pas la compagnie de disque ou l'agent de promotion! Entre le deuxième et le troisième album, Paparazzi a changé de compagnie de disques. Son nouvel agent de promotion n'a donc aucun intérêt à parler de ce qui se passait chez ses voisins. C'est à vous de faire les recherches. C'est à vous d'éviter la paresse intellectuelle!

● ●

Sortir des sentiers battus exige évidemment beaucoup plus de préparation et de recherche. C'est pourquoi peu nombreux sont ceux qui s'y aventurent. Mais c'est là que se cache le succès, la clef pour vous démarquer de vos collègues et de vos compétiteurs.

> **Sortir des sentiers battus.**

LA MODÉRATION

Le fait qu'un sujet satisfasse les critères énoncés dans les paragraphes précédents ne vous justifie toutefois pas d'en inonder les ondes à un point tel que vos auditeurs en fassent une indigestion. Même si l'affrontement entre les Mohawks et la Sûreté du Québec sur le pont Mercier à Montréal intéressait l'ensemble de la population, il y avait une limite à en parler. Il y a toujours une limite, peu importe le sujet.

L'*overexposure* d'un sujet provoque toujours un effet de rejet chez une bonne partie de l'auditoire. Si vous êtes chanceux, la personne écoeurée fermera mentalement ou diminuera physiquement le volume en attendant que vous cessiez d'en parler; si vous êtes moins chanceux, elle changera de station ou fermera son récepteur radio.

D'où l'importance d'être bref, concis, précis et intéressant dans toutes vos interventions en ondes.

LE SUIVI

Si, dans votre émission du vendredi après-midi, vous parlez d'un jeune homme de votre patelin qui participera durant le week-end à une compétition de ski alpin dans les Alpes, assurez-vous de faire le suivi le lundi suivant dans votre émission (certaines personnes n'écoutent que votre émission de radio), tout en étant évidemment bref si le sujet a déjà été traité par les animateurs du week-end et du lundi matin.

Gardez aussi une oreille attentive à ce qui est raconté dans les bulletins de nouvelles. Même si le contenu de ces bulletins n'est pas de votre responsabilité, la satisfaction de vos auditeurs l'est, elle! Ainsi, si dans un bulletin de nouvelles du jeudi matin, le journaliste annonce que les camionneurs de votre région se réuniront en fin de semaine pour décider s'ils bloqueront les routes afin de protester contre une quelconque politique gouvernementale, il est essentiel qu'au moins les grandes lignes du bilan de cette réunion soient livrées en ondes durant le week-end et le lundi matin (certaines personnes écoutent votre station de radio sept jours par semaine, du matin au soir). Si aucun journaliste ne travaille durant la fin de semaine, un animateur du week-end devra prendre la relève au téléphone et au télécopieur.

Pour aider tous les gens concernés à ne pas perdre la mémoire, vous et vos collègues de travail devriez tenir à jour un registre-agenda des sujets traités en ondes et demandant un suivi. Car s'il est normal, dans le flot des nombreux sujets traités, que vous en oubliez un par ici et un autre par là, l'auditeur concerné par le sujet, lui, ne l'oubliera pas.

LES «BONNES NOUVELLES»

Même si de nombreux sujets éveillant l'intérêt de l'auditeur sont des sujets «noirs» et qu'il est de votre devoir de satisfaire votre client-auditeur, il n'est pas non plus à l'avantage de votre station que tout le monde voit la vie en noir. Ça ne fait qu'amplifier les récessions! Il y a donc lieu de faire des exceptions dans le choix de vos sujets, de façon à vous assurer de véhiculer une certaine dose de positivisme, à vous assurer que les bonnes nouvelles ont aussi leur place.

Vous pourriez, par exemple, ajouter à votre programmation des «bulletins de bonnes nouvelles» sous forme de messages promotionnels de 30, 60 ou 90 secondes qui pourraient être préparés avec la collaboration des journalistes et des gens d'affaires. Même si ces derniers sont souvent réticents à publiciser leurs bons coups, vous pouvez essayer de leur faire comprendre que c'est à leur avantage que la confiance soit là pour que les consommateurs dépensent!

Faites attention aussi dans le choix de l'angle de traitement des sujets: réalisme n'est pas synonyme de négativisme. Évitez d'abord vous-même de tout voir en noir, surtout si vous ne savez même pas de quoi vous parlez! En 1991, il y a eu une quantité incroyable de faussetés véhiculées dans les médias sur le dos de la nouvelle taxe du gouvernement fédéral sur les produits et les services. Des faussetés qui ont amplifié le sentiment d'insécurité des gens et accéléré l'arrivée de la récession. Même scénario en 1992, avec l'introduction de la nouvelle taxe québécoise théoriquement similaire à la taxe fédérale. Un journaliste avait alors affirmé que le coût d'opération des petites et moyennes entreprises allait augmenter parce que la taxe québécoise s'appliquait maintenant aux timbres. Il est vrai que cette taxe s'appliquait aux timbres, mais il était faux de dire que cela augmenterait le coût d'opération des PME, puisque celles-ci pouvaient réclamer au gouvernement le montant de la taxe ainsi payée. Lorsque vous n'êtes pas certain de ce que vous dites, taisez-vous donc! Il y a suffisamment de mauvaises nouvelles pour qu'on n'ait pas besoin d'en inventer!

Comme règle générale, laissez d'ailleurs les mauvaises nouvelles aux journalistes. Affichez plutôt votre joie de vivre. Travaillez à rendre heureux vos auditeurs déjà suffisamment stressés par la vie. Développez une pensée positive!

SUJETS SPÉCIFIQUES

LES ÉPHÉMÉRIDES

Les éphémérides sont souvent livrées par tradition, pour boucher un trou, alors que personne n'est intéressé par ce que vous dites. En fait, personne n'est intéressé, parce que vous ne l'êtes pas vous-même!

Encore une fois, vous devez décoder de l'information écrite pour la recoder en version radiophonique. Ne lisez jamais une liste d'éphémérides: choisissez dans le tas ce qui est d'un certain intérêt pour vos auditeurs, adaptez-le et préparez une intervention aussi bonne que toutes les autres.

Et, s'il vous plaît, que le naturel s'impose! Par exemple, donnez l'âge et non pas l'année de naissance. Lorsque vous apprenez que c'est l'anniversaire d'une personne que vous connaissez, est-ce que vous lui demandez son âge ou l'année de sa naissance? Faites le calcul vous-même plutôt que de laisser vos auditeurs s'emmerder avec les dates et les calculs. La même règle s'applique à tout: vous devez annoncer que c'est, aujourd'hui, le 300ᵉ anniversaire d'une ville et non lire bêtement que la ville en question a été officiellement fondée «aujourd'hui, en 1693».

De plus, pensez à éveiller l'intérêt de l'auditeur avant de lui livrer l'information: annoncez le fait historique ou la personne dont c'est l'anniversaire avant de donner son âge. L'inverse n'a aucun sens! «Il y a 32 ans, aujourd'hui...» n'a aucune raison d'éveiller ma curiosité. Par contre, «Daniel Lavoie fête aujourd'hui...» attire mon attention si je suis un *fan* de Daniel Lavoie. Mais si vous avez annoncé l'âge de celui-ci avant que mon attention soit éveillée, je vais être royalement frustré d'avoir manqué cet élément d'information.

Et, bien sûr, si vous ne savez pas de quoi vous parlez, taisez-vous plutôt que de démontrer votre ignorance!

Dans les annales de la radio...

Le matin du 27 juin 1991, vers 7h40, un animateur-vedette d'une station de radio FM de Montréal discutait des anniversaires du jour avec une co-animatrice. Il posait des devinettes, elle répondait.

C'était, semble-t-il, le 24ᵉ anniversaire de naissance d'une chanteuse. Son indice: «un nom bonbon». Et lorsque la co-animatrice n'a pu répondre, il ajouta qu'il ne pouvait pas en dire davantage parce qu'il ne la connaissait pas du tout. Il donna ensuite la réponse: la chanteuse Candi. Puis il répéta qu'il n'avait aucune idée de qui était Candi.

Qui pouvait être intéressé par ce commentaire? Ceux qui aiment Candi sont insultés; ceux qui ne la connaissent pas se demande, avec raison, pourquoi on les emmerde pendant 35 secondes avec l'anniversaire de naissance d'une inconnue!

Peu de gens peuvent prétendre connaître toutes les personnes et tous les faits historiques inclus dans une liste d'éphémérides. Il n'y a donc aucun mal à être «ignorant». Par contre, chaque personne dont vous parlez et chaque fait historique que vous soulignez est connu d'au moins un de vos auditeurs. Face à cet auditeur, rire de votre ignorance, c'est rire de ses connaissances et peut-être même de ses valeurs personnelles et de son style de vie! C'est une insulte.

Dans les annales de la radio...

Voici un extrait de la chronique de Pierre Foglia, publiée dans le journal LA PRESSE de Montréal en novembre 1992, et résumant parfaitement bien la situation de l'animateur ignorant qui se vante d'être ignorant.

«J'écoutais CKAC dans ma voiture. «Aujourd'hui, c'est l'anniversaire de la mort du très important cinéaste italien Pasolini», récitait le taré de service, probablement d'après l'éphéméride de la Presse Canadienne. Il prit ensuite un ton ironique pour demander à la fille de la météo: «Vous, Caroline, vous le connaissez le très important Pasolini?»

- Non, jubila la nounoune...

- Eh bien moi non plus, triompha le taré.

«Ce rire gras qui pose sur l'ignorance le cerne de la débilité.»

Probablement que la moitié des auditeurs de CKAC à ce moment-là ne savaient pas non plus qui était Pasolini. Ce qui est tout à fait normal et sans conséquence. Il eût suffi de quelques mots pour qu'ils l'ignorent un peu moins: «Cinéaste, mais avant tout écrivain, sa poésie et ses écrits politiques en ont fait un écrivain-culte en Europe et même un peu ici...»

Mais ce n'était même pas nécessaire. Le taré aurait pu glisser, ne rien dire du tout, après tout on s'en fout de Pasolini. On n'est pas ignorant des choses qu'on ne veut pas savoir. La seule ignorance rédhibitoire est l'ignorance triomphante. Celle qui s'applaudit d'ignorer: «Pasolini? Ha ha ha». Ce rire gras qui pose sur l'ignorance le cerne de la débilité.»[1]

Et le nom du «tata de service» était inscrit en noir sur blanc à la note de renvoi au bas de la chronique. Pas de quoi être fier!

● ●

LES STATISTIQUES

On peut faire dire n'importe quoi à des statistiques. De nombreuses faussetés sont ainsi propagées par des animateurs et des journalistes qui ne se donnent pas la peine de réfléchir à la signification de ce qu'ils lisent.

Prenons un exemple. The American Comedy Network rapporte que 83% des animateurs ayant répondu à un sondage ont jugé l'humour comme étant un élément très important ou le plus important de leur émission[2]. Est-ce un très fort pourcentage? Peut-être que non! Le sondage a peut-être été effectué strictement auprès d'animateurs d'émissions matinales humoristiques. Ce pourcentage serait alors, au contraire, très faible! Il faut être capable de lire entre les lignes et d'interpréter.

Quant à la façon de les énoncer en ondes: pensez davantage à l'image globale qu'à la donnée pure. Vous pouvez dire «près d'un demi-million» au lieu de «490 milles dollars» et «les trois quarts» au lieu de «76%».

LES ACTIVITÉS POLICIÈRES ET JURIDIQUES

Règle générale: laissez les activités juridiques et criminelles aux journalistes professionnels. Les règles de traitement de ces sujets sont complexes et délicates.

Cette directive ne s'applique évidemment pas aux sujets moins compromettants comme les «opérations radar». Dans ce cas, d'ailleurs, il est certain que d'aider vos auditeurs à éviter de prendre une contravention vous permet de vous rapprocher d'eux. Et il n'y a rien dans la loi qui vous interdit de recommander à vos auditeurs de ralentir dans un secteur particulier. Ce n'est qu'un hasard, si les policiers procèdent simultanément à une «opération radar»!

LES ÉLÉMENTS RÉPÉTITIFS DE VOS INTERVENTIONS

La fréquence de répétition des éléments d'information tels que votre nom, l'heure et l'identification de la station est difficile à gérer: on les dit trop fréquemment ou pas assez.

Dans les annales de la radio...

Le jeudi 27 juin 1991, sur une station de radio FM de Montréal, l'animateur du matin ne s'est jamais nommé entre 7h30 et 8h15, soit pendant une période largement supérieure à la durée moyenne d'écoute à cette heure-là de la journée. Il avait pourtant l'air de se

Citation

[1] FOGLIA, Pierre, Fini Pasolini, chronique publiée dans le journal La Presse de Montréal, samedi 7 novembre 1992, p. A5.

Note

[2] AMERICAN COMEDY NETWORK (The), The Method To The Madness: Radio's Morning Show Manual, États-Unis, 1985, p. 19.

prendre pour une vedette bien connue. Peut-être l'était-il! Peut-être que la direction de la station avait payé très cher pour obtenir ses services. Mais ils ont oublié de le dire aux auditeurs!!!

● ●

Une méthode efficace pour garantir un niveau de répétition acceptable pour tous les éléments de base de vos interventions, consiste à utiliser une feuille de route comme celle présentée à la figure 7. En principe, le directeur de la programmation devrait vous fournir cette feuille de route ou, du moins, les informations brutes suivantes:

- La liste des éléments répétitifs qu'il désire vous entendre utiliser (comme les slogans de la station).
- La fréquence d'utilisation de chacun de ces éléments.
- Les restrictions ou consignes concernant leur utilisation.

La feuille de route présentée à la figure 7 est conçue pour être utilisé de la façon suivante:

- La colonne de gauche contient la liste des éléments répétitifs et, sous chacun d'eux, le nombre de carrés indique le nombre de fois où cet élément doit être utilisé ou mentionné durant l'heure. Vous cochez à chaque fois que vous mentionnez cet élément au cours de votre émission.
- La colonne de droite sert à planifier à l'avance vos interventions et la répartition dans l'heure des éléments répétitifs. Par exemple, vous pourriez décider, avant le début de votre émission, d'utiliser un communiqué du carnet communautaire pour votre intervention de 10h24 et de faire la promotion de l'émission du retour à la maison dans celle de 10h56.
- Une feuille différente est utilisée pour chaque heure d'émission, le format de celle-ci pouvant d'ailleurs changer d'heure en heure comme dans le cas de l'horloge de programmation.

Nous reviendrons sur l'utilisation de la feuille de route de l'animateur, dans la section sur la préparation (page 110 et suivantes).

VOTRE NOM

Vous vous nommez parce qu'il est intéressant pour vos auditeurs de savoir qui leur parle, mais aussi parce que vous voulez développer votre personnalité radio et que cela commence par vous faire reconnaître par un nom.

Choisir entre votre propre nom ou un nom d'emprunt est une question secondaire dont il faut discuter avec le directeur de la programmation. Mais, à moins que votre nom soit vraiment difficile à prononcer et à retenir, il n'y a pas de véritable avantage à changer de nom. Il est d'ailleurs comique de voir un jeune qui rêvait d'être populaire, réussir à atteindre un certain niveau de popularité... sous un nom d'inconnu!

Quant à la façon de vous nommer en ondes, les formules les plus simples demeurent les meilleures. Évitez particulièrement de vous nommer sous une forme qui ressemblerait à celles utilisées pour s'introduire auprès d'un inconnu. Comparez la façon dont vous vous présentez lorsque vous rencontrez un inconnu et lorsque vous parlez à un ami au téléphone. La deuxième est la bonne!

Deux formules déconseillées

«Alain Bonhomme avec vous jusqu'à 18h.»

C'est une pratique très répandue que d'annoncer la fin de son émission en même temps que son nom. Ce n'est pourtant qu'une habitude égocentrique. Que ce passera-t-il à 18h? Est-ce que la station fermera?

La fin de votre émission n'est pas un élément à promouvoir. Cela n'incite pas les auditeurs à vous écouter et n'est d'aucun intérêt pour eux. Faites plutôt la promotion de l'émission qui suit.

«Votre animateur: Alain Bonhomme.»

À l'intérieur du cadre de fonctionnement de la radio, vous êtes un animateur radio. Mais pour l'auditeur, vous êtes peut-être plus que cela! Alors plutôt que de lui fournir la définition de vos tâches de travail, appliquez-vous à développer votre identité propre. Vos meilleurs amis ne vous connaissent-ils pas comme étant tout simplement Alain et non «l'animateur» Alain Bonhomme?

L'HEURE

L'importance, longtemps indiscutable, de dire l'heure fréquemment durant votre émission, est de plus en plus discutable. Des horloges sont installées partout: sur le poêle, sur le four micro-ondes et sur le mur du bureau. La plupart des gens portent une montre. Les radios d'autos ont presque toutes une horloge. Même le matin, alors que l'on prétend qu'il faut dire l'heure plus souvent, la plupart des gens savent très bien à quelle heure ils se lèvent: la même, chaque jour! Et leurs activités matinales sont tellement répétitives qu'ils savent exactement quand c'est l'heure de partir pour le boulot.

Mais cela étant dit, même ceux qui sont entourés d'horloges peuvent avoir perdu la notion du temps ou avoir «passé tout droit». Alors, comme il prend si peu de temps de dire l'heure, aussi bien «positionner temporellement» ses auditeurs.

Mais attention! Positionner l'horloge mentale des gens n'est pas compatible avec votre besoin d'être créatif. Ceux qui veulent l'heure, la veulent en format très facilement et naturellement compréhensible. Et ceux qui ne la veulent pas, ne la remarqueront pas si vous la dites rapidement. Ne dites donc pas «8 heures et 20 minutes du matin». Dites «8 heures 20». On sait que ce sont des minutes et tout le monde sait si on est le matin ou l'après-midi.

Et arrondissez à une ou deux minutes près. Même si nous sommes dans l'ère du numérique et que l'horloge du studio affiche l'heure précise, faites l'effort mental d'arrondir comme vous le feriez si vous regardiez une horloge traditionnelle. Ainsi, s'il est 6h59, dites donc qu'il est 7 heures (il le sera, d'ailleurs, probablement avant la fin de votre intervention). Seul Radio-Canada a des émissions qui commencent à 15h03 après le bulletin de nouvelles et se terminent à 17h29. Pour les gens normaux, cette émission débute à 15h et se termine à 17h30. D'ailleurs, pourquoi est-ce que le bulletin de nouvelles de 15h ne serait pas considéré comme faisant partie de l'émission?

Quant au système international, de plus en plus de personnes le comprennent et l'utilisent au Québec, mais d'autres, ont encore de la difficulté à comprendre 16h45. Pour elles, vous pourriez répéter l'heure, de temps à autre, sous les deux formes, surtout dans la deuxième moitié de l'heure et dans l'après-midi: «16 heure 50; 5 heures moins 10». Cette pratique devrait toutefois disparaître définitivement au cours des prochaines années, surtout si le Canada anglais et les États-Unis se décident enfin à se convertir à l'heure internationale.

L'IDENTIFICATION DE LA STATION

L'identification de la station est un élément vital qui devrait revenir dans chaque intervention en ondes. Mais nous avons déjà traité de cette question dans le chapitre sur la programmation (page 47 et suivantes) et nous y reviendrons dans le chapitre sur la promotion (page 224).

FEUILLE DE ROUTE DE L'ANIMATEUR
Entre 10h00 et 11h00

Les éléments répétitifs:

▶ INDICATIF D'APPEL
☐ ☐ ☐ ☐ ☐

▶ SLOGANS DE LA STATION
☐ ☐

▶ VOTRE NOM
☐ ☐

▶ RAPPEL MÉTÉO
☐ ☐

▶ HEURE
☐

▶ CAROTTES
☐

▶ PROMOTION DES AUTRES ÉMISSIONS
☐

▶ CARNET COMMUNAUTAIRE...
☐

▶ ... ET AUTRES RÉFÉRENCES LOCALES
☐

Le nombre de ☐ représente le nombre minimal d'interventions devant inclure cet élément.

Votre plan de match:

10h08
Éléments répétitifs:
_____
Sujet principal:
_____
_____

10h24
Éléments répétitifs:
_____
Sujet principal:
_____
_____

10h36
Éléments répétitifs:
_____
Sujet principal:
_____
_____

10h48
Éléments répétitifs:
_____
Sujet principal:
_____
_____

10h56
Éléments répétitifs:
_____
Sujet principal:
_____
_____

Figure 7 Feuille de route de l'animateur - exemple

LES CAROTTES

Les carottes (ce que les anglophones appellent des *teasers*) servent à éveiller la curiosité de vos auditeurs, à les «exciter» afin qu'ils demeurent attentifs et qu'ils aient toujours l'impression que le meilleur est à venir. Une carotte, c'est une information que vous leur transmettez et qui leur donne une raison de ne pas changer de station, une raison de vous suivre comme le lapin suit la carotte qu'on lui tend!

Des carottes doivent être placées un peu partout dans l'émission parce que n'importe quel élément de votre programmation peut déplaire à quelqu'un. Certains voudront changer de poste durant un bloc publicitaire; d'autres, durant une chanson qu'ils détestent.

Le cas des gens vous écoutant strictement pour la musique est très particulier. Ce sont les «auditeurs-kangourous», ceux qui sautent rapidement de gauche à droite. Ils changent souvent de station de radio durant les segments non musicaux. C'est pourquoi, avant la diffusion d'un bloc publicitaire, comme d'ailleurs avant un bulletin de nouvelles ou tout autre segment non musical, vous avez avantage à annoncer quelques chansons-succès en réserve.

Le lien entre les carottes et le contenu des bulletins d'information a été discuté dans la section consacrée à l'information, dans le chapitre sur la programmation radio (page 43).

Dans les annales de la radio...

Un animateur francophone du nord-est ontarien, fier de ses 18 ans d'expérience, annonçait la venue de la «pause publicitaire après la chanson de Roch Voisine que voici...»!?!

Il avait compris le principe des carottes... mais à l'envers!

Presque n'importe quel élement qui sera ultérieurement diffusé dans votre émission peut constituer une carotte. C'est à vous de la rendre appétissante. Mais il est peu probable que vous puissiez rendre appétissante, la publicité!

LA PUBLICITÉ DES AUTRES ANIMATEURS

Certains animateurs souffrent d'égocentrisme aigu: ils ne parlent jamais des autres animateurs et des autres émissions. Pourtant, faire un peu de publicité pour les autres animateurs ne vous enlève rien. Cela ne fait qu'aider la station et, tôt ou tard, vous-même (par le retour de l'ascenseur) tout en démontrant votre professionnalisme.

Dans le chapitre sur la promotion radio, nous reviendrons sur la question de la publicité des diverses émissions offertes par votre station de radio (page 227).

LA MÉTÉO

La météo a toujours été un élément dominant dans la programmation radio, non seulement parce que les gens veulent connaître les prévisions météorologiques, mais aussi parce que la météo constitue un élément-connecteur entre vous et l'auditeur affrontant la même tempête de neige que vous.

On perd pourtant de plus en plus de terrain à la télévision. Cela est dû sans doute un peu au fait que la météo télévisée est de plus en plus accessible et intéressante, mais c'est surtout dû au fait que la météo à la radio ne l'est plus! Elle est livrée n'importe quand et n'importe comment. Il est honteux de constater à quel point la météo est un élément d'information extrêmement mal utilisé et mal livré par la plupart des animateurs, même par ceux qui sont rendus au sommet de leur carrière. Avoir à livrer les prévisions météorologiques plusieurs fois par semaine ne vous donne pas le droit de les massacrer de temps à autre: à chaque fois, un auditeur quelque part l'entend pour la première fois.

Le jour où Météomédia offrira des prévisions météorologiques en interactif, il faudra peut-être oublier la prépondérance de la radio comme source d'information météorologique, mais d'ici là, on peut encore conserver notre avance notamment en utilisant l'avantage qu'a la radio d'être très spécifique à une région donnée: celle de ses auditeurs. Et même après l'arrivée des prévisions météorologiques en interactif, il restera des gens qui n'y auront pas accès. Et, de toute façon, la météo à la radio continuera à jouer son rôle de connecteur entre l'auditeur et vous.

LE CONTENU DU BULLETIN MÉTÉO

Les températures maximale et minimale prévues, le pourcentage d'humidité, les prévisions à court et à long terme, les records du jour, les risques de précipitation, la température actuelle et, depuis peu, les indices de pollution et d'état de la couche d'ozone, sont tous des détails dont la pertinence varie d'une journée à l'autre et d'une partie de la journée à l'autre. Il est inutile de livrer toutes ces informations à chaque bulletin de météo comme si vous étiez engagé dans un marathon.

Prenez le temps de choisir les détails qui sont pertinents dans le contexte où vous vous trouvez. Les prévisions à long terme, par exemple, sont plus importantes le vendredi précédant un long week-end que le mardi matin. Et n'est-il pas ridicule d'entendre dire «maximum prévu de 15°C (...), il fait actuellement 17°»? Pitié! Mettez de côté les maximum et minimum prévus aussitôt qu'ils sont atteints. Tout est une simple question de logique!

Assurez-vous également d'avoir les plus récentes prévisions. Comme elles changent régulièrement, ne vous contentez pas des prévisions météorologiques reçues en début d'émission. Téléphonez fréquemment au centre météorologique le plus près pour obtenir des mises à jour. Et vérifiez régulièrement l'état actuel du temps par une fenêtre (s'il n'y en a pas dans le studio, trouvez-en une!) afin de savoir si vos prévisions correspondent à la réalité, ce qui vous permettra d'éviter de commettre l'erreur classique d'annoncer une belle journée de soleil, alors qu'il pleut au moment même où vous faites cette annonce!

LE LANGAGE MÉTÉO

Quand avez-vous utilisé, en dehors des ondes, l'expression «probabilité de précipitation à 20%»? C'est du verbiage technique que vous n'utiliseriez jamais dans la rue où vous diriez plutôt «Il fera beau toute la journée. C'est presque garanti!» Et à la place de «nébulosité croissante», vous diriez qu'il y aura de plus en plus de nuages. Eh bien, c'est ce langage-là que vous devez aussi utiliser en ondes à la place du jargon des météorologistes. C'est le principe du décodeur: vous êtes l'émetteur responsable de la bonne communication avec le récepteur. Vous avez donc la responsabilité de décoder l'information d'Environnement Canada pour la recoder dans une version radiophonique adaptée à votre public.

De plus, les prévisions météorologiques auraient souvent avantage à être annoncées en relation avec ce qui s'est passé la veille. Par exemple, dans un rappel météo, vous pourriez simplement dire: «Il fera aussi beau qu'hier et encore un peu plus chaud». La majorité de vos auditeurs comprendraient ainsi d'un seul coup ce que la journée leur réserve plutôt que d'avoir à se rappeler des températures de la veille pour savoir s'il fera aussi chaud aujourd'hui. Quant aux gens qui seraient arrivées dans votre patelin dans le courant de la nuit, ils comprendraient quand même qu'il fera beau et chaud.

Et, de grâce, sachez faire la part des choses! Un avertissement de froid intense est sérieux. C'est de l'information vitale. Mais les records du jour ne sont rien de plus que de l'information transmise pour le plaisir. Alors, s'il vous plaît, relaxez vos muscles faciaux et adoptez un ton plus léger et divertissant!

La fréquence de répétition

En général, les prévisions météorologiques doivent être livrées très régulièrement le matin, lorsqu'on veut savoir comment s'habiller et qu'on n'a pas le temps d'attendre une demi-heure pour le savoir. Durant le reste de la journée, ça dépend strictement de ce que vos auditeurs vivent. Augmentez la fréquence de répétition lorsque le temps est à l'orage, lorsqu'on est à la veille d'un long week-end ou lorsque le premier juillet se pointe à l'horizon avec ses camions de déménagement. Réussir à «faire de la bonne radio», c'est fondamentalement de réussir à satisfaire les attentes de son public.

Le carnet communautaire

Le terme «carnet communautaire» désigne le dossier regroupant physiquement tous les communiqués transmis à la station par les groupes sociaux et les divers organismes locaux et régionaux. Lorsque les interventions en ondes des animateurs sont inspirées du contenu de ce dossier, on parle de messages ou d'interventions communautaires. Mais lorsque ce même message est pré-enregistré puis diffusé en ondes dans un bloc publicitaire, on parlera plutôt d'un message d'intérêt public (MIP).

Le contenu de chaque communiqué du carnet communautaire est bien sûr d'un intérêt limité à quelques individus seulement. Mais c'est précisément pour cette raison que le fait d'en parler en ondes vous rapproche instantanément de ces quelques individus. Vous développez alors une relation très personnelle avec eux. Et au fil du temps et des messages communautaires, vous pouvez rejoindre chaque auditeur. Pour ce faire, vous devriez toutefois, en plus des communiqués reçus à la station, ajouter vous-même dans le carnet communautaire des informations sur les activités que vous découvrez. Faites des efforts pour identifier et parler des groupes qui ne pensent jamais à vous envoyer d'information sur leurs activités: ils remarqueront l'intérêt que vous leur portez.

Dans le chapitre sur la promotion, nous reparlerons du carnet communautaire et des messages d'intérêt public (page 235).

La méthode de diffusion

La diffusion en ondes du contenu du carnet communautaire peut se faire selon deux méthodes totalement différentes: la méthode «bulletin de nouvelles» et la méthode «campagne publicitaire».

La première méthode consiste à livrer l'ensemble du contenu du carnet communautaire dans une seule et même chronique à heure fixe. Cela permet aux gens intéressés par ce qui se passe dans leur coin de pays d'obtenir passablement de nouvelles communautaires en peu de temps. C'est une formule généralement appréciée des représentants publicitaires parce qu'il est facile d'y coller un commanditaire.

Mais l'efficacité de cette pratique est mise en doute par plusieurs directeurs de la programmation qui préfèrent que ces messages soient livrés un à un par les animateurs dans leurs interventions. Cela permet d'éviter la mise en ondes d'une chronique probablement ennuyante pour la majorité de vos auditeurs et de traiter les messages communautaires comme des messages publicitaires. La diffusion en rotation, sur l'ensemble de la programmation, permet de profiter des avantages de la publicité radio: c'est-à-dire de maximiser simultanément la portée (le nombre de personnes ayant entendu le message) et la fréquence (le nombre de fois où chaque individu a entendu le message).

Dans les deux cas, la pertinence du message et l'importance du groupe visé par ce message communautaire détermineront le nombre de fois où le message sera livré en ondes.

LE CONTENU ET LA FORME

Il est normal d'être porté à négliger la préparation de ces messages parce qu'ils sont d'un intérêt limité. Mais c'est précisément pour cela, pour éviter qu'ils dérangent trop votre programmation, qu'ils doivent être soigneusement préparés.

La plupart des communiqués reçus ne sont pas écrits par des professionnels et nécessitent, de votre part, un gros travail de préparation.

Voici quelques règles générales concernant la préparation et la livraison des messages communautaires:

Limitez-vous à l'essentiel

Vous devez répondre aux questions «Qui», «Quoi», «Où», «Comment» et occasionnellement, «Pourquoi»; mais en vous limitant aux grandes lignes et en éliminant tous les détails non essentiels comme la porte d'entrée de l'édifice ou même le prix de l'événement.

Aucun message communautaire ne devrait dépasser 20 secondes afin d'éviter d'endormir ceux pour qui ce message n'est d'aucun intérêt. Cet objectif est très réaliste si vous vous donnez la peine de préparer les messages du carnet communautaire aussi rigoureusement que vous préparez les messages publicitaires.

Utilisez le processus AIDA

Attention - intérêt - désir - action. Ne commencez jamais votre message par le nom de l'organisme. Commencez plutôt par ce qui peut éveiller l'intérêt d'un plus grand nombre possible d'auditeurs. N'invitez personne à passer à l'action («Vous êtes invité à...») avant d'avoir éveillé son intérêt.

L'utilisation du processus AIDA a été discuté précédemment dans la section sur le langage radiophonique (page 86).

Maîtrisez le sujet

Pour être précis, bref et intéressant, vous devez maîtriser le sujet avant d'ouvrir le micro. Si des précisions vous sont nécessaires, téléphonez à la personne dont le nom apparaît sur le communiqué. Cette personne sera ravie de constater votre intérêt et votre professionnalisme et elle en parlera probablement aux autres membres de son groupe qui seront alors incités à écouter votre émission pour entendre parler d'eux. Et, en bonus, vous n'aurez pas l'air ignorant en ondes!

Respectez le sujet

Ne faites jamais de l'humour avec un message d'intérêt communautaire, vous détruiriez ainsi tout ce que votre station tente de bâtir, soit une relation de confiance avec ses auditeurs. C'est d'ailleurs la raison pour laquelle vous devez adopter un ton amical plutôt que formel pour la livraison de ce type de message: vous parlez de vos amis à d'autres amis.

Éliminez les numéros de téléphone

Il est très rare que le numéro de téléphone soit important pour l'auditeur. La plupart du temps, ce numéro n'est utile que pour vous, pour vérifier les informations reçues. L'auditeur, lui, s'il est intéressé par une danse au gymnase de l'École Sacré-Coeur et désire obtenir plus d'information, saura bien trouver le numéro de l'École Sacré-Coeur, ou bien vous téléphonera sur la ligne des auditeurs et vous obtiendrez du même coup du feed-back quant à l'intérêt suscité par votre intervention.

La façon d'annoncer en ondes un numéro de téléphone est présentée dans le chapitre sur la création et la production publicitaire (page 169).

Les références locales

Cet item est inscrit dans les éléments répétitifs sur la feuille de route de la figure 7, simplement dans le but de vous rappeler de faire fréquemment référence à des noms et à des lieux régionaux et locaux. Il peut s'agir de n'importe quelles mentions effectuées dans n'importe quelle intervention sur n'importe quel sujet.

Vous pourriez, par exemple, vous procurer une carte de la région et vous organiser pour mentionner à chaque jour ou à chaque heure, dans une de vos interventions, le nom d'un village environnant ou le nom d'une rue de votre localité. Vous devrez toutefois faire preuve de créativité pour que ces références locales s'intègrent de façon naturelle dans vos interventions.

Sur la feuille de route de la figure 7, ces mentions locales ont été prévues comme devant être en sus de celles automatiquement effectuées par les interventions issues du carnet communautaire.

VOS INTERVENTIONS ET LA MUSIQUE

La présentation de l'interprète et de la chanson

Quand

Certains animateurs radio et même certains directeurs de la programmation prennent pour acquis que tout le monde connaît le titre d'une chanson parce qu'elle a été diffusée en ondes 50 fois. C'est vrai pour vous, mais pas nécessairement pour l'auditeur qui écoute la radio 25 minutes par jour. D'ailleurs, prétendre que tous vos auditeurs connaissent ce que vous avez fréquemment diffusé en ondes, c'est prétendre que la croissance de l'auditoire de votre station est nulle! Des sondages ont démontré qu'une des principales frustrations que les gens éprouvent à écouter la radio est de ne pas savoir qui a chanté quoi. En théorie, il faudrait donc nommer le nom de l'interprète et le titre de toutes les chansons diffusées.

Mais le moment choisi, pour présenter l'interprète et le titre de la chanson, est tout aussi gros de conséquences que la fréquence de présentation. L'auditeur moyen n'emmagasine pas l'information livrée avant la diffusion de la chanson. Pourquoi la mémoriserait-il? C'est après la diffusion d'une chanson qui lui a plu, particulièrement s'il désire connaître le titre de la chanson et le nom de l'interprète afin de se procurer l'album, qu'il risque de développer sa frustration de ne pas savoir qui a chanté quoi.

Il est donc largement préférable de présenter le titre et l'artiste d'une chanson après avoir fait tourner la chanson, plutôt qu'avant.

> **Deux exceptions à la règle voulant que le titre de la chanson et le nom de l'interprète soient présentés après la diffusion de la chanson:**

> **Les carottes**
> Vous avez avantage à annoncer à l'avance les chansons-succès devant être diffusées, de façon à motiver vos auditeurs à demeurer à l'écoute de votre station. Mais cela s'effectue bien avant la diffusion de la chanson.

> **Les nouveautés**
> Les nouveautés constituent la grosse exception à la règle parce que certains auditeurs sont portés à changer de station lorsqu'ils en entendent

---

Prétendre que vos auditeurs connaissent ce que vous avez fréquemment diffusé en ondes, c'est prétendre que la croissance de l'auditoire de votre station est nulle!

une dont l'air ne leur revient pas rapidement. Vous avez donc avantage à présenter les chansons-nouveautés juste avant leur diffusion, particulièrement si votre station de radio est réputée pour ne faire tourner que des succès. Vous prévenez alors vos auditeurs de porter une attention particulière à cette chanson. La curiosité les incitera peut-être à l'écouter.

Et n'oubliez jamais qu'une chanson demeure une nouveauté pour vos auditeurs beaucoup plus longtemps que pour vous.

COMMENT

La règle générale dit que:

- la présentation du titre de la chanson et du nom de l'interprète doit être collée à la chanson, c'est-à-dire immédiatement avant (si vous y tenez absolument) ou immédiatement après sa diffusion;
- seuls les lettres d'appel et le slogan de la station peuvent s'immiscer entre la chanson et l'annonce de son titre et de son interprète.

Pour éviter la robotisation, vous pourriez bien sûr faire exception de temps à autre à cette règle.

Quant à l'ordre de présentation d'un bloc de chansons, le principe de l'ordre chronologique inverse s'applique, de façon à ce que l'annonce du titre et de l'interprète de la chanson collée à votre intervention se situe le plus près possible de cette chanson.

Prenons l'exemple de la séquence de programmation suivante:

INTERVENTION A / CHANSON 1 / CHANSON 2 / CHANSON 3 / INTERVENTION B

Dans l'intervention A, vous devez d'abord présenter la chanson 3, puis la 2 et terminer par celle qui commence avec la fin de votre intervention. De même, dans l'intervention B, vous devez parler de la chanson 3 qui se termine à peine, puis parler de la 2 et compléter votre intervention en parlant de la première chanson diffusée.

LES INTROS

Il fut un temps où un animateur était professionnel lorsqu'il réussissait à compléter son intervention un huitième de seconde avant que l'artiste ne commence à chanter, il «tapait l'intro». Les représentants des compagnies de disques encourageaient cette pratique qui nuisait considérablement à l'enregistrement de chansons à partir d'un récepteur radio.

Aujourd'hui, la mode est plutôt à l'inverse depuis qu'on s'est rendu compte qu'il était très frustrant pour un auditeur de ne pouvoir écouter la totalité d'une chanson. Des sondages réalisés aux États-Unis ont d'ailleurs démontré que les auditeurs préféraient les stations de radio qui ne permettaient pas à leurs animateurs de parler sur les intros des chansons.

Évidemment, il est particulièrement important que vous ne parliez pas sur l'intro (ou la finale) d'une chanson qui serait réputée pour ses toutes premières (ou toutes dernières) notes.

Pour mixer la fin d'une intervention avec le début de la musique, plutôt que de combler l'intro, vous pouvez terminer votre intervention avec un passage musical accentué, ce qu'on appelle un «poteau». Cela représente un niveau de difficulté identique à celui de terminer juste avant les premières paroles chantées. Pour ce faire, le chronométrage des intros doit forcément inclure les poteaux: par exemple, l'étiquette d'une chanson avec une intro de 23 secondes comportant des poteaux à 5 et 12 secondes devrait se lire: «5/12/23».

Bref, les règles générales suivantes devraient guider votre utilisation des intros de chanson:

- Sur une intro, ne dites que des choses très intéressantes: n'ajoutez jamais de commentaires ne visant qu'à brûler du temps.
- Ne comblez pas plus de la moitié ou des deux-tiers de l'intro.
- Ne parlez pas sur plus d'une intro sur deux.
- Ne jouez pas avec le volume de la chanson, mais ajustez-le adéquatement pour qu'on vous entende.

Ce dernier point n'est pas aussi anodin qu'il semble. Certains animateurs diminuent le volume en commençant à parler, puis l'augmentent. Ils peuvent le faire à 2 ou 3 reprises sur la même intro. Pour l'auditeur, ce changement de volume est agaçant, particulièrement si cette chanson est sa favorite. Vous devez ajuster le volume de la chanson pour toute la durée de votre intervention de façon à donner l'impression d'être dans la chanson et non par-dessus.

VOTRE OPINION PERSONNELLE

La liberté d'expression: vous pouvez livrer votre opinion d'une chanson... mais seulement si elle positive!

Chaque chanson que vous diffusez en ondes est la favorite de quelqu'un. Vous ne pouvez donc pas en rire, ni la négliger. Cet auditeur le prendrait comme une insulte personnelle. Même si vous étiez certain que cette chanson est plate pour 99,9% des auditeurs, n'allez pas renforcer leur opinion: ils seraient encore plus enclins à aller «voir» ailleurs.

Votre devoir est de vendre l'idée à tous, même à ceux qui haïssent la chanson en question, que cette chanson vaut la peine d'être écoutée. Sinon pourquoi la diffuseriez-vous?

C'est de la liberté d'expression contrôlée: vous pouvez livrer votre opinion d'une chanson, mais seulement si cette opinion est positive!

LA PRÉPARATION

En ondes, vous êtes d'abord et avant tout un interprète, mais lorsque vous préparez votre émission, vous devenez le créateur d'un spectacle, l'auteur d'une pièce de théâtre que vous aurez le privilège de jouer vous-même. La préparation, c'est ce qui vous permet de faire ressembler votre émission à autre chose qu'une ligue d'improvisation de garage, de créer des variances, d'innover et d'exceller.

Un niveau supérieur d'excellence ne peut être atteint sans efforts et la production d'une émission de radio de qualité supérieure ne peut se réaliser sans préparation. Même Wayne Gretzky se prépare et fait des exercices de réchauffement avant d'entrer en scène. Des animateurs très connus passent plus de temps à préparer leur émission qu'ils n'en passent en ondes, certains consacrant même plus de deux heures de préparation par heure passée en ondes.

La préparation est importante pour vous rendre intéressant en ondes, pour vous aider à éliminer un grand nombre d'âneries que vous auriez autrement dites en ondes et pour que vous puissiez livrer chacune de vos interventions de façon brève et précise, mais aussi pour vous permettre de développer rapidement et de maintenir votre personnalité radio en pensant à aborder tous les sujets sous un angle propre à votre personnage.

Être préparé ne signifie pas que l'ensemble de votre émission est ensuite coulée dans le béton. Au contraire, la préparation doit vous permettre de planifier un certain désordre... De vous assurer que vos farces n'abordent pas toujours les mêmes sujets et ne sont pas toujours présentées de la même façon. De vous assurer que les différents éléments d'information contenus dans votre émission ne soient pas toujours présentés de la même manière et sur le même ton.

En fait, comme le dicton qui dit que la meilleure improvisation est une improvisation préparée, votre préparation devrait vous permettre d'avoir l'air naturel et spontané tout en respectant l'ensemble des règles de programmation et d'animation.

La spontanéité demeure importante, mais la spontanéité préparée parce que l'improvisation ne devrait exister que lorsqu'il s'agit de s'ajuster aux événements de dernière minute. Le fait que l'ensemble de votre émission soit préparé vous permettra d'ailleurs de mieux écouter les autres intervenants de votre émission, pour mieux participer au dialogue, et libèrera votre esprit pour demeurer à l'affût de tout ce qui se passe dans le monde, autour de vous, pendant votre émission. Il surviendra des situations qui justifieront que vous jetiez à la poubelle, ou mettiez de côté pour le lendemain, de grandes portions de ce que vous aviez prévu pour votre émission, afin de vous permettre de parler, par exemple, du chauffeur de camion qui vient de perdre son chargement de dindons vivants sur le boulevard Métropolitain. En ce sens, la préparation est comme un filet de sécurité pour acrobate: si vous désirez vous écarter du plan de match, vous pouvez le faire l'esprit tranquille sachant qu'advenant le pire, vous ne tomberez pas trop bas.

Il est particulièrement essentiel que l'animateur débutant se prépare adéquatement, surtout lorsqu'il doit effectuer lui-même la mise en ondes de son émission. Au cours de vos premières émissions, l'opération technique demandera toute votre attention et vous n'aurez pas le temps de préparer simultanément vos interventions, d'autant plus que la nervosité risque d'engourdir vos neurones!

LE PLAN DE L'ÉMISSION

Animer une émission de radio, c'est comme donner un spectacle: vous devez commencer de façon à accrocher tout le monde, puis vous devez maintenir le tempo pour conserver l'attention de tout le monde jusqu'à la fin. Mais contrairement à ce qui se passe dans une salle de spectacle, peu importe la qualité de votre émission, vous aurez toujours un très gros va-et-vient. Ce qui fait que chaque segment de votre émission doit simultanément accrocher les nouveaux auditeurs, conduire ceux qui continuent avec vous et laisser une bonne impression finale à ceux qui partent. Alors, plutôt que de penser à préparer une émission de 4 heures, pensez plutôt à préparer 12 mini-spectacles de 20 minutes complets par eux-mêmes et formant un ensemble cohérent pour ceux qui demeureront tout au long du parcours. Aucun de ces blocs n'a prépondérance sur le suivant, puisque chaque bloc est le plus important... pour un auditeur quelconque.

D'autre part, ne vous limitez jamais à ne préparer que le nombre minimal d'interventions dont vous avez besoin pour meubler votre émission. Votre objectif devrait toujours être d'en préparer deux fois plus que ce dont vous prévoyez avoir besoin: d'abord, pour satisfaire le principe bien logique qu'il est préférable d'en avoir trop que d'en manquer durant la dernière heure de l'émission, mais aussi parce que le fait d'en préparer supposément trop vous permettra d'éliminer ce qui est moins bon et de ne conserver que «la crème de la crème». C'est ainsi que vous produirez, jour après jour, une émission pleine et riche, que vous atteindrez l'excellence, que vous vous démarquerez de la compétition.

En ondes, vous êtes un interprète. C'est lorsque vous préparez votre émission que vous devenez le créateur d'un spectacle.

La préparation, c'est le filet de sécurité d'un acrobate.

12 mini-spectacles de 20 minutes

Évidemment, c'est avant le début de votre émission que vous devez en préparer le plan. Pour ce faire, vous pouvez utiliser une feuille de route, ce que les américains appellent une *Show Prep sheet*, comme celle de la figure 7 (page 103). Cette feuille vous aide à planifier l'utilisation des éléments d'information répétitifs, mais vous permet aussi d'établir le plan de vos interventions en précisant le sujet principal abordé dans chaque intervention prévue à l'horaire.

L'OUVERTURE

La première intervention est à votre émission ce que l'attaque est à chacune de vos interventions. Mais en plus de servir à attirer immédiatement l'attention, l'ouverture doit fournir à chaque auditeur une raison suffisante d'écouter tout le reste de votre émission et doit aider à établir un contact personnel entre l'auditeur et vous.

Cette intervention devrait être la dernière que vous préparez, de façon à lui donner le parfum de ce qui s'en vient, mais faites attention de ne pas la bâcler à la dernière minute, faute de temps. Cette intervention doit être absolument parfaite.

Peu importe la formule de programmation, votre première intervention devrait avoir lieu dès le tout début de votre émission et non lors d'une intervention programmée 15 minutes plus tard. Sur certaines stations de radio, on entend un animateur faire ses salutations à 17h50 et le suivant, dire bonjour vers 18h10. Pendant 20 minutes, on est avec personne dans un *No man's land*. Pour ne pas briser le format de programmation, votre «ouverture» peut n'être que de 15 secondes, mais elle doit être là dès les toutes premières secondes de votre émission.

LA SIGNATURE

Votre dernière intervention constitue l'occasion de saluer vos auditeurs et de lancer une invitation pour votre émission du lendemain. C'est la signature de votre émission. Mais tout cela doit s'effectuer très rapidement, parce que le principal objectif de cette intervention est de publiciser ce qui suivra sur les ondes de la station dans les prochaines heures. Ce n'est qu'occasionnellement, lorsque vous avez une raison de le faire hors de l'ordinaire, que vous devriez consacrer la majeure partie de votre dernière intervention à la promotion de ce que vous aurez dans votre émission du lendemain.

Vous concentrer sur votre émission vous enlèverait du temps pour inciter les auditeurs présents dans les dernières minutes de votre émission à écouter votre station pendant encore plusieurs heures. D'ailleurs, se concentrer sur son départ est non seulement égocentrique, c'est faire l'autruche face au fait que de nombreux auditeurs présents à la fin de votre émission sont là parce qu'ils attendent l'arrivée de leur animateur-vedette: celui qui vous suit!

On entend souvent parler de la «fermeture» d'une émission plutôt que de la «signature». Pourtant, vous ne «fermez» rien: la programmation de la station de radio se poursuit avec vos auditeurs. Vous n'avez été qu'un chapitre dans le livre. Prenez donc le temps de demander à l'animateur qui vous succèdera en ondes quelles carottes vous pourriez lancer aux auditeurs pour lui rendre service.

D'autre part, évitez, de grâce, les salutations utilisant des clichés comme celui employé par cet animateur matinier qui disait, à 9 heures: «Salut! On se donne rendez-vous demain matin, 6 heures». Il venait de se donner rendez-vous à lui-même! Les auditeurs qui sont à l'écoute à 9 heures ne sont probablement pas ceux qui étaient là à 6 heures. Et votre horaire personnel de travail ne les intéresse pas! Si vous voulez absolument leur laisser savoir que vous vous levez tôt, dites plutôt quelque chose comme «On se reparle demain matin, à l'heure que vous voulez, entre 6 heures et 9 heures.»

Dans le chapitre sur la programmation, il a été fait mention du cas spécifique de l'ouverture de votre émission avec un blitz musical (page 44).

Vous n'avez été qu'un chapitre dans un livre.

VOTRE «TEXTE»

Il existe deux chemins pouvant vous conduire à la perfection dans le combo préparation-livraison de vos interventions, deux chemins très explicitement décrits par Jacques Larue-Langlois:

> «Soit qu'on écrive tout ce qu'on veut dire en ondes et qu'on répète jusqu'à ce qu'on ait atteint le ton naturel de l'improvisation, soit qu'on jette quelques notes sur papier et qu'on pratique son improvisation jusqu'à ce que ça coule avec aisance.»[1]

[1] LARUE-LANGLOIS, Jacques, Manuel de Journalisme radio-télé, Éditions Saint-Martin, Canada, 1989, p. 48.

Au début de votre carrière, vous aurez sans doute avantage à opter pour la première méthode afin de vous accorder plus de temps, une fois en ondes, pour penser à ce que vos doigts doivent faire pour réaliser simultanément la mise en ondes technique de votre émission.

Plus tard, lorsque vous maîtriserez davantage votre métier, vous trouverez sans doute préférable de vous convertir à la deuxième méthode qui est quand même préférable pour assurer un ton naturel en vous empêchant forcément de donner l'impression de lire un texte.

Mais peu importe la méthode utilisée, vous devez d'abord préciser le but de votre intervention. Si celle-ci est inspirée d'un texte emprunté, vous devez vous assurer de bien en saisir l'essence. Si vous ne comprenez pas vous-même le texte à 100% ou si ce que vous voulez dire n'est pas absolument clair dans votre tête, comment pouvez-vous croire que vos auditeurs comprendront?

Si votre intervention est basée sur un texte que vous avez lu dans un journal ou ailleurs, ne conservez même pas le texte sous vos yeux lorsque vous préparez votre intervention. Encore moins lorsque vous êtes en ondes et que le micro est ouvert. En ayant sous les yeux un texte écrit par une autre personne, vous penserez davantage à l'articulation des mots qu'à l'essence du message à livrer.

La méthode suivante demeure la plus efficace pour la préparation d'une intervention basée sur un texte écrit par quelqu'un d'autre:

- lisez le texte,
- mettez-le de côté,
- inscrivez sur un bout de papier ce que vous voulez dire, puis
- vérifiez si vos notes correspondent à l'information contenue dans le texte original.

Pour rendre naturel un texte emprunté et le faire coller à sa propre personnalité, il ne s'agit souvent que de préciser pour soi-même le but du message, de changer quelques mots et de déplacer quelques phrases. Mais ce faisant, assurez-vous de ne pas changer le message fondamental ou de ne pas perdre de vue d'éléments clefs, particulièrement si cela concerne des gens de votre patelin.

La préparation de vos textes doit aussi vous permettre de vérifier préalablement la prononciation de tous les mots non usuels. Que vous parliez d'un bonhomme d'Australie ou du gagnant de votre plus récent concours radiophonique, vous devez être en mesure de bien prononcer son nom. Vous êtes un professionnel et à moins que vous ne soyez lâche, vous êtes capable de trouver la bonne prononciation. Dans la vie quotidienne, la majorité des gens sont insultés lorsqu'on prononce mal leur nom. Alors imaginez à la radio, quand des milliers de personnes écoutent!

Juste avant le début de votre émission

Vous devriez toujours arriver à la station au moins une heure avant le début de votre émission afin d'avoir le temps de vérifier le registre des émissions pour vous assurer qu'il ne vous réserve pas de surprises, d'obtenir les plus récentes prévisions météorologiques, de fignoler le plan de votre émission et de réviser vos interventions déjà préparées. Vous vous préparez psychologiquement à entrer en ondes en vous imprégnant de la station. Vous aiguisez votre crayon avant l'examen!

Vous devrez aussi choisir la musique dont vous aurez besoin, si cela n'est pas déjà fait par quelqu'un d'autre, et vous devriez vérifier si vous avez bel et bien toutes les pièces musicales que vous devez diffuser.

Si, en plus, vous êtes votre propre opérateur de mise en ondes, il peut être utile pour vous, particulièrement si vous êtes débutant et que vous manquez de temps au cours de votre émission, de sortir et de placer par ordre chronologique les cartouches de messages publicitaires, les disques et autre matériel que vous utiliserez. Assurez-vous toutefois de ne pas déranger l'animateur encore en ondes.

Juste avant d'ouvrir le micro

Ces trois mots doivent être une véritable obsession:

* But
* Attaque
* Sortie

* **But**
* **Attaque**
* **Sortie**

Le but précis de votre intervention, la façon d'introduire le sujet (l'attaque) et le *punch* final (la sortie) doivent être absolument clairs dans votre tête avant d'ouvrir le micro, peu importe qu'il s'agisse d'une intervention en solo, en duo ou en équipe. Vous devriez toujours noter ces trois points sur un carton en face de vous avant d'ouvrir le micro. Ce sont les bouées d'entrée au port. Sans elle, vous risquez d'aboutir sur un récif!

RECHERCHE ET DOCUMENTATION

La recherche, c'est de la préparation: la préparation du contenu de vos interventions. Et à ce niveau, la clef du succès réside dans l'inédit. C'est la recherche qui vous permet de meubler vos interventions de sujets et de commentaires originaux, qui vous permet de sortir des sentiers mille fois battus, qui vous fait découvrir ce dont personne n'avait parlé avant vous et qui vous amène à présenter sous un jour complètement nouveau, un événement dont tout le monde est au courant.

À vous de fouiller, puis fouiller et encore fouiller jusqu'à ce que vous découvriez ce qui avait été caché juste pour vous!

Le meilleur moyen pour alimenter l'inspiration dans la recherche de sujets, ou de façons d'aborder un sujet, est de laisser parler vos émotions, de penser à votre propre opinion. Dans la création d'un sketch humoristique, par exemple, vous pouvez penser à ce que serait votre propre réaction face à une situation comme celle que vous recréez dans le sketch.

Cela ne peut s'accomplir qu'en se préparant. Lorsque le micro est ouvert et que vous improvisez en lisant un communiqué, il est beaucoup trop tard pour vous poser des questions!

L'ÉCOUTE ACTIVE

En ondes, vous parlez, les autres écoutent. En dehors des ondes, la plupart des animateurs sont portés à continuer de parler. D'ailleurs, règle générale, la plupart des êtres humains sont plus portés à vouloir exprimer leur point de vue qu'à écouter celui des autres, même si, pourtant, les gens les plus appréciés en société sont généralement ceux qui ne parlent pas mais écoutent en donnant alors l'impression à leurs interlocuteurs d'être très intéressants!

Pratiquez-vous à vous taire et à écouter, même si vous devez faire d'immenses efforts. Vous serez surpris de tout le matériel que vous récolterez ainsi, de toutes les idées qui surgiront. Vous serez 10 fois plus intéressant en ondes et en dehors des ondes! Ne pas être capable d'écouter n'est, de toute manière, qu'un signe de paresse intellectuelle et de la présence d'un ego démesuré.

Répétez-vous constamment: «Ceci est important, j'écoute, j'observe, j'analyse.» C'est l'écoute active. Une écoute attentive et analytique. L'écoute du langage verbal et non-verbal. Ne vous contentez pas d'avaler ce que vous entendez, mastiquez-le pour en extraire toute la saveur et toute l'émotion humaine.

Tout comme vous êtes perpétuellement en préparation, vous êtes perpétuellement en recherche. Tout ce que vous faites dans la vie sert de préparation à votre émission. Tous les gens que vous rencontrez peuvent être source d'inspiration et d'information.

Et comme, bizarrement, les meilleures idées vous viendront en faisant votre épicerie ou en promenant votre chien, traînez toujours avec vous un calepin ou un dictaphone pour noter vos idées.

> *Pour être intéressant en ondes, vous devez apprendre à vous taire en dehors des ondes.*

L'APPORT DES REPRÉSENTANTS PUBLICITAIRES

Le représentant publicitaire est la personne dans votre station qui rencontre, quotidiennement, le plus de monde. Et même si son objectif est strictement de vendre de la publicité, il a aussi intérêt à ce que la programmation soit bonne pour qu'il puisse vendre plus de publicité, plus facilement. Il a donc une motivation indirecte à collaborer avec vous.

Étant constamment sur la route, les représentants publicitaires apprennent souvent les nouvelles bien avant les journalistes et ils sont les premiers à connaître la satisfaction ou l'insatisfaction de certains auditeurs face à certains éléments de votre programmation. Même si, pour évaluer votre émission, vous ne pouvez pas vous fier uniquement à leur échantillonnage effectué strictement parmi les commerçants, vous pouvez quand même aller y chercher du feed-back préliminaire et y trouver peut-être des idées pour votre émission.

Les représentants pourront aussi vous alimenter avec une foule d'informations et de commentaires, apparemment insignifiants pour un journaliste, mais tellement utiles pour un animateur qui essaie de faire coller son émission au vécu de la communauté locale! Il peut s'agir d'un simple feu de circulation défectueux.

VOTRE RÉSEAU D'INFORMATEURS

Ne comptez pas sur les représentants et les journalistes pour tout vous apprendre: établissez vos propres contacts dans la communauté. Faites le tour des corporations de développement économique, hôtels de ville, chambres de commerce, groupes sociaux et équipes locales de hockey. Établissez des relations personnelles avec le plus grand nombre possible de personnes influentes dans votre communauté. Organisez-vous pour rencontrer et fraterniser avec le chef de police, le chef des pompiers, le maire, les conseillers municipaux, les députés, le gérant et l'entraîneur de l'équipe de hockey junior locale et les représentants de bière. Tous ces gens-là ont une vie sociale et un bar préféré. Trouvez-le! Rencontrez et discutez aussi avec le plus grand nombre possible de gens ordinaires: le caissier à l'épicerie, le pompiste et le serveur du seul restaurant ouvert 24 heures par jour dans votre localité.

Tous ces contacts informels vous rapporteront, un jour ou l'autre. À travers ces rencontres, vous apprendrez des choses intéressantes sur la perception de votre émission, vous vous initierez très rapidement à la mentalité et au rythme de la vie locale et vous vous ferez connaître. Chaque poignée de main est une publicité pour votre émission. Au niveau des relations publiques, vous êtes dans la même situation qu'un représentant de compagnie de bière ou qu'un politicien.

Faites toutefois très attention à l'information que vous utilisez en ondes. N'allez pas répéter une information ou un commentaire qui vous a été livré confidentiellement par un «ami». Ne lui faites pas de mauvaises surprises, car vous perdriez ainsi non seulement la confiance de cet individu, mais aussi celle de tous ceux qui le connaissent. Réfléchissez-y sérieusement!

LE RÉSEAU RADIOPHONIQUE AFFILIÉ

Si votre station est affiliée à un réseau radiophonique comme Radiomutuel et Télémédia ou à un service de presse comme NTR, écoutez régulièrement ce qui se dit sur le *feed* qui arrive quelque part sur votre console. Tôt ou tard, vous y apprendrez quelque chose d'intéressant pour vos auditeurs.

Pourquoi laisser NTR aux journalistes? Ce service de nouvelles envoie aussi de l'information parfaite pour les animateurs. Et ne vous gênez pas pour prendre des extraits sonores: vous payez pour ce produit!

DOCUMENTATION SUR LA MUSIQUE

Pour être en mesure de fournir de l'information originale et passionnante sur les chansons que vous diffusez en ondes, vous devrez investir quelques dollars dans l'achat de livres de référence et dans des abonnements à de bons magazines.

Vous avez besoin de livres de référence sur les palmarès, comme la série de livres-compilations du magazine américain BILLBOARD, et d'au moins un livre de référence de type dictionnaire ou encyclopédie sur les artistes. Il en existe plusieurs comme le DICTIONNAIRE DE LA MUSIQUE POPULAIRE AU QUÉBEC 1955-1992[1] de Robert Thérien et Isabelle D'Amours, LE GUIDE DE LA CHANSON QUÉBÉCOISE[2] de Robert Giroux et THE ENCYCLOPEDIA OF POP, ROCK AND SOUL[3] d'Irwin Stambler. Le RÉPERTOIRE DES SUCCÈS SUR DISQUES (EXPRESSION FRANÇAISE) 1960-1985[4] de Jean Couillard est également un ouvrage à conserver à portée de la main.

Ensuite, vous avez besoin d'information courante que vous trouverez principalement dans les magazines et les journaux. Ne vous limitez toutefois pas aux revues à potins que tout le monde lit en même temps que vous. Soyez un peu plus créatif dans vos recherches! Vous trouverez une liste de magazines spécialisés dans la bibliographie sélective présentée à la fin du présent ouvrage.

Et ne vous contentez pas de lire les grands titres des magazines et des journaux. La plupart de l'information pouvant être avantageusement utilisée en ondes se retrouve dans les petites colonnes cachées.

Quant à l'information sur les artistes francophones, vous devrez principalement compter sur les colonnes artistiques des grands journaux, sur les biographies envoyées au directeur musical de votre station par les compagnies de disque et les agents de promotion d'artistes, de même que sur les émissions de télévision de variétés qui présentent des entrevues ou livrent de l'information artistique. Mais pour trouver ce petit quelque chose de plus, ne vous gênez pas pour

[1] THÉRIEN, Robert et Isabelle D'AMOURS, Dictionnaire de la musique populaire au Québec 1955-1992, Institut québécois de recherche sur la culture, Canada, 1992, 582 p.

[2] GIROUX, Robert, Constance HAVARD et Rock LAPALME, Le Guide de la chanson québécoise, Éditions Triptyque, Canada, 1991, 179 p.

[3] STAMBLER, Irwin, The Encyclopedia of Pop, Rock and Soul, St. Martin's Press, États-Unis, 1989, 881 p.

[4] COUILLARD, Jean, Répertoire des succès sur disques (expression française) 1960-1985, Éditions Multi-Concept, Canada, 1985, 198 p.

téléphoner aux agents de promotion afin d'obtenir de l'information plus récente ou de demander la clarification de certains points.

Une méthode efficace de travail consiste à transformer le fruit de vos recherches en notes pouvant être livrées en ondes en quelques secondes et de classer le tout sur des fiches, par ordre alphabétique d'artistes. L'information sera plus utile sous cette forme et vous aurez toujours, rapidement, quelque chose à dire sur un artiste.

DOCUMENTATION GÉNÉRALE

Le développement d'une personnalité captivante passe par le développement de sa culture. Plus vous cultiverez vos connaissances générales, plus votre personnalité sera riche et plus vous serez captivant en ondes. Il est donc important que vous fassiez l'effort de vous tenir informé. Sur tout, et sur n'importe quoi.

Vous devriez lire des revues et des journaux correspondant au type de contenu préconisé dans votre émission, traitant de sujets susceptibles d'intéresser vos auditeurs. Et, bien sûr, vous devriez lire religieusement toutes les pages de votre journal local afin de vous imprégner de la vie quotidienne de vos auditeurs, ce qui pourrait aussi, éventuellement, vous fournir des sujets d'intervention.

Mais vous devriez surtout vous permettre toute sorte de lecture de façon à éveiller votre créativité et à élargir vos horizons. Gardez votre esprit alerte et vos yeux grands ouverts. Les documents les plus anodins renferment souvent des mines d'or. Dans les grands centres urbains, il existe plusieurs boutiques spécialisées dans les revues spécialisées et étrangères. Visitez-les régulièrement. Et consacrez au moins 6 heures par semaine à la lecture.

Vous devriez aussi vous procurer quelques documents d'intérêt général comme le calendrier annuel des événements quotidiens publiés par l'Association canadienne des radiodiffuseurs et une bonne encyclopédie générale pour savoir où est le Tonga lorsque ce pays fait les manchettes.

Et prenez régulièrement la peine de classer toutes les informations ainsi recueillies, que ce soit sur des organismes, des événements ou des thèmes spécifiques. La clef du succès de votre système de classification est bien sûr de garder le minimum d'information (vous n'êtes pas un gratte-papier) mais toute l'information pouvant être utile ultérieurement (l'accès rapide à de l'information précise joue un rôle décisif dans votre recherche de l'excellence).

FINALEMENT EN ONDES...

Le studio de mise en ondes radio semble avoir l'effet d'un aimant sur plusieurs personnes, incluant vos amis, le public, les clients et même le personnel de la station. S'il est quelquefois agréable ou même bénéfique d'avoir une présence vivante qui peut vous apporter des informations inédites pouvant être utilisées dans votre émission, la présence d'individus dans le studio a surtout et généralement comme conséquence de vous déconcentrer. Le disque se termine et le suivant n'est pas prêt. Des erreurs se produisent et c'est vous qui avez l'air ridicule.

Le capitaine du vaisseau, c'est vous! Et c'est au capitaine que la direction demandera des comptes! C'est donc à vous d'exiger des conditions de travail optimales pour la production d'une émission de qualité optimale. Et avoir l'opportunité de se concentrer sur la production de son émission fait partie des conditions minimales!

C'est vous, le capitaine...

Demandez au directeur de la programmation d'établir et d'afficher une politique de compagnie interdisant formellement à toute personne de circuler dans le studio de mise en ondes, sauf pour affaires sérieuses et urgentes. Les autres animateurs et le personnel du routage ont souvent besoin d'y aller. Cela ne constitue pas un problème. Le problème survient lorsqu'ils n'en ressortent pas!

Si un individu ne comprend pas l'importance de vous laisser travailler en paix et que vous n'osez pas lui demander carrément de partir, soyez très bref dans vos réponses à ses questions et montrez-vous occupé. Vous pouvez lui suggérer de poursuivre la discussion plus tard. Vous pouvez aussi conserver vos écouteurs sur les oreilles et augmenter le volume du moniteur. Mais en dernier recours, s'il ne comprend pas, vous devrez vous résigner à lui indiquer clairement le chemin de la porte en lui expliquant que vous avez besoin de concentration.

LA NERVOSITÉ

On entend souvent dire que la nervosité est normale, même après 20 ans de métier, chez un artiste qui s'apprête à monter sur scène. C'est un peu moins vrai à la radio, parce que le studio devrait devenir un peu comme votre deuxième salon. Si vous vous êtes bien préparé, c'est-à-dire que vous savez exactement ce que vous ferez et que vous avez confiance en vos moyens, la confiance venant bien sûr avec le temps, vous devriez être capable de vous sentir passablement confortable et à l'aise face à «votre» micro.

Mais au début de votre carrière, ne vous surprenez pas d'être nerveux et d'avoir la voix tremblotante. C'est tout à fait normal. Le même phénomène se répétera d'ailleurs normalement à chaque fois que vous changerez de station de radio ou que vous commencerez l'animation d'une nouvelle émission.

Le seul gros problème pouvant découler d'une trop grande nervosité, c'est le chevrotement de la voix. Et il n'y a qu'une seule façon de lutter contre cela: contrôler le rythme de sa respiration et se concentrer strictement sur ce qu'on est en train de dire en oubliant un peu qu'on est à la radio.

LES ERREURS ET LES EXCUSES

Lorsqu'une erreur technique de mise en ondes survient, la majorité des auditeurs ne s'en rendent même pas compte si vous ne la mettez pas en vedette dans votre intervention. Il est préférable d'entendre quelques secondes de silence plutôt que du verbiage tentant d'expliquer un problème n'intéressant aucunement vos auditeurs et dont la nature technique, hautement spécialisée, fait en sorte que quelques secondes d'explications ne suffisent pas à l'expliquer.

Dans le cas où vous bafouillez en ondes ou utilisez le mauvais mot, vous devez bien sûr vous reprendre, comme vous le feriez dans une conversation normale hors des ondes, mais les excuses ne sont pas nécessaires. Vous pouvez vous reprendre simplement et brièvement en répétant correctement la phrase ou le bout de phrase qui comportait une erreur ou du bafouillage.

Bref, lorsque vous faites une erreur en ondes ou qu'un problème technique survient, vous corrigez l'erreur mais il est inutile de vous excuser parce que seuls vos compétiteurs éprouvent du plaisir et de l'intérêt à écouter vos excuses!

Et surtout, ne vous énervez pas! La plupart des erreurs qui vous sembleront des monstres n'auront même pas été remarquées par vos auditeurs. Cinq secondes de silence en ondes, parce que vous ne trouvez pas la bonne cartouche, vous apparaîtront probablement comme une éternité, mais la plupart de vos auditeurs n'en remarqueront rien! Ne vous en faites donc pas avec vos erreurs et gardez votre calme. C'est la meilleure garantie de pouvoir corriger rapidement l'erreur et de ne pas en faire une deuxième qui s'ajouterait à la première.

Seuls vos compétiteurs éprouvent du plaisir à écouter vos excuses.

D'ailleurs, quelques petites erreurs occasionnelles ne peuvent que démontrer à vos auditeurs que c'est bel et bien un être humain qui est en ondes. Ça vous permet de descendre de votre piédestal en vous rendant plus humain!

CAS SPÉCIFIQUE: LES HORS D'ONDES

Les périodes de hors d'ondes constituent un cas bien particulier. Si quelques secondes de silence ne sont généralement pas remarquées par les auditeurs, plusieurs minutes ou plusieurs heures le sont!

Il est donc préférable de s'excuser auprès des auditeurs lorsque vous revenez en ondes après une longue période de silence, pour les quelques auditeurs fidèles qui n'auront pas ajusté leur récepteur sur une autre fréquence. Leur patience justifie bien une courte explication! Mais cette explication doit être donnée dans les toutes premières secondes après votre retour en ondes ou, sinon, jamais. N'allez pas vous excuser après une chanson qui a marqué le retour en ondes, parce qu'alors, la panne est déjà de l'histoire ancienne et ne concerne aucunement les auditeurs qui ont ouvert leur récepteur radio au milieu de cette chanson.

Par contre, s'il y a eu un hors d'ondes dû à une panne électrique et que la période de silence en ondes a été très courte parce que votre station compte sur l'assistance d'une génératrice, il est préférable de souligner à plusieurs reprises durant la panne d'électricité que vous diffusez à l'aide d'une génératrice. Vous publicisez alors le fait que les gens peuvent se fier à votre station de radio en cas de problème majeur.

LE «RESPECT DU CONTEXTE»

Même la meilleure préparation au monde n'éliminera jamais le fait que vous donnez d'abord et avant tout un *show live*, une émission en direct. Vous devez donc demeurer constamment à l'affût de ce qui se passe autour de vous et surtout, demeurer à l'écoute des personnes avec qui vous dialoguez en ondes, que ce soit un co-animateur, un invité, un auditeur au téléphone ou un journaliste livrant un bulletin de nouvelles.

> Le respect du contexte...
> ...parce que vos auditeurs écoutent, eux!

Lorsqu'un autre individu intervient dans votre émission, même si vous avez plusieurs autres choses à faire pendant son intervention, comme préparer le prochain bloc publicitaire et les prochaines pièces musicales, vous devez écouter attentivement ce qu'il raconte de façon à respecter le contexte créé par son intervention. Écoutez et enchaînez avec des propos qui ont du sens dans ce contexte. Vos auditeurs écoutent, eux!

Dans les annales de la radio...

Sur les ondes d'une station de radio FM de Montréal, un après-midi d'été, l'animatrice responsable du bulletin météo procède à la livraison des plus récentes prévisions météorologiques lorsque l'animateur de l'émission l'interrompt pour demander s'il va pleuvoir en fin de semaine.

Mais l'animatrice poursuit son bulletin, manifestement en lisant un texte:

«Samedi: maximum de 32 avec quelques passages nuageux en fin de soirée, minimum de 21. Dimanche: nuageux, maximum 28, probabilités de précipitation de 70%.»

L'auditeur qui a entendu la question de l'animateur et qui se pose la même question, se demande certainement pourquoi l'animatrice n'a pas répondu!

La réponse était pourtant facile: «Pas avant dimanche, certain!»

Respecter le contexte est un principe élémentaire qui, pourtant, est très rarement mis en pratique, peut-être parce qu'on pense davantage à ce qu'on va nous-même dire ou au prochain geste technique qu'on va poser plutôt qu'à écouter ce que l'autre personne dit.

C'est pourquoi la préparation est une étape cruciale: non pas pour que tout soit coulé dans le béton et que vous demeuriez inflexible suite à la planification de chacune de vos interventions, mais plutôt pour que vous maîtrisiez suffisamment bien le contenu et le plan général de votre émission pour qu'ensuite, au cours de celle-ci, vous soyez capable de vous adapter au contexte.

Dans les annales de la radio...

Une véritable histoire d'horreur!

Le contexte: nous sommes dans la région de Montréal, vendredi le 28 juin 1991, il est 16h48, c'est le début du long week-end de la Fête du Canada. Il fait très chaud et très humide. Le temps est à l'orage. La météo, depuis le matin, nous annonce «le même scénario qu'hier». La veille, des vents extrêmement violents, des orages électriques et de la grêle ont ravagé le Québec.

Vous êtes au volant de votre voiture. Vous écoutez une station de radio de Montréal. L'animatrice chargée de livrer les prévisions météorologiques entre en ondes:

«Environnement Canada vient tout juste d'émettre un avis d'alerte météorologique pour toute la région métropolitaine de Montréal. Sur l'écran radar, les cellules orageuses se font de plus en plus nombreuses. Il y a risque de grêle et de tornades. Nous vous tiendrons informés de minute en minute. Le gros des orages se trouve actuellement au Nord de Montréal et se déplace vers le sud-est.»

L'animateur de l'émission intervient alors pour dire:

«Merci. Plus de détails à 5 heures 30.»

«Plus de détails à 5 heures 30»?!? Il n'y aura pas d'autres bulletins de météo dans les 45 prochaines minutes, alors que l'animatrice vient tout juste de nous dire que nous serons tenus informés de minute en minute?!?

Non seulement cet animateur ne s'est pas rendu compte dans quelle situation étaient ses auditeurs mais, en plus, il n'a rien écouté de ce que l'animatrice a dit.

LE TÉLÉPHONE

Le téléphone vous offre un moyen de contact personnalisé avec vos auditeurs et une source d'information inépuisable, si vous savez bien l'utiliser.

LES RÈGLES SACRÉES

LE RESPECT

Certains affirment que moins de 1% de vos auditeurs vous téléphoneront un jour. D'autres avancent plutôt le chiffre de 10%, mais d'autres encore, celui de 1 pour mille.

Quoiqu'il en soit, ceux qui téléphonent ne constituent certes pas la majorité de vos auditeurs et ne représentent peut-être même pas l'auditeur-type visé par votre programmation. Mais ces gens sont quand même vos auditeurs et ils vous téléphonent parce que vous faites partie de leur vie. Répondez leur donc comme à un membre de la famille. Ne traitez jamais un interlocuteur de façon cavalière. Il ne vous le pardonnerait pas et le répéterait à plusieurs personnes. Votre image et celle de la station en sortiraient inévitablement ternies.

Ne négligez pas non plus les jeunes enfants. Ils influencent souvent le choix de leurs parents! Contrôlez votre humeur, soyez patient, amical et poli.

Rappelez-vous aussi qu'il est normal que les jeunes adolescents téléphonent plus souvent: téléphoner, c'est l'*fun* pour eux et c'est souvent une affirmation de leur indépendance.

Au téléphone: respect, contrôle et sourire.

LE CONTRÔLE

Même si vous désirez faire preuve de respect à l'égard de tous les gens qui vous téléphonent, n'ayez pas peur de prendre l'initiative de raccrocher le téléphone si, par exemple, vous êtes pris avec un auditeur vous appelant toutes les cinq minutes pour vous demander la même chanson. Du respect, mais de la fermeté. De la fermeté de diplomate! «Le plus tôt possible. Merci d'avoir téléphoné.» Schlak! Beeep.

LE SOURIRE

Avant de décrocher le combiné du téléphone, souriez! Libérez-vous de la frustration que vous contenez peut-être en vous. Oubliez que vous n'avez pas trouvé à temps le dernier message publicitaire que vous deviez diffuser!

Sourire ou, si vous préférez, penser positivement en tout temps, est non seulement efficace pour bien répondre au téléphone, mais aussi pour «donner votre maximum» tout au long de votre émission.

LES LIGNES TÉLÉPHONIQUES DU STUDIO

Le numéro de téléphone officiel de la station est celui utilisé par les vendeurs et auquel répond la réceptionniste. Dans la plupart des stations de radio, ce numéro ne sonne même pas dans le studio de mise en ondes. Vous ne vous en servez donc jamais dans le cadre de votre émission.

Dans le studio de mise en ondes, vous avez plutôt accès à une série de lignes téléphoniques réservées, chacune, à une fin particulière:

- la ligne concours-tribune,
- la ligne des auditeurs ou ligne musicale,
- la ligne des collaborateurs, et
- la ligne prioritaire.

Seuls les numéros des 2 premières lignes sont annoncés en ondes.

LA LIGNE CONCOURS-TRIBUNE

Cette ligne est utilisée pour les concours et les tribunes téléphoniques. Elle devrait, en fait, comporter au moins deux lignes en cascade pour vous permettre d'avoir toujours un appel en attente. Vous n'y répondez que lorsque vous avez demandé aux auditeurs d'y téléphoner dans le cadre d'un concours ou d'une émission de tribune téléphonique.

Les compagnies de téléphone mettent à la disposition des stations de radio des circuits spéciaux pour ce type de ligne. Assurez-vous que votre ligne concours-tribune soit branchée sur un de ces circuits. Vous pourriez faire face à de sérieux problèmes si, utilisant une ligne de téléphone régulière pour un concours, vous provoquiez une surcharge des circuits et empêchiez des appels urgents de passer.

LA LIGNE DES AUDITEURS

Dans les stations de radio musicales, cette ligne est généralement appelée la ligne musicale, puisque la plupart des auditeurs téléphonant à une station musicale le font pour demander une chanson.

Vous ne devriez jamais vous servir de ce numéro pour un concours, afin d'éviter d'y recevoir des appels de gens qui veulent gagner quelque chose. Ceux qui vous téléphonent sur cette ligne le font gratuitement. Vous pouvez alors vous efforcer d'y répondre le plus régulièrement possible pour communiquer avec vos auditeurs et pour tâter le pouls de votre public.

Puisque vous êtes à la radio et qu'il est difficile pour l'auditeur en mouvement de noter le numéro de téléphone, particulièrement s'il a une mémoire visuelle, il est primordial que ce numéro soit facilement mémorisable. Comme 797-CKRN ou 790-0-107 (pour le FM 107).

Comme il est inutile d'avoir une ligne de communication avec les auditeurs si ceux-ci n'en connaissent pas l'existence, votre station devrait diffuser régulièrement en ondes un message promotionnel annonçant le numéro de téléphone à composer pour parler à l'animateur ou faire une «demande spéciale». Mais n'allez pas expliquer dans ce message que vous ne garantissez pas de faire tourner toutes les demandes de chansons! Attendez d'être en ligne avec l'auditeur pour le lui expliquer (laissez la magie de la radio libre de fonctionner et ne découragez pas l'auditeur avant même qu'il songe à vous téléphoner).

LA LIGNE DES COLLABORATEURS

Le numéro de téléphone de cette ligne est semi-confidentiel. Il est réservé aux différents chroniqueurs et journalistes devant ou pouvant intervenir dans votre émission ou vous fournir de l'information pertinente à la production de votre émission. Ce numéro peut également être utilisé par les représentants publicitaires de la station pour vous communiquer des informations sur ce qui se passe en ville.

LA LIGNE PRIORITAIRE

Dans le jargon du métier, cette ligne est communément appelée la *Hot Line*.

C'est un numéro de téléphone strictement confidentiel et réservé à l'usage du directeur de la programmation et des journalistes lorsqu'ils doivent communiquer avec vous et que toutes les autres lignes sont occupées. Ils ne s'en serviront que s'ils ont de l'information urgente à vous transmettre. Vous devez évidemment y répondre rapidement. C'est pour cette raison qu'il est bon qu'une grosse lumière clignotante soit ajoutée dans le studio, comme support à la sonnerie de cette ligne.

À propos, cette ligne ne devrait jamais être utilisée par le directeur pour critiquer le travail d'un animateur. La plupart des directeurs respecteront cette directive sachant qu'un animateur nerveux ne performe jamais bien et sachant que critiquer un animateur durant son émission amène souvent celui-ci à faire encore plus d'erreurs dans les minutes suivantes. Toute critique devrait se faire en face-à-face et en privé.

Il est toutefois normal que le directeur vous téléphone durant votre émission au sujet d'un élément que vous devez absolument corriger avant la fin de votre émission: par exemple, pour rectifier une information importante concernant les procédures d'un concours que vous effectuerez dans les prochaines minutes.

Toute critique devrait se faire en face-à-face et en privé.

LES DIVERS TYPES D'APPELS REÇUS

LES DEMANDES D'INFORMATION

Vous travaillez à la radio, un média instantané et une source d'information. Il est tout à fait normal que les gens s'attendent à ce que vous sachiez tout. C'est pourquoi ils vous téléphonent pour vous poser des questions qui vous apparaissent souvent complètement déplacées. Ne le leur faites surtout pas savoir. Pourquoi détruiriez-vous l'image de grand savant qu'ils ont de vous?

Essayez de leur répondre ou, au moins, de leur indiquer où ils peuvent obtenir l'information dont ils ont besoin. Pour ce faire, conservez toujours sous les yeux la liste de tous les numéros de téléphone importants de votre région.

LES DEMANDES DE CHANSONS

Dans le langage courant: les «demandes spéciales», de l'anglais *Special Request*.

Il est sans doute fatiguant, et il peut même vous sembler ridicule, de répondre au téléphone pour des «demandes spéciales» lorsque votre programmation musicale a été préparée plusieurs heures, sinon plusieurs jours, à l'avance. Mais vos auditeurs ne le savent pas, et comme la plupart des gens vous téléphonant le feront pour demander des chansons actuellement sur votre palmarès, vous pourrez très souvent leur donner l'impression d'avoir répondu à leurs demandes. Ne détruisez pas la magie de la radio!

Dans plusieurs autres cas, par contre, vous ne pourrez pas satisfaire la demande de l'auditeur au bout du fil. C'est alors que vos talents de diplomate seront mis à contribution.

Règles à appliquer dans le cas d'une «demande spéciale» impossible à satisfaire:

Ne répondez jamais «Oui» lorsque la réponse est «Non».

Si un auditeur vous téléphone pour vous demander une chanson que vous ne pouvez pas faire tourner, ne lui dites pas que vous le ferez. Si vous lui dites «oui» et qu'il attend en vain que vous satisfassiez sa demande, vous risquez de perdre un bon auditeur-ami. La plupart des gens comprendront que vous ayiez des règles à respecter, mais ne comprendront jamais que vous leur ayiez menti. La sincérité est à la mode!

Faites preuve de diplomatie pour l'amener à faire une autre demande.

...mais ne dites pas carrément et bêtement «non», non plus! Faites preuve de diplomatie.

Dans un premier temps, réagissez positivement à sa demande: «Ah oui! Moi aussi, j'aime ça!» Puis essayez de l'orienter vers autre chose. Demandez-lui un second choix ou suggérez-lui diplomatiquement un artiste du même style musical et du même public-cible.

C'est sans doute la seule situation dans laquelle vous avez le droit d'utiliser des mots servant strictement à jeter de la poudre aux yeux de votre interlocuteur. Vous pouvez parler de liste de rotation, de *format* de radio et de marketing.

Ne renvoyez pas la balle au directeur.

Il est inutile de suggérer à un auditeur, insatisfait parce que sa demande n'a pas été acceptée, de téléphoner au directeur. Il est de votre devoir de répondre à vos auditeurs et d'appuyer les décisions prises par vos supérieurs.

Sincérité.
Diplomatie.
Responsabilité.

Les plaintes et les insultes

Tôt ou tard, quelqu'un vous téléphonera pour vous insulter et vous expliquer que vous êtes un parfait imbécile ou que votre station est incroyablement plate.

Il est inutile de prendre personnellement une telle insulte. Tout le monde passe, un jour ou l'autre, à travers une période difficile. Cet auditeur-là en vit probablement une! Ne cherchez donc pas à la rendre encore pire. Laissez-le se défouler sur vous et poursuivez votre petit bonhomme de chemin.

D'ailleurs, il fini toujours par être payant d'avoir fait preuve de patience et de diplomatie. Même votre plus grand détracteur sera impressionné si vous le traitez avec politesse. Il pourrait même devenir un de vos plus grands *fans*. Les grands gueulards sont souvent des gens émotifs qui peuvent rapidement changer leur fusil d'épaule.

Adoptez donc toujours une attitude diplomatique en sachant maîtriser votre frustration passagère et votre envie de l'envoyer jouer dans le traffic. Parlez avec lui, faites face à la réalité et n'argumentez jamais. S'il se plaint que votre station diffuse de la musique de pépère et que c'est vrai, dites-lui qu'il a raison, expliquez-lui que c'est précisément le public visé par votre station, une entreprise commerciale, puis posez-lui une question sur ses goûts personnels et sa station préférée. C'est le temps d'apprendre. Écoutez au moins les premières phrases de ce qu'il a à dire avant de lui souhaiter une bonne journée!

Le registre des appels

La ligne des auditeurs est une source inépuisable d'informations à laquelle le directeur de la programmation et le directeur musical apprécieront avoir accès.

En répondant aux appels téléphoniques des auditeurs, peu importe la raison de leur appel, vous pouvez en profiter pour recueillir de l'information en leur posant quelques questions. La ligne des auditeurs devient alors une sorte de ligne de sondage. L'information brute ainsi recueillie, de même que l'analyse de l'évolution des résultats d'une période à l'autre, pourra vous apprendre des choses très intéressantes, même si l'échantillonnage est limité à un type particulier d'individus (ceux qui sont portés à téléphoner) et même si ce moyen de sondage vous donne de l'information seulement sur ceux qui vous écoutent et non sur ceux que vous voulez aller chercher.

Le directeur musical sera généralement intéressé à obtenir l'information suivante sur les personnes ayant téléphoné pour demander une chanson ou demander de l'information sur une chanson déjà diffusée en ondes:

- le titre de la chanson demandée,
- le sexe de l'auditeur,
- l'âge de l'auditeur.

Ne soyez pas gêné de demander l'âge de la personne vous téléphonant. Si elle veut savoir pourquoi, dites-lui que cela fait partie d'une étude menée par la station. La plupart des auditeurs accepteront de répondre. S'ils refusent, n'insistez pas et faites un estimé. Mais ne demandez jamais le sexe. De grâce! Laissez tomber les insultes! Jugez par vous-même, quitte à vous tromper.

Si vous avez un peu plus de temps pour jaser, posez quelques questions supplémentaires.

- Quelle est votre seconde chanson favorite?
- Quelle est la chanson favorite de votre conjoint (ou conjointe, soeur, frère, père, mère)?
- Y-a-t-il une chanson que vous êtes tanné d'entendre?

> La ligne musicale devient une ligne de sondage.

Le directeur de la programmation, lui, sera surtout intéressé à de l'information davantage reliée à l'auditeur même, en complément à l'âge et au sexe de la personne qui vous a téléphoné.

- De quelle ville téléphonez-vous?
- Où écoutez-vous actuellement la radio (maison, travail, auto)?
- Que faites-vous actuellement (*party*, ménage, lecture, études)?

Un cahier spécialement conçu pour recueillir ce genre d'information devrait demeurer en permanence dans le studio de mise en ondes.

Faites toutefois attention de ne pas créer chez les auditeurs téléphonant, l'impression d'un interrogatoire sévère. Limitez-vous à des questions simples.

Et, évidemment, si vous reconnaissez la voix d'une personne téléphonant à toutes les 5 minutes, ne vous donnez pas la peine de lui poser les mêmes questions ni même d'en prendre note à nouveau. Un système téléphonique permettant de savoir le numéro de téléphone de la personne qui appelle serait bien pratique!

L'UTILISATION EN ONDES DE CONVERSATIONS TÉLÉPHONIQUES

La réglementation radio stipule clairement qu'il est interdit de diffuser une conversation téléphonique ou une entrevue sans avoir préalablement obtenu l'accord de la personne concernée.

À l'exception des tribunes téléphoniques pour lesquelles la personne téléphonant est présumée avoir donné son accord, demandez toujours à votre interlocuteur son autorisation et enregistrez sa réponse sur le ruban. Dans le cas de la production d'une émission humoristique similaire aux INSOLENCES D'UN TÉLÉPHONE de Tex Lecor, demandez cette autorisation à la fin du dialogue après avoir annoncé à votre interlocuteur qu'il s'agissait d'une blague.

Un problème relié à cette contrainte réside dans la nécessité de conserver l'original des enregistrements utilisés, avec l'autorisation de la personne.

LE FILTRAGE DES APPELS

La réglementation radio vous tient responsable de tout ce qui est diffusé en ondes, même de ce qui est dit par une personne ayant téléphoné à votre station de radio. Il est donc essentiel de filtrer les appels pour éliminer les commentaires non acceptables. Du même coup, vous pourrez sélectionner les meilleures commentaires et ainsi améliorer votre émission.

La première étape de l'opération de filtrage est effectuée par les réceptionnistes de l'émission, simplement en demandant aux personnes qui téléphonent, la raison de leur appel. Vous pouvez ainsi choisir ceux qui ont quelque chose de particulièrement intéressant à dire et qui ont une idée claire de ce qu'ils veulent dire. Cette première étape vous servira également à élaborer un échantillon d'intervenants représentant un tant soit peu le public visé par votre émission. Par exemple, vous pourrez éviter d'avoir une marée d'adolescentes intervenant en ondes, si vous désirez propager l'image d'une station écoutée principalement par des hommes entre 24 et 44 ans. Pour démarrer, vous devrez peut-être même simuler des appels représentatifs de votre auditeur-type, avec la complicité d'employés de la station ou d'amis.

Ensuite, deux méthodes techniques peuvent être utilisées pour éliminer les commentaires non acceptables.

D'abord, pour les émissions en direct, de l'équipement technique est conçu spécialement pour permettre de diffuser les conversations téléphoniques avec quelques secondes de retard. Ce qui permet à l'opérateur de mise en ondes de couper une remarque «non diffusable».

Mais la méthode la plus sûre consiste encore à pré-enregistrer toutes les interventions, ce qui vous permet en plus, de ne choisir que les meilleures parties des meilleures interventions. Cette méthode vous permet aussi de maintenir un rythme rapide et de faire une mise en ondes plus serrée en sachant exactement la durée de chaque intervention. Vous éliminez ainsi, non seulement les erreurs et les commentaires moins intéressants de la personne au bout du fil, mais également les vôtres.

En fait, seules les émissions de tribune téléphonique d'actualité devraient se permettre d'utiliser des appels en direct. Mais, évidemment, pour que vous puissiez pré-enregistrer et fignoler toutes les interventions avant leur diffusion, il vous faut de l'équipement technique adéquat comprenant, au minimum, un excellent magnétophone à bobine branché sur votre système téléphonique de manière à vous permettre de parler dans votre micro avec la personne au téléphone tout en enregistrant, sans être en ondes. Vous avez aussi besoin d'un bloc de montage en bon état avec tout l'équipement connexe pour réaliser rapidement et efficacement des joints de ruban. Et, bien sûr, vous devez être habile et rapide en production!

LA PRÉPARATION DES APPELS

Que vous pré-enregistriez les appels ou que vous les utilisiez en direct, discutez toujours préalablement avec la personne au bout du fil pour l'aider à clarifier sa pensée. Cette période préparatoire est nécessaire pour améliorer votre produit en ondes mais aussi, par ricochet, pour éviter que d'autres auditeurs, trouvant que cette personne avait l'air stupide, aient inconsciemment peur de téléphoner eux aussi, craignant d'avoir l'air ridicule à leur tour.

La période préparatoire doit s'appliquer à tous les appels utilisés en ondes, que ce soit dans le cadre d'une émission de tribune téléphonique ou, simplement, pour présenter une demande de chanson ou pour procéder à un concours. Elle est utile pour que la personne au bout du fil soit plus expressive (par exemple, pour qu'elle précise ce qu'elle va faire avec l'argent qu'elle vient de gagner). C'est durant cette période préparatoire que vous pouvez suggérer discrètement, diplomatiquement et poliment à votre interlocuteur des mots plus précis, de manière à produire une intervention plus courte et dynamique tout en évitant à cette personne d'avoir l'air trop ridicule en ondes.

Dans les annales de la radio...

Dans le cadre d'une émission d'affaires publiques diffusée par une station de radio AM, un auditeur appelle un jour pour parler de «la loi empêchant les compagnies de planifier ensemble le prix de leurs produits pour éliminer la concurrence».

L'animateur a simplement repris: «Ainsi, vous me dites que, selon vous, la loi anti-trust (...)» et le commentaire précédemment fait par l'auditeur suivait.

L'auditeur ayant répondu: «Oui», l'animateur lui a alors demandé de répéter le tout comme s'il venait de téléphoner. Ce fut fait en utilisant l'expression «anti-trust» plutôt que la longue description initiale.

L'intervention enregistrée, puis diffusée en ondes, fut ainsi beaucoup plus courte et précise, simplement parce que l'auditeur avait utilisé spontanément des mots plus précis qui lui ont été suggérés diplomatiquement et subtilement.

Vous pourriez aussi utiliser cette période de préparation pour construire une histoire complète pour l'un de vos auditeurs, ce qui peut être particulièrement pratique si vous n'avez aucun autre collaborateur dans votre émission. Par

Vous pouvez leur «mettre des mots dans la bouche».

exemple, vous pourriez raconter une farce à quelqu'un vous ayant téléphoné pour une demande de chanson. Si cette personne rit chaleureusement de votre farce, vous pourriez lui demander de vous la raconter pendant que vous l'enregistreriez pour diffusion ultérieure. Plus tard, en ondes, vos auditeurs entendront quelque chose ressemblant à «CKOY 62... Qui est au bout du fil?», «Georges Lalancette de Kapuskasing. Sais-tu pourquoi Brian Mulroney est Premier Ministre du Canada? (...)» Plusieurs refuseront ce genre de jeu par gêne, mais d'autres seront fiers de collaborer ainsi à votre émission.

Réussir à faire parler du monde est une question de psychologie. Par exemple, la plupart des gens hésiteront à vous dire leur nom si vous les assommez d'un retentissant: «C'est quoi votre nom?» Mais la formulation «Votre nom... c'est... e....» a généralement plus de succès, la plupart des gens étant spontanément plus portés à compléter une phrase qu'à répondre à une question. Essayez différentes formulations pour différentes questions, prenez note des résultats et ajustez votre tir.

Votre nom...
c'est...
e...

L'ANIMATION

Toutes les règles et tous les principes de l'animation s'appliquent également dans le cas d'une intervention mettant en cause un auditeur. Les règles de l'entrevue en font aussi partie.

Autres informations

L'entrevue est un style spécifique d'animation dont il sera question ultérieurement (page 129 et suivantes).

La finale ne doit surtout pas être négligée. Passez immédiatement à autre chose après le *punch* final. Évitez les remerciements ou faites-les brièvement dans le style: «Salut! Merci!» et c'est fini! Ce n'est vraiment pas le temps d'appliquer les règles de l'étiquette et de la politesse en public.

D'autre part, pensez à utiliser le nom de votre interlocuteur. On entend trop souvent un animateur demander machinalement le nom de la personne au bout du fil, notamment lors des concours téléphoniques, pour finalement ne jamais l'utiliser. Rapprochez-vous de cette personne et démontrez une attitude amicale en la nommant au le cours de la conversation. Mais efforcez-vous de maîtriser la prononciation de son nom. Si vous n'êtes pas sûr de celle-ci, demandez l'aide de cette personne avant d'entrer en ondes. C'est une question de respect minimal.

Dans les annales de la radio...

Voici la retranscription intégrale d'une conversation entendue sur les ondes d'une station de radio canadienne:

L'animateur:

«On est de retour avec vos vraies demandes spéciales. On va rejoindre... Guy, qui nous appelle de où, Guy?»

L'auditeur au téléphone:

«St-Eustache.»

L'animateur:

«St-Eustache! Est-ce que t'as un bicycle jaune, toi?»

L'auditeur au téléphone:

«Non!»

L'animateur:

«T'as e... T'as juste... Tu me disais que t'avais juste quoi? Cé quoi que t'as de jaune?»

L'auditeur au téléphone:

«Une poubelle jaune. J'ai pas de bicycle.»

L'animateur:

«(rire) Une poubelle jaune! Ça va pas vite ça!»

L'auditeur au téléphone:

«Non!»

L'animateur:

«Guy... Té un gars en amour. Ça fait, ça fait 3 ans quoi?»

L'auditeur au téléphone:

«Oui. (silence) Ça fait 3 ans que je suis en amour avec mon bébé d'amour: Manon!»

L'animateur:

«Oh! Mon bébé d'amour! J'pense que là tu viens de me donner une idée, Guy. Pas mal bonne à part de ça! Lundi, on va faire une émission spéciale avec une question quiz: quel nom donnez-vous à votre amoureux ou à votre amoureuse. Toi, tu l'appelles mon bébé d'amour?»

L'auditeur au téléphone:

«Oui.»

L'animateur:

«Wow! Cé-tu l'fun! Comment elle t'appelle, elle?»

L'auditeur au téléphone:

«Elle?»

L'animateur:

«Elle, elle t'appelle comment?»

L'auditeur au téléphone:

«Chéri.»

L'animateur:

«(rire) Oh chéri! Cé bien! Bon! Alors ben toi té un amateur de Prince. Moi aussi je l'adore. On va se taper un bon souvenir. Il suffit que tu nous le présentes. C'est quoi la chanson?»

Début de la musique suivi de la réponse de l'auditeur au téléphone:

«J'envoie ça à mon amour qui s'en va à l'école présentement. J'espère qu'é à l'écoute. Fake j'lui envoie la toune Sign Of The Time de Prince sur XXXX»

Et cette intervention aussi inutile qu'inintéressante se terminait (enfin!), à la seconde près, avec le début du chant par Prince.

Tout au long de cette conversation, la participation de l'auditeur ne contribue en rien à la richesse de l'intervention puisque l'animateur dit presque tout, lui-même: la farce sur la poubelle jaune, le nombre d'années que l'auditeur a passées avec son amie et même le nom de Prince, le chanteur apparemment favori de l'auditeur.

L'animateur utilise un tas de mots inutiles et répète systématiquement tout: ses questions comme les réponses de l'auditeur.

De plus, la finale est complètement ratée puisqu'on reconnaît la chanson avant même que l'auditeur nous la présente.

En fait, il n'y a aucune surprise ou élément d'information captivant dans cette intervention. Un développement long, boiteux et qui sent le pré-fabriqué rend même la pseudo-farce sur le bicycle jaune tout ce qu'il y a de plus plate.

Bref, c'est un bateau à la dérive!

● ●

TYPES SPÉCIFIQUES D'ANIMATION

L'ENTREVUE

Une entrevue avec un invité ou un échange avec un autre animateur ne sera intéressant que si toutes les règles s'appliquant à une intervention en solo sont respectées, notamment celle voulant que le but, l'attaque et la finale de chaque intervention soient clarifiés avant d'ouvrir le micro et celle précisant l'importance de la brièveté et de la pertinence de tout ce qui est dit en ondes. En prolongeant un échange, vous risquez de créer une discussion dans laquelle vos auditeurs ne se sentiront plus impliqués. La fin doit particulièrement être brève: «Monsieur Joseph Bonhomme, président des sans-abris, merci!»

Comme animateur radio, les entrevues que vous aurez à réaliser seront plus souvent qu'autrement des entrevues promotionnelles. Ces entrevues doivent forcément être plus décontractées que celles réalisées par le journaliste à propos d'un incident criminel ayant fait, la veille, 13 morts.

Les entrevues que vous réaliserez auront souvent pour objectif de découvrir une personne plutôt que de discuter d'une question. Pour ce type d'entrevue promotionnelle, la préparation permet d'éviter de frustrer ou de choquer inutilement votre invité.

LA PRÉPARATION: LE PLAN ET LES QUESTIONS

Préparer une entrevue ne signifie pas préparer une liste de questions coulées dans le béton. Si vous préparez des questions précises, celles-ci ne doivent ensuite servir que de points de repères, de bouée de sauvetage pour une entrevue se déroulant difficilement. En ce sens, la préparation sert plutôt à établir une liste générale de sujets à aborder.

Autrement dit, vous devez vous efforcer de maîtriser le sujet qui sera discuté et la personnalité de votre invité pour que vous puissiez ensuite être à l'aise avec votre invité. Il est donc primordial que vous obteniez toujours de la documentation sur la personne que vous devez interviewer et sur le sujet de l'entrevue. S'il s'agit d'un artiste, demandez à son agent de promotion de vous envoyer une biographie complète. Ne vous gênez pas non plus pour demander quelles questions l'artiste ne veut pas se faire poser et quelles questions il veut absolument se faire poser. Cela vous aidera, tous les deux, à ne pas avoir l'air fou en ondes.

D'autre part, évitez toutes les questions sur des données générales. Si ces données sont essentielles pour la poursuite de l'entrevue, livrez-les vous-même. Par exemple, ne demandez pas à Mme X quelle est sa fonction dans l'association Y, ni combien de membres compte son association. Dites-le vous-même dans une question: «Mme X, vous êtes présidente de l'association Y regroupant 3500 membres en Estrie, (...)». Évitez aussi de poser des questions auxquelles on peut répondre simplement par «oui» ou «non». Lorsque vous obtenez une telle réponse, c'est généralement parce que vous avez livré de l'information plutôt que de poser une vraie question.

Évitez les banalités.

Entrez toujours très rapidement dans le vif du sujet. S'il s'agit d'une entrevue décontractée avec un artiste, abordez rapidement les questions passionnantes en évitant toutes les banalités habituelles.

Autres informations

Cette section sur la «prochaine question logique» est complémentaire à celle sur la «structure pyramidale» (page 87).

La prochaine question logique...

Cette section sur la «prochaine question logique» est complémentaire à celle sur la «structure pyramidale» (page 87).

LA «PROCHAINE QUESTION LOGIQUE»

Le principe de la prochaine question logique implique simplement que vous devez poser les questions que l'auditeur se pose lui-même, au moment où il se les pose. Ce qui vous oblige à vous adapter au contexte créé par les réponses de la personne interviewée et, forcément, à vous éloigner de l'ordre des questions que vous aviez préparées avant l'entrevue. Le respect de ce principe permet notamment d'éviter que l'invité ait l'impression de subir un interrogatoire serré.

Dans les annales de la radio...

Voici le résumé d'une entrevue réalisée sur les ondes d'une station de radio de la Beauce, en janvier 1992, alors qu'un animateur recevait en entrevue une représentante de l'Association Y.

Durant les trois premières minutes de l'entrevue, l'animateur bombarde son invité de questions générales qui nous permettent d'apprendre notamment combien il y a de membres de cette association au Québec et en Beauce, qui sont les membres du comité exécutif, qui est le président et où sont situés leurs bureaux. L'animateur demande ensuite quels sont les objectifs de cette association. C'est alors que nous apprenons qu'un de leurs buts est d'aider les enfants en difficulté d'apprentissage. Et en conclusion à l'entrevue, on a droit à de nouvelles discussions techniques concernant le fonctionnement de leur campagne de levée de fonds.

Un auditeur normal, ne connaissant pas l'invité, aurait probablement diminué le volume bien avant la fin des 30 premières secondes. La technique de «la prochaine question logique» aurait pu contribuer à améliorer la qualité du produit mis en ondes et aurait probablement contribué à donner un meilleur impact à cette campagne de financement.

- Le début aurait dû être constitué d'une très brève présentation de l'invitée: son nom et le nom de l'association qu'elle représente.
- Ensuite: l'association Y, ça sert à quoi?
- Ah oui? Comment faites-vous cela? Et si un de mes enfants a des difficultés d'apprentissage? Est-ce un service confidentiel?
- Puis, seulement lorsque plusieurs personnes sont intéressées par les objectifs de l'organisation en question et par les services qu'elle offre, vous parlez de la campagne de financement.
- Finalement, vous donnez l'adresse de l'organisation et si le temps le permet, le nom des gens composant le comité exécutif et le nombre de membres.

Voilà une suite logique de questions qui auraient conduit l'auditeur à s'intéresser à cette association avant qu'on lui demande de contribuer à la campagne de financement.

LE «RESPECT MUTUEL»

Si vous recevez un invité, c'est parce qu'il vaut la peine d'être écouté, sinon pourquoi l'auriez-vous invité? Laissez-le donc parler! C'est une question de respect envers votre invité et de respect envers l'auditeur qui veut, lui, écouter ce que l'invité a à dire.

Donnez-lui donc la chance de parler en posant des questions courtes et directes et en laissant toute la place à ses réponses. Et si vous posez une question exigeant que votre invité prenne un temps de réflexion: laissez-le réfléchir! Ça augmente le suspense et ne frustre aucunement les auditeurs qui attendent la réponse de l'invité et non votre reprise de la question ou votre tentative d'inventer une réponse. Les pauses peuvent être aussi charmantes que la parole.

J'écoute! Une écoute active. Pour me permettre ensuite de poursuivre l'entrevue avec une question intelligente respectant le contexte créé par la réponse de mon invité, ce qui peut s'effectuer même si je dois aussi garder le contrôle de la direction générale de la discussion. C'est à moi de faire le lien entre ce qui vient d'être dit et ce dont je veux parler, même si, en cours de route, je dois explorer des chemins imprévus.

Le respect de votre invité, c'est aussi de lui laisser prendre de la place sans chercher constamment à vous mettre en valeur. On entend beaucoup trop souvent des animateurs tenter de démontrer leur savoir, même lorsqu'ils ne comprennent rien au sujet traité. Cela est souvent effectué de façon inconsciente, mais n'est pas moins ennuyant pour l'auditeur. Un des symptômes est l'habitude, d'un animateur, de couper la parole à son invité pour compléter lui-même la phrase de celui-ci. Le message indirectement véhiculé est alors: «Voyez! Je le savais!» Répétons-le une dernière fois: si un intervenant est invité à votre émission pour parler d'un sujet quelconque, c'est forcément parce qu'il avait quelque chose à ajouter à ce que vous auriez pu dire vous-même ou simplement parce qu'il est plaisant que ce soit lui qui le dise. Alors, laissez-le parler!

C'est ce problème que l'animateur Jean-Luc Mongrain soulignait en déclarant au magazine français Télérama:

> «Je ne pratique pas l'art de faire semblant de connaître les réponses. Je plaide l'ignorance. Trop de journalistes posent des questions moins pour les réponses que pour se mettre en valeur.»[1]

Mais, à l'inverse, même si vous recevez en entrevue Michael Jackson ou le Pape, rappelez-vous que ce ne sont que des êtres humains comme vous et évitez d'adopter une attitude, même inconsciente, de petit paysan qui rencontre son héros: certains auditeurs se sentiraient diminuer en même temps que vous et en seraient insultés. Vous n'avez d'ailleurs aucune raison de vous abaisser face à vos idoles puisqu'un message qui obtiendra toujours de la popularité auprès du public est celui démontrant que les vedettes sont des êtres humains comme vous et moi avec tout ce que cela comporte.

LA MISE EN ONDES

Au cours d'une entrevue ou d'un dialogue entre deux animateurs, toutes les personnes conversant en ondes doivent être, chacune, devant un bon micro dont le volume a été préalablement bien ajusté. Il n'y a rien de plus frustrant que de manquer un bout de conversation ou d'entendre alternativement une voix forte et une voix faible.

D'autre part, vous devez absolument éviter tous les bruits de bouche incluant les sons d'approbation, ces fameux «Hum-Hum» et «Oui-oui». Cela est agaçant et non professionnel. D'autant plus que, si ultérieurement, vous décidiez de réutiliser un extrait de cette entrevue, peut-être même dans l'émission d'un autre animateur, vous n'apprécieriez pas y retrouver des bruits tout à fait insolites dans ce nouveau contexte.

Si vous recevez un invité, c'est parce qu'il vaut la peine d'être écouté.

Citation

[1] Extrait d'une entrevue accordée par Jean-Luc Mongrain au magazine français TÉLÉRAMA et repris dans un article de Louise COUSINEAU, Derome et Mongrain analysés par un journaliste français, journal LA PRESSE, Montréal, samedi 22 février 1992, p. E2.

La tribune téléphonique

La tribune téléphonique est un type d'émission extrêmement difficile à animer parce que vous devez avoir à la fois la maîtrise de vous-même et de ceux qui téléphonent. C'est le type d'émission qui demande le plus d'aptitude à improviser même lorsque tout est pré-enregistré. Vous devez être un as de l'entrevue agissant avec intelligence et habileté. Et vous devez maintenir l'équilibre entre la diplomatie et la fermeté. Il est donc préférable de ne pas s'attaquer à l'animation de ce type d'émission avant d'avoir une solide expérience de l'animation et une vaste expérience humaine personnelle.

Voici d'ailleurs ce qu'en dit Gilles Proulx, un roi de ce type d'émission:

> «Animer une ligne ouverte c'est comme être installé devant un filet de gardien de but. Faut pas laisser passer les rondelles! Les rondelles, ce sont les exagérations de certains auditeurs anti-ci ou anti-ça qui veulent constamment profiter de temps d'antenne pour salir telle ou telle personnalité. (...) la différence d'avec un journal, c'est qu'on n'a pas le loisir de jeter la lettre au panier si elle est trop calomnieuse. Alors, il faut donc être bien renseigné avant de s'asseoir derrière un micro pour entreprendre cette "forme de journalisme parlé".»[1]

Il est particulièrement important de ne pas laisser les gens dire n'importe quoi sur vos ondes, parce que les personnes exploitant des entreprises de radiodiffusion demeurent responsables du contenu de toutes les émissions diffusées. Le titulaire d'une licence de radiodiffusion est responsable des propos de ses employés et de leurs invités, que ceux-ci soient présents en personne ou qu'ils interviennent par téléphone.

Vous devez également vous assurer de toujours traiter équitablement les deux côtés de la médaille. Le CRTC tient à ce que la programmation de chaque station de radio permette, de manière raisonnable et équilibrée, l'expression d'opinions divergentes sur des sujets d'intérêt public.

L'animation en équipe

Toutes les règles et tous les principes de l'entrevue s'appliquent aussi à l'animation en équipe, particulièrement le principe voulant que vous deviez écouter et laisser parler les autres. Certains dirigeants de stations de radio font l'erreur d'investir de fortes sommes d'argent dans une grosse équipe qui n'a, en fait, absolument rien d'une équipe. Ça ressemble beaucoup plus à un simple empilage de grosses vedettes avec de gros egos et de grandes gueules! Inutile de se demander pourquoi on ne comprend rien lorsqu'on écoute ces émissions: tout le monde interrompt tout le monde et il n'y a ni fil conducteur ni *punch* final aux interventions, parce que tout le monde essaie d'avoir le dernier mot.

La co-animation, elle, est une forme encore plus difficile d'animation en équipe. Difficile, parce qu'il n'y a que deux pôles d'attraction. Elle peut être désastreuse si la complicité ne s'installe pas rapidement entre les deux co-animateurs.

Le partage et la définition des rôles

Sous certains aspects, votre émission de radio ressemble à ces téléromans dans lesquels chaque personnage a une personnalité simple, clairement définie et constante. JR est méchant, Bobby est gentil. Pour construire ainsi votre *show*, chaque intervenant participant régulièrement à votre émission doit avoir un rôle bien défini et constant d'une émission à l'autre. Cela ne signifie pas obligatoirement un rôle humoristique, juste une personnalité bien définie.

Quelques aspects des émissions de tribune téléphonique ont été exposés dans la section sur l'utilisation, en ondes, de conversations téléphoniques (page 125 et suivantes).

Citation

[1] PROULX, Gilles, La Radio d'hier à aujourd'hui, Éditions Libre Expression, Canada, 1986, p.171.

Un empilage de grosses vedettes!

Cette section sur le partage et la définition des rôles est complémentaire à celle sur la définition de votre personnalité en ondes, présentée au début du présent chapitre (page 76 et suivantes).

Mais il ne suffit pas que chacun ait un rôle distinct, il faut aussi que chaque rôle soit conçu en fonction d'au moins un segment du public-cible de l'émission et que chaque personnalité cadre adéquatement à l'emploi de la personne.

Par exemple, un journaliste doit développer son image autour de la crédibilité, il ne devrait donc pas jouer un rôle comique vulgaire, ne serait-ce que durant quelques secondes. Si le journaliste a une excellente idée de farce, il devrait peut-être laisser quelqu'un d'autre la raconter. Et l'animateur ne doit jamais poser de questions au journaliste lorsqu'il n'est pas absolument certain que celui-ci pourra y répondre. Planifiez vos questions préalablement, avec lui. Le journaliste doit être capable de répondre à toutes les questions s'il tient à développer une image de spécialiste de l'information.

> **Le journaliste doit être capable de répondre à toutes les questions.**

La définition des rôles de chacun ne doit donc pas être prise à la légère, d'autant plus que vous devrez ensuite développer ces personnalitées pendant plusieurs semaines avant de pouvoir espérer en tirer des bénéfices.

CONTRASTES ET OPPOSITIONS

Dans le partage et la définition des rôles, prévoyez des personnages en opposition. Cela ajoutera un peu de piquant dans votre émission et vous permettra d'offrir facilement au moins deux points de vue divergents.

À chaque fois que vous émettez une opinion (ou, même, à chaque fois que vous racontez une farce), il y a un certain nombre d'auditeurs qui ne sont pas d'accord avec vous et qui apprécieraient entendre la réplique d'un autre animateur prétendant le contraire. Au début des années 90, deux animateurs de l'Abitibi offraient quotidiennement ce contraste dans leur émission, d'ailleurs intitulée «Double Réveil»: l'animateur principal était toujours optimiste; l'autre, toujours pessimiste (ou presque).

En fait, la règle générale stipule que si deux animateurs ont constamment la même opinion sur un sujet, un des deux animateurs est carrément superflu.

> **Si 2 animateurs ont constamment la même opinion sur un sujet, un des deux est superflu.**

Ce jeu des oppositions vous permet d'émettre même les opinions les plus corsées en donnant toujours l'envers de la médaille ou en ridiculisant, avec une pointe d'humour, la première opinion émise. Et cela procure l'occasion à la plupart de vos auditeurs de s'identifier à l'un ou l'autre de vos personnages (d'où l'importance qu'il y ait un rapport entre la définition des personnages et les divers segments de votre public-cible).

Évidemment, vous n'avez pas besoin de toujours donner l'envers de la médaille, surtout si vous faites de l'humour. Après tout, vous êtes en ondes d'abord pour divertir! Mais offrez-le quand même le plus souvent possible. Faites plaisir au plus grand nombre possible de vos auditeurs et soulevez du même coup des débats pour la pause-café! Et si on parle fréquemment de vous en ville, il y a fort à parier que vous recruterez de nouveaux auditeurs.

L'HUMOUR

Vers la fin des années 80, avec le succès phénoménal du ZOO du FM 93 à Québec, bien des animateurs ont soudainement cru avoir la vocation d'humoriste. Mais attention, l'humour est en pleine mutation. Alors que durant les années 80, tout ce qui était outrageant était au goût du jour, les années 90 font plutôt place à l'honnêteté, au dévouement et aux héros de 9-1-1. Les vraies émotions humaines prennent le plancher. Cela ne signifie pas la fin de l'humour. Heureusement d'ailleurs, parce que rire est très sain! Mais le type d'humour est appelé à changer en fonction des valeurs de la société.

Alors, si vous pensez avoir la vocation, bonne chance! L'humour, c'est très sérieux. C'est un style d'animation difficile à réussir et extrêmement difficile à

L'humour,
c'est sérieux!

maintenir à un niveau constant et supérieur d'excellence. En cas d'échec, l'humour provoque des chutes vertigineuses! Une farce plate tombe très à plat. Un *punch* manqué est retentissant. La préparation est donc peut-être encore plus importante que dans n'importe quel autre type d'animation quoique, simultanément, vous deviez faire des efforts considérables pour conserver une attitude spontanée et naturelle.

Tout comme il existe plusieurs sortes d'humour, il existe plusieurs genres d'humoristes et il est quasiment impossible d'en dresser le portrait type. Nous pouvons quand même souligner quelques qualités générales qui pourraient vous être utiles. Évidemment, même si tout est possible à force de travail, ceux qui sont naturellement drôles auront forcément plus de chance de réussir.

Quelques qualités utiles à l'animateur-humoriste:

La détermination

Pour réussir dans ce style d'animation, la détermination est sans doute votre principale alliée.

La détermination et la persistance sont nécessaires pour apprendre à maîtriser le métier d'humoriste et pour définir graduellement votre propre style d'humour, mais aussi pour développer votre carrière, parce qu'il se peut que vous la commenciez dans une station où le directeur n'aime pas ou a peur de l'humour. Bien des directeurs de station de radio ont peur de recevoir des plaintes et craignent les conséquences légales d'un humour trop mordant. Dans certains cas, la radio communautaire peut constituer un excellent tremplin pour ceux qui veulent se spécialiser dans l'humour en leur permettant d'apprendre et de pratiquer leur art avec moins de contraintes.

Détermination, aussi parce que l'humour vous obligera à au moins deux heures de préparation pour chaque heure d'émission.

Il est toujours drôle de constater, qu'alors que les plus grands animateurs comiques passent des heures à préparer leur émission, quelque part en province, un jeune animateur débutant affirme qu'il n'a pas besoin de préparation: il est spontané! Ça, c'est une bonne farce!

La créativité intelligente

Pour réussir en humour, il faut être capable de jongler avec des idées et des concepts, de faire des associations insolites d'idées. Il faut être capable d'aller au-delà de ce qui est évident, de trouver l'inédit et d'éviter la répétition des mêmes vieux clichés. Lorsqu'une idée vous vient, sachez la décortiquer pour aller en chercher une meilleure encore.

Le sens de l'observation

Vous devez rechercher l'inspiration partout, en vous rappelant que les choses les plus drôles sont souvent les plus simples. Vous devez observer, lire et écouter. Vous devez prendre des notes chaque fois qu'une idée vous vient en écoutant la télévision, en lisant le journal ou en croisant des gens sur la rue. Vous devez vous monter des banques de matériel de référence: des statistiques bizarres, des faits divers, des situations comiques que vous avez notées, etc. Et vous devez passer des heures à brasser le tout.

La créativité est un sujet qui a été discuté dans le chapitre sur la programmation radio
(pages 31 et 32).

Ce paragraphe sur le sens de l'observation est complémentaire à la section sur la préparation (page 110 et suivantes).

QUELQUES RÈGLES GÉNÉRALES

Il n'existe pas plus de recette-miracle pour l'animation humoristique qu'il n'en existe pour n'importe quel autre style d'animation, mais les quelques règles générales suivantes pourront toujours vous servir de points de référence.

Quelques règles générales pour l'animation
humoristique:

Soyez drôle!

La clef du succès en humour est d'être incongru, hors du commun, inattendu, illogique, exagéré, inédit, irraisonné, inapproprié et insolite. Bref, d'être drôle!

Soyez constant.

Lorsque vous créez un personnage fictif, dans le but de vous en servir subséquemment et de façon fréquente dans vos sketches, vous devez le définir comme vous avez défini votre propre personnalité en ondes, soit en précisant tous les aspects du personnage: s'il est riche ou pauvre, d'où provient son argent, s'il est célibataire ou divorcé, quel âge il a, où il a étudié.

Et n'utilisez que du matériel qui convient à votre personnalité et au style de votre émission.

Personnalisez et adaptez au marché local.

Lorsque cela est possible, introduisez quelqu'un de connu (ou vous-même!) dans l'histoire.

Dans les petites villes, il est souvent difficile de personnaliser une farce en fonction des personnalités locales parce que les susceptibilités sont généralement faciles à froisser et que le directeur des ventes de la station a une peur bleue du boycottage publicitaire! Dans un tel cas, pour donner une saveur locale à votre humour, vous pouvez simplement inclure des noms de lieux et d'événements locaux ou parler d'un autre animateur de la station.

Actualisez.

Reliez vos farces aux sujets chauds de l'heure ou, au moins, essayez de les faire coller à la situation économique, sociale ou politique actuelle.

Soyez bref.

Lorsque vous avez une bonne idée, prenez le temps de l'écrire et d'y penser. Assurez-vous d'être drôle et d'être capable de la communiquer efficacement. Ensuite, condensez-la de manière à utiliser le moins de mots possibles. Plus vous étirez une histoire, plus vous augmentez les chances que l'auditeur trouve le *punch* final bien faible ou qu'il le devine à l'avance.

Retirez-vous rapidement.

Ne riez jamais en ondes après une farce. Dès que la farce est terminée, passez immédiatement à autre chose, sans aucun commentaire additionnel, en laissant aux auditeurs le privilège de décider si cela est drôle ou non. Si la farce était bonne, vous les laissez sur leur appétit et ils en attendront d'autres. Si elle était plate, elle s'est terminée sans écoeurer qui que ce soit. D'ailleurs, très souvent, une même farce sera simultanément excellente et totalement plate... pour deux personnes différentes.

Assurez-vous que tous les collaborateurs de votre émission s'en tiennent à cette règle de conduite. Si vous voulez absolument souligner que votre intervention était bel et bien une farce, utilisez plutôt des effets sonores insolites à la fin de celle-ci.

Diverses formules d'humour

Une erreur fréquente, de la part de l'animateur commençant à faire de l'humour, est de se limiter au type d'humour qu'il aime: il ne crée que des sketches, par exemple, ou il ne fait que parodier des nouvelles. Pour être drôle, il faut être un peu inattendu. La variété a donc un rôle à jouer.

Les diverses formules d'humour présentées ci-dessous ne sont que des idées classiques résumées simplement dans le but de faire ressortir la grande variété de formules possibles.

Quelques formules classiques d'humour:

Le dictionnaire humoristique

C'est une formule couramment utilisée dans les tavernes: «Quelle est la définition d'un...?», «Quelle est la différence entre... et ... ?»

Les bulletins de nouvelles

Vous répétez un élément du bulletin de nouvelles et vous le faites suivre d'un commentaire humoristique. Ou bien, vous parodiez une nouvelle. Ou encore, vous diffusez un faux bulletin de nouvelles de 1963 que vous prétendez avoir retrouvé sur ruban dans le grenier de la station...

Les imitations et les parodies

En plus de rire des nouvelles, vous pouvez rire d'un message publicitaire ou d'une chanson-succès en présentant une version «revue et corrigée» de votre propre cru ou vous pouvez vous moquer spécifiquement d'un personnage connu à travers une entrevue fictive.

Les statistiques

Les statistiques sont présentes partout dans nos vies et elles sont souvent ridicules par elles-mêmes. Il est souvent drôle simplement de constater à quel point différentes statistiques se contredisent. Vous pouvez aussi tourner à l'envers une statistique ou en marier deux ensemble.

Les listes

Cette formule a été popularisée à la télévision américaine par Johnny Carson. Vous pouvez facilement créer des listes adaptées à votre marché: «10 raisons pour aller au Régates de Valleyfield...»

Les sketches

Dans les sketches, les situations les plus drôles sont généralement les plus «plausibles», c'est-à-dire celles pouvant être théoriquement vécues par vos auditeurs. Vous pouvez ainsi toucher à tout ce qui a trait à la complexité de la vie moderne: les problèmes maritaux, les vacances, les enfants, le *boss*, les voisins, les ordinateurs, la marge de crédit. Bref, tous les sujets pouvant générer des situations dans lesquelles des frustrations se développent naturellement.

Sujets spécifiques: sexe, race, religion et politique

Il est impossible d'obtenir une bonne cote d'écoute en se mettant plus de la moitié du monde à dos. Faites donc particulièrement attention aux farces ayant rapport au sexe, à la race, à la politique ou à la religion. Vous pouvez faire des farces sur le sexe sans être sexiste et sur la politique sans prendre partie. Pensez-y deux fois avant de mettre en ondes une farce qui pourrait avoir une connotation discriminatoire, sexiste ou raciste et testez-la toujours sur un échantillon représentatif des gens qui pourraient être choqués par cette farce.

Il y a une différence entre choquer et blesser.

Si, dans le cours d'une émission humoristique, il est normal que des gens soient offensés à un moment ou à un autre, il est aussi normal d'essayer de ne pas faire inutilement de mal à qui que ce soit. La démarcation entre choquer et blesser n'est pas toujours facile à faire, mais cela n'est pas une raison pour s'en foutre.

En règle générale, des farces douteuses ne devraient être présentées dans votre émission que sous l'une des deux conditions suivantes:

- Votre émission de radio est définie comme provocatrice, ce type d'humour correspond à votre personnalité en ondes qui a été acceptée par votre patron et tous les auditeurs s'attendent à un humour choquant.
- Vous introduisez ce commentaire dans le style: «Vous ne devinerez jamais la monstruosité que j'ai entendu ce matin dans l'autobus...»

Dans le chapitre sur la programmation, nous avons discuté des normes et codes d'éthique à respecter (page 69 et suivantes).

L'ANIMATION RÉSEAU

En général, la saveur locale d'une programmation radio constitue une bonne partie de sa force.

Lorsque, face à des contraintes souvent budgétaires, vous devez produire une émission diffusée simultanément sur plusieurs stations, un de vos premiers objectifs doit être de donner quand même l'impression d'être «local». Cela demande de faire un peu de gymnastique intellectuelle, de la haute voltige même, mais c'est réalisable. Chaque phrase doit être livrée de façon à satisfaire simultanément les auditeurs dans la ville où vous êtes et ceux dans toutes les autres villes où votre émission est diffusée.

Par exemple, si vous diffusez une émission simultanément à Sudbury, Timmins, Hearst et Kapuskasing, au lieu d'introduire un sujet par une phrase comme «Si vous êtes de la région de Sudbury (...)» ou «Pour les gens de Sudbury (...)», vous devriez dire «À Sudbury, il y aura de la danse pour tous les goûts en fin de semaine prochaine: du Rap au Bar du Clos, de la Lambada chez Alexandros et du Rock chez Bimbo.» Ainsi, les auditeurs de Sudbury auront compris «Il y a de la danse en ville en fin de semaine...» alors que les auditeurs de Hearst, Kapuskasing et Timmins auront compris que vous leur proposiez des activités se déroulant à Sudbury au cas où ils décideraient de s'y rendre en fin de semaine.

Les slogans de chaque station doivent aussi s'adapter à cette réalité. L'esprit de clocher existant presque partout, il faut savoir l'exploiter.

Exploitons l'esprit de clocher!

Dans les annales de la radio...

En 1989, sur les stations de radio AM de Radio-Nord en Abitibi, LE LEADER était le slogan général alors que LE LEADER À ROUYN-NORANDA, LE LEADER EN ABITIBI-OUEST, LE LEADER À VAL D'OR et LE LEADER EN ABITIBI-EST étaient respectivement utilisés lors des émissions locales de CKRN Rouyn-Noranda, CKLS La Sarre, CKVD Val d'Or et CHAD Amos.

Ainsi, un auditeur de Val d'Or qui entendait dire LE LEADER dans une émission «réseau» en provenance de Rouyn-Noranda, entendait intérieurement LE LEADER À VAL D'OR, parce que c'est ce qu'il était habitué d'entendre.

Ce système de slogans remplaçait l'appellation traditionnelle «Sur le réseau Radio Nord» qui rappelait constamment à tous les auditeurs de Val d'Or que l'émission ne venait pas de chez eux, mais plutôt de la ville voisine avec laquelle ils étaient constamment en compétition: économiquement, politiquement, sportivement et socialement.

Et les lignes téléphoniques «1-800» sont là pour permettre à tous vos auditeurs de vous rejoindre sans qu'ils sachent nécessairement et exactement à quelle endroit ils appellent.

Au niveau technique, il existe des systèmes peu dispendieux permettant la diffusion d'identifications locales sur chacune des stations, même durant les émissions diffusées en réseau.

En fait, le plus gros problème de ces émissions réside dans la coordination de la programmation musicale sur les stations de radio diffusant des émissions en provenance de la station-mère, de manière notamment à éviter les répétitions abusives de certaines chansons.

ÉMISSIONS SPÉCIFIQUES

Les objectifs fondamentaux de chaque émission sont identiques: divertir et divertir en informant. Mais le contenu spécifique de chaque émission et la façon de livrer ce contenu varieront en fonction de l'heure de la journée, pour s'ajuster aux attentes du public qui varient selon les heures de la journée.

L'émission du matin

Le *Morning Show* n'est, fondamentalement, qu'une émission comme une autre. Elle n'est différente que dans notre esprit, principalement parce que dans la plupart des stations de radio, c'est l'émission la plus écoutée, qu'on y consacre plus d'efforts et qu'on y affecte une plus grosse équipe d'animation. C'est impressionnant!

Mais toutes les règles d'animation demeurent inchangées, même si la complexité est augmentée du fait qu'on se retrouve généralement avec un amalgame de plusieurs types d'animation: en équipe, avec de l'humour, avec plusieurs courtes entrevues et avec de nombreuses chroniques.

Lorsque vous animez régulièrement cette émission, vous devez particulièrement faire attention de ne pas perdre contact avec le «vrai monde»: vos auditeurs qui vivent selon un horaire plus normal. Vous devez donc faire continuellement des efforts pour vous rapprocher de vos auditeurs notamment en obtenant de l'information de toutes les sources possibles sur ce qui se passe dehors, pendant que vous êtes à l'intérieur, ou sur ce qui se passe le soir pendant que vous dormez. Pour obtenir du «feed-back humain», vous devriez pouvoir de compter sur des collègues de travail qui s'en viennent à la station pendant que vous êtes en ondes.

Le public-cible, les habitudes d'écoute et le contenu de l'émission

La connaissance de votre public-cible est, encore une fois, cruciale. L'émission du matin «Numéro Un» dans la ville voisine, ne le serait pas nécessairement chez vous. Vous devez adapter à votre public toutes les idées et tous les concepts que vous importez. Par exemple, si votre émission est destinée principalement aux femmes, vous n'avez peut-être pas besoin d'un bulletin complet de sports: un simple rappel des manchettes du sport, à la fin du bulletin de nouvelles, pourrait être suffisant.

Il existe quand même un portrait-type de l'auditeur matinal: c'est une personne pressée, à moitié endormie, n'écoutant la radio que d'une oreille et pendant moins de 20 minutes par matin.

Cet auditeur utilise la radio de façon très machinale et selon des habitudes fixes: il entre dans la douche après le bulletin de météo, il déjeune en écoutant le bulletin de sports et synthonise son chroniqueur de trafic favori en sortant du garage. Mais il arrive aussi fréquemment que cet horaire d'écoute fixe soit modifié par des imprévus: le réveil-matin n'a pas sonné ou un déjeuner d'affaires à été prévu plus tôt que d'habitude.

Règle générale, l'auditeur matinal recherche de l'information précise: comment s'habiller aujourd'hui, est-ce que les écoles sont ouvertes, est-ce que les Canadiens ont gagné contre les Nordiques hier soir et est-ce que les Blue Jays ont gagné la Série mondiale. Certains individus sont avides de détails et aiment le «placottage»; d'autres, préfèrent un poste musical livrant toute cette information en version télégraphique. Autrement dit, chaque élément d'information sera plus ou moins élaboré selon que votre station et votre émission offrent une programmation plus ou moins musicale, mais l'information sera toujours en vedette le matin. Ainsi, si vous animez sur une station de radio offrant une programmation essentiellement musicale, vous devriez intervenir entre chaque chanson, même si ce n'est que pour dire que les Canadiens ont vaincus les Nordiques hier soir: vous réussirez ainsi à livrer toute l'information nécessaire tout en laissant la majeure partie du temps d'antenne à la musique et vous tiendrez compte du fait que la durée de diffusion de deux chansons en ligne est presque égale à la durée d'écoute matinale de la radio par plusieurs auditeurs.

Bref, la musique et l'humour sont présents dans la programmation matinale simplement pour accompagner (pour enrober l'information) et pour aider l'auditeur à se réveiller de bonne humeur.

Il doit y avoir répétition fréquente des éléments d'information de base tels que la circulation et les grands titres de l'actualité. Et la météo devrait être livrée au moins 12 fois par heure même si, certaines fois, évidemment, vous vous limiterez à annoncer simplement quelque chose dans le style «Il fera beau et chaud toute la journée».

Le fait que la plupart des auditeurs écoutent votre émission durant moins de 20 minutes, vous oblige à continuellement donner le maximum de vous-même et vous force à livrer passablement d'information en très peu de temps. Dans votre cas, il est particulièrement vrai que vous n'animez pas une émission de 3 heures, mais bien 9 émissions de 20 minutes.

La courte période d'écoute moyenne et la nature même de cette émission matinale qui rejoint des gens distraits et à moitié endormis, ont aussi des conséquences sur la programmation musicale. Comme il est beaucoup plus captivant pour la majorité des gens de se réveiller en fredonnant un air connu et comme la quantité d'information à livrer le matin est déjà passablement élevée, ce n'est généralement pas le temps de diffuser des nouveautés qui exigent une présentation de la part de l'animateur. Misez plutôt sur des chansons connues qui «accrochent».

Cette courte période d'écoute moyenne a aussi ses avantages: vous pouvez vous permettre de répéter différents éléments d'animation de votre émission. Par exemple, une farce faite à 6h25 peut être reprise à 8h45. C'est d'ailleurs pourquoi il est incompréhensible que tant d'émissions du matin soient mortellement ennuyantes entre 6h et 7h: ce segment devrait être le meilleur, puisqu'il devrait inclure les meilleurs éléments de ce qu'il y aura entre 7h et 9h! Plusieurs animateurs du matin, plutôt que de se servir de cette première heure d'émission comme d'une période de répétition générale, préfèrent garder jalousement leur meilleur *stock* pour les heures de grande écoute entre 7h et 9h, au moment où leur *boss* est debout!

Cela dit, certaines personnes écouteront quand même votre émission pendant plus de 20 minutes! Certaines personnes vous écouteront même du début jusqu'à

> **Entre 6h et 9h, vous animez 9 émissions de 20 minutes.**

la fin. Alors, même si vous pouvez vous permettre de répéter divers éléments de votre émission, vous devez quand même varier votre façon de les livrer. Cela ne vous demandera que quelques minutes supplémentaires dans votre période de préparation pendant laquelle vous devez d'ailleurs planifier l'horaire de rotation de ces éléments. Même les nouvelles ne devraient jamais être présentées deux fois sous la même version: les journalistes devraient faire du *rewriting* pour chaque bulletin d'information.

Les carottes

Sachant que la plupart des gens écoutent votre émission pendant un très court laps de temps, n'allez surtout pas annoncer, comme dans les autres émissions, ce qui «s'en vient, sur vos ondes» dans 45 minutes. Il n'y a rien de plus frustrant pour un auditeur que de savoir que le bulletin complet de météo est diffusé à un moment où il ne peut pas l'écouter! Une réaction normale serait alors: «Pourquoi pas tout de suite? Peut-être qu'à l'autre station, le bulletin météo passe maintenant. Allons voir!»

Vous pouvez bien sûr annoncer ce qui s'en vient, mais ce qui s'en vient dans les toutes prochaines minutes. D'ailleurs, comme chaque segment de 15 ou 20 minutes devrait être complet en lui-même, il n'y aucune raison pour avoir à promouvoir un élément qui sera diffusé dans plus de 15 ou 20 minutes. Sauf, bien sûr, si vous voulez faire la promotion d'une émission particulière ou d'un concours spécial qui se déroulera durant la journée: il s'agit alors, en fait, d'un message d'autopublicité et non d'une carotte.

Laissez surtout de côté les longues énumérations de ce qui s'en vient musicalement et surtout, n'annoncez pas vos farces à l'avance. Conservez un peu d'effet de surprise, si vous voulez que l'humour fonctionne.

Une émission en solo

Même si vous êtes fin seul pour animer l'émission du matin, vous pouvez recréer l'ambiance d'une équipe en utilisant abondamment le matériel du journaliste, l'alimentation en provenance de la station tête du réseau et le fil de presse sonore de NTR, Télémédia ou Radiomutuel. Vous pouvez aussi utiliser des appels téléphoniques d'auditeurs, réels ou fictifs, pour vous donner la réplique. Cette dernière méthode est d'ailleurs la seule dont vous disposez pour dire quelque chose qui ne cadre pas avec votre personnage, à moins, bien sûr, que vous ne livriez vous-même le commentaire en l'attribuant à votre belle-mère.

Le lien avec l'émission du retour à la maison

La planification de la programmation de l'émission du matin est étroitement liée à celle de l'émission du retour à la maison, le lien entre ces deux émissions se faisant notamment au niveau des habitudes de travail de vos auditeurs.

Par exemple, si vous êtes dans une ville où de nombreux travailleurs écoutent votre station en allant et en revenant de travailler, et si le quart de travail le plus fréquent est de «8 à 4», la plupart des gens écouteront votre émission quelque part entre 7h et 8h en se rendant travailler et entre 16h et 17h, en revenant. Ne diffusez donc pas les Insolences d'un téléphone à 7h50 et en reprise en 16h10: vous rejoindriez les mêmes gens qui trouveront moins drôle la reprise, alors que vous auriez pu rejoindre les travailleurs de bureau de «9 à 5» en diffusant la chronique en reprise à 17h10.

Le lien doit également se faire au niveau de l'information. Les sujets d'actualité abordés dans l'émission du matin et demandant une suite ou une conclusion, doivent se retrouver dans l'émission du retour à la maison, même si les bulletins de nouvelles de mi-journée ont déjà livré la conclusion de l'événement. C'est la confiance envers votre station et la fidélité de l'écoute qui en dépendent.

De plus, de grâce, évitez la compétition entre animateurs: les auditeurs se foutent de savoir quel quart de travail est plus prestigieux ou plus rémunérateur. Vous pouvez d'ailleurs tous bénéficier d'une collaboration entre collègues de travail.

L'ÉMISSION DE MI-JOURNÉE

À l'exception des émissions du matin et du retour à la maison, il n'existe pas de véritable portrait-type d'auditeur qui pourrait vous aider à définir le contenu et la forme de votre émission. C'est plutôt à vous de choisir qui vous désirez rejoindre: les secrétaires au bureau, les gens à la maison, les travailleurs à l'usine, les chauffeurs de taxi, les étudiants.

Il n'y a donc pas de limites à ce qui peut y être fait, tout étant strictement fonction du public visé et de ce qu'il fait durant cette période. Mais il est quand même certain que, dans une industrie radio de plus en plus compétitive, la série de petites chroniques disparates traditionnelles doit faire place à une programmation plus ciblée, mieux structurée et plus créative. Finie la suite de chronique santé avec le ramancheur du coin, de chronique voyage avec l'ami du directeur des ventes de la station, d'éphémérides réchauffées et d'horoscope emprunté au Journal de Montréal de la veille et lu maladroitement! Place aux professionnels du marketing et de la créativité!

Il est donc fondamental que vous analysiez les besoins des gens dans votre marché et que vous définissiez où sont positionnés vos compétiteurs avant de planifier la forme et le contenu de votre émission.

Certains dirigeants de stations de radio ayant choisi les gens au bureau comme public-cible de l'émission de mi-journée et ayant développé une programmation offrant de la musique d'ambiance, ont converti cette émission à la programmation automatisée dans laquelle seuls les bulletins de nouvelles et la publicité viennent interrompre la diffusion de musique. Évidemment, cette décision permet du même coup de réduire les dépenses! Mais pour certains, il s'agissait, en fait, de réduire les coûts d'opération durant cette période plutôt que durant la soirée, de façon à être une des rares stations de radio à offrir une émission locale en soirée.

Mais peu importe ce que vous déciderez de faire avec votre émission de mi-journée, celle-ci demeurera toujours l'émission faisant suite au *morning show*. Et comme les gens qui se lèvent tard ont eux aussi besoin d'information de base telles que les prévisions météorologiques et la localisation des bouchons majeurs de circulation qui pourraient avoir persisté, il serait avantageux que le début de cette émission contiennent (jusque vers 10h30, par exemple) des résumés de l'information ayant été livrée dans l'émission du matin. Évidemment, pour que cette formule satisfasse ceux qui se lèvent tard, sans écoeurer ceux qui sont à l'écoute depuis les premières lueurs du matin, il faut que l'information soit présentée de façon très brève.

LE RETOUR À LA MAISON

L'émission du retour à la maison est très similaire à l'émission matinale, en ce sens qu'elle s'adresse à des gens en mouvement, mais elle s'en différencie quand même par plusieurs autres aspects.

D'abord, les gens sont moins endormis, mais plus fatigués. L'accent doit donc être mis davantage sur la relaxation, que ce soit par une ambiance calme ou par un défoulement fou, selon votre style de radio. Il est d'ailleurs bizarre de constater que l'humour ait été si largement diffusé le matin et si peu utilisé dans l'émission de fin d'après-midi.

D'autre part, bien que le temps d'écoute de cette émission soit tout aussi bref que celui de l'émission du matin, pour ceux qui écoutent strictement en conduisant leur voiture à l'aller, comme au retour du travail; pour plusieurs autres, le temps d'écoute sera beaucoup plus long, notamment dans le cas de ceux qui vous écouteront sur une terrasse pendant un «5 à 7» ou dans leur cour arrière en préparant le B-B-Q. Vous ne pouvez donc pas vous permettre de répéter chaque élément d'animation aussi systématiquement que durant l'émission du matin. Il vous faudra plus de variété.

L'ÉMISSION DE SOIRÉE

La définition du public visé par cette émission soulève une problématique similaire à celle de l'émission de mi-journée, mais avec un nombre potentiel d'auditeurs largement réduit par le fait que la télévision a conquis les oreilles et les yeux des adultes québécois en soirée et par le fait que Musique Plus tente de conquérir les jeunes traditionnellement plus fidèles que leurs parents à la radio en soirée.

Comme dans le cas de l'émission de mi-journée, il n'y a aucune formule toute faite. Définir la programmation de cette émission constitue un défi de marketing et de créativité. Un défi d'autant plus grand que la plupart des stations de radio en font une programmation de raboudinage visant principalement à mettre en ondes tous les éléments manquants pour que leur programmation satisfasse les contraintes du CRTC et la promesse de réalisation de la station. Il n'est d'ailleurs pas surprenant que les gens aient délaissé la radio de soirée: on a tout simplement concédé la victoire à la télévision!

> En soirée, on a concédé la victoire à la télévision.

L'ÉMISSION DE NUIT

Le calvaire de nombreux animateurs débutant! Le quart de travail le plus long (de minuit à 6h dans la plupart des stations). Le salaire le plus bas. L'émission avec le moins d'auditeurs (de toute façon, entre 1h et 5h, l'auditoire n'est même pas évalué par BBM). Une vie sociale et un système physiologique complètement perturbés. Presque aucun prestige dans la communauté. Des collaborateurs peu nombreux. Et, bien souvent, même pas de nouvelles fraîches avant 5h00.

Bon! Fini de pleurer? Comptez-vous chanceux d'obtenir cet emploi: c'est le meilleur quart de travail pour entrer dans l'industrie de la radio et se pratiquer sans pression. Mieux vaut 30 heures d'expérience la nuit que 4 heures, le samedi après-midi. Vous évoluerez beaucoup plus rapidement. L'élimination du poste d'animateur de nuit, généralement pour le remplacer par une émission «réseau» ou par un système automatisé, rend d'ailleurs de plus en plus difficile l'entrée de nouvelles recrues dans le milieu radiophonique.

Ne vous plaignez donc pas d'être en ondes lorsque tout le monde dort. D'autant plus que tout le monde ne dort pas et que les auditeurs de nuit sont souvent beaucoup plus fidèles à leur animateur que les auditeurs de jour, surtout si votre station est la seule à offrir une émission de nuit avec animateur! Vous devenez leur compagnon de solitude.

D'autre part, votre patron dort probablement, lui. Ce qui est particulièrement précieux si vous travaillez dans une station de radio avec un directeur de la programmation ou un directeur général exagérément conservateur. Vous pouvez alors expérimenter plus que n'importe quel autre animateur. Vous êtes d'ailleurs obligé de développer votre créativité parce que vous avez 6 heures d'émission à meubler. Pire, 6 heures avec souvent très peu de publicité, très peu de nouvelles et très peu de chroniques.

Bref, l'émission de nuit est l'émission rêvée pour développer vos talents.

Et remontez-vous le moral en vous rappelant qu'il a été prouvé depuis longtemps qu'une bonne émission de nuit permet à l'émission du matin de décoller plus rapidement dans les cotes d'écoute: vous êtes un pilier de l'édifice matinale!

> **Vous pouvez expérimenter plus que n'importe quel autre animateur.**

Le dilemne de l'émission de nuit est de satisfaire à la fois des insomniaques qui veulent une émission tranquille en tentant de s'endormir, des travailleurs qui veulent du «placottage» pour les accompagner toute la nuit et des jeunes qui, revenant tard de la discothèque, veulent un bon *slow* pour s'embrasser et se souhaiter bonne nuit. Cette émission offre l'amalgame le plus hétéroclite d'auditeurs.

Il vous sera probablement quand même possible de définir un certain profil type de l'auditeur, en fonction de l'heure. Par exemple, vers 3h, vous aurez plus de gens qui entrent se coucher après une soirée de danse, alors que vers 5h, vous aurez plus de travailleurs se levant tôt. C'est d'ailleurs pourquoi, entre 4h30 et 6h, votre émission a avantage à ressembler à un *Morning Show*.

Faites toutefois attention, dans vos changements de style et de contenu, de ne pas perdre les travailleurs de nuit qui, eux, constitueront toujours votre public le plus fidèle. Règle générale, ces gens qui travaillent la nuit écoutent la radio pendant de longues heures et ont davantage besoin de compagnie que les auditeurs de jour.

Pour vous aider à bâtir le succès de votre émission, commencez par dresser une liste de toutes les compagnies employant du monde la nuit, puis trouvez une façon de les associer à votre aventure nocturne. Identifiez les sujets susceptibles de les intéresser et n'hésitez pas à vous introduire directement, en personne ou par téléphone, auprès d'eux.

Utilisez aussi, fréquemment, la ligne des auditeurs pour savoir ce que font vos auditeurs. Du même coup, vous vous remonterez le moral: quelqu'un n'est pas couché et vous écoute! L'utilisation en ondes de certaines de ces conversations téléphoniques vous aidera, de plus, à prouver subtilement aux autres gens debout tard la nuit et se sentant aussi seuls que vous, qu'ils ne sont pas seuls. Mais, de grâce, ne tombez pas dans le piège de la facilité et de la lâcheté: laissez de côté les expressions du style «Bonjour aux chauffeurs de taxi et aux infirmières.» Ces clichés sont des expressions froides, impersonnelles et ne présentant aucun intérêt. Vous avez besoin d'individus vous écoutant et on veut des preuves: donnez des prénoms et parlez en ondes avec ces personnes. Pour partir le bal, organisez-vous! S'il le faut, prenez un magnétophone et allez rencontrer quelques infirmières au centre hospitalier, puis arrêtez au kiosque de taxi et dans quelques stations d'essence au retour.

Vous pourriez très bien demander une nuit de «congé» à votre patron pour faire le tour des endroits où des gens travaillent la nuit, même si cela doit être une journée de congé sans solde. Le développement de votre carrière vaut bien quelque dollars d'investissement!

CHAPITRE 3

LA MISE EN ONDES

Même si la plupart des animateurs commencent leur carrière en effectuant eux-mêmes la mise en ondes de leur émission, plusieurs la commencent plutôt dans une station de radio où des opérateurs de mise en ondes sont chargés de cette tâche, les libérant ainsi d'une charge de travail considérable. Mais dans un cas comme dans l'autre, vous avez avantage à comprendre les principes de la mise en ondes: après tout, le produit qu'on met en ondes, c'est vous!

Ce n'est certes pas un sujet à prendre à la légère. Certains animateurs-nés ont échoué dans leurs projets de carrière tout simplement parce qu'ils n'ont pas réussi à passer à travers l'étape de maîtrise de l'opération technique de leur émission sur la station de radio qui leur avait donné une chance.

Évidemment, la mise en ondes, ça s'apprend surtout dans un studio, en accumulant les erreurs et les exploits. C'est pourquoi le présent chapitre est relativement court: quelques idées et quelques lignes directrices.

LE CONTRÔLE DE LA QUALITÉ

Aujourd'hui, la plupart de vos auditeurs possèdent des récepteurs radio et des systèmes de son capables de reproduire des sons d'une qualité incomparablement supérieure à ce que l'émetteur AM ou FM de votre station peut émettre. Même une petite variation de volume ou une légère imperfection sonore sera captée et amplifiée.

Le bon état de toutes les pièces d'équipement de votre station, incluant les disques et les rubans magnétiques, est donc vital et essentiel afin que la qualité du produit mis en ondes soit constante d'un élément de programmation à l'autre, d'un segment de la programmation à l'autre et d'une journée à l'autre. D'ailleurs, les gens qui vous écoutent d'une oreille distraite ou dont la radio joue à faible volume, ne pourraient pas entendre ce que vous diffuseriez de mauvaise qualité (un message produit sur un ruban magnétique usé ou une entrevue réalisée sur une ligne téléphonique grinçante, par exemple).

Le professionnalisme est de rigueur. Lorsque vous entendez quelque chose qui n'est pas au même niveau de qualité que le reste de la programmation, vous

Préparez-vous à l'arrivée de la radio digitale.

devez tenter tout ce qui est humainement possible de faire pour corriger la situation et vous assurer qu'elle ne se reproduira pas. Cela peut impliquer de faire du lobbying auprès de vos patrons dans le but d'obtenir le renouvellement ou l'amélioration de l'équipement de production et de mise en ondes.

Préparez-vous à l'arrivée de la radio digitale!

L'ENTRETIEN DE L'ÉQUIPEMENT

Le vieux ruban doit être remplacé. Les têtes de lecture des tables tournantes doivent être changées. Les vieux disques doivent être nettoyés ou remplacés. De nouvelles tiges et des bouteilles de liquide pour nettoyer les têtes de lecture doivent être ajoutées dans tous les studios. L'alignement de toutes les têtes de lecture doit être vérifié et corrigé.

Et tout cela doit être fait régulièrement. Si le technicien de votre station ne s'en occupe pas, prenez la relève. C'est votre émission, votre nom, votre réputation, votre carrière.

Vous avez également la responsabilité de maintenir propres, les studios et autres lieux de travail. L'entretien de l'équipement commence par l'entretien de son environnement. Ramassez les papiers, rubans, journaux, cannettes et autres effets n'ayant aucune raison de se trouver là, que vous en soyez le propriétaire ou non. Une production urgente ne doit pas être retardée par la nécessité de faire d'abord du ménage dans le studio!

D'ailleurs, il ne devrait jamais y avoir de nourriture ni de boissons dans le studio. Réparer les dégâts causés par un verre de café renversé, peut s'avérer extrêmement dispendieux. Quant à la fumée de cigarettes, elle endommage l'équipement. Mais comme, de toute manière, la loi fédérale interdit de fumer dans les locaux d'une station de radio...

LES DOCUMENTS DE TRAVAIL

LE REGISTRE DES ÉMISSIONS

Le registre des émissions indique à l'opérateur de mise en ondes le contenu de son émission. Ce registre, dont un exemple est présenté à la figure 8, est préparé par le service du routage selon les directives du directeur de la programmation et en fonction des contrats de publicité. En plus de ce qui est présenté à la figure 8, une colonne supplémentaire précise généralement la «catégorie de teneur» de l'élément prévu à la programmation (en fonction des définitions du CRTC) ou le numéro d'autorisation du message publicitaire.

Pour diverses raisons légales et administratives, il est très important pour une station de radio de maintenir des registres précis et complets. L'opérateur de mise en ondes doit donc prendre très au sérieux le respect et la tenue de ces registres qui doivent d'ailleurs être conservés par la station pendant au moins un an.

En plus de satisfaire les diverses lois et divers règlements, un registre complet et précis contribuera à réduire les risques d'erreur lors de la mise en ondes. En règle générale, il vaut mieux en mettre trop que pas assez. En tant qu'opérateur de mise en ondes, notez-y minutieusement toutes vos actions et indiquez, au directeur des émissions, tout ce qui est inscrit sur le registre mais qui ne correspond pas à la réalit, ou tout ce qui n'est pas inscrit et qui devrait l'être.

Registre des émissions de XXXX AM XXXX
123 rue de la Radio, ville Média, Québec

Date: 15 août 1993

Heure		Titre de l'émission ou nom de l'annonceur	Heure réelle de diffusion	Messages publicitaires		Source de l'émission
Début	Fin			Source	Durée	
11h00		O'Keefe		Cart 1201	30"	
		Toyota		Cart 1237	60"	
		Cantel		Cart 1342	30"	
11h02	11h13	Les plus grands succès de...				Ruban
11h13		Weider		Cart 1333	60"	
		Canadian Tire		Cart 1299	30"	
		PROMO Décompte Week-End		Cart 509	30"	
11h15	11h17:30	Nouvelles régionales				Direct
11h17:30		Labrador		Cart 1187	30"	
		Identification chantée		Cart 390	15"	
		Émission de Jean Bonhomme				Direct
11h27		O'Keefe		Cart 1201	30"	
		Valdi		Cart 1186	30"	
		Les Habits de mon voisin		REMOTE	60"	
11h30		Météo révisée				Direct
11h42		Weider		Cart 1333	30"	
		Les Habits de mon voisin		REMOTE	60"	
11h45	11h48:30	Les nouvelles nationales				NTR
11h48:30		Identification chantée		Cart 390		
11h58		Labatt		Cart 1250	30"	
		Les Habits de mon voisin		REMOTE	60"	
		Identification de la station		Cart 391	10"	
12h00		Les midis zinzins				Direct
12h13		Hydro-Québec		Cart 1400	30"	
		Les Habits de mon voisin		REMOTE	60"	
		PROMO Radio-réveil		Cart 514	30"	
12h15		Les nouvelles régionales				Direct

Figure 8 Registre des émissions - exemple

Si ce registre est le reflet fidèle de votre émission, lorsque vous serez absent, quelqu'un d'autre pourra vous remplacer à pied levé sans que votre émission «sonne tout croche» en ondes. N'est-il pas à votre avantage que vos auditeurs réguliers soient là quand vous reviendrez de votre journée de congé de maladie?

Mais, même si vous devez respecter méticuleusement le registre, demeurez quand même intelligent dans son utilisation: dans certains cas, vous devrez respecter l'idée plutôt que l'heure précise inscrite sur le registre. Par exemple, un bloc publicitaire prévu pour durer 180 secondes et commencer à 11h42, immédiatement avant le bulletin de nouvelles de 11h45, ne débutera en pratique qu'à 11h43:30 s'il n'y a que 90 secondes de publicité inscrites sur le registre.

Règles générales d'utilisation

- Respectez toujours le registre des émissions.
- Si une modification mineure est nécessaire ou si vous remarquez une erreur d'écriture évidente, inscrivez la correction sur le registre.
- N'effectuez aucune modification majeure sans avoir préalablement obtenu l'approbation du directeur de la programmation.
- Inscrivez l'heure exacte de diffusion de chaque élément de programmation après l'avoir diffusé. Un "X" ne suffit pas.
- Signez votre nom sur le registre à l'endroit où votre émission commence et là où elle se termine, de même qu'au début et à la fin de chaque page.

Cas spécifique: les hors d'ondes

Comme n'importe quel autre écart par rapport à ce qui était prévu au registre des émissions, les périodes de hors d'ondes doivent être inscrites sur le registre en précisant l'heure de début et l'heure de fin de celles-ci.

Il est également important que le directeur des émissions en soit informé.

En période de sondage de cotes d'écoute, le directeur des émissions avisera BBM pour qu'il soit fait mention des périodes de hors d'ondes au début des livres de rapport, ce qui pourrait vous aider à justifier une mauvaise cote d'écoute!

Le manuel d'opération du studio

Il est impossible d'expliquer dans un manuel tous les détails de l'utilisation de votre studio de mise en ondes ou de production, mais il est quand même possible de préparer un aide-mémoire. Un aide-mémoire concis, précis et clair, mais qui inclura des directives d'utilisation concernant chaque pièce d'équipement du studio et chaque opération pouvant devoir être effectuée par un opérateur de mise en ondes ou un animateur. Ce manuel pourrait inclure, par exemple, un rappel de la procédure pour alimenter, via le lien micro-ondes, la station de radio d'Asbestos à partir du studio de production de Thetford Mines.

Ne présumez jamais que tout le monde sait «comment ça marche» parce que vous le leur avez expliqué. Cette prétention s'avère toujours fausse et constitue généralement une source d'erreurs et même, souvent, de pertes financières.

La préparation de ce manuel d'opération technique devrait être effectuée par le directeur des émissions ou par un opérateur travaillant depuis longtemps à votre station. Ne laissez surtout pas les techniciens rédiger, seuls, ce manuel: il serait trop volumineux, complexe et incompréhensible pour le commun des mortels!

Cas spécifique: l'émetteur

Le manuel d'utilisation du studio de mise en ondes doit inclure tout particulièrement l'explication du fonctionnement de l'appareil de contrôle à distance de l'émetteur.

Un tel appareil est censé être présent dans tous les studios de mise en ondes radio, mais la plupart des opérateurs ignorent comment il fonctionne. C'est pourtant beaucoup plus simple que cela ne semble et, surtout, c'est si souvent crucial!

Chaque opérateur de mise en ondes doit savoir comment remettre l'émetteur en ondes après une période de hors d'ondes et comment procéder à un changement de puissance. Et chaque opérateur devrait savoir comment faire des lectures de vérification. Ces lectures sont importantes parce qu'une panne peut être précédée d'une période de lectures anormales. La détection de telles lectures et un appel rapide au technicien pourraient vous faire éviter un hors d'ondes.

D'ailleurs, vous devriez demander qu'on vous fasse visiter le site de l'émetteur et qu'on vous explique grosso modo le fonctionnement des diverses pièces d'équipement s'y trouvant. Cela vous aidera à mieux comprendre le fonctionnement de l'appareil de contrôle à distance de l'émetteur et élargira vos horizons.

Le manuel de panique

Le manuel d'utilisation du studio de mise en ondes doit aussi comporter une section «Panique!» décrivant toutes les mauvaises situations imaginables pouvant survenir dans le cours de la diffusion de votre émission et les actions devant être prises dans chaque cas, en fonction des particularités de votre station.

Il faut au moins que tous les problèmes majeurs soient couverts: les pannes d'électricité, les défectuosités de tables tournantes ou de lecteurs de disques audionumériques et les pannes à l'émetteur.

Chaque solution doit indiquer qui doit être appelé en cas d'urgence: au moins 3 personnes différentes, en ordre de priorité.

Il est préférable de prévoir les situations d'urgence plutôt que de laisser à l'improvisation le règlement de problèmes pouvant occasionner des pertes monétaires considérables pour votre station. Pensez-y pendant que vous en avez le temps!

Le relevé des incidents

Afin de s'assurer que la qualité du produit en ondes soit maintenu constante ou soit améliorée, il faut s'assurer de trouver une solution à tous les problèmes de production et de mise en ondes. C'est précisément l'objectif du relevé des incidents: souligner tous les problèmes survenus, humains ou techniques, de façon à ce que des mesures correctives puissent être prises.

Dans certaines stations de radio, l'expression *rapport de faute* est utilisée à tort, puisqu'il s'agit d'un anglicisme provenant de *Fault Report,* mais surtout parce que cette expression est trop contraignante. Elle provoque un sentiment de culpabilité trop fort. Vous devez utiliser le relevé lorsqu'un problème survient, que vous en soyiez responsable ou non, qu'il s'agisse d'une faute de votre part ou non. En fait, vous devez inscrire sur ce relevé tout problème rencontré, remarqué ou, même, pressenti. Le terme incident doit donc être pris dans un sens très large et certainement pas dans le sens d'une reconnaissance de culpabilité.

Dans certaines stations de radio, un relevé d'incidents techniques est utilisé en parallèle au relevé des incidents généraux, mais comme la plupart des incidents techniques ont des conséquences sur le reste des opérations, il peut être difficile de séparer ces deux rapports. De plus, il est certes préférable d'avoir un bon système de correction et de prévention des problèmes plutôt que de tenter d'en faire fonctionner deux en parallèle. Le système que nous proposons ci-dessous jumèle donc les deux relevés. Évidemment, s'il s'agit d'un problème urgent comme une panne de l'émetteur, vous ne remplirez le rapport des incidents qu'après avoir pris les actions immédiates prescrites dans une telle situation.

Le formulaire idéal pour le relevé des incidents est un formulaire en trois copies sur lequel il y a 4 colonnes, une pour chaque item suivant:

❶ La date et heure de l'incident.

❷ Une brève description de l'incident suivie des initiales de l'opérateur de mise en ondes.

❸ L'action corrective qui a été prise suivie des initiales de celui ayant pris cette action.

❹ La date de la correction de l'incident telle que rapportée dans la colonne précédente.

À la fin de la dernière colonne s'ajoutent, par la suite, les initiales du directeur qui reconnaît ainsi en avoir pris connaissance.

Voici un exemple d'une inscription, dans les 4 colonnes d'un tel relevé des incidents:

❶ 21 juin / 17h.

❷ Micro no 2 grince lorsqu'on augmente ou diminue le volume. SB.

❸ Nettoyé curseur de volume sur console. PL.

❹ 21 juin / 22h.

Vous pouvez donc inscrire plus d'un incident par page. En fait, vous ne devriez jamais avoir plus d'une page par émission.

Ce rapport doit être bref même si vous êtes frustré par le fait que la même machine brise toujours au cours de votre émission. Ce n'est pas l'endroit pour pratiquer une carrière d'éditorialiste! Mais inscrivez quand même toute l'information pertinente. Les techniciens, par exemple, ont besoin de précision pour établir un diagnostic valable et corriger rapidement le problème.

D'autre part, pour que la qualité du produit soit maintenue constante ou améliorée, il faut évidemment que ce relevé ne dorme pas sur les tablettes.

Le cheminement du relevé des incidents:

L'opérateur de mise en ondes

À la fin de son émission, il effectue la distribution des trois copies du rapport: la copie originale est jointe au registre des émissions, la deuxième copie est déposée dans le panier du directeur technique et la troisième copie est déposée dans le panier du directeur des émissions.

Le directeur du routage

Le directeur du routage vérifie ce qui le concerne sur le rapport, prend les actions prescrites et remplit les colonnes 3 et 4 correspondant à ces problèmes. Si l'item le concerne, mais que la correction a déjà été faite, il ajoute simplement ses initiales dans la colonne 4. Il envoie ensuite le relevé au directeur des émissions.

Le directeur technique

Le directeur technique vérifie ce qui le concerne sur le rapport, s'assure que les problèmes sont corrigés et remplit les colonnes 3 et 4 correspondant à ces problèmes. Si l'item le concerne, mais que la réparation a déjà été faite par un technicien, il appose ses initiale dans la colonne 4. Il envoie ensuite le relevé au directeur des émissions.

Le directeur des émissions

Le directeur des émissions s'occupe personnellement de tout ce qui est inscrit sur le relevé et qui ne concerne ni le routage ni la technique. Il s'assure que les correctifs sont apportés et la situation clarifiée, pour tous les problèmes. Il appose ses initiales à côté des erreurs déjà corrigées par l'opérateur de mise en ondes. Il s'assure de recevoir les copies du routage et de la technique. Il vérifie que les correctifs appropriés ont bel et bien été apportés. Il joint ces deux rapports à sa copie qu'il affiche ensuite bien en vue dans le salon des animateurs et des opérateurs de mise en ondes.

Il est important que tout le monde puisse constater que ces rapports jouent effectivement un rôle dans l'amélioration du produit, parce que les correctifs ont été apportés.

LA LISTE TÉLÉPHONIQUE

Une liste téléphonique de tous les employés de la station doit être disponible en tout temps dans le studio de mise en ondes de façon à permettre à l'opérateur d'agir rapidement dans les cas d'urgence.

Cette liste doit inclure les noms et numéros de téléphone de tous les animateurs, opérateurs de mise en ondes, journalistes, techniciens et représentants publicitaires de même que tous les numéros de téléphone du directeur des émissions et de la programmation, du directeur du routage, du directeur technique et du directeur général. Le numéro de téléphone du téléavertisseur ou du téléphone cellulaire du technicien de garde doit évidemment y être indiqué de même que le numéro d'urgence pour rejoindre Hydro-Québec et le numéro du téléphone sur le site de l'émetteur.

Cette liste doit toutefois demeurer strictement confidentielle. Ne donnez jamais le numéro de qui que ce soit à qui que ce soit sans l'autorisation préalable de la personne concernée.

L'OPÉRATION DU STUDIO

L'opération de la console de mise en ondes est aussi délicate que celle d'une tour de contrôle à l'aéroport. Et il n'y a qu'une seule façon de la maîtriser: la pratique.

Surveillez les vumètres comme vous surveillez l'indicateur de vitesse de votre automobile lorsqu'un policier vous suit.

Soyez alerte sur les enchaînements. Une seconde de silence inutile est beaucoup trop longue et l'empiétement d'un élément sur un autre est très agaçant. Vous devez maîtriser la console comme un instrument de musique: les quadruples croches existent et doivent être jouées.

Prenez l'habitude de toujours baiser le curseur de contrôle du volume dès la fin de la diffusion de l'élément y étant relié, même s'il s'agit d'une cartouche sur laquelle il est censé n'y avoir rien d'enregistré. Cette habitude permet d'éliminer bien des surprises et des bruits de *cue*.

Surveillez les vumètres comme vous surveillez l'indicateur de vitesse de votre automobile lorsqu'un policier vous suit.

151

LE CONTRÔLE DU VOLUME

En théorie, les vumètres (*VU Meter*) doivent osciller entre 60 et 80% avec des pointes à 100%: dans la partie inférieure lorsque vous parlez et dans la partie supérieure, pour la musique.

Mais en pratique, il est difficile d'établir une règle stricte, à moins que tout l'équipement technique du studio de production et du studio de mise en ondes soit calibré à la perfection et que toutes les bandes sonores reçues pour diffusion sur vos ondes respectent le même calibrage. Il faut donc garder une oreille attentive au niveau sonore de diffusion et un oeil attentif à l'oscillation des aiguilles de vumètre.

La constance du volume de diffusion est importante pour tous les éléments de votre émission, y compris les messages publicitaires. Tout le monde connaît le phénomène de *zapping* pendant les pauses publicitaires à la télévision. Un problème similaire, celui du *scanning,* existe à la radio pendant les blocs publicitaires. Il sera encore plus accentué si les messages publicitaires sont diffusés tellement forts que les auditeurs sentent instinctivement le besoin d'allonger le bras vers leur récepteur radio pour diminuer le volume et, pourquoi pas, en profiter pour aller «voir ailleurs» s'il y a de la bonne musique.

Quant au niveau sonore de votre voix, il est difficile à juger avec les écouteurs sur la tête parce que vous parlez en même temps. Alors, particulièrement si vous en êtes à vos premières armes, enregistrez votre émission à partir d'un récepteur radio et écoutez le segment complet dans lequel votre intervention a été faite de manière à juger de son niveau sonore par rapport aux autres éléments de la programmation.

LE RÉCEPTEUR DE CONTRÔLE

Le son, à la sortie de la console, n'est pas le même que le son capté et retransmis sur un récepteur radio, surtout lorsque de l'équipement additionnel de contrôle du son se trouve à l'émetteur.

Travaillez donc toujours en écoutant le signal du récepteur radio du studio (le récepteur de contrôle d'antenne ou *Off Air Monitor*). Autrement dit, écoutez votre émission telle que l'écoutent vos auditeurs. C'est d'ailleurs la seule façon de détecter des parasites et les pannes à l'émetteur. Très fréquemment, des animateurs se font prendre à poursuivre tout bonnement leur émission alors qu'ils sont... hors d'ondes!!!

Cette écoute du récepteur radio doit être constante, même lorsque vous parlez au téléphone ou préparez l'élément suivant. N'accordez pas plus d'importance au téléphone qu'à ce que vous diffusez en ondes! Si vous réduisez trop radicalement le volume du récepteur pour parler au téléphone, un jour ou l'autre, une cartouche dont le signal de départ (*cue*) est défectueux recommencera à jouer en ondes jusqu'à ce que vous raccrochiez le téléphone ou jusqu'à ce que votre patron vous téléphone sur la ligne prioritaire.

FAIRE FACE AUX PROBLÈMES

La façon de traiter, en ondes, les erreurs techniques, a été discutée dans le chapitre sur l'animation (page 118).

Lorsque vous êtes pris avec une table tournante, un lecteur de disques audionumériques, un lecteur de cartouches ou un magnétophone à bobines qui ne fonctionne pas, il n'y a qu'une seule façon de réagir: appuyer le plus rapidement possible sur un autre bouton, même s'il doit y avoir quelques secondes de silence. N'ouvrez surtout pas le micro de l'animateur qui se perdrait probablement en excuses inutiles.

Afin de raccourcir ce temps de réaction, vous devez à tout moment savoir ce que vous diffuserez si ce qui est prévu ne fonctionne pas. Vous devez toujours avoir un plan B en plus du plan A. Cela nécessite un travail mental constant, mais avec les années de pratique, vous le ferez d'une façon machinale et naturelle.

Cas spécifique: une publicité manquante

Lorsque vous devez diffuser un message publicitaire, mais que vous constatez que le matériel nécessaire est manquant, vous devez tenter tout ce qui est humainement possible pour réussir quand même à diffuser ce message. Ne vous contentez pas de dire «Tant pis! Quelqu'un n'a pas fait son travail». Vous êtes le capitaine et le responsable de tous les aspects de votre émission.

Si le chef de production est au bureau, rejoignez-le le plus rapidement possible et assurez-vous qu'il s'occupe du problème.

Si votre émission se déroule en dehors des heures normales de bureau et que le chef de production est absent, procédez selon les étapes suivantes:

- Vérifiez dans le carrousel des cartouches. Le message est peut-être simplement mal classé.
- Vérifiez dans le livre des messages à diffuser *live*. Le message s'y trouve peut-être, même s'il n'était pas indiqué comme tel sur le registre des émissions.
- Vérifiez à l'endroit où les cartouches des messages récemment produits sont rangées. Quelqu'un a peut-être oublié de transférer la cartouche dans le carrousel des messages actuellement en ondes.
- Vérifiez dans l'espace de rangement réservé aux cartouches récemment retirées des ondes. Quelqu'un a peut-être retiré ce message une ou deux journées trop tôt.
- Téléphonez au directeur de la production pour lui demander s'il sait où est le message.
- Sur le registre de production, retracez qui a produit ce message et téléphonez-lui pour savoir ce qui s'est passé.
- Tentez de retracer, dans les classeurs de production, le texte de la publicité afin de diffuser le message *live*.

Dans le chapitre sur la création et la production publicitaire, nous discuterons du cheminement des cartouches dans le système de production (page 181 et suivantes).

Résumez ensuite vos actions sur le relevé des incidents et, si le message n'a finalement pas été diffusé, précisez-le sur le registre des émissions.

Les bandes-témoins

Les bandes-témoins sont des bandes magnétiques sur lesquelles est enregistré tout ce qui est diffusé en ondes, 24 heures par jour.

Le CRTC exige qu'un tel registre sonore complet de toutes les émissions soit tenu et conservé pendant au moins 4 semaines. Cette tâche doit donc être accomplie professionnellement, même si elle ne procure rien d'utile pour la qualité de votre émission.

Assurez-vous, au début, à la fin et à quelques reprises durant votre émission, que le ruban enregistre bel et bien. Vous pourrez alors dormir la conscience en paix!

TECHNIQUES PARTICULIÈRES

LE CHRONOMÉTRAGE À REBOURS

Comme le contrôleur aérien qui doit planifier successivement plusieurs atterrissages, vous devez planifier l'arrivée successive à «heure pile» de plusieurs éléments de programmation. Par exemple, si vous devez diffuser en direct, à 16h45, un bulletin de nouvelles en provenance de la tête du réseau, vous devez vous organiser pour que le bloc publicitaire précédant ce bulletin, se termine à 16h45, à la seconde près.

Pour réussir cette opération, vous devez planifier vos actions au moins 15 minutes à l'avance, en fonction de ce qui est prévu sur le registre des émissions.

Prenons un exemple. Il est 16h33, le bulletin de météo vient de se terminer et vous êtes censé diffuser la séquence d'éléments suivants avant le bulletin de nouvelles de 16h45:

- une chanson,
- une intervention d'environ 60 secondes,
- une autre chanson,
- une intervention d'environ 30 secondes, puis
- 90 secondes de publicité.

Vous pouvez alors effectuer le calcul suivant:

- Entre 16h33 et 16h45, il y a 12 minutes.
- Moins 90 secondes de publicité: il reste 10½ minutes.
- Moins deux interventions de 60 et 30 secondes: il reste 9 minutes.

En se basant sur les données de cet exemple, vous devrez vous organiser pour que les deux chansons totalisent 9 minutes. Ainsi, si vous avez une première chanson de 5½ minutes se terminant en *fade out* et une deuxième de 4 minutes comportant une finale, vous devrez faire terminer la chanson de 5½ minutes après 5 minutes de diffusion. Et vous pouvez alors poser les balises suivantes:

- Fin de la première chanson à 16h38.
- Animation de 60 secondes.
- Deuxième chanson.
- Animation jusqu'au bloc publicitaire.
- Début du bloc publicitaire à 16h43:30.

Mais si, au contraire, vous deviez absolument diffuser deux chansons d'une durée totale de 9½ minutes, le calcul du chronométrage à rebours aurait alors pour résultat de limiter la durée totale de vos deux interventions à 60 secondes.

«BOUCHER LES TROUS»

La règle d'or dit que vous ne devez jamais utiliser de pièces instrumentales pour combler un vide. Agir de la sorte ne ferait que démontrer votre lâcheté à planifier à l'avance ce qui suit dans votre émission et à prendre les mesures qui s'imposent. Vous devez planifier le déroulement de votre émission avec la technique du chronométrage à rebours, de façon à ce que tout arrive «pile».

Mais, même si vous calculez tout et êtes très prévoyant, de temps en temps vous aurez quelques secondes de trop à combler. Si votre programmation comporte dans ce segment horaire un bloc publicitaire qui n'est pas déjà plein, vous pourriez combler ce «trou» avec un message promotionnel de la station ou un message d'intérêt public. Cela n'est évidemment possible que si un système de codification des différents types de messages vous permet d'identifier rapidement les messages promotionnels de la station et les messages d'intérêt public.

Le beigne en direct

Lorsque vous livrez la météo sur un fond musical avec un thème d'ouverture et un thème de fermeture (une signature), vous accomplissez l'équivalent de l'enregistrement d'un message publicitaire en beigne, sauf que vous êtes en direct et que vous ne pouvez pas vous reprendre.

Deux façons de procéder pour réussir un beigne en direct:

La méthode casse-cou...

Vous êtes sûr de la durée qu'aura, à chaque fois, l'intervention en direct et vous utilisez une bande sonore comportant à la fois le thème d'ouverture, la musique de fond et la signature. L'intervention doit alors être effectuée à chaque fois en terminant tout juste avant le début de la signature.

...ou la bonne méthode!

La méthode suivante offre certes une plus grande flexibilité sur la longueur de votre intervention et vous assure de toujours terminer «pile» avec le début de la signature.

Vous enregistrez sur une première bande le thème d'ouverture suivi de la musique de fond qui dure plus longtemps que vous ne prévoyez en avoir besoin. Par exemple, si vous pensez que l'intervention sera d'une durée maximale de 20 secondes, enregistrez 40 secondes de musique de fond. Ensuite, sur une autre bande, vous enregistrez la signature, seule.

Lors de la mise en ondes, vous amorcez la séquence de diffusion avec le premier enregistrement et vous commencez votre intervention dès la fin du thème d'ouverture, sur la musique de fond. Lorsque l'intervention est terminée, vous partez la diffusion de l'enregistrement contenant la signature en baissant le volume du premier enregistrement. Eh vlan! Vous êtes sûr d'être toujours parfait en ondes.

Autres informations

Un système de codification des messages publicitaires sera proposé dans le chapitre sur la création et la production publicitaire (page 186).

CHAPITRE 4

LA CRÉATION ET LA PRODUCTION PUBLICITAIRE

De nombreux animateurs, rêvant du jour où ils seront une vedette de la radio à Montréal, ne voient pas vraiment ce que la production de messages publicitaires à Baie-Comeau peut leur apporter. Ils ne veulent que pratiquer leur *show* en attendant qu'on vienne les repêcher.

Tant pis pour eux! Tant pis, parce qu'une des meilleures façons de se faire remarquer et reconnaître nationalement comme bon animateur, est de produire de bons messages publicitaires. Tant pis, parce que dans leur recherche de nouveaux talents, la plupart des directeurs recherchent de bons animateurs capables, aussi, de produire de bons messages publicitaires. Tant pis, parce qu'un animateur peut éventuellement gagner plus d'argent en prêtant sa voix à des productions commerciales qu'en animant son émission!

La publicité est le fondement et la colonne vertébrale de l'industrie de la radio commerciale. Elle est l'unique source de revenus et elle constitue une partie importante de la programmation, occupant plusieurs minutes de chaque émission. La qualité des messages publicitaires joue donc un rôle de premier plan dans la qualité de la programmation comme dans la viabilité financière de l'entreprise, d'autant plus que la qualité de production de vos messages publicitaires peut devenir un outil de vente puissant entre les mains des représentants publicitaires de votre station.

Autrement dit, un individu qui ne donne pas le maximum de lui-même dans le processus de production, réduit dramatiquement à la fois les chances de succès de la station et ses propres chances de succès.

À ce sujet, la déclaration de Roland Saucier de CFGL-FM est très révélatrice:

> «En radio comme en télévision, je trouve qu'on est tombé dans la facilité. La qualité moyenne des messages est très contestable. [...] On est à l'ère du presse-bouton: si j'embête l'auditeur en choquant son oreille, il va me quitter pour une autre station. De même que je ne peux pas me permettre de diffuser une mauvaise pièce musicale, je ne peux pas me permettre de diffuser un message trop agressif.»[1]

Le premier pas dans la bonne direction s'effectue lorsque vous décidez d'adopter une attitude résolument positive face à vos tâches de production, lorsque vous décidez de ne plus jamais entendre votre voix sur un message de piètre qualité. Vous comprenez qu'il est important pour un animateur de préparer une intervention qu'il ne livrera qu'une seule fois. Alors, pourquoi négliger un message qui sera diffusé plusieurs fois par jour?

> Une des meilleures façons de se faire remarquer et reconnaître nationalement comme bon animateur est de produire de bons messages publicitaires.

Citation

[1] Extrait d'une entrevue accordée par Roland Saucier au journaliste Patrick PIERRA, Le secret du son de CFGL: stable et fidèle, magazine INFO PRESSE COMMUNICATIONS, février 1992, p. 25.

Un «bon» message publicitaire, c'est un message à la fois techniquement parfait, et efficace pour la promotion du bien ou du service annoncé. Vous avez donc avantage à connaître quelques notions de base du marketing. La forme et le contenu d'un message publicitaire dépendent du produit annoncé, du consommateur visé, des habitudes d'achat de ce consommateur et du positionnement du produit sur sa courbe de vie. Bien sûr, vous devrez aussi faire appel à votre créativité, mais dans un sens pratique tel qu'il a été énoncé dans le chapitre sur la programmation.

De nombreux clients-annonceurs de votre station font confiance à vous et à vos collègues pour leur préparer et leur exécuter une bonne campagne publicitaire. Ils croient que vous êtes des spécialistes de la publicité. Ils ont confiance en vous. S'ils savaient!

LE PLACEMENT MÉDIA

Rejoindre une population à la fois dispersée sur un grand territoire et saturée de publicité, exige forcément une bonne planification de campagne et un choix judicieux de véhicules publicitaires. Le bon message diffusé au mauvais moment ou à un public peu enclin à acheter le produit annoncé, entraînera souvent un échec encore plus cuisant que celui qui pourrait être causé par la diffusion d'un message de mauvaise qualité, mais livré au bon public, au bon moment. C'est pourquoi la question du placement média est si importante pour les annonceurs publicitaires.

Le processus

Il n'existe ni de formule miracle, ni de formule standard pour planifier une campagne publicitaire et choisir les médias qui seront inclus dans cette campagne. Les étapes suivantes peuvent quand même vous donner une idée de ce qu'un annonceur sérieux, désireux de maximiser ses chances de succès, s'impose comme travail et réflexion avant d'en arriver à «acheter» du temps d'antenne à la radio.

- Clarifier les objectifs globaux et à long terme du marketing de la compagnie.
- Définir si l'objectif de la campagne devrait être principalement d'éveiller l'attention, de créer de l'intérêt, de développer le désir ou d'inciter à l'action.
- Conséquemment, déterminer si l'objectif est principalement de conquérir de nouveaux consommateurs, d'encourager d'ex-consommateurs à revenir, d'inciter les consommateurs actuels à consommer davantage ou simplement de maintenir le niveau actuel de consommation.
- Établir le profil des personnes qui seront visées par la campagne, incluant leurs habitudes d'achat et les médias les plus susceptibles de les rejoindre.
- Analyser le marketing et la publicité des compétiteurs.
- Définir quels bénéfices attribuables à ce produit seraient intéressants pour le public visé.
- Déterminer la nature générale du message.
- Déterminer le budget disponible pour cette campagne publicitaire.
- Définir une stratégie globale de diffusion.
- Analyser les médias et choisir les plus appropriés.

Le choix du type de média à utiliser

Impressionné par l'auréole de prestige de la télévision, bien des annonceurs publicitaires y placent la majeure partie, sinon la totalité, de leur budget publicitaire après avoir engouffré une véritable fortune dans la production du message. Pourtant, la radio aurait pu leur créer, à un coût beaucoup plus raisonnable, une ambiance, des scènes et des évènements encore plus grandioses (à la condition, bien sûr, de s'en donner la peine).

Il ne faut pas sous-estimer les avantages de la radio, même si la télévision semble quelquefois vouloir prendre toute la place. D'ailleurs, comme Claude Cossette l'écrivait:

«Une image vaut plus que 1000 mots quand on doit montrer un objet, mais le mot vaut 1000 images quand il s'agit de défendre une idée»[1]

La radio a aussi l'avantage d'être un média pouvant s'adapter facilement aux particularités locales de chaque détaillant.

En théorie, la radio est utilisé pour répéter, à haute fréquence, un message relativement simple. Elle éveille l'attention et crée de l'intérêt. La télévision pourra, par la suite, démontrer et expliquer visuellement l'utilisation du produit. Elle développera davantage le désir. Finalement, les journaux ou les envois postaux directs inciteront à l'action en fournissant, par exemple, un coupon-rabais valide pour un temps limité.

La radio et le journal sont particulièrement complémentaires: elle fournit le son; lui, l'image!

L'évaluation des médias

Dans l'évaluation et le choix des médias, différents calculs peuvent être effectués à partir des données des sondages de cotes d'écoute et des tarifs publicitaires de la station. Une donnée très importante est le coût d'achat de 1000 impressions, ce qu'on appelle le «coût par mille» ou CPM.

Le tableau III fournit un exemple de calcul des impressions totales.[2] Les impressions totales ou l'auditoire dupliqué (en anglais, *Gross impressions* ou *Duplicated audience*), c'est la somme des auditeurs rejoints par une campagne publicitaire et comptés à chaque fois qu'ils sont exposés au message.

Dans cet exemple, le message publicitaire, diffusé selon l'horaire proposé, sera entendu, théoriquement, 205 500 fois par des auditeurs âgés entre 18 et 49 ans. Il est à noter que ce chiffre inclut de la duplication, c'est-à-dire des gens qui auront entendu le message plus d'une fois. Exprimée en pourcentage de la population, cette donnée deviendrait les «points d'écoute brute» ou PEB (en anglais, *GRPs* ou *Gross Rating Points*).

Citation

[1] COSSETTE, CLAUDE, <u>Comment faire sa publicité soi-même</u>, Collection Les Affaires, Publications Transcontinental inc., Canada, 1988, p. 80.

Note

[2] Exemple extrait du document <u>Radio Facts Book</u> publié par le RADIO BUREAU OF CANADA, aujourd'hui rebaptisé le RADIO MARKETING BUREAU.

Période		AUDITOIRE MOYEN PAR QUART D'HEURE Adultes 18-49 (00)	Nombre de messages publicitaires diffusés durant cette période			IMPRESSIONS TOTALES (00)
Jour	Heures					
L-V	06-10	112	x	5	=	560
L-V	10-15	101	x	5	=	505
L-V	15-19	105	x	5	=	525
SAM	07-19	58	x	5	=	290
DIM	07-19	35	x	5	=	175
			IMPRESSIONS TOTALES:			2055

Tableau III Calcul des impressions totales en fonction du nombre moyen d'auditeurs par quart d'heure - exemple

Une fois les impressions totales évaluées, il ne reste plus qu'à calculer le coût par mille. La plupart des médias indique le CPM pour l'ensemble de leur public, mais l'annonceur le ramenera généralement à l'ensemble des individus de son public-cible. La formule générale de calcul est la suivante:

$$CPM = \frac{Co\hat{u}t\ du\ placement}{Impressions\ totales} \times 1000$$

Avec les données de l'exemple du tableau III et en supposant que le coût total de ce placement média serait de 2 000$, nous aurions un coût par mille de 9,73$ calculé de la façon suivante:

$$\frac{2\ 000\ \$}{205\ 500} \times 1000 = 9,73\ \$$$

LE CHOIX D'UNE STRATÉGIE DE DIFFUSION À LA RADIO

Une fois que la radio a été choisie comme média pour la campagne publicitaire, il reste encore à déterminer à quelle fréquence le message sera diffusé en ondes. Cette décision sera prise en fonction du nombre d'impressions à obtenir.

En général, il est préférable de commencer par les bombardiers pour terminer par les mitraillettes. C'est-à-dire qu'il est préférable, en début de campagne, de diffuser un message à très haute fréquence de façon à rejoindre rapidement la presque totalité des auditeurs et à leur faire assimiler tout aussi rapidement le contenu du message en les y exposant plusieurs fois. C'est ce qu'on appelle un pilonnage ou un plan de saturation. Ensuite, avant que les auditeurs se lassent d'entendre ce message, on réduit la fréquence de diffusion alors que notre objectif n'est plus que d'effectuer des rappels pour s'assurer que le client n'oublie pas le message.

> On commence avec les bombardiers, on termine avec les mitraillettes.

Évidemment, comme certaines personnes écoutent la radio pendant de très longues périodes, alors que d'autres ne l'écoutent qu'à peine quelques minutes par semaine, il faut généralement faire des compromis pour aller chercher simultanément un niveau acceptable de fréquence (le nombre de fois qu'un individu entend le message) et de portée (le nombre total d'individus entendant ce message).

L'ÉVALUATION DES RÉSULTATS D'UNE CAMPAGNE PUBLICITAIRE

Avant l'achat du temps d'antenne, l'évaluation de la valeur probable des stations de radio est effectuée de façon théorique, en analysant les résultats des sondages de cotes d'écoute et les tarifs publicitaires.

Après la fin de la campagne, la plupart des commerçants évalueront votre station en fonction du chiffre d'affaires atteint durant la campagne publicitaire, sans vraiment tenir compte de l'impact possible à plus long terme, en séparant difficilement l'apport de plusieurs médias achetés en même temps et en négligeant l'impact, sur leurs ventes, des autres aspects du marketing de leur produit.

La publicité, c'est votre responsabilité mais pas la vente, dont le succès dépend d'ailleurs de bien des facteurs incluant la qualité du produit, le prix, le service offert, l'endroit où est situé le magasin et l'effort promotionnel accompagnant la campagne publicitaire: bons de rabais, garantie de «satisfaction ou argent remis», concours, offres d'essai gratuit, primes. Même la valeur du contenu du message publicitaire devrait être considéré.

En fait, toute mesure de l'efficacité d'une campagne publicitaire ne peut être qu'imprécise, le nombre de variables devant entrer dans le calcul étant trop grand.

Seuls les gros annonceurs peuvent se permettre des méthodes sophistiquées d'évaluation des résultats en procédant à leurs propres sondages auprès de l'ensemble de la population sur une période plus longue que celle couverte par la campagne. Au Québec, IMPACT RECHERCHE est l'une des rares entreprises offrant une mesure de l'efficacité publicitaire pour la télévision, la radio, l'affichage, les magazines, les quotidiens et les circulaires. Elle mesure le taux de reconnaissance et d'appréciation des messages, taux évalué pendant et après une campagne. Cela n'est toutefois pas avantageux pour la radio, étant donné que les messages publicitaires y sont écoutés par des individus en mouvement. Le message peut alors être retenu par l'auditeur sans que celui-ci ait noté l'avoir entendu à la radio. Lorsqu'on le questionnera dans le cadre d'un sondage, il se souviendra plutôt du message du même produit qu'il aura vu à la télévision en relaxant le soir confortablement assis dans son salon.

LA CRÉATION PUBLICITAIRE

Le studio de production doit être un lieu de création, d'expérimentation et de perfectionnement. On ne doit pas et on ne peut pas se contenter de répéter inlassablement les mêmes formules éculées, enregistrées machinalement avec les mêmes voix et le même type de musique.

LE PROCESSUS THÉORIQUE DE CRÉATION PUBLICITAIRE

Le processus «parfait» de création d'un message publicitaire est composé de sept phases.

Les 7 phases du processus de création publicitaire:

Familiarisation

La première étape de toute création publicitaire consiste à se familiariser avec le produit et son environnement: ses forces, ses faiblesses et ses compétiteurs. Un créateur publicitaire accomplira un bien meilleur travail sur un produit qu'il a adopté que sur un produit dont il n'a que vaguement entendu parler. Et comme il est toujours difficile de convaincre quelqu'un d'acheter un produit auquel on ne croit pas, le créateur doit idéalement devenir émotionnellement attaché au produit.

Investigation

C'est la partie plus mathématique du processus. La recherche marketing vient l'appuyer. Vous cherchez à connaître les habitudes de vie des gens les plus susceptibles d'acheter ce produit et à déterminer ce que les consommateurs de ce produit recherchent. Les meilleures campagnes publicitaires sont évidemment celles qui font le pont entre, d'un côté, les besoins et les attentes des consommateurs et, de l'autre côté, les caractéristiques du produit et les bénéfices que le consommateur pourra en tirer.

Re-précision des objectifs

Une fois l'investigation terminée, re-précisez les objectifs de la campagne qui sont censés avoir été définis au cours du processus ayant conduit au placement média. Dans la plupart de vos campagnes locales, l'objectif sera très simple: augmenter les ventes à très court terme!

Recherche de moyens

C'est la période de liberté intellectuelle, de brassage d'idées et de concepts. Votre objectif, toutefois, n'est pas de prouver votre créativité mais d'identifier des formes de messages susceptibles de permettre la réalisation des objectifs de la campagne publicitaire. Différentes méthodes de recherche d'idées peuvent être utilisées, notamment le remue-méninges et la pensée latérale.

Incubation

Il est important de ne pas sauter trop vite aux conclusions et à l'action, même si vous avez eu une idée absolument géniale dans la phase de recherche. Il est vrai que la nuit porte conseil. Laissez tout cela reposer pendant un bout de temps. Travaillez sur un autre dossier.

Vérification

Avant de passer à l'étape de rédaction de la version finale du message, révisez ce que vous avez accompli dans chacune des étapes précédentes. Assurez-vous de ne pas avoir oublié d'éléments importants en cours de route. Assurez-vous que les moyens retenus correspondent bien au produit et aux objectifs. Si ce n'est pas le cas, recommencez!

Préparation et production

Si les étapes précédentes ont été effectuées professionnellement, vous n'aurez pas de difficulté à rédiger le message, à prévoir les effets sonores, à choisir la trame sonore et, finalement, à produire le message.

Évidemment, les gens de radio n'ont pas toujours le temps de passer systématiquement à travers chaque phase. En fait, le rédacteur-créateur publicitaire moyen, d'une station de radio moyenne, passera directement à l'étape 7! Cela est peut-être suffisant dans certains cas: pourquoi donner au client plus que ce qu'il demande? D'autant plus que la production est généralement offerte gratuitement au client-annonceur! Mais si vous voulez vous démarquer de vos compétiteurs et vous assurer que vos clients soient suffisamment satisfaits de leur campagne publicitaire pour en redemander, vous devriez au moins tenter de répondre brièvement aux questions normalement soulevées au cours des six premières phases.

L'avenir de la radio dépend notamment de sa capacité à produire de meilleures campagnes publicitaires. «Davantage d'efficacité» devrait être le nouveau mot d'ordre. C'est d'ailleurs pourquoi nous parlons de «création» publicitaire et non pas simplement de production. La production, c'est la fin de l'étape 7. La création, elle, englobe les sept phases.

Vous devriez certes au moins appliquer ce processus complet, à la création des messages promotionnels de votre station. Ne donnez pas raison au dicton voulant que le cordonnier soit toujours le plus mal chaussé. Vos clients le remarqueraient!

> L'avenir de la radio dépend de sa capacité à créer et à produire des campagnes publicitaires plus efficaces.

LE PROCESSUS D'ACTION DE LA PUBLICITÉ SUR LE CONSOMMATEUR (AIDA)

Théoriquement, la publicité agit sur le consommateur en quatre phases successives:

- Attention *(Awareness)*
- Intérêt *(Interest)*
- Désir *(Desire)*
- Action *(Action)*

Il est facile de mémoriser les étapes de ce processus par un seul mot formé de la première lettre de chaque phase: AIDA (on «aida» ainsi nos clients!).

Cette théorie a d'abord été développée pour les messages publicitaires imprimés, mais elle peut tout autant s'appliquer à la publicité radiodiffusée.

Un échec à convaincre les auditeurs d'acheter un lit chez un certain commerçant, tout comme un échec à convaincre des gens d'écouter votre station ou un échec à vendre de la publicité, est souvent causé par un survol trop rapide des trois premières phases, en croyant pouvoir pousser instantanément les gens à l'action.

AIDA

Description des phases du processus AIDA dans le contexte d'un message publicitaire à la radio.

Attention

Vous devez d'abord capter l'attention du client potentiel pour vous assurer qu'il écoutera le message. L'humour permet souvent d'atteindre ce but, mais cela se fait généralement au détriment des trois autres phases. Une utilisation judicieuse d'effets sonores peut tout aussi bien servir cet objectif. Très souvent, on se rabattra simplement sur une phrase d'ouverture accrochante.

Intérêt

Une fois que vous avez capté l'attention du client potentiel, vous devez développer son intérêt envers le produit, son goût d'en savoir davantage. C'est le temps de jouer sur les motivations et les valeurs du public-cible. C'est le temps de présenter les bénéficies à tirer du produit annoncé.

Désir

C'est maintenant le temps d'amplifier, chez le client, le désir d'utiliser ou de posséder le produit. Vous devez l'amener à imaginer le plaisir que cela lui procurera. C'est l'étape d'assimilation du bénéfice.

Action

Le but ultime! Convaincre finalement le client de passer à l'action. Un dernier argument-choc. Une conclusion sur un ton impératif. Un rabais d'une durée limité. Des quantités limitées.

Idéalement, les 4 phases devraient être présentes dans chaque message mais, concrètement, une seule phase sera généralement prédominante selon l'objectif de la campagne publicitaire.

Un commerçant bien connu dans votre région annoncera sa grande vente de fin de saison par des messages visant surtout à pousser les gens à l'action (mais sans mettre totalement de côté les 3 autres phases): «Vous y avez pensé tout l'été, c'est le temps ou jamais d'en profiter.» Par contre, lors du lancement d'un nouveau produit, la publicité visera surtout à mettre les clients potentiels au courant de l'existence du produit. On travaillera ensuite à developper leur intérêt, avant de mousser leur désir de possession du produit et de les inciter ultérieurement à l'action.

LES CARACTÉRISQUES VS LES BÉNÉFICES

Vous préparez et diffusez des bulletins de nouvelles, de la musique et de l'animation. Mais vos clients-auditeurs consomment de l'information et du divertissement. Plus précisément encore, ils se procurent la sécurité d'être bien informé ou le prestige d'arriver au bureau et de tout savoir sur la joute de hockey qu'ils n'ont pas regardée ou, simplement, le réconfort d'une voix familière dans la solitude.

De même, alors que vous vendez du temps d'antenne, vos clients-annonceurs achètent des «clients dans leur magasin» ou, plus précisément, des résultats concrets comme «3 millions de dollars d'inventaire vendu d'ici samedi soir».

Simultanément, en ondes, un message publicitaire annonçant officiellement des manteaux de fourrures tente, en fait, de vendre «un hiver bien au chaud» ou «le rachat de quelques points auprès de votre conjoint!»

Bref, personne n'achète les caractéristiques d'un produit: on achète les bénéfices que nous croyons en tirer.

Les caractéristiques sont des faits descriptifs du produit ou du service offert alors que le bénéfice, c'est le profit ou l'avantage qui découlera de l'acquisition de ce produit. C'est, encore une fois, le principe du décodeur: l'annonceur publicitaire doit décoder le message pour son public visé (transformer les caractéristiques en bénéfices), parce que celui-ci ne fera probablement pas l'effort de le faire à sa place.

Et lorsque vous préparez un message publicitaire pour un de vos clients-annonceurs, tentez d'identifier et de faire la promotion des bénéfices pour le consommateur plutôt que d'énumérer une liste stérile de caractéristiques.

Cette méthode demande évidemment plus d'efforts: identifier les caractéristiques d'un produit est relativement facile, alors qu'établir quels sont les bénéfices à en tirer, requiert à la fois une bonne connaissance du public-cible et du produit, la même caractéristique pouvant être reliée à différents bénéfices selon le public visé par la publicité.

Transformez les caractéristiques en bénéfices.

LE TEXTE, LA MUSIQUE ET LE CONCEPT DU MESSAGE

On entend fréquemment en ondes des messages de 30 secondes contenant 45 secondes d'information livrée à une vitesse tellement folle que l'auditeur ne retient rien. Pourquoi ces message sont-ils en ondes? Tout simplement parce que le commerçant a exigé d'avoir toute cette information dans son message (souvent une reprise de sa page de publicité dans le journal local) et parce que les vendeurs et le directeur de la programmation de la station sont dans un état léthargique grave. Pour être efficace, un message publicitaire doit être clair et précis, peu importe l'objectif poursuivi par la campagne publicitaire. C'est le principe du KISS, abréviation de *Keep it Simple, Stupid*. Et c'est la tâche du représentant publicitaire d'en parler avec le client-annonceur.

KISS: *Keep it Simple, Stupid.*

Votre tâche, théoriquement, ne consiste qu'à livrer la marchandise demandée: des messages publicitaires d'une durée déterminée par contrat, généralement de 15, 30 ou 60 secondes. Mais en pratique, si vous voulez que votre produit en ondes soit agréable pour l'auditeur et efficace pour le client-annonceur, vous devrez fréquemment sortir vos talents de diplomate pour amener le client et le représentant à sortir des sentiers battus.

D'ailleurs, pourquoi toujours produire un texte de 30 secondes sur une musique de 30 secondes? Vous pourriez être un peu plus créatif de temps à autre! En produisant, par exemple, un message constitué d'une intro musicale de 5 secondes suivi d'un texte a cappella de 25 secondes. Ou en utilisant deux trames sonores différentes dans le même message: une, très douce, utilisée au début du message en parlant de l'ennui de n'avoir rien à faire ce soir; puis une, très rythmée, à la fin du message en proposant une activité.

D'autre part, il serait particulièrement regrettable, à la fois pour la qualité de la production et pour celle de la programmation, que le texte soit composé par le rédacteur publicitaire en laissant ensuite le producteur choisir la musique. Puisqu'il est pratiquement impossible de trouver une musique qui s'adapte parfaitement bien à un texte (à moins de compter sur la collaboration d'un compositeur et d'une équipe de musiciens!), votre message risquerait d'être schizophrène!

La méthode professionnelle consiste plutôt à rechercher une trame musicale avant ou simultanément à la rédaction du texte du message. La musique et le texte ont alors beaucoup plus de chances de réussir leur mariage. Par exemple, si vous utilisez une trame sonore comportant un roulement de tambour bien spécial, vous pourriez composer le texte en prévoyant une pause naturelle à cet endroit, une pause qui ferait suite à une phrase-choc et qui serait l'élément précurseur d'un changement de ton. Ce serait beaucoup plus professionnel et efficace que d'entendre simplement et inutilement de la musique en bruit de fond.

> **Un message publicitaire schizophrène...**

Bref, c'est lors de l'étape de création et de rédaction du message que l'on peut créer un ensemble cohérent entre la musique et le texte de façon à satisfaire simultanément les objectifs du clients et ceux de la programmation.

TACTIQUES SPÉCIFIQUES

LES TÉMOIGNAGES ET LES PREUVES

Étant donné qu'un grand nombre de personnes croient que la majorité, sinon la totalité, des messages publicitaires sont faux ou déguisent hypocritement la vérité, il peut être utile d'appuyer vos affirmations par des preuves telles:

- Les témoignages de clients satisfaits, d'employés de l'entreprise ou de vedettes crédibles aux yeux du public-cible.
- Le compte rendu d'études et de tests réalisés par des centres de recherche indépendants.
- Le compte rendu d'utilisations exceptionnelles.
- La mention de prix mérités pour la qualité du produit ou du service.
- La mention d'approbation par un organisme officiel crédible.
- L'explication de la maturité du produit ou de l'entreprise, basée sur son âge, le nombre de magasins ou le nombre de clients servis dans le passé.

Mais faites attention aux preuves que vous fournissez. La publicité trompeuse est illégale et la loi fédérale sur la concurrence est très sévère.

L'HUMOUR

Les messages publicitaires faisant appel à l'humour sont très populaires parce qu'ils divertissent et qu'ils contribuent à réduire le *zapping* et le *scanning*. C'est donc excellent pour la programmation. Mais est-ce que cela réussit vraiment à convaincre les gens d'acheter?

En principe, l'humour est utile pour capter l'attention des gens ou pour développer la connaissance de l'existence d'un produit, mais est inefficace pour inciter les gens à passer à l'action.

D'autre part, demandez-vous combien de fois vous pouvez entendre la même farce avant d'en être tanné et vous comprendrez immédiatement que, pour faire appel à l'humour dans une campagne publicitaire, il faut avoir les moyens financiers et créatifs de renouveler fréquemment le contenu de ses messages.

De plus, même si vous rejoignez efficacement votre public-cible en utilisant l'humour, il est possible que ce faisant, vous vous mettiez à dos une autre partie de la population. Il est difficile de concevoir des farces qui feraient rire tout le monde en ne froissant personne.

Bref, avant d'avoir recours à l'humour, pensez-y sérieusement!

LA RÉDACTION

Tout ce qui a été présenté dans les chapitre précédents, s'applique également dans le cas de la rédaction d'un message publicitaire. Il est utopique de prétendre parler efficacement d'un magasin ou d'un produit si vous n'avez pas d'abord établi le contact avec l'auditeur.

La longueur du texte

Différentes méthodes peuvent être employées par le rédacteur publicitaire pour en arriver à respecter la durée prescrite des messages. La plupart des stations utilisent une feuille de rédaction similaire à celle représentée à la figure 9. Dans la marge de gauche de celle-ci, des marques indiquent l'endroit où le texte devrait, grosso modo, se terminer pour un message de 15, 30 ou 60 secondes.

Évidemment, pour que cette méthode fonctionne, il faut que la position des marques soit déterminée en fonction d'une grosseur spécifique de caractère et d'un espacement constant entre les lignes imprimées sur la dactylo ou l'imprimante. À vous de déterminer les limites en expérimentant. Vous pourriez, initialement, débuter vos essais en vous basant sur la règle très générale d'un maximum de 3 mots à la seconde.

Mais en plus du nombre de mots, le ton devant être utilisé pour enregistrer le message aura lui aussi un impact sur la durée du texte. Des marques servant à limiter la longueur de chaque ligne ont donc été ajoutées sur la feuille-cadre de rédaction présentée à la figure 9. Cette série de guides, baptisée TINA, permet de s'adapter même aux changements de ton en cours de message.

Les lettres «I», «N» et «A» fixent les limites pour les lignes devant être livrées respectivement sur un ton Intime (*Soft sell*), Normal ou Agressif (*Hard sell*). La limite «T» sera utilisée pour une ligne contenant un numéro de Téléphone ou une abréviation, bien que vous devriez éviter le plus possible les abréviations qui alourdissent le texte et rendent le message plus confus. Même une abréviation très connue, comme RSVP, n'a aucune signification pour une grande partie de la population.

Cela dit, la meilleure méthode pour déterminer la durée d'un texte demeure celle misant sur l'expérience du rédacteur. Celui-ci répétera à voix haute le texte du message publicitaire en imaginant dans sa tête les effets d'ambiance comme les pauses, les effets sonores et les variations dans le rythme de lecture.

La formulation

En publicité, peut-être encore plus qu'en animation, le choix des mots est crucial.

Vous devez vous adresser à une personne en particulier et non à une foule. Vous devez utiliser des mots et des structures de phrases simples à comprendre, notamment parce que vos auditeurs-consommateurs écoutent la radio en faisant autre chose. Vous devez attirer leur attention dès le début du message. Vous devez utiliser des mots persuasifs qui éveillent la curiosité et des thèmes qui font vibrer les cordes sensibles du public visé. Vous devez adopter une attitude résolument positive. Vous devez être précis et direct en remplaçant «à quelques minutes de Granby» par «à dix minutes de Granby». Et vous devez éviter à tout prix les clichés.

L'intégrité de l'animateur

Il est généralement accepté que la voix de l'animateur soit assimilée à celle du client lors de la production d'un message publicitaire. Cette pratique est toutefois

Client: _____

Durée: 15   30   60   secondes

COMMUNICARE

T   I   N   A

15

30

60

Figure 9 Feuille-cadre de rédaction des messages publicitaires

regrettable et vous devriez travailler à changer cette perception douteuse du rôle de l'animateur.

S'il est normal pour un animateur, parlant en direct d'un magasin, de dire «venez nous voir» parce qu'il est effectivement sur place, il n'est pas normal qu'il le dise sur un message pré-enregistré qui sera diffusé régulièrement, y compris durant son émission.

Comment un animateur régulier de la station, un animateur dont les auditeurs reconnaissent facilement la voix, peut-il dire, dans le même bloc publicitaire, «venez nous voir» en parlant d'un supermarché de l'alimentation et «nous vous ferons économiser jusqu'à 2 000 dollars» en parlant du concessionnaire Hyundai? Pensez-y un peu. Cela est totalement absurde! Pour qui travaille-t-il et où est-il actuellement? Est-il schizophrène?

Ce genre de message conjugué à la première personne devrait être corrigé pour employer la troisième personne: «allez les voir» et «ils vous feront économiser jusqu'à 2 000 dollars». Le message a alors du sens pour l'auditeur et peut même avoir plus d'impact sur celui-ci, puisque c'est l'animateur lui-même (et non un personnage) qui leur conseille d'aller à ce magasin. Il n'est pas en train de jouer un rôle et cela ajoute de la crédibilité au message.

Évidemment, cela ne doit pas vous empêcher de créer et de jouer des personnages lorsque le contexte le justifie. Mais le personnage alors joué dans le message doit être très clairement différent du vôtre, sa personnalité doit être totalement différente de celle que vous adoptez durant votre émission. Vous devenez alors comme l'acteur d'un téléroman qui tournerait simultanément un film pour le cinéma: le personnage qu'il joue dans le téléroman est différent de celui qu'il joue dans le film. À la radio, votre voix joue le rôle du maquillage de l'acteur.

L'ACTUALISATION

Il est particulièrement ridicule d'entendre parler d'une grande vente se déroulant «jeudi, vendredi et samedi», dans un message publicitaire diffusé le samedi en question, soit quelques heures avant la fin de la vente.

Pour éviter de telles situations, vous n'avez d'autre choix que «d'actualiser», c'est-à-dire de produire plusieurs versions du même message. La première version sera diffusée durant les jours précédant le début de la vente; la deuxième, sera diffusée jeudi et vendredi et précisera que la vente se déroule «jusqu'à samedi»; et, finalemenrt, une troisième version soulignera que c'est «aujourd'hui», notre dernière chance d'en profiter.

Cette méthode nécessite forcément plus de travail mais cela est nécessaire pour être crédible et professionnel, autant face à vos clients que face à vos auditeurs. Et si vous le faites intelligemment, cela ne constituera pas une somme de travail tellement plus grande: vous pourriez, par exemple, inclure les données variables seulement sous forme d'annexe à la fin d'un message général expliquant la vente.

LES DERNIERS MOTS DU MESSAGE

Les derniers mots d'un message publicitaire sont souvent les seuls mots retenus et mémorisés par l'auditeur. Portez-leur donc une attention toute particulière.

Par exemple, si vous devez annoncer l'endroit où est situé un commerce, il est préférable de dire «au coin des rues Telford et Turbide: Logicon Informatique» plutôt que «Logicon Informatique, au coin des rues Telford et Turbide». La première version maximise les chances que le nom du commerce s'imprègne dans la mémoire des gens, ce qui peut éventuellement porter fruit. Les gens qui auront retenu le nom du commerce sauront bien trouver l'adresse. L'inverse est moins probable.

Les coordonnées

L'adresse

L'adresse exacte est souvent inutile. L'information dont les auditeurs ont besoin, c'est le chemin à suivre pour s'y rendre. «1723, rue Larivière» ne dit probablement rien à personne, particulièrement si la rue Larivière traverse la ville d'un bout à l'autre. Par contre, l'indication «au coin des rues Larivière et Iberville» est facile à mémoriser parce qu'elle situe plus facilement l'emplacement du commerce dans la tête de l'auditeur, particulièrement si la rue Iberville est très connue.

Le numéro de téléphone

La radio n'est vraiment pas un bon média pour communiquer efficacement un numéro de téléphone. C'est un média écouté par des gens en mouvement qui n'ont donc généralement pas le temps ni les instruments nécessaires pour prendre en note le numéro de téléphone que vous leur communiquez.

Et comme bien des gens n'ont pas une bonne mémoire (ou ont une bonne mémoire, mais une mémoire «visuelle»), il est préférable de leur faire avaler une idée facile à retenir plutôt qu'une série de 7 chiffres. C'est pourquoi la plupart des numéros de téléphone devant être utilisés par le grand public sont présentés sous la forme d'un mot: AUTOBUS (288-6287), par exemple, pour le service d'information de la STCUM.

Mais si un véritable numéro de téléphone doit absolument être inclus dans un message, vous devez prendre le temps de le dire correctement:

- dites-le lentement et
- répétez-le.

Pensez à ceux qui essaient de le mémoriser en conduisant leur voiture! Le dire trop rapidement, ou ne le dire qu'une seule fois, manquerait autant d'impact que de ne pas le dire du tout.

- Mais répétez-le 2 fois de la même façon.

Les gens cherchent à mémoriser un numéro en se basant strictement sur sa sonorité. Si vous le dites de deux façons différentes, vous ne les aidez pas. Au contraire, vous les embrouillez.

Une idée de production: en même temps que l'animateur prononce les chiffres du numéro de téléphone, il compose ces chiffres sur un clavier à tonalité. Cela crée un meilleur impact que le bruit d'un clavier *touch tone* utilisé n'importe comment. Le naturel est une règle importante de l'utilisation des effets sonores.

Les dates

Lorsque vous parlez à un ami, vous ne dites pas, par exemple, que vous irez voir jouer les Canadiens «le 18 janvier» lorsque vous voulez parler de «samedi prochain». Il en va de même dans les messages publicitaires.

Utilisez le plus fréquemment possible des termes naturels comme «demain». Cette règle vous obligera toutefois à actualiser vos messages.

CAS SPÉCIFIQUES

LES AVIS DE DÉCÈS

La livraison quotidienne des avis de décès est un service souvent très lucratif offert par certaines stations de radio dans les villes où il n'y a pas de journal quotidien.

La radio n'est toutefois pas un journal! Alors, s'il vous plaît, respectez les règles de base de l'animation et de la production publicitaire: parlez de façon naturelle et synthétisez tout en peu de mots.

Vous n'accepteriez pas de diffuser en ondes n'importe quel message publicitaire, alors pourquoi accepter un message beaucoup trop long, tout à fait inintéressant et livré sur un ton artificiel?

On entend très souvent, à la radio, des avis de décès livrés un peu comme ceci:

> «Au centre hospitalier de Quelquepart, le 6 janvier dernier, à l'âge de 52 ans, est décédée madame Angéline Machinchose née Angéline Tremblay, fonctionnaire provinciale, résidente de Quelquepart, fille de feu monsieur Adrien Tremblay et de dame Yvette Lauzon-Tremblay, et conjointe de Joseph Machinchose. Elle demeurait à Arntfield. La dépouille mortelle sera exposée à la résidence funéraire GD Fleurs du 3330 de la rue Principale à Quelquepart, mardi de 14h à 17h et de 19h à 22h de même que mercredi, de 13h30 à 15h15. Le service religieux sera célébré mercredi le 8 janvier 1992 à 15h30 en l'église St-Joseph de Quelquepart. L'inhumation suivra au cimetière du même endroit. Elle laisse dans le deuil, outre son conjoint, ses fils Roger et Pierre et sa fille Thérèse; sa soeur Albertine, ses frères Jean-Marie et Gilbert, ses beaux-frères et belles-soeurs, ses 8 petits-enfants, Claude, François, Michelle, Françoise, Michel, Guylaine, Ronald et Robert ainsi que plusieurs neveux, nièces, cousins, cousines, oncles, tantes et ami(e)s. Aux membres de la famille éprouvée, nous offrons nos plus sincères condoléances.»

Ouf! C'est non seulement difficile à lire en ondes, c'est extrêmement difficile à comprendre pour l'auditeur.

Pourquoi un terme aussi long et inutile que la «dépouille mortelle»? L'âge de la personne décédée et la date du décès sont des informations intéressantes pour tous ceux qui connaissent la personne décédée, alors pourquoi sont-ils livrés avant même qu'on ne sache qui est décédé? Pourquoi nommer les 8 petits-enfants? Les gens qui connaissent cette famille n'ont-ils pas assez du nom du mari et des 3 enfants pour déterminer s'il s'agit de la famille qu'ils connaissent? Pensez-vous que les gens ont le temps de noter les heures d'exposition? N'est-il pas plus logique de penser qu'ils téléphoneront au salon funéraire pour connaître les heures de visite? Et s'il n'y a qu'un seul centre hospitalier dans cette ville, pourquoi le nommer? De même, lorsque le décès survient à l'hôpital, pourquoi le préciser?

Bref, après seulement quelques secondes d'analyse, vous pourriez ramener le tout à une version plus naturelle, comme dans l'exemple suivant:

> «Le salon funéraire GD Fleurs vous informe du décès de madame Angéline Machinchose-Tremblay, âgée de 52 ans et résidente de Quelquepart. Elle était l'épouse de Joseph Machinchose, la fille d'Adrien Tremblay et Yvette Lauzon-Tremblay; et elle était la mère de Roger, Pierre et Thérèse. La famille recevra les condoléances demain et jeudi au salon funéraire GD Fleurs de la rue Principale à Quelquepart. Le service de madame Angéline Lauzon-Tremblay sera célébré jeudi, à 15h30, à l'église St-Joseph.»

Remarquez qu'on mentionne à deux reprises le nom de la personne décédée (le sujet du message) et le nom du salon: les deux informations les plus cruciales.

Cela étant dit, faites quand même bien attention à la façon dont vous tripotez ces annonces. Les traditions sont solides dans certains coins de pays! Et comme on ne meurt qu'une seule fois, la proche famille s'en rappelle généralement longtemps!

LES COMMANDITES

À la radio, comme d'ailleurs dans toute communication verbale, vous devez faire votre exposé en fonction du point de vue de la personne à qui vous vous adressez et non en fonction de votre propre point de vue.

Ce principe est malheureusement très souvent oublié, particulièrement dans le cas des messages de commandites. On entend sans cesse des absurdités du style:

«Les nouvelles: une commandite de la compagnie d'équipement de sports Weider. Weider, tout pour la forme physique!»

Si, pour vous, il est vrai que ce message représente un contrat de commandite; pour l'auditeur, par contre, une «commandite» n'a aucune signification. Et vous ne rendez pas service à votre client-annonceur en le présentant comme le «commanditaire» d'un bulletin de nouvelles, ce terme n'ayant aucune connotation intéressante, ni intellectuellement ni émotivement, pour l'auditeur.

Le point de vue de l'auditeur...

Si vous aviez rédigé ce message de commandite en fonction du point de vue de l'auditeur, vous auriez plutôt dit:

«Les nouvelles vous sont offertes par (...)»

ou, encore:

«Les nouvelles. Une présentation de (...)»

LA PRODUCTION

LE RÔLE SPÉCIFIQUE DE L'ANIMATEUR

Tous les principes et toutes les règles de l'animation s'appliquent, bien sûr, tout autant lorsque vous prêtez votre voix pour l'enregistrement d'un message publicitaire que lorsque vous intervenez en direct dans votre émission. Il est particulièrement important que le message publicitaire ne ressemble pas à une lecture faite à des enfants. Il est bien de chercher à avoir une articulation parfaite, mais le ton du message doit demeurer naturel.

Ainsi, dans le studio de production, l'animateur ne doit pas se gêner pour modifier quelques mots ou ajouter des pauses de façon à ce que le texte soit plus naturel. C'est lui qui livre le message, non le rédacteur. Lorsque l'oeuvre ainsi produite est terminée, faites-la écouter au rédacteur ou au chef de production en soulignant les modifications. Inutile de jouer à l'autruche!

La communication d'une émotion.

D'autre part, avant d'enregistrer un message, vous devriez toujours vous faire une idée des cordes sensibles du public auquel s'adresse ce message. Vous devriez identifier l'émotion à véhiculer pour faire réagir ce public.

Par exemple, un message annonçant des motocyclettes peut être relié à «l'amour» de la vitesse. Si vous enregistrez ce message en ayant en tête une image et la sensation de la vitesse, vous produirez un bien meilleur message que si vous vous contentez de penser strictement aux mots inscrits sur la feuille devant vous. Cela ne requiert que quelques secondes supplémentaires de préparation (mentale) par message. Quelques secondes payantes!

Une discussion sur les valeurs et les cordes sensibles du public-cible a été présentée dans le chapitre sur la programmation (page 27 et suivantes).

La durée des messages

Dans certaines stations de radio, on tolère que la durée d'un message publicitaire varie légèrement (de, grosso modo, plus ou moins 5% par rapport à la durée prévue au contrat). Ainsi, un message de 60 secondes pourrait durer entre 57 et 63 secondes; un message de 30, entre 28 et 32; et un message de 15, entre 14 et 16. C'est une politique qui rend la tâche plus facile aux créateurs-producteurs et qui permet plus de flexibilité face aux demandes des clients. Et lorsque la programmation est relativement simple (par exemple, une programmation strictement musicale avec 3 blocs publicitaires à l'heure) et que la mise en ondes est effectuée localement et manuellement, cette politique de tolérance ne comporte pas vraiment d'inconvénients. Assurez-vous toutefois que la durée réelle, plutôt que la durée prévue, soit associée à ce message (qu'elle soit inscrite sur l'étiquette de la cartouche, si c'est ce genre de support technique que vous utilisez pour les messages publicitaires). L'opérateur de mise en ondes doit disposer d'une information précise quant à la durée des messages.

Par contre, dans le cas d'une station de radio avec une programmation plus complexe (par exemple, une programmation avec de nombreuses chroniques, entrevues et bulletins de nouvelles devant être diffusés à heure précise), il peut devenir extrêmement difficile, pour l'opérateur de mise en ondes, d'effectuer son travail adéquatement: il doit vérifier la durée de chaque message publicitaire et faire des calculs relativement complexes en très peu de temps. Par exemple, lorsque vous devez mettre en ondes un bulletin de nouvelles en provenance du réseau à 15h00 pile et, qu'auparavant, vous devez diffuser un bloc publicitaire comportant cinq messages de 30 secondes, il est relativement simple de calculer mentalement que ce bloc publicitaire doit commencer à 14h57:30. Mais le calcul devient plus complexe et ouvre la porte à un plus grand nombre d'erreurs, si ce même bloc publicitaire comporte plutôt un message de 32 secondes, deux messages de 31, un message de 30 et un message de 28!

Quant au cas d'une programmation incluant la diffusion de publicité locale à l'intérieur d'une émission réseau, il devient impératif que chaque message publicitaire dure exactement le temps prévu de 15, 30 ou 60 secondes, parce que l'opérateur de mise en ondes à la station-tête du réseau ne vous attendra pas si votre bloc publicitaire se termine 3 secondes trop tard!

Certains représentants publicitaires et certains clients-annonceurs étant de fervents adeptes des textes trop longs, il se peut que vous ayez fréquemment de la difficulté à livrer tout ce qui est demandé dans le laps de temps prévu. Il faudra fréquemment retravailler le message et, souvent, refaire approuver le texte par le client. C'est alors que vous rencontrerez des clients qui insisteront pour tout inclure dans le message, quitte à ce que celui-ci dure 2 secondes de plus. Vous devrez alors user de diplomatie et de patience pour leur expliquer poliment que, tout comme un journal n'agrandirait pas les dimensions de ses pages pour satisfaire un client, vous ne pouvez malheureusement pas leur accorder quelques secondes de plus.

La durée est également importante dans le cas d'un beigne (un *donut*), c'est-à-dire dans le cas d'un message publicitaire dont la trame sonore, l'ouverture et la signature ont été pré-enregistrées en prévoyant un trou de quelques secondes entre l'ouverture et la signature pour inclure un message changeant d'une semaine à l'autre ou s'adaptant aux particularités du marché local. Ce format de message vous empêche forcément d'être trop long: vous empièteriez sur la signature du message! Dans un tel cas, vous devez simplement vous assurer d'être assez long. Si vous avez un trou de 20 secondes, vous devez parler 19½ secondes. C'est à vous de retravailler le texte ou de jouer sur votre débit, jusqu'à ce que le produit final soit professionnel.

LA SIGNATURE DU MESSAGE

Il existe, grosso modo, trois types de signature:

- a cappella (*Cold*),
- avec ritournelle (*Jingle*), et
- avec queue musicale (*Fade*).

Le message publicitaire avec queue musicale, c'est un message dont la trame sonore disparaît <u>après</u> les derniers mots du message, dans un *fade out* d'une durée variant généralement de 2 à 4 secondes (ces secondes-là ne sont pas comptabilisées dans le laps de temps alloué pour le message).

Une signature avec ritournelle, c'est un segment sonore (musical ou chanté) dont la diffusion complète fait partie intégrale du message. Il pourrait aussi s'agir d'un effet sonore.

Une signature constituée d'une phrase livrée sans trame sonore est dite A cappella.

Le choix du type de signature dépend d'abord et avant tout de l'effet que vous voulez créer. Par exemple, il se peut que vous désiriez terminer par un roulement de tambour suivi du nom du magasin annoncé a cappella. Mais, en général, lorsque le message ne requiert pas une signature a cappella ou avec ritournelle, la queue musicale devrait être utilisée puisqu'elle facilite le mixage de la fin du message avec le début de l'élément suivant, particulièrement si votre station de radio a un compresseur.

Le compresseur est une pièce d'équipement technique qui fait en sorte que lorsque vous commencez «plein volume» la diffusion d'un élément quelconque, celui-ci a préséance sonore sur le précédent qui se trouve alors compressé, c'est-à-dire réduit presque totalement hors du champ sonore. D'autre part, si la fin d'un élément sonore est enregistré en fondu, mais qu'aucun autre élément n'est diffusé simultanément, le fondu sera surcompressé pour maintenir le volume à un niveau similaire à ce qu'il aurait été s'il n'y avait pas eu de fondu sur le ruban ou le disque. Cela a l'avantage de camoufler les retards d'enchaînement et de créer une transition plus douce entre les éléments.

Évidemment, la queue musicale ne sera avantageuse que si les opérateurs de mise en ondes n'attendent pas la fin du fondu pour commencer la diffusion de l'élément suivant!

Bref, la queue musicale est la méthode idéale pour terminer un message, quoique les signatures avec ritournelle et a cappella soient fréquemment utilisées pour créer des effets particuliers. Quant à la méthode de certains producteurs consistant à faire disparaître la trame sonore en fondu <u>pendant</u> les derniers mots du message, elle est douteuse sinon à bannir complètement. Cette méthode ne présente aucun avantage particulier et, pire, risque de distraire l'auditeur dont l'oreille aura détecté un indice annonçant la fin du message et qui se préparera donc mentalement à l'arrivée de ce qui suit, plutôt qu'à écouter la fin, souvent essentielle, du message.

LE CHOIX DE LA MUSIQUE DE PRODUCTION ET DES EFFETS SONORES

La trame sonore d'un message publicitaire est tout aussi importante que celle d'un film, la musique étant souvent l'élément-clef dans la création d'une ambiance et dans la communication d'une émotion. Vous ne pouvez donc pas vous contenter de la première musique trouvée. Vous devez toujours chercher celle qui supporte parfaitement bien les objectifs du message à enregistrer.

Nous avons abordé la question du choix de la musique, dans la section sur la création publicitaire (page 164).

Quant aux effets sonores, ils jouent un rôle de premier plan dans la création d'un scénario et sont particulièrement efficaces pour éveiller l'attention de l'auditeur, mais ils peuvent aussi devenir très ennuyants si vous ne respectez pas les règles élémentaires d'utilisation.

Règles d'utilisation d'effets sonores:

Le naturel

Choisissez le bon effet sonore, celui qui convient, et non pas n'importe quoi pour faire du bruit! Pour ce faire, vous avez certes avantage à disposer d'une imposante banque de sons.

Le bon goût

Limitez-vous! Pensez à satisfaire vos auditeurs plutôt qu'à simplement attirer leur attention. Par exemple, même si le bruit de la sonnerie d'un téléphone est naturel et attire l'attention, il est peu probable que l'auditeur ayant failli dérapé avec sa voiture, en tentant de répondre à son téléphone cellulaire, apprécie votre produit!

Le niveau sonore

Les effets sonores servent de support au message à véhiculer et agissent souvent de façon presque subliminale. Le volume doit donc être ajusté en conséquence. Un niveau sonore trop fort ne serait pas naturel et deviendrait agaçant pour l'oreille de la plupart des auditeurs.

Les effets sonores devraient, d'ailleurs, être utilisés partout dans la programmation pour aider à créer de la magie et à véhiculer des émotions. Après tout, la radio est en soi un immense effet sonore!

LES SOURCES D'APPROVISIONNEMENT EN MUSIQUE

Dans une station de radio, il existe deux sources principales de musique de production: les banques professionnelles de trames sonores et les disques promotionnels reçus à la station mais destinés généralement à d'autres fins que celle de la production.

LES DISQUES PROMOTIONNELS

Pour plusieurs stations de radio, les disques promotionnels envoyés aux stations de radio par les compagnies de disques constituent encore la seule source d'approvisionnement en musique de production.

Un tourne-disque, un lecteur de disques audionumériques, deux magnétophones à bobines et un bloc de montage (*splicing block*), c'est tout ce dont vous avez besoin pour créer une banque de trames sonores de 15, 30 et 60 secondes, en faisant des montages avec les intros et les extros de chansons et avec les segments strictement musicaux se situant souvent au début du dernier tiers de la chanson. Bien sûr, dans un tel système, on utilise également les disques de musique instrumentale, les versions instrumentales de chansons-succès et, source privilégiée, la musique de film.

Mais cette pratique est illégale à moins, bien sûr, que vous ayez demandé et obtenu l'autorisation d'utiliser chaque pièce musicale et que vous ayez payé les droits d'auteur s'y rattachant. Comme les stations de radio s'adonnant à cette pratique le font pour économiser, il est peu probable que ce soit le cas!

Cette pratique est évidemment dénoncée par les artistes et les sociétés de droits d'auteur qui surveillent de plus en plus les radiodiffuseurs peu scrupuleux. Ces gens-là sont vos collègues de la grande industrie de la musique et ils ont autant de difficultés financières que vous. Arrêtez donc de leur manger le peu de laine

Le non-respect des droits d'auteur hypothèque l'industrie de la radio... à un taux d'intérêt très élevé!

qu'ils ont sur le dos! Abuser des droits d'auteurs, c'est lever une hypothèque sur l'industrie de la radio, à un taux d'intérêt qui risque d'être très élevé.

LES BANQUES PROFESSIONNELLES DE TRAMES SONORES

La seule méthode professionnelle de production (à l'exception de celle qui consiste à avoir son propre orchestre!), c'est l'utilisation d'une des nombreuses banques de trames sonores offertes sur le marché. Ces banques ont, non seulement, l'avantage de vous permettre de fonctionner dans la légalité, elles constituent, en plus, un outil de travail vous permettant d'augmenter considérablement la qualité de vos productions.

Certaines stations sont réticentes à faire l'acquisition d'un tel répertoire. Pourtant, la publicité radio occupe de 15% à 25% de leur temps d'antenne et la publicité produite localement compte généralement pour près de 90% de ce total. Comment peut-on prétendre être incapable d'investir deux ou trois mille dollars pour améliorer près de 25% de la programmation?

Les banques de trames sonores contiennent habituellement un très grand nombre de trames, classées par catégorie de musique (country, rock, soft rock, dance) ou d'ambiance créée (party, romance, course contre la montre) et chaque trame est généralement présentée en version de 15, 30 et 60 secondes. L'utilisation de telles banques est un simple jeu d'enfant, particulièrement depuis l'arrivée des disques audionumériques.

Mais avant d'acheter une banque de trames sonores, vérifiez bien toutes les clauses du contrat de vente. Certaines compagnies exigeront le paiement de droits d'auteur proportionnels à l'utilisation que vous ferez de la banque; d'autres, vous fixeront un prix vous permettant de l'utiliser comme bon vous semble et aussi souvent que vous le voulez. La deuxième formule est beaucoup plus pratique parce qu'elle élimine toutes les tracasseries administratives. Mieux vaut payer un peu plus cher, initialement, que d'avoir à rémunérer quelqu'un pour gérer l'utilisation de la banque!

Certaines compagnies vous offriront aussi l'exclusivité, sur votre territoire, de la banque choisie, moyennant quelques dollars supplémentaires. Cela peut être intéressant, mais seulement si le supplément demandé est minime. Il faut être conscient que, même si la compagnie s'engage à ne pas en vendre sur votre territoire, un individu pourrait apporter avec lui une copie achetée ailleurs. De toute façon, d'autres banques sonores peuvent offrir des trames ressemblant très étrangement aux vôtres!

LES EFFETS SONORES

La radio est, elle-même, un effet sonore continuel. La radio vit du «son»! Il est donc incompréhensible que des producteurs d'émissions de radio n'aient pas à leur disposition une imposante banque d'effets sonores.

Mais que faire, si les dirigeants de la station où vous travaillez ne veulent pas faire l'acquisiton d'une telle banque? Voilà l'occasion rêvée de prouver votre créativité en bâtissant vous-même votre banque d'effets sonores! Retroussez vos manches, équipez-vous d'un magnétophone portatif, apprenez à maîtriser l'équipement technique du studio de production et faites travailler votre imagination!

> La radio est en soi un effet sonore continuel.

LA GESTION DES TRAMES ET DES EFFETS SONORES

Il est très frustrant de consacrer des heures à retrouver une trame ou un effet sonore qu'un client a aimé sur son message publicitaire du mois précédent, simplement parce qu'on a oublié de quel disque il était extrait. Et il est encore plus difficile d'avoir à expliquer à un client pourquoi son compétiteur utilise la même musique que lui!

C'est pour éviter ces deux situations qu'il est important que vous ayez un système efficace de gestion des trames et des effets sonores. Lorsque vous travaillez avec une banque de son professionnelle, il est très facile de noter l'utilisation de chaque trame sonore utilisée dans un cahier contenant la liste, par disque et par numéro, de toutes les trames.

L'ENREGISTREMENT SUR RUBAN MAGNÉTIQUE

La question du contrôle du niveau sonore de diffusion des différents éléments de la programmation a été discutée dans le chapitre sur la mise en ondes (page 152).

Pour que le niveau sonore de tout ce que vous produisez soit uniforme et égal au niveau sonore des autres éléments de la programmation (et que, ainsi, l'auditeur ne soit pas agacé par des variations de volume), il faut d'abord que les techniciens aient calibré adéquatement toutes les pièces d'équipement du studio de production et du studio de mise en ondes.

Mais ensuite, vous devez vous assurer d'enregistrer tous vos messages publicitaires ou autres productions à un volume constant et uniforme . Surveillez les vumètres et assurez-vous que le niveau sonore résultant soit équivalent à celui de la voix de l'animateur lorsqu'il intervient en ondes. Assurez-vous aussi que le fond musical soit bel et bien un «fond» musical: la voix doit se marier à la musique et non se battre avec elle, ni l'écraser.

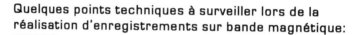

Quelques points techniques à surveiller lors de la réalisation d'enregistrements sur bande magnétique:

L'effacement

Assurez-vous de pouvoir compter sur un bon et puissant démagnétiseur pour effacer le ruban magnétique avant de l'utiliser à nouveau. Et après avoir effacé un ruban, vérifiez-le en le faisant jouer. Si vous entendez un «woum, woum, woum» aussi léger soit-il, c'est qu'il a été mal effacé. Recommencez!

Vos doigts

Aussi banal que cela puisse paraître, vous ne devez jamais mettre vos doigts sur le côté enregistré du ruban. La graisse de vos doigts s'y déposerait puis salirait les têtes de lecture et d'enregistrement du magnétophone.

Le ruban lui-même

Lorsqu'un ruban magnétique commence à être usé, la qualité du son enregistré se détériore rapidement. Les basses et les hautes fréquences semblent alors modifiées. C'est pourquoi le ruban magnétique doit être remplacé régulièrement. Il est tout à fait impardonnable d'utiliser du ruban de mauvaise qualité: le son, c'est votre produit!

LA RÉALISATION D'UN JOINT DE RUBAN

Pour effectuer des montages sonores, vous devez fréquemment utiliser la technique consistant à couper le ruban à deux endroits puis à joindre les deux bouts du ruban-maître de manière à ce que des sons enregistrés séparément soient diffusés consécutivement.

Cette technique du «joint de ruban» (*splice*) peut aussi être utilisée pour corriger des erreurs sur un enregistrement ou en raccourcir la durée. Lorsque vous effectuez ainsi le montage d'une entrevue, vous devez vous assurer de ne pas changer le sens des propos de la personne reçue en entrevue.

Quelques conseils pratiques pour la réalisation d'un joint
de ruban:

L'entretien de l'équipement

Les outils nécessaires pour réaliser un joint de ruban, outre le ruban
collant pour montage, sont une lame de rasoir, un crayon gras et un
bloc de montage. Toutes ces pièces d'équipement s'usent, y compris le
bloc de montage. Les canaux où la lame de rasoir s'insère dans le bloc
s'agrandissent et les coupes de ruban deviennent imprécises. Les lames
de rasoirs, elles, s'usent très vite. Commandez-les donc en grande
quantité et assurez-vous d'acheter des lames industrielles, car certaines
lames de rasoirs de pharmacie sont recouvertes d'huile.

La vitesse d'enregistrement

Les joints de ruban sont beaucoup plus faciles à réaliser lorsque
l'enregistrement initial a été effectué sur un ruban défilant rapidement
(à une vitesse de 15 po/s, par exemple). Il est alors plus facile
d'identifier, sur le ruban, la position précise entre deux sons, là où la
coupure doit être faite, parce que chaque seconde utilise un plus long
bout de ruban.

La position et la marque sur le ruban

Pour faire la marque sur le ruban avant de le couper, utilisez un crayon
gras mou et ne faites qu'une légère marque sur le ruban en face de la
tête de lecture, au milieu de celle-ci. Un crayon dur vous obligerait à
appuyer plus fortement sur la tête qui se désenlignerait rapidement. Et,
évidemment, une marque de crayon sur la tête salirait celle-ci. Dans un
tel cas, vous devez arrêter aussitôt votre travail et nettoyer les têtes.

Le positionnement final, pour marquer le ruban, s'effectue
manuellement en tournant successivement le ruban dans un sens puis
dans l'autre alors que les têtes de lecture sont engagées.

Pour éviter certaines erreurs, faites une marque additionnelle (un **X**, par
exemple) sur la partie à enlever de façon à vous retrouver plus
rapidement et plus facilement parmi tous les bouts de ruban qui pendront
rapidement à gauche et à droite.

Le mixage des sons

Si votre bloc de montage offre la coupure à 90° et à 45°, utilisez cette
dernière. Le joint sera alors plus solide et moins audible,
particulièrement dans le cas où le joint est fait à un endroit, sur le ruban,
où il n'y avait pas silence total. L'angle de 45° crée un semi-mixage
des sons, le transfert se faisant graduellement du premier son au
deuxième.

Pour adoucir la fin d'une production se terminant par un joint de ruban,
utilisez un peu d'écho. L'enregistrement aura moins l'air de se terminer
abruptement et bizarrement.

Le contrôle de la qualité

Les deux outils pour juger de la qualité d'un joint de ruban sont
simplement vos oreilles et vos yeux.

Au niveau sonore, un bon joint est un joint qui ne s'entend pas. Vous
devez trouver l'endroit précis sur l'enregistrement où vous pouvez
couper sans que cela paraisse.

Similairement, un bon joint est un joint qui ne se voit pas. Si vous
voyez du ruban blanc sur le côté de l'enregistrement, vous entendrez le
joint en ondes et vous salirez les têtes de lecture à chaque fois que ce
ruban sera utilisé.

Un ruban sur lequel des joints de ruban ont été effectués, devient forcément de moins bonne qualité pour les productions suivantes. Conservez donc toujours dans le studio de production au moins un ruban sur lequel il est strictement interdit d'effectuer des joints de ruban: un ruban-maître que vous devriez réserver aux productions ne requérant pas de montage par joint de ruban.

L'ENREGISTREMENT SUR CARTOUCHE

Dans plusieurs stations de radio, les messages publicitaires et autres productions de courte durée sont enregistrés sur cartouches (des cassettes ressemblant physiquement aux anciennes cassettes 8 pistes mais dont la bande magnétique forme une boucle sans fin sur laquelle un seul enregistrement utilise toute la largeur de la bande). Une mauvaise utilisation de ces cartouches peut provoquer de multiples imperfections sonores en ondes.

Une mauvaise qualité sonore peut être causée simplement par l'utilisation de cartouches contenant un ruban magnétique d'un type différent de celui pour lequel les cartouchières ont été calibrées. Vous devriez vous limiter à un seul type de cartouche et un seul type de ruban ou, ce qui serait encore mieux, à un seul fabricant et un seul fournisseur.

De plus, la qualité sonore étant inversement proportionnelle à l'âge du ruban à l'intérieur de la cartouche, ce ruban devrait être régulièrement changé. Si votre station de radio ne possède pas l'équipement nécessaire pour remplacer le ruban à l'intérieur des cartouches, faites des pressions pour l'obtenir ou proposez vos services en sous-traitance!

Le ruban à l'intérieur d'une cartouche constituant une boucle sans fin, vous y retrouvez forcément un joint de ruban. Lorsqu'un message est enregistré par-dessus ce joint, vous risquez d'entendre une imperfection sonore lors de la diffusion. La solution à ce problème est simplement de pointer (*cuer*) le ruban immédiatement après le joint, avant d'enregistrer le message. Certaines cartouchières détectent elles-mêmes les joints, ce qui permet de sauver des heures improductives à les rechercher. Il est sans doute frustrant pour un producteur travaillant avec des cartouches de ne pas avoir accès à cette pièce d'équipement, mais cela n'est pas une raison pour négliger de rechercher manuellement les joints.

Pour réduire le temps nécessaire à la cartouche pour se repositionner après une diffusion en ondes et afin de réduire l'usure de la cartouche et du ruban, utilisez toujours chaque cartouche au maximum de sa durée. Ainsi, si vous enregistrez un message de 30 secondes sur une cartouche de 70 secondes, enregistrez-le deux fois. Et trois fois, sur une cartouche de 100 secondes. Cette utilisation optimale du ruban réduit aussi les erreurs du type suivant: l'opérateur de mise en ondes avait besoin de la cartouchière et comme la dernière cartouche diffusée prenait trop de temps à se repositionner, il l'a retirée temporairement... puis l'a oubliée! Et lors de la diffusion subséquente de cette cartouche, vous diffusez en ondes le silence contenu sur le ruban entre la fin et le début du message!

Tout cela étant dit, il n'y a qu'une seule méthode pouvant vous garantir de bien réussir un enregistrement sur cartouche: la pratique! C'est à la longue que vous trouverez, par exemple, comment ne pas commencer l'enregistrement ni trop près ni trop loin du *cue* (si vous commencez l'enregistrement trop près, vous entendrez un bruit bizarre en ondes à chaque fois que la cartouche sera diffusée mais si vous commencez trop loin, il sera difficile de faire une mise en ondes serrée).

Techniques particulières

La créativité de certains producteurs radio ayant été débordante dans le passé, il existe aujourd'hui une pléïade de techniques connues pour la production d'effets sonores avec de l'équipement technique très sommaire. Vous pouvez, par exemple, produire de l'écho avec simplement une console et 2 magnétophones à bobines.

Mais comme l'équipement technique permettant de créer ces mêmes effets sonores (et trois millions d'autres!), est maintenant disponible sur le marché à un coût abordable, nous ne nous attarderons pas sur ce sujet. Vous ne devriez pas avoir trop de difficulté à convaincre vos supérieurs de faire l'acquisition d'une telle pièce d'équipement: vous n'avez qu'à mettre quelques représentants publicitaires et le directeur des ventes dans le coup, le «retour sur l'investissement» parle toujours très fort! Mais attention, l'équipement perfectionné rend la vie plus facile et améliore la qualité du travail, seulement si vous maîtrisez parfaitement son utilisation. Lisez attentivement les manuels d'instructions et pratiquez-vous!

L'écho

Deux effets sonores intéressants, en plus de l'écho normal, sont ceux de l'écho inversé et de l'écho lent.

L'écho inversé, comme son nom l'indique, est un effet sonore faisant entendre l'écho du mot avant le mot lui-même. Pour expliquer la technique, prenons un exemple: vous voulez mettre l'emphase sur le mot «Double» dans un message publicitaire quelconque. Les étapes à suivre pour effectuer cette production seraient les suivantes:

- Enregistrez d'abord le mot «Double» comme vous le feriez normalement sur le ruban d'un magnétophone à bobines. Enregistrez-en plusieurs versions avec un assez long silence entre chacune.
- Prenez ensuite cette bobine et inversez-la sur le magnétophone pour la faire jouer à l'envers. Enregistrez le résultat sur une deuxième bobine en y mettant de l'écho normal. Vous devriez produire plusieurs séries d'enregistrements avec différents niveaux d'écho.
- Finalement, inversez la deuxième bobine que vous avez enregistrée et voilà!, l'écho sera entendu avant le mot lui-même. Après avoir choisi la meilleure version, faites un joint de ruban pour l'insérer dans votre message.

L'écho lent, lui, est un effet sonore créant l'impression de parler en public à l'aide d'un sytème de porte-voix (*Public Address System* ou *PA System*). La méthode manuelle pour créer cet effet est relativement simple:

- Enregistrez votre message sur ruban à la vitesse 7½ po/s.
- Jouez ce message à une vitesse deux fois plus rapide, soit 15 po/s, en l'enregistrant sur cartouche.
- Ensuite, jouez cette cartouche en l'enregistrant simultanément sur le ruban de deux magnétophones à bobines: un magnétophone dont le ruban tourne à 15 et un autre, à 7½. En enregistrant, ajoutez sur la console l'écho (le *playback*) du ruban tournant à 7½.
- Finalement, jouez à la vitesse 7½ le ruban enregistré à la vitesse 15. Le message retourne à sa vitesse normale, mais l'écho suit à la moitié de cette vitesse.

179

Le jeu stéréo

Il est toujours très amusant pour un producteur débutant de produire un message avec de grandes variations sonores entre le canal de gauche et celui de droite: par exemple, en enregistrant toute la voix de Josée à gauche et toute celle de Martin à droite. Cela est très amusant à écouter dans le studio de production, mais l'auditeur, lui, est habitué au son stéréo en douceur. Pourquoi pensez-vous que les chansons en stéréo n'abusent pas des canaux de gauche et de droite? Parce que ce serait désagréable à l'oreille! Parce que le jeu stéréo est plus efficace lorsqu'il est utilisé sans exagération. Vous pouvez enregistrez la voix de Josée majoritairement, mais non totalement, à gauche et vice versa pour la voix de Martin.

D'autre part, lorsque vous produisez un message dans un studio de production stéréo, vous devez toujours vérifier votre produit final dans un haut-parleur mono pour voir si cela est audible et reproduit convenablement. Il y a encore bien des gens qui écoute votre station AM Stéréo ou FM dans un récepteur mono (radio de table, radio-réveil). Ce qui nous amène d'ailleurs au sujet du contrôle de la qualité.

Le contrôle de la qualité

La différence entre une production acceptable et une production excellente, ce n'est souvent que 5 minutes supplémentaires...

À chaque fois que le chef de production ou le directeur de la programmation entend une production qui n'est pas parfaite, il devrait renvoyer son producteur à la table de travail. Il n'y a aucune raison pouvant justifiée la diffusion d'une production qui n'est pas parfaite, d'autant plus que la différence entre une production acceptable et une production excellente, ce n'est souvent que 5 minutes supplémentaires dans le studio de production pour trouver une meilleure trame sonore ou un meilleur effet sonore, pour améliorer un joint de ruban, pour refaire un mixage ou simplement pour reprendre le texte une dernière fois.

Par le producteur

Chaque production doit être un élément de fierté pour son producteur. Lorsque vous pensez avoir terminé l'enregistrement d'un message et que vous l'avez copié sur cartouche, prenez le temps de l'écouter une dernière fois. Vous serez surpris du nombre de fois où vous constaterez une erreur monumentale à ce stade-là! La cartouchière peut tout simplement n'avoir rien enregistré ou la marque (le *cue*) peut ne pas avoir été adéquatement positionnée.

Par le chef de production

Un haut niveau de qualité de la production publicitaire est vital pour la qualité d'ensemble de la programmation, mais aussi pour l'efficacité de la publicité diffusée sur les ondes de votre station et pour la satisfaction de vos clients. Il doit y avoir une évaluation régulière de la production.

Le chef de production devrait procéder au moins une fois par semaine, idéalement avec le directeur de la programmation, à l'écoute d'un certain nombre de messages publicitaires produits récemment et choisis au hasard. Pendant l'écoute, le chef de production devrait noter les points faibles et les points forts de chacun de ces messages pour ensuite en discuter personnellement avec le rédacteur, l'animateur et le producteur du message.

En groupe

Il peut aussi être profitable d'organiser des séances d'écoute de messages en groupe, avec tout le personnel concerné. Cela sensibiliserait tout le monde à l'importance de produire de bons messages mais aussi au rôle joué par chacun des intervenants.

Les résultats de ces séances devraient être riches en commentaires de toutes sortes, personne n'ayant les mêmes oreilles, ni la même façon de percevoir les choses. Il pourrait même être bon d'inviter les représentants des ventes, histoire de les sensibiliser au processus de production et de profiter d'une façon différente de voir et d'entendre. Chaque représentant pourrait être invité à tour de rôle.

Les conditions de succès des séances d'évaluation, en groupe, de la qualité de la production:

Le positivisme

L'accent doit être mis sur l'analyse des bonnes productions plutôt que sur la critique des mauvaises. Cela aura normalement pour effet de motiver toutes les personnes impliquées à produire des messages dont elles pourront être fières à la séance suivante.

L'acceptation de la critique

Tout les personnes présentes à ces séances doivent s'engager à accepter positivement toute critique, l'objectif étant simplement d'identifier des moyens de produire de meilleurs messages. Toujours meilleurs! C'est la recherche constante de l'excellence.

Le respect des individus

Si le directeur de la programmation ou le chef de production a des commentaires négatifs à adresser spécifiquement à un animateur, à un rédacteur ou à un producteur, il doit le faire lors d'une rencontre en privé avec cet individu. Personne ne doit avoir peur d'assister à ces séances. C'est d'ailleurs une question de respect minimal de l'être humain.

La régularité

Pour obtenir le maximum de résultats positifs, il faut que les séances aient lieu à intervalles réguliers et connus, il faut que tout le monde sache qu'il ne doit jamais y avoir relâche dans les efforts pour atteindre l'excellence.

Le professionnalisme de l'animateur de la séance sera déterminant dans le succès de ces séances. Il y a, ici, similitude avec la gestion des groupes de remue-méninges (*brainstorming*). L'animateur de la séance doit être apte à diriger avec un gant de velours pour laisser tout le monde s'exprimer, mais avec suffisamment de fermeté diplomatique pour s'assurer qu'on arrive quelque part. Il doit donc avoir préalablement identifié des points de discussion prêts à être lancés dans la discussion lorsque le silence se fait trop long ou lorsqu'on s'éloigne trop du sujet. L'animateur de la séance a aussi la responsabilité de s'assurer que personne ne se sente blessé ou réagisse mal émotivement.

LE SYSTÈME DE PRODUCTION

L'objectif du système de production des messages publicitaires est simplement de garantir que toutes les commandes de production soient remplies adéquatement, efficacement et à temps.

Afin de rendre plus concrètes certaines explications de la présente section, le système de production suggéré dans les prochains paragraphes est celui d'une station de radio utilisant des cartouches comme support aux messages publicitaires. Veuillez toutefois noter que le cheminement de l'information dans le système de production et les différentes étapes de contrôle de la production demeurent les mêmes, peu importe le support technique utilisé pour véhiculer ces messages.

Le personnel impliqué

Les représentants publicitaires, les employés travaillant au routage, le chef de production, les rédacteurs, les producteurs et les animateurs sont tous impliqués dans le processus de création et de production publicitaire. Le producteur est l'individu chargé d'enregistrer la voix de l'animateur et de faire le montage de cette voix avec la trame et les effets sonores. Dans plusieurs stations de radio, l'animateur est son propre producteur.

Tous ces individus doivent dialoguer et travailler ensemble afin de réussir à créer des messages efficaces, répondant à la fois aux exigences de la programmation et aux attentes du client-annonceur. La radio étant un milieu de travail créatif, tout le monde doit être ouvert à l'échange d'idées.

Le chef de production

La publicité étant un des éléments prédominants de la programmation (en temps d'antenne, en importance pour l'administration de la station et en impact sur l'écoute), le rôle du chef de production est crucial. Ce doit être un individu ayant une bonne connaissance et une excellente expérience de la production audio. Il doit avoir de l'autorité et être respecté. Il doit être organisé. Il doit passer beaucoup de temps à écouter sa radio. Et il doit être un individu maniaque des détails, incapable d'entendre un mauvais joint de ruban ou des niveaux sonores inégaux. Il devrait d'ailleurs avoir droit de parole sur toutes les productions, publicitaires ou non: les extraits de voix et les topos des journalistes, les chroniques pré-enregistrées, les capsules humoristiques.

Le chef de production doit être l'exemple vivant d'un individu recherchant l'excellence. Partout! Tout le temps!

Dans les petites stations de radio, cette responsabilité de chef de production est généralement assumée par une personne engagée comme rédacteur publicitaire à temps plein ou par le directeur de la programmation lui-même ou encore, par la personne en charge du routage.

Le créateur-rédacteur publicitaire

Il est beaucoup plus facile de trouver un bon rédacteur que de trouver un bon créateur publicitaire. C'est, encore une fois, le problème de la «création appliquée»: il faut être à la fois créatif et pragmatique, poète et stratège, concepteur et technicien.

Comme ce mélange hétéroclite de qualités est également celui recherché chez les animateurs, ceux-ci sont souvent d'excellents créateurs-rédacteurs publicitaires. Ils sont déjà entraînés à exercer leur créativité de façon à obtenir des résultats concrets, ils connaissent les règles et les principes de la programmation établie, ils sont des spécialistes de la communication verbale et, dans les stations où les animateurs effectuent eux-même la production et la mise en ondes, ils savent quelles sont les limites et les possibilités techniques du studio de production.

L'exercice de création-rédaction est d'ailleurs bon pour un animateur. Cela le force à développer sa créativité et l'exerce à livrer n'importe quel message dans un court laps de temps et en peu de mots.

D'autre part, le fait que plusieurs animateurs créent des scénarios et rédigent des textes publicitaires, procure une plus grande diversité de messages en ondes que si une seule personne créait tous les messages. La continuité et le suivi du travail à faire est toutefois un peu plus compliqué. Un bon compromis est sans doute d'avoir un rédacteur-chef de production qui laissera chaque animateur écrire deux ou trois textes par jour, alors qu'il s'occupera lui-même des autres.

Si votre station ne fait pas appel aux animateurs pour la rédaction des messages publicitaires, vous devez alors vous assurer que la communication soit bien établie entre le rédacteur et les animateurs. Le rédacteur ne doit pas avoir l'entière responsabilité et l'entière autorité sur les textes: le brassage d'idées doit absolument se faire.

LE CONTRAT PUBLICITAIRE

Le contrat est l'entente signée entre le représentant publicitaire de votre station et le client-annonceur. Il sert à l'administration (on veut se faire payer!) et au service du routage qui doit inscrire, sur le registre des émissions, les messages publicitaires devant être diffusés.

C'est la clef de contact du processus de production publicitaire bien que vous n'ayez aucun contact direct avec celle-ci.

LA FICHE DE PRODUCTION OU COMMANDE DE CRÉATION-RÉDACTION

Pour chaque production devant être effectuée, une fiche de production comme celle de la figure 10 est utilisée pour fournir les indications nécessaires au personnel concerné.

Le chef de production s'assure de recevoir, ou de préparer lui-même, une fiche de production pour chaque contrat reçu par le service du routage.

Pour les messages devant être produits localement, c'est le représentant publicitaire qui remplit la fiche de production selon les attentes et les exigences du client. Cette fiche constitue alors une commande de création-rédaction.

Dans le cas de la publicité dite nationale, l'agence représentant le client fait généralement parvenir à la station de radio un message déjà produit et enregistré sur ruban magnétique. La «production» consiste alors simplement à copier le message sur cartouche. Et la fiche de production est alors préparée par le chef de production ou la personne en charge du routage.

LA COMMANDE DE PRODUCTION

La commande de production est ce qui indique au chef de production qu'un contrat a été signé et qu'un nouveau message devra être préparé pour aller en ondes ou, simplement, qu'un client veut modifier son message actuellement en ondes.

Ces commandes prennent généralement la forme d'un rapport quotidien fourni au chef de production par le service du routage. C'est, en fait, la liste des messages devant prochainement entrer en ondes.

Un bon truc pour s'assurer que le service du routage n'oublie pas d'aviser le chef de production lorsqu'une nouvelle commande est reçue: le service du routage obtient le numéro de cartouche auprès du chef de production après lui avoir communiqué l'information nécessaire à la production. Le numéro de cartouche est un numéro de référence indiquant à l'opérateur de mise en ondes sur quel cartouche est enregistré le message devant être diffusé. Comme les gens du routage ne peuvent pas inscrire un message sur le registre des émissions sans un numéro de cartouche, le chef de production sera forcément tenu au courant de «tout ce qui entre».

Dans le cas des messages à produire pour les clients locaux, l'information requise par le chef de production étant principalement fournie sur la fiche de production, la commande de production ne devrait préciser que le nom du client, la date de début de diffusion en ondes et le nom du représentant (une information utile si celui-ci tarde à apporter la fiche de production).

Par contre, dans le cas de la publicité nationale, l'information suivante sera nécessaire en attendant l'arrivée du ruban:

- la date de début de diffusion du message;
- la date de fin de diffusion du message;
- la durée du message (15, 30 ou 60 secondes);
- les directives d'enregistrement sur cartouche, s'il y a plus d'un message à diffuser en rotation;
- le nom du client tel qu'il sera inscrit sur le registre; et
- le nom de l'agence qui fera parvenir le message.

Les contrats de longue durée comportant, en cours de contrat, plusieurs changements au contenu du message, nécessitent une attention particulière. Lorsqu'un message est produit avec une date de fin de diffusion précédant la fin du contrat, une nouvelle commande de production devrait être aussitôt émise pour éviter les oublis et les erreurs.

Dans le cas où un message doit être changé en cours de contrat alors qu'aucun changement n'était prévu initialement, la fiche de production peut passer directement du représentant publicitaire au chef de production sans que le service du routage ne soit concerné et sans qu'une commande de production ne soit officiellement émise par le service du routage, puisque le contrat est déjà entré dans le système de routage et parce que le nouveau message utilisera le même numéro de cartouche que le message précédent.

LE DÉLAI NORMAL DE PRODUCTION

À la télévision, une commande de production pour un message relativement simple doit être passée au moins deux jours à l'avance et dans le cas d'une production plus sophistiquée, plusieurs semaines à l'avance. Pour une publicité dans un journal, on parle de deux ou trois jours avant la publication. Il n'est donc pas exagéré de demander au moins 12 heures de délai à la radio, 36 heures étant toutefois un délai préférable pour un niveau de qualité acceptable.

Les commandes passées à la dernière minute et les fiches de production apportées en retard sont à l'origine de productions de qualité inférieure. Une bonne production, efficace et rentable à la fois pour le client-annonceur et pour la station de radio, exige du temps.

Il demeure quand même vrai qu'un des gros avantages de la radio est sa rapidité à mettre en ondes un message. Vous devez donc demeurer suffisamment réceptif aux demandes des représentants publicitaires pour être en mesure d'exécuter, à la dernière minute, une commande vraiment urgente ou une commande issue d'un client qui décide de changer son message à la dernière minute. Il y aura toujours des clients «en retard», il y aura toujours des représentants négligents et il y aura toujours des commandes de dernière minute. Il faut simplement s'assurer qu'il s'agisse, autant que possible, d'exceptions!

Il faut toutefois préciser qu'un autre problème survient généralement lorsque les représentants ont pris l'habitude de placer les commandes et de livrer les fiches de production à l'avance: le personnel de production attendra probablement la veille de la date limite pour produire le message! C'est le naturel humain: pourquoi faire aujourd'hui ce qu'on peut faire demain! Le chef de production ne devrait pas tolérer ce laisser-aller et devrait probablement définir une politique de compagnie quant au délai maximal de production, par exemple: que toute commande de production soit remplie dans les 3 jours suivant la réception du matériel nécessaire (fiche de production ou ruban pré-enregistré), peu importe la date d'entrée en ondes. Le registre de production vous aidera à contrôler ces délais de production.

FICHE DE PRODUCTION

Représentant publicitaire

Date: _____   Représentant: _____   No de contrat: _____

Période de diffusion en ondes de ce message: du _____ au _____

Informations telles qu'elles doivent être incluses dans le message (si nécessaire):

Nom du client ou du produit: _____

Adresse ou endroit: _____

_____

No de téléphone: _____

Directives pour le créateur-rédacteur:

☐ 15 sec.   ☐ 30 sec.   ☐ 60 sec.   ☐ Message «Coop»

_____
_____
_____
_____
_____
_____
_____
_____
_____

☐ *Voir documents ci-joints.*

Directives pour faire approuver le texte ☐ *et la production* ☐ :

Nom et numéro de téléphone de la personne à contacter:

_____

Chef de production

No de cartouche: _____

Nom sur l'étiquette: _____

Créateur-rédacteur

Texte approuvé par: _____ Date/heure: _____

Initiales du rédacteur attestant l'approbation du texte: _____

Notes spéciales au producteur (musique et effets sonores suggérés, ton de voix):

_____
_____

Producteur

Production approuvée par: _____ Date/heure: _____

Initiales du producteur attestant l'approbation du texte: _____

Notes sur la production pour usage futur (musique et effets sonores utilisés):

_____
_____

Figure 10 Fiche de production publicitaire

LE REGISTRE DE PRODUCTION

Un registre de production comme celui de la figure 11 vous permet d'identifier rapidement quelles fiches de production ou quels messages pré-enregistrés n'ont pas encore été reçus, d'évaluer la charge de travail en attente, de prévoir les surcharges de travail de dernière minute et d'évaluer la charge de travail de chaque animateur ou producteur en sachant de quelle façon les tâches ont été distribuées et combien de productions ont finalement été effectuées par chacun.

En recevant l'ordre de production du service du routage, le chef de production inscrit sur le registre le nom du client, la date du jour courant et la date à laquelle le message doit être prêt pour diffusion en ondes ou pour audition par le client.

Une fois que tout le matériel nécessaire a été reçu, il inscrit sur la fiche de production le numéro de cartouche et le nom du commanditaire devant apparaître sur l'étiquette de la cartouche et en avise les gens du service du routage.

Puis, dès que le texte est prêt (ou immédiatement, dans le cas d'un message pré-enregistré), il assigne cette production à un producteur en inscrivant sur le registre le nom de celui-ci et la date courante. Il inscrira aussi, si nécessaire, le nom de l'animateur dont la voix est expressément demandée par le client. Les assignations sont effectuées en fonction des demandes du client, mais aussi en fonction des aptitudes et disponibilités de chaque producteur et animateur.

Finalement, c'est le producteur qui remplit la dernière colonne du registre lorsque la production du message est terminée.

LES ÉTIQUETTES

Pour réduire les risques d'erreurs à la mise en ondes, toutes les informations pertinentes doivent être inscrites sur les cartouches et elles doivent l'être toujours de la même façon. C'est dans ce but que des conventions de rédaction des étiquettes de cartouches sont proposées à la figure 12.

D'autre part, un système de codification des messages sur cartouche est proposé au tableau IV. Un tel système permet d'identifier le type de message contenu sur la cartouche et facilite du même coup l'utilisation des messages promotionnels de la station et des messages d'intérêt public pour «boucher les trous».

C'est le rédacteur qui prépare, selon vos règles de rédaction et selon votre système de codification, les étiquettes devant être collées sur la cartouche par le producteur lorsque la production est terminée.

Autres informations

L'idée de «boucher les trous» avec des messages promotionnels et des messages d'intérêt public a été discutée dans le chapitre sur la mise en ondes (page 154).

Tableau IV Code de classification des cartouches par type de message - exemple

Type de message	Couleur de l'étiquette	Numéro de cartouche
Indicatifs de la station	Rouge	1 à 99
Messages d'intérêt public	Jaune	100 à 199
Autopublicités et promotions de la station	Vert	200 à 299
Messages publicitaires	Blanc	300 et plus

REGISTRE DE PRODUCTION

	Chef de production			Créateur-rédacteur	Chef de production		Producteur
Client	Date...			Texte prêt le: (date)	Production assignée...		Production complétée le: (date)
	...de réception de la commande.	...à laquelle la production est requise.	...de réception du matériel nécessaire.		... à:	... le: (date)	

Figure 11 Registre de production

La description des différentes signatures de messages publicitaires a été effectuée dans la section sur la production (page 173).

Il est évidemment important que les informations apparaissant sur ces étiquettes, comme le nom du client-annonceur, soient identiques à celles apparaissant sur le registre des émissions.

L'inscription des initiales de l'animateur dont la voix a été utilisée sur le message permet d'éviter la diffusion consécutive de messages enregistrés avec le même animateur.

La signature ou phrase-repère (*cue out*) est sans doute l'élément le plus important sur l'étiquette (à moins que vous ayez un système de déclenchement automatique des cartouches) parce que c'est elle qui indique à l'opérateur de mise en ondes à quel instant précis il doit commencer la diffusion de l'élément suivant. Il faut donc qu'elle soit claire et précise. C'est pourquoi il est préférable que cette phrase-repère inclut un mot descriptif du type de signature utilisée lors de l'enregistrement: a cappella, avec ritournelle, avec effets sonores ou avec queue musicale en fondu.

S'il y a plus d'un message sur la cartouche et que la signature n'est pas la même pour tous, n'allez surtout pas utiliser ce petit mot vicieux: «divers». Inscrivez plutôt «voir sur le dessus de la cartouche», là où vous ajouterez un autocollant avec les différentes phrases-repères en rotation. Il est alors important que ces phrases-repères soient les plus longues possibles afin que l'opérateur puisse identifier la bonne, à temps!

LA FIN DU PROCESSUS DE PRODUCTION

Après avoir complété la production du message, le producteur se sert du bas de la fiche de production pour prendre note des informations (par exemple, le nom des effets sonores utilisés et le disque duquel ils étaient extraits) pouvant faciliter une éventuelle modification du message ou la production d'un nouveau message similaire.

Après avoir fait approuver la production par le client et avoir inscrit la date courante sur le registre de production, le producteur place la cartouche du message fraîchement produit à l'endroit prévu pour les productions en attente d'entrer en ondes, puis remet le reste du matériel et de la documentation au chef de production ou range le tout dans les endroits de classification désignés.

Un bon système de sécurité permettant de recopier le message, si la cartouche utilisée en ondes brisait ou si des modifications mineures étaient ultérieurement demandées, consiste à conserver les versions finales de tous les messages produits, pendant un mois, sur des rubans-maîtres. Vous devriez ainsi avoir 31 rubans, un pour chaque jour du mois. Un truc complémentaire, pour éviter de perdre de la qualité en multipliant les copies, consiste à embobiner le ruban final de chaque production sur une bobine au départ vide en le collant au bout du ruban du message précédent, plutôt que de copier le dit message sur du ruban vierge et de perdre ainsi une génération.

LE RETRAIT DU MESSAGE

Le soir, le chef de production ou le dernier opérateur de mise en ondes à quitter la station, transfère dans le studio de mise en ondes, les productions qui étaient en attente d'entrer en ondes et dont la date de début de diffusion est fixée au lendemain. De même, il retire du carrousel du studio de mise en ondes, toutes les cartouches dont la date de fin de diffusion est passée.

Ces cartouches périmées seront toutefois conservées pendant au moins deux jours. Il arrive quelquefois que la date de fin ait été retardée par le représentant et le service du routage sans que la date n'ait été changée sur l'étiquette de la cartouche. Il arrive aussi qu'un client décide de prolonger sa campagne publicitaire dans les jours suivant la fin de la période initialement prévue.

CONVENTIONS DE RÉDACTION DES ÉTIQUETTES DE CARTOUCHES

S'il y a simultanément plus d'un message du même client en ondes, attribuez un nom différent à chaque message.
Par exemple: «Hydro-Québec/ Déménagements» et «Hydro-Québec/Économie d'énergie».

Indiquez le nombre de messages différents en rotation sur la même cartouche, s'il y en a plus d'un.

Inscrivez la durée exacte du message enregistré sur cette cartouche. Cette durée peut être différente de celle prévue dans le contrat publicitaire.

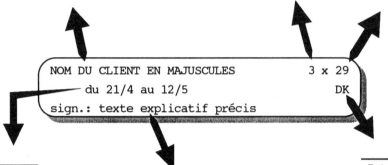

```
NOM DU CLIENT EN MAJUSCULES          3 x 29
   du 21/4 au 12/5                       DK
sign.: texte explicatif précis
```

Précisez la date de début et de fin de diffusion de ce message en ondes.

Indiquez les derniers mots du message et précisez le type de signature par une des abréviations suivantes:

ACAP pour a cappella (*Cold*);

RIT pour ritournelle publicitaire (*Jingle*);

EFS pour effets sonores (précisez alors de quel son il s'agit, exemple: «EFS Sifflet»); ou

FONDU (*Fade*) pour un message se terminant par une queue musicale en fondu (si le fondu fait suite à une ritournelle publicitaire, précisez RIT/FONDU).

S'il y a plus d'un message en rotation sur la même cartouche, inscrivez «voir ci-dessus» et ajoutez une étiquette sur le dessus de la cartouche où vous préciserez la finale de chaque message comme dans l'exemple ci-dessous.

Précisez quelle est la voix de l'animateur enregistrée sur ce message en y inscrivant ses initiales.

S'il s'agit d'un message produit sans la participation d'un animateur de votre station, indiquez-le simplement par un «X».

Ce système de codification pourrait être établi autrement. Par exemple, à l'aide de petites étiquettes rondes autocollantes de couleurs variées, chaque couleur représentant un animateur.

```
1)...tous des experts, c'est garanti. FONDU
2)...à votre service depuis 50 ans. ACAP
3)...50 ans d'expérience à votre service. FONDU
```

Figure 12 Conventions de rédaction des étiquettes de cartouches

LA PUBLICITÉ EN EXTÉRIEUR

La publicité en extérieur est connue dans l'industrie sous le nom de *remote*. C'est une série de messages publicitaires produits et diffusés en direct du magasin du client-annonceur ayant payé pour le temps d'antenne ainsi utilisé.

Ce genre de message dure habituellement 60 secondes quoique certains clients puissent avoir recours à des versions de 30 ou 90 secondes.

AVANTAGES

Pour une station qui n'est pas membre de BBM et qui ne fait donc pas l'objet d'un sondage de cotes d'écoute, réussir à faire déplacer beaucoup de monde lors d'un *remote* constitue une excellente preuve de son efficacité comme véhicule publicitaire.

De plus, si la présence et la visibilité de votre station dans le milieu constituent un élément important de votre stratégie marketing (ça devrait l'être!), vos déplacements pour la publicité en extérieur vous donnent forcément un coup de main en vous «faisant voir».

Et la publicité en extérieur étant généralement vendue à un prix plus élevé que celui d'un message publicitaire régulier, même en soustrayant les coûts variables associés à ce type de production, elle peut aider une station, atteignant fréquemment son niveau maximal de teneur publicitaire, à augmenter le prix moyen de vente de son temps d'antenne et le total de ses revenus publicitaires.

DÉSAVANTAGES

Le plus gros désavantage est forcément le risque que vous courez de perdre un peu de crédibilité comme véhicule publicitaire si vous n'êtes pas certain que vos auditeurs se pointeront là où les messages publicitaires en extérieur les invitent à le faire. Pour de nombreux commerçants, un *remote* est un outil d'évaluation de la valeur de votre station beaucoup plus significtif que les cotes d'écoute fournies par BBM. Tous les commerçants dont le commerce est voisin de celui ayant fait appel à ce type de publicité pourront également juger de l'efficacité de cette campagne publicitaire en extérieur et se fieront souvent à ces résultats pour décider de leurs prochains placements publicitaires sur votre station. Et, malheureusement, bien des commerçants ne réalisent pas que certains clients achetant dans les jours suivant le *remote* le font suite à la publicité entendue à la radio pendant le *remote*.

L'INSTALLATION

Pour maintenir une qualité sonore acceptable, vous devez avoir accès à des lignes téléphoniques «égalisées» ou à un équipement approprié de transmission et de réception à courte distance. Il en va de votre crédiblité et de l'efficacité de la campagne publicitaire.

De plus, votre installation technique doit permettre à l'animateur en *remote* et à l'opérateur de mise en ondes en studio de se parler pour coordonner leurs actions. Un système de transmission à deux voies est idéal, mais l'accès par l'animateur en *remote* à une ligne téléphonique régulière en plus de la ligne *remote* peut être suffisant.

L'effet de rappel

L'apparence de votre installation et du personnel sur les lieux du *remote* est extrêmement importante. L'image et la crédibilité de votre station en dépend, mais aussi l'efficacité de la campagne publicitaire.

Votre visibilité sur les lieux du *remote* crée un effet de rappel chez les gens qui auront entendu les messages à la radio et qui, une fois rendus sur la rue en question, en voyant l'identification de la station de radio, se rappelleront avoir entendu parler d'une grande vente et pourront réagir en se disant «Ah oui! Peut-être que je devrais aller voir.» Ce qui est encore mieux, d'autres gens qui n'écoutent même pas votre station arrêteront en comprenant qu'il y a certainement quelque chose d'intéressant à voir puisque la station de radio est là. Et votre client, lui, ne saura pas si ces gens-là écoutaient votre radio ou non. Il se rappellera seulement qu'il y a eu du monde, grâce à vous!

Pour ce type de publicité, vous devriez donc avoir à votre disposition un véhicule automobile bien identifié aux couleurs de la station pour le stationner en face du commerce et un kiosque, pour vous identifier à l'intérieur. Des banderolles et des affiches identifiant votre station devraient également être utilisées sur les lieux.

La mise en ondes

Idéalement, l'animateur en extérieur devrait entrer en ondes sans présentation de la part de l'animateur en studio. Si votre système de communication ne le permet pas, faites une présentation, mais extrêmemement brève. Limitez-vous à dire l'endroit où le *remote* a lieu et le nom de l'animateur s'y trouvant. C'est tout!

Et à la fin du message, vous ne devez jamais intervenir. La durée du message étant connue, il est facile, en écoutant l'animateur en extérieur, d'identifier la fin de l'intervention et de savoir quand vient le temps de commencer la diffusion de l'élément de programmation suivant.

Les dialogues entre deux animateurs, au début ou à la fin d'un message en extérieur, plutôt que de créer l'effet sans doute recherché de rendre l'intervention plus agréable, provoque chez la plupart des gens l'impression que le bloc publicitaire est allongé.

D'ailleurs, un message en extérieur doit toujours être réalisé dans le temps prévu. À la seconde près. Pas plus long, pas plus court. Vous le devez au client qui a payé, à votre collègue en ondes et aux auditeurs.

Le rôle de l'animateur en extérieur

Le rôle de l'animateur en extérieur est d'amener le plus grand nombre possible de clients dans le magasin visé tout en restant honnête et en respectant les règles et les lois régissant la publicité et la radiodiffusion. Lorsque les clients sont sur place, les employés du magasin prennent la relève pour la vente.

L'animateur en *remote* a quand même un certain rôle d'animation à jouer sur place. Le commerçant et ses employés doivent apprécier votre présence et les clients, en garder une image positive. Il est donc avantageux que l'animateur en extérieur soit un animateur-vedette de la station, un animateur capable de donner un bon spectacle, un animateur maîtrisant bien son métier.

En fait, vous devriez veiller particulièrement à ce que vos interventions ne ressemblent pas trop à un message publicitaire régulier. Concentrez-vous à donner du plaisir aux clients dans le magasin et à communiquer ce plaisir aux auditeurs. C'est le temps d'être créatif et original!

La façon et la pertinence de livrer une adresse en ondes, a été discutée dans la section sur la rédaction publicitaire (page 169).

Quelques points devant revenir constamment dans les messages publicitaires en extérieur:

L'endroit
Le chemin pour s'y rendre. L'adresse n'est peut-être pas utile.

L'importance de venir immédiatement
Des rabais «bons pour une heure seulement», par exemple.

L'ambiance
Incluant le service, les concours effectués et les démonstrations offertes.

Pour bien réussir ce boulot, vous devez toujours arriver assez tôt pour avoir le temps de rencontrer le gérant du magasin, de faire le tour des lieux, de regarder et de faire la liste de ce qu'il y a à annoncer, de vérifier les mots-pièges et de jaser avec le monde sur place. Si le gérant n'a pas prévu de complément promotionnel à la publicité en ondes (des rabais, des concours, des démonstrations, des offres d'échantillons gratuits, des cadeaux surprises ou des offres d'essai), ne vous gênez pas pour lui en suggérer. Votre succès est lié au sien!

Puis, de temps à autre, entre les messages publicitaires en direct, vérifiez si le gérant ou le propriétaire est satisfait de vos interventions. Montrez-lui que vous vous préoccupez de son bien-être.

Mais tout cela étant dit, n'oubliez jamais, lorsque le micro est ouvert, que vous êtes toujours à la radio: les personnes qui vous regardent dans le magasin ne correspondent peut-être pas au profil-type de vos auditeurs. Continuez donc à formuler vos interventions en fonction de vos auditeurs.

LA PROGRAMMATION MUSICALE

Le développement d'une programmation musicale gagnante est tout aussi complexe que le développement d'une personnalité gagnante.

L'INDUSTRIE DU DISQUE

Jetons d'abord un coup d'oeil sur les principaux maillons de l'industrie de la musique.

LE PRODUCTEUR ET LE DISTRIBUTEUR

On utilise souvent l'expression «compagnie de disques» pour désigner les producteurs de disques.

Certaines compagnies de disques effectuent elles-mêmes toutes les étapes du processus de production et de mise en marché de leurs produits alors que d'autres, se contentent de coordonner l'exécution de chacune des étapes effectuées par des sous-traitants.

De même, certaines compagnies de disques effectuent elles-mêmes l'acheminement des échantillons promotionnels aux stations de radio et la distribution de leurs produits chez les disquaires détaillants. C'est généralement le cas des très grosses et des très petites compagnies de disques. Les autres, confient plutôt cette tâche à des entreprises spécialisées dans la distribution de disques.

Alors que la plupart des compagnies de disques francophones distribuent gratuitement leurs produits aux stations de radio, la plupart des compagnies de distribution de disques anglophones exigent le paiement d'un abonnement de la part des stations de radio qui doivent alors préciser quelles catégories de musique elles désirent recevoir.

Au Québec, pour le produit francophone, les deux principales compagnies de distribution sont Select, dont les propriétaires contrôlent aussi les magasins de disques Archambault Musique; et Musicor, une division de Trans-Canada du groupe Québécor, compagnie contrôlant, elle aussi, des détaillants de disques.

L'AGENT DE PROMOTION

L'agent de promotion est la personne qui vous appellera tant et aussi longtemps que vous ne ferez pas tourner, à la radio, son ou ses protégés! C'est, habituellement, une personne charmante, gentille et surtout, excellente vendeuse.

Elle travaille ordinairement pour la compagnie de disques et reçoit, dans bien des cas, une gratification en fonction du nombre de stations de radio qui tournent le dernier simple dont elle est chargée de faire la promotion.

LA CERTIFICATION

La CANADIAN RECORDING INDUSTRY ASSOCIATION (CRIA) est responsable de la certification du nombre d'exemplaires de disques vendus.

Au Canada, la certification Or signifie 50 000 albums vendus et Platine, 100 000. Aux États-Unis, avec 10 fois plus de population, les niveaux sont 10 fois plus élevés: *Gold* pour 500 000 et *Platinum* pour 1 000 000.

LES DROITS DE DIFFUSION

Les stations de radio doivent verser un pourcentage de leurs recettes publicitaires (au moment d'écrire ces lignes: 3,2%) à une société de perception qui distribue ensuite ces sommes aux auteurs et aux compositeurs. La société canadienne chargée de cette mission est la SOCAN, la SOCIÉTÉ CANADIENNE DES AUTEURS, COMPOSITEURS ET ÉDITEURS DE MUSIQUE.

La répartition entre les auteurs et les compositeurs de musique, tant canadiens qu'étrangers, des redevances ainsi collectées, est basée sur les résultats de sondages effectués auprès de chaque station de radio. Les stations doivent obligatoirement répondre, 4 fois par année, à ces sondages effectués sur des périodes de 3 ou 4 jours consécutifs, 24 heures par jour. Les informations demandées sont:

- le titre complet de chaque oeuvre diffusée,
- le nom du ou des créateurs de chaque oeuvre tel qu'il apparaît sur l'étiquette (auteurs et compositeurs),
- le nom de l'artiste interprétant la chanson, si celui des créateurs n'est pas connu,
- la mention et la précision de la durée de toute case horaire consacrée à du matériel non musical comme les émissions d'informations et les tribunes téléphoniques.

Ces informations doivent être fournies pour toutes les émissions diffusées par la station, y compris celles produites par la station-tête du réseau et les émissions achetées ailleurs.

Pour les fins de ce sondage, la définition d'une oeuvre inclut tous les thèmes sonores utilisés. Mais bien des gens dans les stations de radio ferment les yeux sur cette définition en se limitant plutôt à n'indiquer que les chansons diffusées, ce qui brime évidemment les artistes spécialisés dans les pièces instrumentales.

Comme dans tout sondage, l'exactitude des résultats est relative à l'exactitude de la collecte des données. Et, comme dans tout sondage, il est certain que plusieurs personnes remplissent les formulaires de la façon la plus rapide possible pour s'en débarrasser: en inscrivant n'importe quoi! Ce qui est particulièrement tentant lorsque votre programmation musicale n'est pas informatisée et que vous devez vous taper tout le boulot, seul!

En fait, la plupart des petites stations de radio se considèrent désavantagées par ce système de sondage puisque la plupart d'entre elles n'ont pas de système informatisé capable de produire instantanément **un rapport complet de la** programmation musicale ni, non plus, de directeur musical à temps plein pour s'en occuper. Cette tâche est encore plus fastidieuse pour le directeur d'un réseau: si, par exemple, vous dirigez 4 petites stations de radio en province, vous devez répondre à 16 sondages par année, soit 4 pour chaque station de radio. Autrement dit, un réseau de 4 stations rejoignant un total de 75 000 auditeurs devra remplir 4 fois plus de paperasse qu'une station de radio rejoignant un million d'auditeurs!

LE PALMARÈS RADIO

Le palmarès d'une station de radio est la liste des chansons, généralement à succès et récentes, diffusées régulièrement sur les ondes de cette station. C'est un outil de travail pour le directeur musical, mais aussi un outil de promotion auprès du public et de l'industrie du disque.

Différents magazines spécialisés comme THE RECORD, RPM, RADIO & RECORD et RADIOACTIVITÉ compilent les palmarès des stations de radio pour dresser un portrait de l'activité musicale radiophonique.

Au Canada anglais et aux États-Unis, les palmarès des stations de radio identifiées comme étant des leaders musicaux sont les suels utilisés dans la compilation du palmarès radio national. Au Québec, par contre, toutes les stations de radio sont invitées à rapporter leur palmarès au seul magazine spécialisé de la province, RADIOACTIVITÉ. Cela est évidemment justifiable au niveau économique: il serait plutôt ridicule de produire une compilation de palmarès radio avec seulement une poignée de stations et il serait conséquemment difficile de vendre des abonnements à tous les autres intervenants du milieu! Cette tradition proprement québécoise a eu l'avantage d'accorder une certaine importance à chaque station de radio rapportant son palmarès à RADIOACTIVITÉ: les agents de promotion des compagnies de disques s'occupent de vous, même si vous travaillez pour une toute petite station de radio, parce que vous pouvez les aider à gagner des points sur la compilation radio.

Mais, même si tout le monde est invité à rapporter son palmarès à RadioActivité, tout le monde n'a pas la même influence sur le résultat de la compilation globale! Certains agents de promotion, au fait de la situation, concentreront leurs efforts strictement sur les réseaux radiophoniques et les stations de radio ayant un «poids» relativement élevé dans la compilation.

Cela peut être frustrant, s'il vous semble que votre palmarès est sous-évalué. Mais avant de vous offusquer de votre faible importance sur l'échiquier de l'industrie de la musique au Québec, vous devriez vous poser sérieusement quelques questions. D'abord, êtes-vous une station musicale? Et si oui, exercez-vous un leadership musical? Ou faites-vous simplement tourner les gros succès après que les autres stations les aient introduits sur le marché? De nombreux dirigeants de stations de radio devraient d'abord clarifier leurs objectifs et leur stratégie de marketing avant de vouloir avoir de l'influence sur l'industrie du disque! Il est peut-être même préférable pour vous de ne pas en avoir! Pourquoi est-ce que tout le monde veut être «important»?

Mais que faire si vous êtes vraiment une station leader musicale et que votre «poids» dans la compilation de RADIOACTIVITÉ est, à toute fin pratique, nulle? Concentrez-vous sur la seule chose qui, en bout ligne, intéresse les gens de l'industrie du disque: les ventes de disques! Même si vous êtes une toute petite station de radio, il est possible que vous ayez une grosse influence sur les ventes de disques dans votre région. Si c'est le cas et si vous voulez être pris au sérieux, faites votre propre promotion en diffusant votre palmarès chez tous les disquaires de votre région et en établissant votre propre compilation des ventes de disques dans votre région. Les agents de promotion seront sans doute intéressés à connaître ces chiffres et les résultats de vos analyses des tendances du **marché**.

Nous reviendrons sur la problématique des compilations de palmarès radio dans la section traitant de la préparation de votre palmarès (page 207 et suivantes).

Une méthode pour réaliser un sondage régional de ventes de disques est suggérée dans la section sur la préparation du palmarès (page 210)

LE DIRECTEUR MUSICAL RADIO

En général, le directeur de la programmation définit la formule de programmation musicale, c'est-à-dire le type de musique et les critères de mix à respecter, alors que le directeur musical, lui, se charge de sélectionner les chansons satisfaisant les objectifs de cette programmation et de jongler avec tous les critères de programmation musicale pour répartir la musique à être diffusée et pour gérer l'ordre de diffusion des diverses pièces musicales sélectionnées.

Certains dirigeants de stations de radio confient la tâche de directeur musical à un animateur à temps partiel comblant sa semaine de travail par quelques heures dans la discothèque. C'est quelquefois même le dernier animateur engagé et celui qui a le moins d'expérience. Le directeur musical n'est alors, en fait, qu'un discothécaire classant les disques reçus et rédigeant un palmarès en fonction des pressions exercées par les compagnies de disques et les agents de promotion. Pourtant, le rôle du directeur musical dans une station de radio musicale est aussi vital que celui du coeur dans le corps humain. Il décide de ce qui doit circuler et à quel rythme. Cette tâche ne peut donc pas être une tâche bouche-trou. La personne à qui on confie ce poste doit avoir énormément d'expérience, de constance et de personnalité. Il est tout aussi, sinon plus, difficile de développer les qualités d'un directeur musical que de développer celles d'un animateur.

Alors, spontanément, nous pourrions croire que le directeur de la programmation, en principe un spécialiste de la programmation, devrait être lui-même le directeur musical. Eh bien non! La responsabilité de la programmation musicale relève bien sûr du directeur de la programmation mais il est préférable que celui-ci ne soit pas le directeur musical parce que, dans la vie quotidienne, le directeur de la programmation doit passer la majeure partie de son temps à écouter la radio et les animateurs alors que le directeur musical doit passer la majeure partie de son temps à écouter des chansons-nouveautés. Il est très difficile de concilier ces deux impératifs. L'un ou l'autre, ou les deux, risquent d'être négligés.

Dans les stations de radio où il n'y a pas de directeur musical à temps plein, la tâche d'écouter les nouveautés devrait être confiée à un seul animateur entraîné à cet effet et qui ferait rapport au directeur de la programmation pour décision finale.

LA DISCOTHÈQUE D'UNE STATION DE RADIO

La discothèque fait partie du patrimoine de la station. Même les disques que la station n'utilise pas devraient être conservés, parce qu'un disque vous apparaissant totalement inutile aujourd'hui, peut devenir intéressant un jour. Par exemple, l'artiste peut devenir une super-vedette et vous pourriez vouloir retracer ses débuts dans le cadre d'une émission spéciale. Vous pourriez aussi décider d'apporter des modifications à votre programmation musicale et vouloir ajouter à votre liste de souvenirs en rotation, des chansons que vous n'aviez jamais diffusées en ondes auparavant.

Autrement dit, le vol de disques par le personnel de la station est une plaie qui ne saurait être tolérée. La plupart des animateurs fautifs se donnent bonne conscience en prétendant emprunter les nouveaux albums pour les écouter dans le but de préparer leur émission. S'ils vous avertissent à l'avance et s'ils rapportent les disques, c'est correct! Mais c'est rare! Il y a habituellement plus de disques égarés que de disques retournés. Si cette situation est le propre de votre station, vous devrez trouver une façon de règler définitivement le problème. Faites un inventaire fréquent de votre discothèque et affichez la liste des disques «recherchés après avoir été probablement mal classés». Vous informerez ainsi les voleurs du fait que vous êtes au courant des disparitions et que vous prenez ce sujet très au sérieux. Et vous verrez peut-être quelques disques revenir incognito!

Le rôle du directeur musical dans une station de radio musicale est aussi vital que celui du coeur dans le corps humain.

LE CYCLE DE VIE THÉORIQUE D'UNE CHANSON-SUCCÈS

Lorsqu'une nouvelle chanson est jugée par votre station comme étant probablement un «futur succès» et qu'elle est ajoutée à votre programmation musicale, son cycle de vie normal est marqué de sept phases représentées graphiquement à la figure 14. Ce cycle est évidemment théorique et les exceptions sont nombreuses.

Les 7 phases du cycle de vie théorique d'une chanson-succès:

Le lancement.

La phase de lancement sert à introduire une chanson en ondes, en la présentant à vos auditeurs comme une nouveauté «toute chaude» qui vient d'arriver, même si ça fait deux mois que vous l'avez reçue et que vous attendiez simplement de prendre une décision à son sujet.

Durant les premiers cinq à huit jours, vous la diffuserez régulièrement en ondes. La fréquence de diffusion doit être établie un peu comme du placement publicitaire, c'est-à-dire en fonction de l'allure de l'écoute de votre station, l'idée étant de diffuser la chanson assez souvent pour que presque tous les auditeurs l'entendent au moins deux fois.

Certains programmeurs préfèrent introduire les chansons en commençant en douceur, timidement, sans conviction... et sans effet! C'est-à-dire, en mettant de côté la force de frappe publicitaire de la radio: la répétition fréquente permettant d'exposer le plus de monde possible au produit.

Durant cette période, il est particulièrement crucial que chaque diffusion soit accompagnée de la «pré» et «post» annonce du titre de la chanson et du nom de l'artiste, en vendant à vos auditeurs le fait que c'est «tout nouveau, tout beau».

Cette phase de lancement, lorsqu'elle est bien exécutée, permet de «créer un événement médiatique» simplement avec l'arrivée d'une nouvelle chanson. Évidemment, vous ne pouvez pas transformer en événement-monstre l'arrivée en ondes de chaque nouvelle sélection musicale, mais vous pouvez vous assurez que chacune d'elle soit «vendue» à vos auditeurs.

La couvaison.

Lorsque la presque totalité de vos auditeurs ont été avisés de l'arrivée de cette toute nouvelle chanson, il faut laisser la demande se développer plus naturellement et, surtout, éviter que les gens n'en soient écoeurés avant de l'avoir adoptée. On couve l'oeuf après la ponte! La fréquence de diffusion tombe donc radicalement.

Une station voulant développer son image de leader musical embarquera très rapidement en ondes les nouveautés et les placera tout aussi rapidement sur son palmarès. La phase de couvaison est alors très courte. Mais cette stratégie a ses risques: règle générale, une station trop avant-gardiste dans sa sélection musicale devient irritante pour l'auditeur moyen.

La phase de couvaison doit notamment servir à analyser, au meilleur de vos moyens et de vos connaissances, la réaction des auditeurs face à cette chanson. Est-ce qu'ils en demandent davantage ou est-ce qu'ils

Dans la section sur les répertoires temporels (page 204 et suivantes), nous reviendrons sur la question de la fréquence de diffusion d'une chanson.

se plaignent qu'elle est «plate»? Les commentaires obtenus sur la ligne musicale peuvent être révélateurs.

Au cours de cette phase, durant laquelle la chanson est toujours sur la liste des nouveautés (liste des «projections»), il faut que les animateurs continuent de la présenter comme une nouveauté.

L'ascension.

Si la période d'introduction marquée des phases de lancement et de couvaison a été concluante, c'est-à-dire que votre public semble aimer cette chanson, vous l'inscrivez sur votre palmarès et vous la faites cheminer vers le sommet. Mais si les résultats de la période de couvaison sont négatifs, la chanson se retrouve immédiatement en remisage.

En fonction de la cote d'amour de la chanson auprès de vos auditeurs, le cheminement vers le sommet du palmarès sera plus ou moins rapide et se terminera plus ou moins haut.

En général, pendant les premiers jours de la phase d'ascension, la fréquence de diffusion en ondes n'est guère plus élevée que durant la phase de couvaison, alors qu'à la fin du cheminement, si la chanson parvient aux premières places du palmarès, elle pourra être diffusée à une fréquence extrêmement élevée.

La maturité.

C'est la phase du succès maximal, celle durant laquelle la chanson a atteint sa position maximale sur le palmarès et sa fréquence maximale de répétition quotidienne. Certaines chansons se rendront au Numéro Un mais d'autres plafonneront à la position 25.

La durée de cette phase varie grandement: une chanson peut rester à sa position maximale pendant une seule semaine, alors qu'une autre peut s'y installer pour cinq semaines. En général, toutefois, si la chanson n'atteint pas une des dix premières positions du palmarès (le TOP 10), elle passera assez promptement à la phase suivante.

La fatigue.

Après avoir atteint sa position maximale sur le palmarès et y avoir séjourné pendant un certain laps de temps, la chanson redescend les marches du palmarès.

Cela doit se produire, théoriquement, lorsque plus de la moitié de vos auditeurs sont «saturés» de cette chanson. Ils ne peuvent plus l'entendre! Ceci étant presque impossible à mesurer, il faut vous fier à votre intuition, votre expérience et votre connaissance de vos auditeurs. Mais, attention!, ne réagissez pas trop rapidement. Travaillant dans un studio et écoutant la radio pendant de nombreuses heures par semaine, vous atteindrez votre seuil de saturation au mois un mois avant votre auditeur le plus précoce.

La période de descente d'une chanson sur un palmarès est habituellement très rapide. Beaucoup plus rapide que son ascension. Elle ne durera généralement pas plus de 2 ou 3 semaines. La plupart des gens en sont saturés et il faut éviter le *burn-out*. En fait, la seule raison pour laquelle une chanson ne débarque pas instantanément du palmarès, c'est pour ne pas trop frustrer la minorité des auditeurs qui n'en sont pas encore saturés.

Une chanson qui n'a pas atteint le TOP 10 et qui n'est donc jamais devenu un véritable succès, descendra encore plus rapidement. Dans ce cas-là, la chanson pourrait même passer directement à la phase de repos après l'obtention de sa position maximale sur le palmarès.

Vous atteindrez votre seuil de saturation au moins un mois avant l'auditeur le plus précoce.

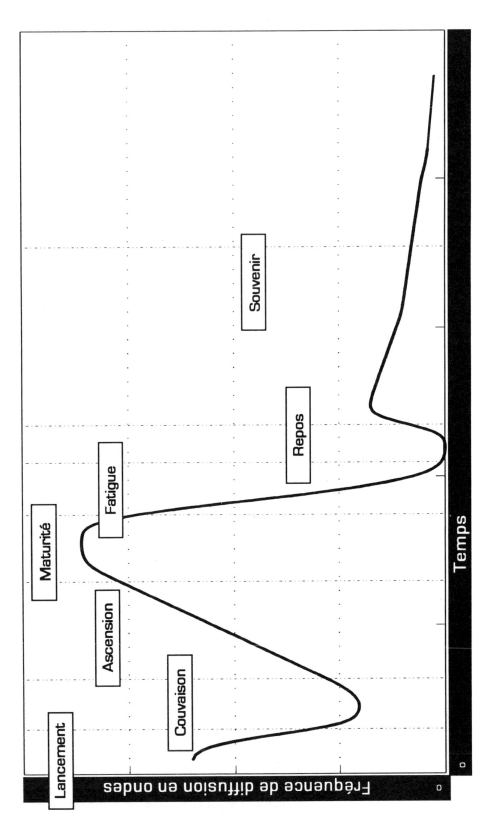

Figure 13 Le cycle de vie théorique d'une chanson-succès

Le repos.

Après une activité hautement compétitive sur le palmarès de votre station, la chanson est remisée pour une période de temps variant d'une semaine à trois mois. Durant cette période, elle n'est jamais diffusée en ondes. C'est la période d'oubli (les vacances!) permettant aux auditeurs de se guérir de leur *burn-out* !

Cette phase est particulièrement importante pour les stations de radio de type TOP 40 qui peuvent diffuser une chanson-succès jusqu'à 8 fois par jour lorsque celle-ci est au sommet de sa popularité.

Le souvenir.

Lorsque la poussière commence à retomber sur la piste de course et que le changement d'huile a été fait, la chanson est alors prête à reprendre d'assaut les ondes radio, mais comme retraitée: une chanson en rotation parmi les chansons-souvenirs de la station. En général, la fréquence de diffusion diminuera au fil des années. Autrement dit: plus un souvenir est vieux, moins fréquent est son rappel.

Une chanson peut demeurer ad vitam aeternam parmi vos rotations-souvenirs ou peut être éventuellement retirée parce qu'elle ne cadre plus avec les nouveaux goûts de vos auditeurs. Une chanson très populaire peut devenir «quétaine» au fil des années. C'est ce qui est arrivé au cours des années 80 à la plupart des chansons disco des années 70.

À l'inverse, une chanson retirée du répertoire souvenir peut y être éventuellement ajoutée. Par exemple, si un nouveau film sur le groupe THE DOORS connaît un succès monstre au *box-office*, vous pourriez ressortir des boules à mites vos vieilles chansons des DOORS.

Ce cycle de la vie théorique d'une chanson-succès tend toutefois à être de plus en plus dépendant de la télévision, particulièrement dans le cas du lancement du premier simple d'un nouveau venu dans le *show-biz* québécois. Tellement, qu'il faudrait peut-être ajouter une phase de pré-introduction durant laquelle l'artiste est présenté à vos auditeurs via... les émissions de variétés à la télévision! Et via Musique Plus. La compétition entre stations de radio étant devenue extrêmement féroce, plusieurs directeurs hésitent à diffuser des chansons pouvant provoquer chez leurs auditeurs l'effet d'un non-succès et les inciter à jouer au *scanning*.

Ce nouveau rôle de la télévision et cet engourdissement de la radio sont tellement vrais que certains producteurs de disques consacrent maintenant plus d'efforts à séduire la télévision qu'à conquérir la radio.

LA PERSONNALITÉ MUSICALE DE VOTRE STATION

La personnalité musicale de votre station est déterminée par la sélection des chansons diffusées, mais aussi par la façon dont le mix musical est exécuté.

LA SÉLECTION MUSICALE

À un instant précis, il n'y a jamais plus d'une demi-douzaine de succès monstres (les «bombes») et une dizaine de gros succès. Toutes les stations jouent les «bombes» (toutes les stations ont diffusé HÉLÈNE de Roch Voisine et ILS S'AIMENT de Daniel Lavoie) et la plupart d'entre elles jouent les gros succès. La personnalité de votre station est donc, forcément, déterminée par les autres chansons que vous choisissez de diffuser. Ce sont les chansons servant de mortier entre les briques des succès garantis. Ces «autres» chansons peuvent éventuellement devenir de véritables gros succès, tout comme ne jamais rien faire de bon (mais vous n'en étiez pas certain).

À titre de personne en charge de la préparation du palmarès, vous recevrez des pressions de toutes parts pour ajouter différentes chansons à votre programmation, des pressions directes ou camouflées qui viendront des agents de promotion, de vos amis et de vos collègues. Mais vous avez une pression encore plus grande vous incitant à ne pas jouer n'importe quoi: celle provenant de vos auditeurs dont le degré de satisfaction déterminera votre longévité au poste de directeur musical!

Il est quand même difficile de résister à toutes les pressions, particulièrement si vous n'avez pas de points de repères. C'est pourquoi il est bon de définir une politique générale de programmation musicale. Cette politique générale constitue, en fait, une série de bornes à ne pas franchir et une porte de sortie face à des agents de promotion trop persistants.

Une station pourrait, par exemple, définir ainsi les caractéristiques des pièces musicales qu'elle diffusera:

- à succès (on attend avant d'embarquer le premier simple d'un artiste non connu),
- harmonieuse (de la mélodie, des chansons fredonnables, pas de rap),
- crédible (pas de succès «tape-à-l'oeil»), et
- non-extrémiste (on élimine à la fois les chansons que les adultes trouveraient agressantes et celles que les plus jeunes trouveraient quétaines).

Une autre station pourrait être plus technique avec des lignes directrices précisant, par exemple, que pour être ajoutée sur sa liste de projections, une nouveauté doit:

- être déjà embarquée sur le TOP 100 de RADIOACTIVITÉ,
- jouer à CFGL ou CITE, et
- avoir obtenu de la visibilité à la télévision.

Évidemment, ces critères sont très discutables. En fait, peu importe quelles seront vos lignes directrices, elles seront toujours discutables. Et elles seront toujours ridicules pour quelqu'un quelque part! L'important, c'est qu'elles aient du sens dans votre situation, dans votre marché et en fonction de votre stratégie pour rejoindre et satisfaire votre public-cible.

C'est à vous de faire des choix, n'est-ce pas? Alors, faites-les! Le plus sûr moyen de diffuser une programmation musicale sans personnalité est de ne pas en avoir soi-même. N'ayez pas peur de faire des erreurs: tout le monde en fait! Ne vous laissez surtout pas influencer par l'agent de promotion qui vous dira que votre palmarès est *no where* parce que vous n'avez pas embarqué sa chanson gagne-pain. Établissez vos critères de sélection musicale et votre système de sélection puis défendez-les jusqu'à ce que vous ayez la preuve qu'ils sont bons ou qu'ils sont mauvais. Rira bien qui rira le jour de la sortie des BBM!

Dans la section sur la préparation du palmarès (page 207 et suivantes), nous discuterons du processus de sélection des nouveautés.

Dans les annales de la radio...

L'actuel directeur général d'un réseau de stations de radio avait mis de côté, vers la fin des années 80, alors qu'il était directeur de la programmation d'une autre station de radio, les chansons STOP de Sam Brown et HÉLÈNE de Roch Voisine, croyant que ces chansons n'avaient pas assez de vie! On connaît la suite de l'histoire de ces succès monstres...!

À la décharge de ce directeur, il faut toutefois préciser qu'à ce moment-là, ces deux artistes étaient inconnus et que la politique musicale de la station était volontairement conservatrice. Son principal compétiteur était une station jouant, elle, le rôle de leader musical. À chacun son rôle!

Mais l'important, c'est que ce directeur ait rapidement réagit au succès grandissant de ces deux chansons et qu'il les ait aussitôt ajoutées sur son palmarès.

• •

Il y a une différence majeure entre avoir confiance en soi et être indûment imbu de soi-même. Ayez le triomphe modeste et, parallèlement, sachez accepter, reconnaître et corriger vos erreurs.

LE MIX MUSICAL

Les variations de rythme musical et l'ordre de présentation des différentes pièces sélectionnées contribuent à définir la personnalité de votre station.

LES ENCHAÎNEMENTS ET LA COURBE MUSICALE

Un exemple de courbe musicale pourrait être simplement ceci: on commence par une chanson mi-rythmée, on accélère graduellement le rythme puis, au sommet, on tranche avec une ballade, pour ensuite recommencer le cycle.

Le rythme et l'ambiance.

Mais peu importe votre courbe musicale (et peu importe si vous avez ou non une courbe musicale), faites attention à la qualité des enchaînements. Le passage d'une chanson à une autre doit être harmonieux. Pour ce faire, il faut avoir un peu d'oreille et de la sensibilité afin de surveiller à la fois le rythme et l'ambiance créés par les chansons. Les opérateurs de mise en ondes, s'ils sont responsables de leur sélection musicale, doivent apprendre à mixer les chansons à l'avance dans leur tête afin de procéder aux ajustements souhaitables. La variété est, bien sûr, préférable à l'ennui créé par la répétition excessive, mais un changement brusque est généralement agressant pour l'oreille de l'auditeur. La seule exception à cette règle de non-agression: celle qui vous permet de passer d'une chanson très rythmée à un «*slow* collant», le changement brusque augmentant alors l'impact émotionnel de l'arrivée de la ballade.

Contrairement à ce qui est arrivé dans certaines stations de radio après que le directeur de la programmation ait soudainement décidé de préparer une courbe musicale, cette courbe ne doit pas être coulée dans le béton en étant absolument continue d'un bout à l'autre de l'heure. Par exemple, il peut être préférable que vous reveniez d'un long bulletin de nouvelles nationales et internationales avec une chanson *Solid Gold* rythmée, peu importe ce que vous avez fait tourné avant le bulletin. La courbe peut alors reprendre n'importe où parce qu'elle a été complètement brisée par la longueur du bulletin de nouvelles.

D'autre part, la courbe musicale peut varier selon l'heure de la journée. Ainsi, une station rock sera souvent plus douce le matin en conservant les pièces plus lourdes pour les émissions rejoignant une grande majorité d'adolescents. À l'inverse, une station très relaxe mettra peut-être de côté, pour la production de l'émission réveil-matin, ses chansons trop endormantes.

LE DÉLAI FRATERNEL

En plus de prévoir la fréquence de répétition quotidienne ou hebdomadaire d'une même chanson, il faut contrôler le délai de répétition entre 2 chansons du même artiste (deux chansons-soeurs), afin d'éviter la surexposition d'un artiste et l'écoeurement que cela pourrait provoquer chez plusieurs auditeurs qui en auraient marre d'entendre trop fréquemment le même artiste.

Le délai fraternel minimal peut varier selon l'opinion qu'en a le directeur de la programmation, mais il devrait être d'au moins une heure et demie.

Encore une fois, il y a, bien sûr, des exceptions à la règle, notamment lorsque vous produisez une émission spéciale sur un artiste ou lorsque vous choisissez de diffuser en chaîne (*back to back*) deux chansons d'un même artiste. Dans ce dernier cas, la première partie du doublet constitue un excellent endroit pour présenter une nouveauté. Vous pourriez aussi tolérer les exceptions sur les chansons d'un artiste très populaire qui marque l'actualité du jour. Par exemple, le jour de l'annonce du décès de Gerry Boulet, vous pourriez décider de diffuser, à chaque heure, une chanson de cet artiste.

L'ABUS SEXUEL

Comme il peut être agaçant d'entendre trop souvent le même artiste, il peut être agaçant de n'entendre que des voix féminines ou que des voix masculines pendant un long segment horaire.

Organisez-vous donc pour alterner les voix féminines et les voix masculines.

L'HORLOGE DE PROGRAMMATION MUSICALE

Préparer une horloge de programmation musicale, c'est décider du positionnement et de la répartition horaire des différents répertoires musicaux de manière à respecter tous les critères et toutes les contraintes de programmation musicale, notamment celles reliées aux quotas de chansons d'expression française, de pièces instrumentales, de chansons-succès et de pièces musicales canadiennes. Les normes minimales hebdomadaires sont définies dans la promesse de réalisation et dans la réglementation du CRTC, mais la proportion horaire, elle, est définie par la stratégie du directeur de la programmation.

Les principales contraintes de programmation musicale ont été présentées dans le chapitre sur la programmation radio (page 62 et suivantes).

Sur l'horloge de programmation présentée à la figure 5 (page 57), nous avons défini la sélection musicale en utilisant simplement deux variables.

- La première lettre représente la langue: «F» pour française, «A» pour anglaise ou étrangère.
- La deuxième lettre définit le répertoire actuel, récent ou passé: «A», «R» ou «P», la lettre «N» précise qu'il s'agit d'une nouveauté (cette précision est apportée afin de prévoir le positionnement des chansons-nouveautés là où l'animateur est en mesure de les présenter juste avant leur diffusion).

Une horloge de programmation comme celle de la figure 5 est un outil de gestion du mix musical très pratique pour ceux qui doivent gérer leur programmation musicale sans support informatique, mais elle est loin d'être parfaite, principalement parce qu'elle ne peut pas tenir compte simultanément de tous les critères et de toutes les contraintes de programmation musicale. En fait, gérer manuellement une programmation musicale, en tenant compte de la totalité de ces critères et de ces contraintes tout en satisfaisant vos objectifs de programmation, est un véritable casse-tête!

LES RÉPERTOIRES TEMPORELS

Avant le 1er septembre 1991, le CRTC séparait les pièces musicales en 3 répertoires temporels:

- actuel, regroupant les chansons mises sur le marché au cours des 6 derniers mois;
- récent, pour les chansons de plus de 6 mois mais de moins de 2 ans;
- passé, pour les chansons de plus de 2 ans.

Même si ce système de classification n'est plus utilisé par le CRTC dans l'évaluation des promesses de réalisation des stations de radio, il demeure encore utile. D'ailleurs, plusieurs stations de radio américaines utilisent également ces divisions (*Current*, *Recurrent* et *Oldie*) même si elles n'ont jamais eu à suivre les directives du CRTC.

Le répertoire actuel est constitué grosso modo des chansons de votre palmarès passant par les cinq premières phases du cycle de vie théorique d'une chanson-succès. Les chansons des répertoires récent et passé se retrouvent, elles, dans la huitième phase de ce cycle de vie.

C'est en fonction de ces trois répertoires que nous analyserons la fréquence de diffusion et le mix horaire des chansons.

Les suggestions suivantes ne doivent servir que de point de référence et d'amorce de discussion. Elles ont été faites en fonction d'une station de radio tout à fait fictive qui aurait adopté une programmation musicale populaire misant sur les gros succès de l'heure. À vous d'adapter les principes à votre situation!

Si une station Pop peut choisir de piger 75% de sa programmation musicale dans le répertoire récent, une autre station plus Pop adulte (*AC*) peut choisir d'en diffuser seulement 30% et une autre, se spécialisant dans les succès *Gold*, 0%. De même, si une station de radio peut décider d'accorder un très haut taux de répétition à une chanson-succès du palmarès, une autre station pourrait plutôt miser sur la présentation de segments de 12 heures sans répétition de la même chanson.

LE PALMARÈS ET LES NOUVEAUTÉS

Une radio cherchant à accrocher les auditeurs avec des chansons-succès ne peut pas se permettre d'avoir un palmarès contenant plus de 40 chansons: le nombre de chansons doit être limité afin de permettre aux gros succès et aux nouveautés pouvant devenir éventuellement de gros succès, d'être diffusés plus fréquemment en ondes. C'est la marque de commerce de la formule de programmation radiophonique baptisée TOP 40 par les américains.

Il peut être difficile pour une station de radio canadienne française, travaillant simultanément avec un palmarès anglais et un palmarès français, de maintenir à moins de 40 le total des chansons sur ses deux palmarès et ses deux listes de nouveautés. Mais ce total doit quand même demeurer inférieur à 80 parce qu'une telle quantité serait beaucoup trop considérable pour permettre des niveaux raisonnables et efficaces de répétition de chaque chanson (pour diffuser chaque chanson seulement une fois par jour, il faudrait en diffuser entre 4 et 5 à chaque heure entre 6h00 et minuit). En fait, le total des deux palmarès ne devrait probablement jamais dépasser 60.

Pour gérer la fréquence de répétition en ondes, les différentes pièces musicales du palmarès et de la liste de nouveautés sont ordinairement séparées en trois groupes:

- les rotations primaires (*High rotation*),
- les rotations secondaires (*Medium rotation*) et
- les rotations tertiaires (*Low rotation*).

Ces trois groupes sont habituellement représentés par les lettres H, M et L que l'on accepte dans la langue française en prétendant qu'elles signifient respectivement Haute fréquence, Moyenne fréquence et... basse fréquence?

LES ROTATIONS PRIMAIRES

Les anglophones les appellent les *Hot Hits*. Ce sous-répertoire contient les gros succès diffusés à très haute fréquence.

Notre radio fictive... [1]

Chaque chanson de cette catégorie regroupant une quinzaine de gros succès, pourrait être diffusée jusqu'à une fois à toutes les 3 heures pour un facteur de répétition maximale de 8 fois par jour. Vous diffuseriez ainsi de 3 à 5 chansons de cette catégorie à chaque heure.

Une «très haute fréquence» peut sembler exagérée pour les oreilles d'un employé de l'industrie radiophonique qui écoute la radio à la journée longue et qui atteint son seuil de saturation bien avant l'auditeur normal qui, lui, écoute la radio deux ou trois heures par jour. Très peu d'individus entendront ces chansons plus de 2 fois par jour mais bien des auditeurs se plaindraient de ne pas les entendre au moins une fois! En fait, l'auditeur moyen serait très heureux d'entendre sa chanson favorite dès l'instant où il ouvre son récepteur radio et à chaque fois qu'il l'ouvre!

Les plaintes des auditeurs quant à la trop haute fréquence de répétition d'une chanson peuvent être reliées, notamment, au fait que:

- certaines chansons en rotation primaire ne devraient pas être dans cette catégorie (notez quelles chansons ou quel type de chansons font le plus souvent l'objet de ces plaintes);
- l'auditeur en question fait partie de la catégorie exceptionnelle des gens qui écoutent la radio presque continuellement, comme vous. Vous n'y pouvez pas grand chose! Les stations de radio à répertoire procurent généralement plus de satisfaction à ces gens.

Dans cette catégorie de rotation, les opérateurs de mise en ondes ne devraient avoir aucune liberté. La fréquence de diffusion de ces chansons est trop élevée et le délai entre deux répétitions, trop court pour que l'on puisse se permettre de laisser la diffusion de ces pièces musicales au gré de chacun.

LES ROTATIONS SECONDAIRES

Ce sous-répertoire est constitué de la majorité des autres chansons sur le palmarès et sur la liste des nouveautés, celles qui n'ont pas été admises dans le club sélect des rotations primaires. Il comporte des chansons dans leur phase de lancement, de couvaison, d'ascension, de maturité et de descente.

Les chansons de cette catégorie sont diffusées moins fréquemment que celles en rotation primaire.

Note

(1) Dans les prochains exemples, les chiffres suggérés pour le répertoire actuel sont basés sur une liste de rotation de 60 titres regroupant les listes de nouveautés et les palmarès tant anglais que français. Ainsi, si on suggère qu'il y ait une dizaine de titres dans une catégorie quelconque, cela signifie un total de dix titres français et anglais.

Personne ne se plaint d'entendre trop fréquemment «sa» chanson favorite.

Notre radio fictive...

Chaque chanson pourrait être diffusée entre une fois à toutes les 5 heures et une fois à toutes les 9 heures, ce qui ferait qu'en moyenne, chaque chanson de cette catégorie serait diffusée de 2 à 3 fois par jour et vous retrouveriez entre 2 et 4 chansons de ce groupe, dans chaque heure.

Dans cette catégorie, il peut être avantageux d'accorder un peu de liberté aux animateurs et aux opérateurs de mise en ondes. Cela permet de mieux personnaliser chaque émission, de répondre plus facilement aux demandes spéciales des auditeurs et de mieux évaluer les chansons en ascension qui devraient se retrouver la semaine suivante dans les rotations primaires.

LES ROTATIONS TERTIAIRES

Cette troisième et dernière catégorie regroupe principalement les chansons dans leur phase de couvaison ou de descente.

Cette catégorie est particulièrement nécessaire pour les gros succès usés qui pourraient être enlevés du palmarès, la majorité des gens étant écœurés de les entendre, mais qui obtiennent encore la faveur d'un certain nombre d'auditeurs «accrochés».

Notre radio fictive...

Chaque chanson de ce sous-répertoire pourrait être diffusée entre une fois à toutes les 7 heures et une fois par jour. Comme vous ne devriez pas avoir plus d'une dizaine de chansons dans ce sous-répertoire, vous ne devriez pas diffuser plus d'une chanson de cette catégorie par heure.

LES SOUVENIRS RÉCENTS

Une chanson retirée du palmarès après avoir connu un certain succès n'est pas automatiquement ajoutée à la liste du répertoire récent (les chansons-souvenirs) tout comme, d'ailleurs, une chanson inscrite sur la liste des nouveautés n'est pas nécessairement admise ultérieurement sur le palmarès. Pour être diffusée en souvenir, une chanson doit avoir été un vrai gros succès et doit être facilement identifiable par la très grande majorité des gens. En fait, une chanson qui n'a pas atteint les 10 premières positions du palmarès et qui n'a jamais fait partie des rotations primaires, ne devrait peut-être pas être ajoutée à votre liste de chansons-souvenirs.

D'ailleurs, puisqu'il y a un plus grand nombre de chansons récentes et passées que de chansons actuelles et, peut-être, puisque vous diffusez une plus grande proportion de chansons actuelles que de chansons récentes et passées, vous n'avez pas besoin d'ajouter à votre liste de souvenirs toutes les chansons retirées du palmarès.

Notre radio fictive...

Chaque chanson de ce répertoire pourrait avoir une fréquence de répétition maximale de 2 fois par semaine. Vous pourriez diffuser 1 et 2 chansons de cette catégorie par heure.

À chaque fois qu'une chanson de ce répertoire est diffusée, elle devrait l'être à une heure différente de la fois précédente, de manière à maximiser les chances de rejoindre, à chaque fois, un public différent.

Les souvenirs passés

Ce répertoire est constitué des chansons qui ont vieilli en atteignant un statut de chanson «classique». Les américains les ont décorées de la couleur *Gold*.

Il revient à vous de décider quand une chanson passera des souvenirs récents aux souvenirs passés mais pour cela, il devrait s'être écoulé au moins deux ans depuis sa sortie du palmarès.

D'autre part, même si vous avez bien fait votre boulot dans la gestion des répertoires précédents, vous devrez encore retirer des ondes quelques chansons prêtes à passer du répertoire récent au répertoire passé. Des chansons qui ne «passent plus». Comme un vin qui a mal vieilli. Il se peut aussi, comme nous en avons déjà parlé, que vous ayez à en sortir des boules à mites pour satisfaire les goûts changeants de vos auditeurs ou lorsque l'actualité le justifie. Certaines chansons des années 70, qui avaient disparu au cours des années 80, sont revenues en ondes dans les années 90 en véhiculant avec elles une forte dose d'émotion pour les jeunes adultes qui étaient adolescents lorsque ces chansons tournaient dans les salles de danse.

> Comme un vin qui a mal vieilli...

Notre radio fictive...

Chaque chanson de ce répertoire pourrait avoir une fréquence de répétition maximale d'une ou deux fois par mois. Vous pourriez diffuser 1 ou 2 chansons de cette catégorie par heure.

Le passé revient...

Il serait très pratique que votre système de classification des souvenirs passés vous permette de savoir à quelle période de l'année une chanson-souvenir a été au sommet de sa popularité: au printemps, au milieu de l'hiver, à Noël, à Pâques. Le but d'une chanson-souvenir étant de rappeler des moments passés, l'effet de rappel sera probablement beaucoup plus fort, émotionnellement, s'il se situe approximativement dans la même période de l'année. Les chances de «connexion émotive» seront quintuplées!

Et c'est la «connexion émotive» qui engendre les réactions du type «Oh Oui! Te rappelles-tu de cette chanson-là, mon amour?» suivies du réflexe naturel d'augmenter le volume. La faible fréquence de répétition en ondes contribue aussi à la création de cet impact.

LA PRÉPARATION DU PALMARÈS

Vous disposez de cinq sources principales d'informations pouvant vous aider à évaluer le potentiel d'une chanson et à déterminer celles que vous ajouterez sur votre palmarès:

- les compilations de palmarès radio des magazines spécialisés,
- les résultats de vente de disques,
- les demandes effectuées par les auditeurs sur la ligne musicale,
- vos propres sondages de popularité des chansons,
- les activités des autres médias.

L'information extraite de ces sources ne doit toutefois pas être traitée comme sacrée. C'est vous et votre oreille qui devez prendre la décision finale.

Cette section sur la préparation du palmarès est complémentaire à celle sur la sélection musicale (page 200).

LES COMPILATIONS RADIO DES MAGAZINES SPÉCIALISÉS

Les compilations de palmarès radio, comme celles de RADIOACTIVITÉ, de THE RECORD, de RPM et de RADIO & RECORD, vous permettent de bénéficier de l'oreille professionnelle de nombreux autres directeurs musicaux. Mais ces compilations ne doivent quand même être que des outils de travail et non des bibles de programmation musicale. N'allez surtout pas faire d'accroc à votre programmation simplement parce que les palmarès nationaux vous font mal paraître, d'autant plus qu'il existe de nombreuses failles dans ce système de compilation.

Quelques problèmes inhérents aux compilations radio:

La représentativité de la compilation.

En étant le résultat d'une recette plus ou moins secrète, dont les ingrédients sont les palmarès de plusieurs stations de radio, ces compilations en viennent à n'être le reflet d'aucune programmation spécifique. Vous trouverez très peu de stations de radio faisant jouer les 40 premières positions du palmarès radio de RADIOACTIVITÉ.

Les palmarès plus spécialisés, comme ceux du magazine américain BILLBOARD, sont quand même un peu plus représentatifs d'une formule spécifique de programmation, puisqu'ils séparent les différents styles musicaux au grand dam, d'ailleurs, des artisans de la musique.

La fiabilité des palmarès reçus par le magazine.

En consultant ces compilations, il faut savoir lire entre les lignes et juger de la signification réelle d'une inscription sur un palmarès. Par exemple, une station de musique relaxe peut rapporter sur son palmarès une chanson plutôt douce d'un groupe *Heavy Rock*, même si cette chanson n'est jouée que très rarement et a été *éditée* pour éliminer le solo de guitare électrique placé, comme dans la plupart des chansons (quelle originalité!), au début du dernier tiers de celle-ci.

D'autre part, il faut savoir que certains directeurs musicaux mentent volontairement dans leur rapport aux compagnies de disques et aux magazines spécialisés. Trois raisons motivent principalement ces gens à mentir: la paix, l'ego et les cadeaux! Jetons un coup d'oeil sur chacune de ces raisons.

D'abord, en rapportant la chanson même s'ils ne la jouent pas, ils peuvent ainsi se débarrasser de l'agent de promotion qui ne cesse de les harceler tant que la chanson n'est pas ajoutée à leur palmarès ou à leur liste de nouveautés. Ils peuvent ainsi avoir la paix!

Ensuite, comme plusieurs directeurs ont peur d'avoir l'air ignorant ou à contre-courant et qu'ils préfèrent s'attribuer une image de spécialiste capable de prévoir les tendances et les succès, il arrive que certains d'entre eux rapportent une chanson, puis attendent de voir ce qui se passera avec elle dans les autres stations de radio avant de véritablement commencer à la jouer en ondes.

Finalement, certains directeurs musicaux accepteront de déclarer une chanson sur leur palmarès officiel, même si elle ne tourne pas, en échange de cadeaux. Évidemment, plus l'enjeu est grand, plus les cadeaux sont beaux. Il paraît que l'argent, la drogue, les voyages et les petites soirées spéciales s'échangeraient allègrement quoique les plus diplomates offriraient plutôt des entrevues exclusives, des billets de premier choix pour des spectacles et des albums à édition limitée!

La fiabilité du magazine.

Certaines publications spécialisées vivent exclusivement grâce à la publicité placée dans leurs pages par les compagnies de disques, les abonnements ne représentant qu'une faible proportion des revenus. Et comme la préparation du rapport est souvent laissée à l'entière discrétion du rédacteur, qu'aucun code d'éthique ne guide son action et qu'il est impossible de vérifier les procédures de compilation... on peut certes, quelquefois, se poser des questions!

Une utilisation abusive de ces compilations dans la préparation de votre propre palmarès créerait forcément une problématique similaire à celle de l'oeuf et de la poule. Qu'est-ce qui est venu en premier, l'oeuf ou la poule? Si la chanson n'est pas inscrite sur les palmarès nationaux, les stations de radios ne la jouent pas; mais si les stations de radios ne la jouent pas, la chanson ne sera jamais inscrite sur ces compilations radio! Il faut pourtant que quelqu'un quelque part parte le bal, enclenche le mécanisme. C'est votre rôle si votre station désire exercer un leadership musical.

Les compilations radio des magazines spécialisés constituent quand même un outil de travail très pratique, principalement pour l'évaluation des tendances. Après tout, il existe des éditeurs de magazines intègres qui veulent poursuivre leur carrière dans cette industrie et même le directeur musical le plus menteur doit conserver un certain degré de vérité dans son palmarès pour camoufler son jeu!

Les palmarès des magazines américains et européens vous permettent de prévoir certaines tendances à plus long terme en évaluant le succès, là-bas, de plusieurs chansons avant qu'elles ne soient disponibles sur le marché canadien.

Bref, vous devriez au moins utiliser ces palmarès pour décider quelles nouvelles chansons vous écouterez en premier!

LES PALMARÈS DE VENTE

Les palmarès dressant la liste des disques les plus vendus dans les semaines précédentes peuvent être un outil utile pour évaluer les goûts du public. Mais comme les gens achètent généralement un disque après en avoir entendu plusieurs extraits à la radio, vous ne pourrez pas vraiment vous servir de ces palmarès pour vous aider à choisir quelles chansons ajouter sur votre palmarès. À moins, bien sûr, que vous ayez une programmation musicale très conservatrice ou misant strictement sur les succès-souvenirs. En générale, ces palmarès vous aident plutôt à évaluer jusqu'où et à quelle vitesse une chanson montera sur votre palmarès ou pendant combien de temps elle s'y maintiendra.

Il faut aussi être conscient que seul un segment de votre public-cible achète des disques. Certaines chansons sont de gros succès radio mais ne se vendent pas parce qu'elles sont populaires auprès de gens qui n'achètent presque jamais d'albums. Si cette caractéristique est propre à votre public-cible, vous ne pouvez certes pas vous fier au palmarès des ventes pour juger de la cote d'amour de l'artiste auprès de votre public!

À l'inverse, certains acheteurs de disques ne veulent pas de chansons dites «commerciales». Certains microsillons *best sellers* sont achetés par des mordus d'un certain type de musique qu'ils écoutent en privé et qu'ils n'ont pas nécessairement le goût d'entendre à la radio. D'autant plus que, s'ils entendaient ces chansons à la radio, cela deviendrait trop «commercial» pour eux!

D'autre part, les palmarès de vente d'albums publiés dans les magazines spécialisés, en plus d'avoir tous les désavantages énoncés précédemment dans le cas des compilations de palmarès radio, font face à un problème d'échantillonnage parce qu'il est techniquement impossible de demander à tous les détaillants de rapporter leurs chiffres de vente. De plus, comme presqu'aucun détaillant de disques canadiens ne tient de registre complet sur le nombre de disques vendus par titre d'album, les informations fournies sont forcément imprécises et d'ailleurs, souvent, livrées de mémoire. C'est ce que soulignait Chantale Reid, directrice générale de Distribution Trans-Canada, dans une entrevue au journal LA PRESSE en février 1992:

> «Nous croyons que les acheteurs (...) vont au *feeling* plutôt que de parler des ventes véritables. De toute façon, ils n'ont pas les outils nécessaires pour le faire.»[1]

L'évolution technologique devrait éventuellement avoir raison de ce problème, comme l'expliquait le président-fondateur du magazine RADIOACTIVITÉ, Luc Martel, lorsqu'il déclarait que «la façon idéale d'obtenir des résultats précis est celle du *bar code* inscrit sur chaque produit et recensé par lecture informatique.»[2] L'information pourrait alors être obtenue par titre d'album, de façon très précise. Déjà, aux États-Unis, le magazine BILLBOARD a commencé à recueillir des données à l'aide de ces codes à bâtonnets et d'un système informatisé. Mais ce n'est pas demain la veille du jour où l'on pourra compter sur un tel équipement chez la majorité des détaillants de disques québécois et canadiens!

LA RÉALISATION D'UN SONDAGE RÉGIONAL DE VENTE

S'il est vrai que les palmarès de vente constituent un indice de popularité, il est certes encore plus vrai que les ventes d'albums dans votre région sont beaucoup plus significatives pour vous que celles effectuées à 500 milles de là! Les gens de votre région peuvent avoir des goûts très spécifiques.

En attendant qu'un magazine canadien se donne la peine de fournir des compilations régionales de vente, vous pourriez procéder vous-même à la mise sur pied d'un système de sondage local ou régional des ventes de disques. Comme les ventes de simples sont, à toute fin pratique, mortes, il vous sera possible de vous limiter aux ventes d'albums.

Étapes de réalisation d'un sondage des ventes de disques:

La liste.

La première étape consiste à dresser la liste de tous les magasins de disques de votre municipalité ou votre région et de les visiter un par un. À moins, bien sûr, que vous ne soyez dans une municipalité comme Montréal où il y en a peut-être un peu trop!

En effectuant cette tournée de paroisse, incognito, notez les magasins qui semblent avoir le plus grand nombre de clients correspondant au profil-type de vos auditeurs, dans le but de choisir les magasins que vous voudriez compter parmi vos collaborateurs. Dans une petite localité, vous aurez toutefois avantage à conserver tous les magasins sur votre liste, afin d'éviter de froisser quelqu'un que vous pourriez rencontrer à la messe du dimanche!

Le contact.

Lors d'une première visite officielle, sur rendez-vous, présentez-vous au gérant ou au propriétaire de chaque magasin que vous avez conservé sur votre liste.

Expliquez-lui que vous désirez établir un contact hebdomadaire pour compiler les résultats des ventes de disques de la semaine dans votre

Citations

[1] Déclaration extraite d'un article du journaliste Alain BRUNET, Le palmarès du disque de Radio Activité mis en doute par le milieu, journal LA PRESSE de Montréal, mardi 4 février 1992, p. A9.

[2] Ibid.

Les gens de votre région peuvent avoir des goûts très spécifiques.

région en lui précisant que ces informations seront évidemment confidentielles. Expliquez-lui que vous désirez obtenir l'autorisation de parler à un de ses vendeurs, à peine quelques minutes par semaine, en précisant que vous ne téléphonerez pas durant les heures de grande affluence.

En retour, vous lui expédierez votre palmarès et vous lui garantirez votre collaboration s'il a besoin d'information dans le domaine musical. Vous pourriez aussi discuter avec le directeur des ventes de votre station de la possibilité d'accorder à ces commerces quelques messages publicitaires gratuits.

Il est préférable que votre contact hebdomadaire soit effectué auprès d'un vendeur plutôt qu'auprès du propriétaire. Le vendeur sera plus disponible, moins porté à déformer les chiffres pour favoriser ses ventes et probablement plus fier d'être un collaborateur de votre station.

Le type de vendeur recherché est une personne travaillant à temps plein dans le rayon des disques, qui sait quel album *Heavy Rock* se vend à des adultes et quel microsillon Country se vend à des adolescents.

La relation.

Établissez un contact personnel avec le vendeur choisi. Invitez-le à prendre un café pour discuter du but de votre démarche. Amenez-le visiter votre station.

Expliquez-lui que vous désirez obtenir, hebdomadairement, la liste des 10 ou 20 albums qui ont été le plus en demande durant cette semaine-là. Cette liste doit tenir compte conjointement des disques audionumériques, des disques traditionnels en vinyle (s'il y en a encore) et des cassettes. Précisez-lui qu'une fois l'habitude prise, cet exercice hebdomadaire ne requiert pas beaucoup de temps.

L'horaire.

Choisissez avec lui le meilleur moment pour lui téléphoner. Et téléphonez-lui à chaque semaine, à cette heure-là, ce jour-là. Ne manquez pas une seule semaine. Si vous n'êtes pas constant, il en viendra à croire que ce rapport n'est finalement pas important pour vous et il le négligera.

À chaque appel, ayez la politesse de vérifier s'il a le temps de vous parler. Sinon, rappelez plus tard, à sa convenance.

La collecte.

Lors de vos courtes conversations téléphoniques, laissez votre collaborateur parler librement. Essayez d'obtenir des détails sur le type de personnes qui achètent les disques sur sa liste des meilleurs vendeurs. Au fil des semaines, les informations qui vous seront fournies deviendront de plus en plus précises.

La compilation.

Recueillez les données en utilisant une feuille séparée en trois colonnes: une, pour le nom de l'album; une autre, pour indiquer si le volume des ventes est en hausse, en baisse ou stable; et une dernière, pour noter quel type de clientèle achète ce disque.

L'analyse.

Finalement, lorsque vous avez en main les données de tous vos collaborateurs, regardez-les et tentez d'en tirer des conclusions pour votre propre palmarès, en vous rappelant toutefois que cela ne constitue qu'un indice de popularité auprès d'un certain type de personnes.

La réalisation de cette compilation régionale ou locale pourrait simultanément vous fournir un excellent outil promotionnel. Vous établirez des relations avec des individus en contact direct avec vos auditeurs. Et vous pourriez convaincre les détaillants de disques d'afficher votre palmarès dans leur magasin (avec comme raison officielle d'aider leurs clients à identifier plus facilement le nom de l'artiste recherché ou le titre de la chanson désirée), vous procurant ainsi de la publicité (placez votre logo et votre indicatif d'appel bien en vue sur le palmarès). Pour que votre palmarès leur soit utile, vous devrez leur fournir un palmarès incluant le titre de l'album duquel la chanson est extraite.

La ligne musicale

Les demandes de chansons effectuées par les auditeurs vous téléphonant sur la ligne musicale, constituent une source valable d'informations pouvant notamment vous indiquer quelles nouveautés semblent le plus plaire à ceux-ci. Mais encore une fois, vous ne pouvez pas vous fier uniquement à cette source d'informations puisque les personnes téléphonant ne constituent fort probablement pas un échantillon représentatif de l'ensemble de vos auditeurs.

L'utilisation du registre des appels a été expliquée dans le chapitre sur l'animation, dans la section sur la gestion du téléphone (page 124).

Pour utiliser cette source d'informations, vous devrez vous assurer que les animateurs et les opérateurs de mise en ondes prennent au sérieux le registre des appels et le remplissent. Pour prouver son importance, prenez l'habitude de récupérer les feuilles de ce registre à chaque matin, à votre arrivée à la station.

Les tests de marché

Les tests de marché constituent une méthode d'évaluation des chansons qui a été très largement utilisée aux États-Unis et au Canada anglais mais très peu au Québec.

Comme il s'agit, en fait, d'un sondage d'opinions, cette méthode comporte tous les avantages et désavantages des sondages, notamment les problèmes reliés à l'échantillonnage. Vous risquez surtout de faire évaluer votre programmation musicale par des gens qui ne l'écoutent pas et ne l'écouteront jamais!

Mais vous risquez aussi d'évaluer le niveau d'appréciation d'une chanson auprès de personnes n'ayant entendu celle-ci qu'une ou deux fois, ce qui est tout à fait insuffisant pour se faire une idée valable d'une chanson.

En fait, l'utilité principale de ces sondages réside dans l'évaluation du niveau moyen de saturation des gens face aux gros succès présents sur votre palmarès depuis un bon bout de temps. Les gens reconnaissant rapidement la chanson, ils pourront vous dire s'ils sont écoeurés de l'entendre ou non.

Quelques méthodes de test de marché:

Le forum public.

La méthode consiste à rassembler des gens dans un auditorium (en les invitant par la poste ou par téléphone) ou d'accoster des gens dans un corridor de centre commercial pour leur faire écouter des chansons et les faire voter «pour» ou «contre». Attendez-vous à ce que vos candidats soient influencés par leurs amis ou les autres personnes les entourant.

Certains directeurs de la promotion affirment que cette méthode est d'un goût plutôt douteux. Sortir en public pour prouver à tout le monde que vous ne savez pas quoi faire tourner en ondes... et que vous vous fiez à n'importe qui pour trancher...

Le sondage par téléphone.

Faire écouter par téléphone des extraits de chansons à un échantillon de votre auditoire-cible est une méthode qui exige évidemment beaucoup de temps.

Par téléphone, vous ne pouvez qu'évaluer le niveau de saturation des gros succès facilement identifiables, la qualité des lignes téléphoniques n'étant pas toujours idéale pour l'écoute musicale!

Le sondage par la poste.

C'est la seule des trois méthodes permettant d'évaluer des nouveautés, car c'est la seule qui permet aux personnes répondant au sondage d'écouter la chanson plus d'une fois. Et c'est une méthode qui peut encourager certaines personnes à vous écouter plus fréquemment.

L'idée, c'est simplement d'envoyer une liste de chansons, par exemple la liste des nouveautés que vous tournez en ondes, à quelques individus qui écoutent régulièrement votre station, en leur demandant de remplir le questionnaire sur une période quelconque (une semaine, par exemple). Le questionnaire est très simple à remplir. Il s'agit simplement, pour celui qui le remplit, de cocher, pour chaque titre de chanson, s'il l'aime beaucoup, un peu, pas beaucoup, vraiment pas ou s'il est indifférent ou encore indécis.

Pour procéder à ce sondage, établissez une liste d'individus intéressés à remplir votre questionnaire environ une fois par mois, puis divisez cette liste en quatre afin de procéder à un sondage chaque semaine. Évidemment, vous avez avantage à imaginer une raison valable pour laquelle ces gens accepteraient d'écouter votre station pendant de longues heures et de remplir ce questionnaire pour vous!

LES AUTRES MÉDIAS

Si le portrait-type de votre auditeur est celui d'un individu porté à lire les chroniques culturelles publiées dans les journaux ou à écouter les émissions de variétés à la télévision, il sera certes essentiel pour vous d'en tenir compte. Par exemple, il peut être avantageux pour vous d'attendre que l'artiste et la chanson aient été respectivement vu et entendue à la télévision, en tournée de promotion, avant de l'ajouter à votre liste de nouveautés. Cela pourrait aider à réduire l'impact négatif d'un non-succès.

De plus, les vidéos ayant pris au cours des dernières années une place de plus en plus marquante dans le processus d'introduction des nouveautés, les stations de radio dont le public-cible est similaire à celui de Musique Plus ne peuvent plus ignorer l'impact de cette station de télévision spécialisée sur les goûts de leurs auditeurs même si, sous plusieurs aspects, cette station est un compétiteur pouvant éventuellement nuire à leur cote d'écoute.

D'autre part, les autres stations de radio écoutées dans votre marché ont aussi de l'influence sur vos auditeurs, à moins que 100% de votre auditoire soit captif (n'écoute jamais une autre station de radio), ce qui est virtuellement impossible depuis l'arrivée du câble et depuis que le CRTC a distribué des licences presque partout où il y avait des marchés monopolistiques.

L'ÉCOUTE ACTIVE

Il est évident qu'il n'existe aucun système infaillible pour prédire un succès. Mais il existe une méthode infaillible de faire de nombreuses erreurs: celle consistant à écouter et à juger les nouveautés dans votre bureau après une seule séance d'audition ou, pire encore, après n'avoir écouté que les premières 30 ou 60 secondes de la chanson.

Pour juger adéquatement de l'effet qu'aura une chanson sur vos auditeurs, vous devez l'écouter dans une situation similaire à celle dans laquelle vos auditeurs se trouveront lorsqu'ils l'écouteront.

Pour ce faire, établissez, une fois par semaine, la liste des nouvelles chansons que vous voulez écouter. Vous pourriez dresser cette liste en utilisant les cinq sources d'information décrites dans les paragraphes précédents, dans le but de choisir les chansons dont les chances de succès sont les meilleures.

Copiez ensuite ces chansons sur une cassette dans un ordre aléatoire et apportez cette cassette avec vous, partout. Écoutez-la pendant quelques jours dans l'auto, en déjeunant, en faisant votre jogging, en lisant votre journal ou en pratiquant toute autre activité vous permettant normalement d'écouter la radio. Cette méthode vous permet d'assimiler les chansons comme le feraient vos auditeurs.

> **Assimilez les chansons comme le feraient vos auditeurs.**

Certaines chansons seraient désavantagées d'être jugées à la première écoute. D'autres, au contraire, paraissent bonne au début mais finissent par taper royalement sur les nerfs. La meilleure chanson est celle que vous vous surprenez soudainement à fredonner après quelques séances d'écoute.

Ce système n'est pas infaillible, mais il contribue à réduire les erreurs de jugement.

LE SYSTÈME DE GESTION DE LA PROGRAMMATION MUSICALE

SYSTÈME MANUEL

Il existe presqu'autant de systèmes manuels de gestion de la programmation musicale qu'il existe de stations de radio utilisant un système manuel. Il n'est particulièrement pas facile d'établir l'équilibre entre l'efficacité d'un système manuel de sélection et sa simplicité de fonctionnement.

Une suggestion de grille quotidienne de sélection des chansons du palmarès est proposée à la figure 14.

Quant à la sélection des chansons-souvenirs, un système classique de sélection par les opérateurs de mise en ondes est celui utilisant des cartes-fiches (*Index Cards*) de type ROLODEX sur lesquelles sont inscrits le titre de la chanson et le nom de l'interprète: une carte-fiche par chanson. Ces cartes sont placées dans des fichiers situés à côté de la console de mise en ondes: un fichier pour les souvenirs récents et un pour les souvenirs passés (le tout multiplié par deux pour l'anglais et le français).

Lorsque vient le temps, selon ce qui a été prévu à la programmation, de diffuser une chanson-souvenir, l'opérateur de mise en ondes choisit parmi les 4 premières cartes du fichier en question, diffuse la chanson ainsi choisie et place la carte à la fin du fichier.

Palmarès

JOUR: L M M J V S D

No	ARTISTE / Titre	Cat	Heures																						
			24	1	2	3	4	5	6	7	8	9	10	11	12	13	14	15	16	17	18	19	20	21	22	23
1																										
2																										
3																										
4																										
5																										
6																										
7																										
8																										
9																										
10																										
11																										
12																										
13																										
14																										
15																										
16																										
17																										
18																										
19																										
20																										

Nouveautés

No	ARTISTE / Titre	Cat	Heures																						
			24	1	2	3	4	5	6	7	8	9	10	11	12	13	14	15	16	17	18	19	20	21	22	23
1																										
2																										
3																										
4																										
5																										

Nombre maximal de répétitions quotidiennes.	PRIMAIRE:		Délai minimal (en heures) entre 2 diffusions de la même chanson.	PRIMAIRE:
	SECONDAIRE:	COMMUNICARE		SECONDAIRE:
	TERTIAIRE:			TERTIARE:

Figure 14 Grille de sélection manuelle des chansons du palmarès

SYSTÈME INFORMATISÉ

Alors que les coûts d'acquisition d'un système informatisé fondent comme neige au soleil, de plus en plus de stations de radio optent pour une sélection musicale préparée à l'avance par ordinateur.

La présélection musicale allège considérablement la tâche des opérateurs de mise en ondes en plus de faciliter la préparation des rapports de diffusion pour les associations de droits d'auteur et d'assurer un meilleur contrôle des contraintes imposées par le CRTC, ce qui justifie largement le désavantage de n'être plus en mesure, dans certains cas, de répondre aussi rapidement et facilement aux «demandes spéciales» formulées par les auditeurs. L'animateur radio perd aussi, bien sûr, un moyen de personnaliser un tant soit peu son émission.

La présélection par ordinateur simplifie considérablement la tâche du directeur musical. C'est une méthode particulièrement utile dans la gestion de la programmation musicale de stations de radio qui ont des émissions locales et des émissions en provenance de la station-tête du réseau. Il serait presque impossible, manuellement, de garantir qu'il n'y aurait pas de répétitions abusives de pièces musicales ou de chansons laissées pour compte sur les ondes de la station occasionnellement répétitrice.

Il y a à peine quelques années, il n'existait aucun logiciel de programmation musicale qui tenait efficacement et simultanément compte de toutes les contraintes imposées par le CRTC et de toutes les règles de base de la programmation musicale. Ce qui faisait dire à plusieurs intervenants de l'industrie que ces systèmes ne seraient jamais vraiment utiles (même si aucun système manuel n'en assurait non plus le respect!). Mais l'évolution rapide, au cours des dernières années, des logiciels et des ordinateurs, a fourni à ces systèmes des capacités hallucinantes! Ils peuvent notamment constituer le cerveau d'un système automatisé de diffusion de la musique en ondes. Non seulement vous n'avez plus à sélectionner la musique, vous n'avez même plus à la mettre en ondes!

Évidemment, un tel système ne pourra être efficace que si vous développez une connaissance approfondie du logiciel et que vous établissez clairement les règles et les critères à inclure dans le logiciel pour définir votre personnalité musicale.

Quelques points à respecter pour maximiser l'efficacité d'un système informatisé de programmation musicale:

Le chef

Il ne doit y avoir qu'une seule personne en charge de ce système, de façon à ce que les données entrées dans le système le soient toujours sous la même forme et selon les mêmes variables. Assurez-vous toutefois qu'une deuxième personne soit fréquemment informée des modifications au système: celle-ci doit pouvoir faire fonctionner adéquatement le système, au cas où la première personne serait congédiée ou décéderait!

La systématisation

Avant de faire exécuter quoi que ce soit par l'ordinateur, vous devez déterminer ce que vous voulez! De façon claire, précise et autant que possible, simple.

Le suivi

Vous ne pouvez vous accorder aucun instant de répit. Faites la surveillance comme si vous utilisiez un système manuel. Cherchez à détecter et à corriger les erreurs de l'ordinateur comme vous cherchiez celles des opérateurs de mise en ondes.

La connaissance

Pour obtenir de bons résultats, vous devez maîtriser le logiciel utilisé. Vous ne pouvez pas vous contenter de lire brièvement les quelques instructions apparaissant à l'écran de l'ordinateur. Vous devez lire toute la documentation et, surtout, expérimenter.

L'excellence

Il n'y a pas de place pour les compromis! Votre système informatisé doit être adapté à vos besoins spécifiques et accomplir tout ce que vous voulez. Évitez les solutions toutes prêtes. La «production sur mesure» fait d'ailleurs partie des ingrédients du succès dans les années 90!

Et ne vous limitez pas simplement à choisir le logiciel et l'équipement. Évaluez la qualité et la disponibilité du service après-vente. Vous aurez besoin d'aide pour implanter votre système et pour obtenir des mises-à-jour du logiciel.

CHAPITRE 6

LA PROMOTION

«Ce que vous faites en ondes n'est que la moitié de l'oeuvre; l'autre moitié, c'est de dire aux gens que vous le faites.»[1]

Comme un auteur qui «écrit pour être lu»[2], vous produisez des émissions pour être entendu. Vous ne pouvez pas vous contenter d'améliorer votre programmation et d'attendre que les gens «viennent voir» comme vous êtes bon. Il est de votre devoir de rejoindre, en dehors des ondes, le public ciblé et de le convaincre d'essayer votre produit.

[1] Traduction libre d'un extrait du livre de Bob PAIVA, The Program Director's Handbook, Tab Books, États-Unis, 1983, p. 38.

[2] Ibid., p. 44.

Amener les gens à écouter votre station est le rôle de la promotion; les convaincre d'y rester, ou d'y revenir régulièrement, est principalement celui de la programmation, quoique la promotion intervienne aussi sur ce plan-là.

Par définition, la promotion englobe toutes les facettes de la publicité de votre station, toutes les activités promotionnelles réalisées, tous les efforts de relations publiques déployés et tous les concours promotionnels diffusés en ondes.

Au cours des dernières années, la compétition de plus en plus féroce entre les différents types de média et entre les stations de radio elles-mêmes, a catapulté la promotion à l'avant-scène de l'activité des entreprises de radiodiffusion. Une bonne promotion est devenue aussi essentielle qu'une bonne programmation et une bonne équipe de vente. Il est fini le temps où le directeur de la programmation, concentrant la majeure partie de son temps à la sélection musicale, pouvait simplement acheter quelques pages de publicité dans les journaux, placer quelques affiches ici et là et donner quelques dollars en cadeaux, de temps à autre, à ceux qui téléphonaient. L'augmentation du niveau de compétition entre les stations de radio a simultanément fait augmenter le niveau de sophistication de leurs dirigeants!

Tout comme les annonceurs publicitaires ont de plus en plus de difficulté à rejoindre le consommateur sursaturé de messages publicitaires, il devient de plus en plus difficile pour vous de rejoindre ce même consommateur pour lui vendre votre produit: votre programmation. Vous devez donc impérativement faire preuve d'ingéniosité dans vos démarches promotionnelles et vous assurer d'avoir préalablement très bien défini le marché que vous allez envahir. Ne surestimez surtout pas la connaissance que peuvent avoir les gens de votre existence. Vous seriez surpris du nombre de gens qui n'ont aucune idée de qui vous êtes. «C... quoi?»

LE CONTEXTE

LE RESPONSABLE DU MARKETING ET DE LA PROMOTION

Autres informations

La dualité du produit radio est représentée à la figure 1 (page 22).

Au cours des années 80, on a régulièrement vu (probablement parce que le mot marketing était soudainement devenu à la mode) le directeur des ventes devenir soudainement le directeur du marketing. Pourtant, marketing n'est aucunement synonyme de vente... Et encore moins dans une industrie où le produit est double.

Pour qu'un seul directeur du marketing soit engagé, il faudrait que celui-ci soit capable de jongler avec les deux aspects du marketing de la radio. Mais celui-ci deviendrait alors, par l'étendue et l'importance de son rôle, un directeur général adjoint. Une solution plus simple est d'adjoindre au directeur général deux spécialistes: le directeur des ventes, également directeur du marketing du produit destiné aux clients-annonceurs; et le directeur de la programmation, aussi directeur du marketing, mais du produit destiné aux clients-auditeurs. Ces deux individus doivent, de toute façon, avoir une solide formation en marketing. Par surcroît, et dans un tel organigramme, ces deux individus doivent être capable de travailler très efficacement en équipe, de façon à ce que l'équation du produit radio fonctionne suffisamment bien pour générer des profits.

La promotion destinée aux auditeurs, même si elle nécessite souvent la pleine collaboration des vendeurs, devrait toujours être sous la responsabilité du directeur de la programmation. C'est lui qui connaît le mieux le public-cible visé par sa programmation et qui est, par le fait même, le plus apte à définir des promotions venant appuyer ses efforts de programmation.

Parallèlement, les promotions destinées aux clients doivent être la responsabilité du directeur des ventes qui connaît les attentes de ses clients et les promotions offertes par les autres médias en compétition avec vous pour les dollars publicitaires.

La promotion est un emploi à temps plein.

Mais ensuite, une fois que les objectifs du marketing des deux volets de votre produit sont bien définis, vous devriez pouvoir compter sur un chef des promotions pour s'occuper quotidiennement de la promotion. Oui, la promotion est un emploi à temps plein. Ne faites surtout pas l'erreur d'effectuer des efforts promotionnels seulement durant les périodes de sondage de cotes d'écoute. Si vous perdez du terrain pendant trois mois, vous ne le regagnerez pas en six semaines. Il est normal de fournir les plus gros efforts durant ces périodes de sondage, mais il n'est pas permis de faire relâche entre celles-ci.

L'individu parfait pour ce type d'emploi est passablement difficile à trouver: c'est une personne créative et imaginative, avec beaucoup d'entregent, passionnée, ayant un bon sens de l'organisation et un bon jugement, possédant à la fois une solide connaissance de votre marché et du produit radio, démontrant une solide confiance en elle, mais aussi une grande capacité d'adaptation, apte à travailler en équipe et obsédée par l'excellence. Bonne chance!

Précisons toutefois que la promotion incombe, en bout de ligne, à tous et chacun. Tous les employés sont en partie responsables de l'image et de la promotion de leur station. C'est d'ailleurs pourquoi le «marketing à l'interne» est tout aussi profitable, les employés étant tous des représentants de la station.

LA COLLABORATION ENTRE LES VENTES ET LA PROGRAMMATION

Même si nous avons établi qu'il y avait dualité de produit, donc dualité de clientèle et dualité de l'action marketing, il demeure possible de créer des promotions pouvant satisfaire simultanément les objectifs de la programmation et les objectifs des ventes. Ce qui est devenu d'ailleurs de plus en plus facile à réaliser, étant donné qu'un très grand nombre de clients-annonceurs reconnaissent maintenant la promotion comme une forme efficace de publicité. De plus en plus de grandes compagnies recherchent activement des idées de promotion auxquelles elles pourraient s'associer. Des clients qui ont toujours refusé de placer de la publicité sur les ondes de votre station pourraient soudainement le faire, le jour où vous leur suggèrerez une promotion collant à l'image de leur produit.

La raison de cette engouement pour la promotion est simple: le consommateur est de plus en plus submergé de publicité et l'impact de la publicité conventionnelle s'en trouve d'autant réduit. La promotion est une façon d'obtenir davantage d'attention de la part du consommateur.

Et n'ayez pas peur de provoquer vous-même le regroupement de clients: par exemple, un hôtel et un locateur d'automobiles, un fleuriste et une boutique de chocolat, un club de golf et un détaillant de téléphones cellulaires ou un commerçant d'équipement informatique et une école de formation en informatique.

Même les promotions qui ne sont pas originalement conçues pour être associées à un client peuvent être récupérées par les représentants publicitaires, à l'avantage de leurs clients. Par exemple, un concours faisant l'attribution de *T-Shirts* à vos auditeurs pourrait être utilisé par un commerçant dans le style: «Si vous vous présentez, aujourd'hui, au magasin X avec un *T-Shirt* de la station CXXX, vous recevrez tel cadeau ou rabais.» Une promotion faisant l'attribution d'autocollants donnant droit de participer à différents concours pourrait être récupérée par une station-service, dans le style: «Si vous vous présentez à la station-service Y aujourd'hui, vous recevrez un autocollant de la station CXXX qui vous offre la chance de gagner tels et tels prix.» Ce type de promotion permet, du même coup, au client d'évaluer l'impact de la publicité sur vos ondes.

Les représentants publicitaires devraient donc être impliqués dans le processus de recherche et de préparation des promotions destinées aux auditeurs, non seulement parce que leur collaboration est souvent nécessaire pour y associer un client qui en assumera les coûts, mais aussi parce qu'ils peuvent avoir d'excellentes idées! Plus il y a de têtes autour de la table, lors d'une séance de remue-méninges, plus vous recueillerez d'idées. Et les représentants seront plus spontanément portés à vous aider s'ils ont collaboré à la planification des promotions.

Le budget

Nous conseillons à nos clients-annonceurs de consacrer un bon pourcentage de leurs revenus à la publicité. Comment pouvons-nous, ensuite, oublier si facilement d'appliquer cette recommandation à notre propre entreprise? Il serait plutôt absurde qu'une entreprise se nourrissant de publicité et de promotion prétende être capable de vivre sans en faire elle-même!

Il est compréhensible qu'un propriétaire d'entreprise de radiodiffusion hésite à investir davantage dans sa compagnie lorsqu'il jongle depuis des années avec une marge de profit de 2% ou, pire, fait face à un déficit d'opérations. Mais s'il n'accepte pas d'investir en promotion, sa marge de manoeuvre fondra probablement encore davantage. D'autant plus que la radio, c'est comme de la bière: la promotion du produit est un élément souvent plus important que le produit lui-même.

Il demeure toutefois impossible d'établir une norme en ce qui concerne la somme d'argent qu'une station de radio devrait consacrer à la publicité. Ça dépend de

Il serait plutôt absurde qu'une entreprise se nourrissant de publicité et de promotion prétende être capable de vivre sans en faire elle-même!

221

> Chaque dollar absent de votre budget de promotion peut être compensé par un effort supplémentaire de créativité.

plusieurs facteurs, notamment de vos objectifs à court et long terme, de la position et du budget de vos compétiteurs, de même que de votre position actuelle dans le marché. Une règle nord-américaine non officielle, mais généralement acceptée, établit à 10% des recettes publicitaires la somme qui devrait être consacrée aux diverses dépenses de promotion.

Mais si vous avez à travailler avec un plus petit budget, dites-vous bien que ce n'est pas une raison pour pleurer et laisser filer le train. Dites-vous plutôt que chaque dollar absent de votre budget peut être compensé par un effort supplémentaire de créativité. D'ailleurs, les meilleures promotions sont effectivement celles qui, tout en accomplissant leur objectif, ne coûtent rien à la station!

Dans les annales de la radio...

En janvier 1992, la station CJMS de Montréal réussissait à faire imprimer gratuitement ses lettres d'appel, en page A5 du journal La Presse de Montréal, en lançant une campagne d'appui aux cinq familles de race blanche aux prises avec le gouvernement fédéral sur la question de l'achat de leur maison suite à la crise d'Oka qui avait opposé, à l'été 1990, l'armée canadienne aux *Warriors*.

La veille, durant son émission, l'animateur Gilles Proulx avait invité le public à se rendre à l'une ou l'autre des stations AM de Radiomutuel pour signer une pétition réclamant l'achat de ces propriétés par le gouvernement fédéral. Le journal La Presse faisait l'écho de ces commentaires.

L'attrait de la publicité gratuite n'était sans doute pas la principale motivation de Gilles Proulx, mais il demeure vrai que son intervention lui a permis de bénéficier de publicité gratuite dans un important journal, tout en démontrant l'empressement de la station et de son animateur à s'impliquer dans des dossiers chauds. Et le risque de réactions négatives dans ce dossier était minime, étant donné que des sondages avaient démontré que la très grande majorité des québécois francophones de race blanche en avaient marre des tactiques des amérindiens et se considéraient laissés pour compte.

Quelques semaines plus tôt, la station CKVL avait procédé à une campagne similaire pour «protester contre une entente intervenue entre Hydro-Québec et le conseil de bande d'Akwesasne.»[1]

Citation

▼

[1] BISSON, Bruno, CJMS lance une campagne d'appui aux cinq familles «oubliées» d'Oka, article publié dans le journal La Presse de Montréal, mercredi 29 janvier 1992, p. A5.

En fait, tout ce que vous faites peut éventuellement servir à votre promotion comme, tout simplement, de prévoir l'introduction dans l'émission du matin d'un élément ou d'une intervention qui fera parler les gens à la pause-café. «As-tu entendu ce qu'Annie Mateur a dit ce matin à CXXX?»

PRINCIPES GÉNÉRAUX

Il est impossible de prédire, avec une certitude absolue, le succès d'une promotion, d'autant plus qu'un concept parfait peut être mal exécuté. Mais il est possible de prédire l'échec de certaines autres promotions: celles qui publicisent un produit auprès de gens qui n'en veulent pas! Encore une fois, on revient à la question du positionnement de votre produit dans sa niche. Chaque promotion doit être pensée, préparée et réalisée en fonction du public-cible à rejoindre et de l'image à développer pour la station.

D'autre part, même s'il n'existe aucune méthode garantissant le succès, il existe quand même plusieurs petits trucs. En fait, il n'y a aucune clef maîtresse pouvant vous ouvrir la porte du succès, mais il y a un trousseau complet! À vous de trouver, dans ce trousseau, la clef qui ouvrira la porte en face de vous!

Ne perdez jamais de vue les éléments vitaux du succès radiophonique qui sont tout particulièrement importants dans la promotion: l'émotion et la magie. Et qu'elles paraissent! Collez vos promotions à ce qui se passe en ville, à ce qui concerne les gens. Un festival d'été, un carnaval, un tournoi de hockey. Une manifestation, des problèmes sociaux, la fermeture d'une usine, la construction d'un pont. Ça demande un peu plus de recherche et d'imagination, mais c'est drôlement plus payant!

> **L'émotion et la magie...**

LES OBJECTIFS

Avant de vous jeter tête basse sur le mur en face de vous, prenez le temps de bien planifier votre stratégie. Pour ce faire, vous devez avoir préalablement bien étudié votre environnement incluant le comportement, les objectifs et les activités de vos compétiteurs. Et vous devez avoir clairement défini quel était votre public-cible et quels étaient ses attentes et son comportement social habituel. C'est ainsi que vous pourrez préciser les objectifs spécifiques à votre station. Normalement, ceux-ci devraient toujours tourner autour d'un des objectifs généraux suivant:

- Augmenter votre auditoire en donnant au public visé des raisons d'essayer votre station.
- Conserver vos auditeurs actuels.
- Rendre votre station plus facile à vendre auprès des clients-annonceurs.

Chaque promotion travaillera davantage l'un ou l'autre de ces objectifs généraux, quoiqu'une bonne promotion aura de l'impact simultanément dans les trois.

Et tout au long du processus de préparation et d'exécution de vos promotions, prenez le temps de vous assurer que vous n'avez pas perdu de vue ces objectifs.

L'AGENDA: QUALITÉ ET QUANTITÉ

Comme nous l'avons déjà mentionné, il est important de maintenir son leadership 52 semaines par année et non pas juste durant les périodes de sondage de cotes d'écoute. De même, vous ne pouvez pas vous contenter de deux ou trois grosses activités promotionnelles. Dans ce domaine-là, la quantité est aussi importante que la qualité, à la condition que la quantité soit synonyme de variété, parce que la variété permet de réduire les risques. Pourquoi mettre tous ses oeufs dans le même panier? Ne compter que sur une grosse promotion risque de vous créer UN gros problème si cette grosse promotion est un échec! D'autre part, la variété, c'est ce qui vous permet de rejoindre un plus grand nombre d'individus. Il serait effectivement difficile de trouver une promotion qui contenterait ou rejoindrait tout le monde en même temps.

Vous devriez donc vous assurer d'avoir un mix intéressant et logique. Des activités promotionnelles sportives et des activités sociales humanitaires. Un concours faisant l'attribution d'une maison et un concours faisant l'attribution de peccadilles.

De plus, assurez-vous d'équilibrer vos dépenses d'énergie entre les trois secteurs d'activités promotionnelles que sont les relations avec votre public, la publicité de votre station et les concours.

Pour mener à bien cette opération quantité-variété, vous devrez planifier vos activités à l'avance. Jusqu'à 12 mois à l'avance. Du même coup, vous réduirez les risques de rater des promotions importantes comme celles que vous auriez aimé relier à une activité annuelle se déroulant dans votre communauté, mais que votre compétiteur a récupérée avant vous!

Votre agenda pourra ensuite être modifié en cours de route parce que vous demeurerez réceptif aux suggestions et parce que vous vous adapterez aux changements de situation. Lors de votre planification, vous n'avez donc pas besoin de prévoir les moindres petits détails. En fait, vous pourriez même planifier vos activités en établissant simplement un thème et une liste d'idées de promotion pour chaque trimestre.

Cette planification à long terme vous aidera d'ailleurs à défendre votre budget de promotion.

LES REPRISES

Le fait qu'une promotion ait été un succès auparavant n'est pas une garantie de succès pour le futur. Les vendeurs seront souvent portés à vouloir remettre en ondes ce qui a déjà été un succès. C'est plus facile à vendre! On a des preuves à l'appui. Mais la répétition, en promotion, a plutôt tendance à être un facteur d'échec. L'effet de nouveauté et de surprise n'y est plus. Et cet effet est important pour la magie de la radio. L'effet de nouveauté est d'ailleurs ce qui entraîne généralement les gens à parler abondamment de votre station en ville, ce qui constitue une importante source de publicité.

Ce principe de non-répétition ne s'applique évidemment pas aux activités sociales, culturelles et sportives annuelles (comme un tournoi de hockey auquel votre station serait associé depuis des années) dont le succès est plutôt basé sur la stabilité et la longévité.

L'IDENTIFICATION DE LA STATION: EN ONDES ET HORS DES ONDES

Au début de l'histoire de la radio, les stations s'identifiaient simplement par leur indicatif d'appel (les lettres d'appel) et leur fréquence. CKAC 73. On disait 73 au lieu de 730 et 140 au lieu de 1400, simplement parce que les premiers récepteurs radio AM négligeaient le dernier zéro.

Par la suite, pour quelques supposées raisons de marketing, on s'est mis à compliquer passablement les choses et à retrouver même des stations de radio s'identifiant rarement par leurs lettres d'appel. NO 55 au lieu de CHNO et MIX 105 au lieu de CJMX. Cette stratégie permet d'avoir un nom qui résonne mieux, mais a souvent été difficile à faire accepter par le grand public. Il semble que les gens aient très majoritairement tendance à identifier leur station de radio favorite par ses véritables lettres d'appel, un peu comme on reconnaît un ami par son nom. On s'attend à ce qu'une station de radio se nomme «C-quelque chose». Le changement de format d'appellation semble donc créer plus de confusion que d'effet positif, ce qui n'est certes pas très bon lorsque vous voulez que les gens soient capables de vous identifier correctement en remplissant leur cahier de sondage de cotes d'écoute et en parlant de vous à leurs amis.

Plus récemment, avec la prolifération des récepteurs radio à cadran numérique et la multiplication du nombre de stations de radio, les gens identifient de plus en plus spontanément la station qu'ils écoutent par sa fréquence sur le cadran. «J'écoute 107,3». C'est le chiffre qui leur saute aux yeux chaque fois qu'ils ouvrent leur récepteur radio! Cette tendance est excellente puisque vos objectifs promotionnels hors des ondes consistent principalement à amener de nouvelles personnes à l'écoute de votre station: quoi de mieux que l'indication de la fréquence sur laquelle on peut vous capter?

Dans les annales de la radio...

En décembre 1992, les résidents de Mont-Saint-Hilaire et de quelques autres municipalités de la Montérégie, recevaient dans leur boîte à lettres un feuillet du comité intermunicipal des mesures d'urgences.

Dans ce feuillet, on fournissait une liste de stations de radio à écouter en cas d'accidents majeurs impliquant des produits dangereux: CKVL, CKAC, CJMS, CIEL-MF.

La réaction spontanée d'un certain nombre de citoyens? «J'ai déjà entendu parler de chacune de ces stations de radio, mais je n'ai aucune idée de leur positionnement sur le cadran de mon récepteur radio!». Même si ces gens ont sans doute le temps de le trouver avant que ne survienne un accident majeur, pourquoi ne pas avoir fourni des instructions précises? En cas d'urgence, AM 850 est beaucoup plus facile à trouver que CKVL!

L'élément fondamental de votre promotion doit être le combo fréquence et bande de diffusion qui constitue, ni plus ni moins, qu'un guide pour vous retrouver sur n'importe quel récepteur radio.

N'ayez surtout pas honte de votre bande de diffusion, comme c'est le cas de plusieurs stations de radio AM qui camouflent le fait qu'elles diffusent sur la bande AM, prétextant que c'est un élément perçu négativement dans un monde où l'écoute FM est en pleine croissance. Comment pensez-vous convaincre les gens d'écouter votre station AM si vous avez honte de leur dire que vous êtes au AM? Ils vous chercheront sans vous trouver! Car, oui, des gens chercheront la fréquence 104 sur la bande FM si vous ne leur spécifiez pas que CXXX 104 est sur la bande AM à la fréquence 1040.

- La bande et la fréquence
- Le slogan de programmation
- La ville
- L'indicatif d'appel

Dans les annales de la radio...

Au début des années 90, une station de radio de Brisbane dans le Queensland en Australie plaçait de grands panneaux publicitaires sur toutes les routes menant à la plage et aux hôtels de la Sunshine Coast et de la Gold Coast, dans le but évident de s'attirer les oreilles des milliers de touristes-consommateurs, notamment japonais, qui se dirigent chaque année vers ce petit coin de paradis. Le message nous annonçait la station de radio «4CS».

4CS?!? Hey oui! En Australie, l'indicatif d'appel mixe les chiffres et les lettres. Intéressant pour votre culture! Mais comment vous faites pour écouter la station? AM ou FM? À quelle fréquence?

Que d'argent et d'efforts gaspillés!

Il est donc primordial de mettre en évidence son indicatif d'appel et sa fréquence, mais il demeure tout aussi vital de s'identifier d'une façon qui permette d'aller un peu plus loin dans sa stratégie marketing en pensant notamment à ceux qui écoutent la station pour la première fois ou qui en entendent parler pour la première fois. C'est précisément le rôle du slogan promotionnel, complément au trio indicatif-bande-fréquence.

Le choix précis d'un slogan qui positionnera la programmation dans la tête du public relève du directeur de la programmation et du directeur de la promotion. C'est une question délicate. N'oubliez d'ailleurs jamais, dans votre planification à long terme, qu'un slogan est aussi fort que le veut bien votre compétiteur qui peut notamment le démolir en moins de temps qu'il ne vous en faut pour le mettre en ondes. Le «Numéro Un de l'information», par exemple, perd de son impact lorsque votre compétiteur se proclame le «Nouveau numéro Un de l'information»!

Le choix d'un slogan est une question de stratégie de marketing qui dépasse le cadre du présent ouvrage. Prenons toutefois le temps de souligner une erreur classique dans la formulation des slogans comme, d'ailleurs, dans les interventions des animateurs et dans les messages promotionnels de la station; une erreur causée par l'obsession aveugle d'inclure vos auditeurs dans votre émission. Ce sont les formules du style «Votre station de radio favorite». Vous leur imposez leurs goûts maintenant? Dites-leur qui vous êtes puis laissez-les décider eux-même quelle est leur station préférée! Dites «La radio rock... Relaxe!» et non «Votre radio rock... Relaxe!» Inclure des formules à la deuxième personne, «vous» ou «votre», sonne très prétentieux et risque même de créer une certaine réaction négative du type «mur des lamentations».

Nous reviendrons sur les espressions du type «mur des lamentations» dans la section sur la publicité (page 227).

Finalement, en complément aux autres éléments servant à votre identification, vous devriez très fréquemment préciser la ville d'où vous diffusez ou la région géographique que vous desservez. Cela permet à ceux qui *scan* les postes de radio sur leur récepteur de pouvoir rapidement savoir où ils sont branchés, ce qui aide notamment les visiteurs et les touristes de passage chez-vous (des gens qui ont de l'argent à dépenser chez vos clients-annonceurs, même s'ils n'ont pas d'impact sur votre cote d'écoute locale) à reconnaître facilement quelle station est «la station de la place». Ce qui constitue d'ailleurs un atout important si votre programmation est exclusivement locale alors que votre compétiteur est une station de radio réémettrice d'une station-mère de Montréal.

Mais, de grâce, tenez-vous loin des identifications du type «La radio des gens d'ici». Cela ne vous aidera aucunement à positionner votre station dans l'esprit des gens! Ici, où? Même si cette affirmation était lue ou entendue par quelqu'un à deux pas de votre station de radio, si cette personne n'a jamais entendu parlé de vous auparavant, sa connaissance de votre produit ne sera pas meilleure après qu'avant. Et ce slogan ne vous aidera pas non plus lorsqu'il sera imprimé sur du matériel publicitaire se retrouvant à l'extérieur de votre région!

Le ministère des Communications du Canada exige que toute station de radio canadienne s'identifie au moins une fois l'heure par son indicatif, sa fréquence et la ville qu'elle dessert.

LA PUBLICITÉ

Vos clients vous perçoivent comme des professionnels de la publicité. Il est donc préférable que vos propres campagnes publicitaires démontrent qu'ils ont raison. Ne faites jamais rien à moitié. Que le cordonnier ne soit pas le plus mal chaussé!

Tous les principes énoncés dans le chapitre sur la création et la production publicitaire s'appliquent, bien sûr, à votre propre publicité.

Si vos moyens sont limités, limitez-vous! Si vous n'avez pas les moyens de produire un bon message pour la télévision, n'utilisez pas de temps d'antenne à la télévision. Il en va de même pour la publicité dans les journaux, les autocollants, les bannières et tous les autres véhicules publicitaires utilisés, y compris le papier à lettre, les enveloppes et les cartes d'affaires.

Initialement, donnez-vous la peine de créer un logo représentatif de votre station, un logo efficace pour véhiculer les éléments de base de votre publicité: votre fréquence de diffusion, la bande de diffusion (AM ou FM) et le type de programmation.

L'autopublicité

Un message d'autopublicité, communément appelé «promo», est un message publicitaire diffusé par une station, sur ses ondes, pour vendre son produit aux clients-auditeurs. Il est particulièrement bon d'encourager les auditeurs d'une émission à écouter les autres émissions. Prenez pour acquis que les auditeurs qui vous syntonisent à un instant donné ne connaissent rien d'autre de votre station et que vous devez les convaincre de la découvrir en totalité. Dans bien des cas, ce sera d'ailleurs vrai! Vous seriez surpris du nombre de personnes écoutant votre émission de mi-journée qui n'ont aucune idée de ce que vous diffusez durant le reste de la journée et le reste de la semaine.

Faites la publicité des émissions régulières et des émissions spéciales, des concours, de votre implication dans des activités communautaires, de la qualité de votre service de l'information, du caractère d'ensemble de votre programmation et de tout autre élément susceptible d'éveiller de la curiosité et de l'intérêt chez vos auditeurs.

Cette publicité peut être effectuée par des interventions *live* des animateurs ou par des messages produits en studio de production et diffusés dans les blocs publicitaires parmi les autres messages publicitaires.

Pour alimenter les animateurs en interventions de ce type, ayez toujours une série de brefs messages (pas plus de trois phrases) préparés sur des fiches et prêts à être livrés en ondes. Ces fiches devraient toujours être préparées par la même personne qui s'assurerait que tous les éléments à promouvoir sont couverts et que le fichier est à jour. Ces messages jouent un rôle important parce que l'intervention d'un animateur a généralement plus d'impact que la diffusion d'un simple message publicitaire.

Mais des messages d'autopublicité pré-produits doivent aussi être utilisés pour maximiser l'impact de vos campagnes publicitaires. Rappelons, encore une fois, que ces messages doivent être proches de la perfection. En plus de vendre votre station, ils sont le reflet de votre professionnalisme. Vous ne pourrez pas convaincre un acheteur de publicité de vos capacités de production si vous n'êtes même pas capable de produire un bon message pour vous-même!

Le mur des lamentations

Dans leurs messages d'autopublicité, plusieurs stations de radio utilisent des formules du type «Ne manquez pas...» et «Écoutez...». On entend aussi des animateurs dire «Ne quittez pas» juste avant un bloc publicitaire.

Croyez-vous vraiment que les gens vont vous écouter parce que vous le leur demandez? Espérez-vous qu'ils vous prennent en pitié ou qu'ils succombent à vos lamentations?

Les gens vont écouter ce qui les intéresse, parce que ça leur plaît. Les lamentations ne sont que des clichés, des mots qui ne font que voler du temps d'antenne, du temps qui pourrait être utilisé beaucoup plus efficacement pour attirer l'attention des auditeurs, éveiller leur intérêt ou développer leur désir d'écouter (les trois premières phases, cruciales, du processus «AIDA»). L'action de vous écouter suivra, elle, automatiquement si vous amenez l'auditeur à passer au travers de ces 3 premières phases. Vous n'avez alors qu'à mentionner simplement l'heure et la date à laquelle ils pourront satisfaire ce désir. «Ce soir, 20 heures» est suffisan,t à la fin d'un message de 30 secondes annonçant une émission spéciale d'une heure avec Hart Rouge.

Cette section sur l'autopublicité vient conclure la discussion amorcée dans le chapitre sur l'animation sous le titre «La publicité des autres animateurs» (page 104).

Le processus «AIDA» décrivant l'action de la publicité sur le consommateur a été expliqué dans le chapitre sur la création et la production publicitaire (page 162).

Les autres médias de masse

La télévision peut être un moyen efficace pour rejoindre un public additionnel et développer une image prestigieuse pour votre station. Prestigieuse, parce que peu de stations de radio se permettent d'annoncer à la télévision.

Il est quand même normal que le journal soit plus fréquemment utilisé comme véhicule publicitaire de la radio, étant donné que l'imprimé constitue un complément naturel à l'audio. Il est d'ailleurs généralement plus facile de conclure un contrat-échange avec un journal qu'avec une station de télévision. Un échange traditionnel est l'impression par le journal du palmarès de la station contre l'annonce par la radio que son palmarès est disponible dans ce journal.

Mais que vous utilisiez le journal ou la télévision, il risque de devenir difficile pour les vendeurs de votre station d'expliquer à leurs clients qu'ils utilisent trop les journaux ou la télévision lorsque vous-même en faites un usage excessif. C'est d'ailleurs pour cette raison que vous ne devriez jamais prendre de pleines pages de publicité dans un journal. Les vendeurs de publicité radio utilisent souvent, auprès de leurs clients annonçant à pleine page dans le journal, la suggestion de réduire leurs annonces à des demi-pages pour placer l'argent ainsi économisé à la radio: il réduit peu son impact dans le journal et augmente la portée de sa campagne en créant un mix média.

Quant à la localisation de votre publicité dans le journal, même si vous l'obtenez par contrat-échange, insistez pour en choisir l'emplacement. Si, par exemple, vous annoncez un quiz sportif s'adressant aux hommes, insistez pour que votre annonce soit publiée dans les pages sportives.

Les lieux publics

De l'espace publicitaire peut être acheté sur les autobus du service de transport en commun de votre municipalité, dans les corridors des centres commerciaux, sur les bandes des arénas et partout où quelqu'un cherche à augmenter ses revenus en vendant de l'espace publicitaire.

Ces panneaux publicitaires étant situés à des endroits très précis et, souvent, stratégiques, il sera facile pour vous d'identifier ceux devant lesquels passent de nombreux individus correspondant au profil de votre auditoire-cible. Si vous prenez le temps de bien choisir les endroits, le coût annuel d'achat de ces espaces publicitaires sera très faible en comparaison de l'impact qu'ils produiront. Mais, encore une fois, n'exagérez pas vos placements de ce type: l'argument que nous venons d'utiliser en faveur de ce type de publicité est précisément celui utilisé par ses vendeurs qui tentent de soutirer de l'argent aux autres médias, dont le vôtre!

Et n'oubliez pas qu'il vous faudra bien préparer le message à inscrire sur ces panneaux. Le fait que le public soit assez bien ciblé vous donne l'occasion de développer un message s'adressant spécifiquement à un type de personnes (les automobilistes, par exemple).

Mais avant de vous lancer dans les grosses dépenses de panneaux publicitaires, commencez par acquérir un kiosque pour vos *remotes*, des bannières à afficher lors de toutes vos sorties publiques et des véhicules identifiés aux couleurs de la station. C'est le premier pas de la publicité sur les lieux publics.

Le marketing direct

Le marketing direct, c'est la mise en marché d'un produit en s'adressant directement, et sur une base individuelle, à un certain nombre de clients potentiels bien ciblés. Cette publicité s'effectue généralement par téléphone ou par courrier.

La radio devenant elle-même de plus en plus spécialisée, le marketing direct devient de plus en plus un outil promotionnel de base pour la radio.

La clef du succès d'une telle campagne, c'est, bien sûr, la liste des gens à contacter. Ce type de publicité devenant de plus en plus à la mode, plusieurs entreprises se sont spécialisées dans la préparation de telles listes. Vous pouvez, par exemple, acheter la liste des utilisateurs de la carte American Express ou la liste des entreprises inscrites dans les pages jaunes de Bell Canada. Vous pouvez aussi obtenir le profil de la population par zone de code postal.

En fait, il n'y a aucune limite aux types de listes que vous pouvez vous procurer, mais comme la plupart de ces listes sont nationales ou, du moins, couvrent des régions plus grandes que celles desservies par la majorité des stations de radio canadiennes, vous devrez probablement développer votre propre liste afin de rejoindre efficacement les individus correspondant au type d'auditeur que vous visez.

VOTRE PROPRE BASE DE DONNÉES

La complexité de la préparation d'une base de données ou d'une liste de personnes à rejoindre dans une campagne de marketing direct dépend du type de campagne que vous entreprenez. Vous pourriez, par exemple, simplement et rapidement envoyer une lettre à tous les résidents d'un quartier de jeunes ménages, si ceux-ci correspondent à un public susceptible d'écouter votre station. Ces envois seraient toutefois non-personnalisés.

Pour une liste de personnes à rejoindre régulièrement, dans le but de maintenir leur intérêt et de les encourager à écouter votre station pendant un plus grand nombre d'heures, vous pourriez avoir comme objectif de dresser une liste comportant un nombre de personnes égal à environ 10% du nombre total d'auditeurs que votre station désire avoir. Cette liste devrait évidemment être informatisée pour faciliter l'envoi de lettres personnalisées.

Vous pourriez bâtir cette base de donnés par l'entremise d'un concours auquel les gens doivent s'inscrire après avoir reçu, par la poste, une offre quelconque non-personnalisée. Le profil des personnes qui rempliront ce formulaire correspond probablement au profil des personnes qui accepteront de remplir un questionnaire BBM lorsqu'il leur sera demandé de le faire!

LES OBJETS PROMOTIONNELS

La distribution d'objets promotionnels n'est qu'un moyen publicitaire parmi tant d'autres. Le choix du matériel utilisé et du message véhiculé sur celui-ci doit donc être effectué en gardant en tête le profil du public-cible et l'image que la station veut propager.

Les objets promotionnels sont, en fait, un média publicitaire que vous pouvez utiliser pour des campagnes très ciblées: des autocollants pour les automobilistes, des tasses de café pour les secrétaires, des serviettes de golf pour les gens d'affaires. Tout peut se transformer en matériel promotionnel! La seule limite est celle de votre imagination. Vous pouvez même cibler différents types de public avec différents designs de *T-Shirts* dont certains pourraient, par exemple, être distribués exclusivement dans les collèges.

Ne vous limitez donc pas à commander bêtement des stylos, des porte-clefs et des tasses parce que votre voisin l'a fait. D'ailleurs, essayez de vous tenir loin des objets promotionnels trop classiques qui risqueraient, par le fait même, de passer inaperçus. Et oubliez vos goûts personnels!

VOS RELATIONS AVEC LE PUBLIC

Par définition, les relations publiques, c'est l'ensemble des moyens pris par une entreprise dans le but de créer ou de maintenir un climat propice au déroulement et au développement de ses activités, notamment en propageant une image de bon citoyen corporatif auprès de son personnel et de sa clientèle. C'est un défi de taille qui exige énormément de persévérance: les résultats peuvent être gros, mais prendront du temps à se manifester.

Chaque fois que vous rencontrez une personne, vous courez la chance de conquérir 10 auditeurs supplémentaires. Il est facile d'être un héros derrière un micro, dans la sécurité d'un certain anonymat. Il est plus difficile de promouvoir sa personnalité radio sur la place publique. Mais l'obtention de bonnes cotes d'écoute passe par là.

Nous reviendrons sur la question de votre attitude en public dans le chapitre sur la gestion de votre carrière.

Votre attitude doit toujours être généreuse, que ce soit dans le cadre d'une activité promotionnelle officielle de la station, en siégeant au conseil d'administration d'un organisme sans but lucratif ou en faisant votre épicerie. Certains animateurs jouant à la vedette adoptent, souvent inconsciemment, une attitude du style «Les gens normaux ne sont pas assez bons pour moi». Tôt ou tard, ces prétentieux payent pour leurs insolences et leur manque de respect envers les personnes qu'ils ont rencontrées. Vous travaillez pour le public! C'est lui, votre client et votre gagne-pain!

L'ACCUEIL OU L'ART DE COMMENCER DANS SA COUR

Avant de vous lancer dans des opérations de relations publiques de grande envergure, commencez plutôt par gérer ce qui se trouve déjà dans votre propre cour. C'est la communication interne: celle visant à sensibiliser les membres du personnel de votre station à leur rôle promotionnel et à les informer sur vos activités et vos projets, de manière à ce qu'ils se sentent impliqués dans la poursuite de vos objectifs. Cette communication est tout aussi importante que celle dirigée vers l'extérieur de votre station, parce que des gens impliqués dans leur travail sont toujours plus motivés, mais aussi parce que chaque employé est un vendeur de sa station auprès de tous les gens qu'il côtoie dans sa vie professionnelle et privée. Des rencontres officielles et régulières avec tout le personnel permettront de mettre tout le monde au courant de ce qui se passe.

*Dans le chapitre sur l'animation, nous avons discuté de la façon de répondre aux appels téléphoniques des auditeurs
(page 120 et suivantes).*

«Commencer dans sa cour» signifie, également, être en mesure de répondre professionnellement aux clients communiquant avec vous au téléphone ou par courrier. Le réceptionniste répondant au numéro de téléphone général de la station doit, tout comme les animateurs, être sensibilisé à la bonne façon de répondre aux auditeurs. Trop de réceptionnistes envoient promener ceux qui téléphonent pour poser des questions bizarres, croyant que leur boulot se limite à répondre et à acheminer les appels au directeur général et au directeur des ventes. Vos clients-auditeurs sont tout aussi importants que vos clients-annonceurs.

Pour répondre adéquatement au téléphone, le réceptionniste doit d'abord être au courant de tout ce qui se passe en ondes. Vraiment tout. Et il doit savoir comment répondre diplomatiquement. Quant au directeur de la programmation, il devrait répondre personnellement à tous les appels, de plaintes comme de félicitations, des auditeurs comme des annonceurs, lorsque ceux-ci demandent expressément à lui parler. Les directeurs qui ont du succès ne sont pas ceux qui jouent à l'autruche, mais ceux qui ouvrent leur porte et leurs oreilles.

La même attitude générale devrait prévaloir face au courrier que vous recevez à la station. Les gens qui ont écrit pour se plaindre seront particulièrement surpris de recevoir une réponse respectueuse et polie. Ils en parleront probablement à plusieurs autres personnes et deviendront peut-être même, ultérieurement, des auditeurs fidèles. Voilà de la publicité gratuite et efficace!

LES AUTRES MÉDIAS

Toutes les compagnies peuvent bénéficier de la couverture des médias, y compris les médias eux-mêmes.

Dans votre cas, les autres médias peuvent vous servir à promouvoir vos concours, vos activités promotionnelles, votre programmation ou la qualité de votre personnel et à vous aider à développer une image de station omniprésente dans la communauté. Cela vous aidera à vous vendre ultérieurement auprès de votre clientèle: vos clients-auditeurs comme vos clients-annonceurs.

COMMENT LES INTÉRESSER

Si vous faites vos devoirs comme il le faut, vous ne devriez pas avoir de problème à faire parler de vous dans les autres médias parce qu'en principe *Medias like medias*, comme disent les anglophones. Les médias aiment parler des médias. Et si on entend davantage parler de la télévision que de la radio dans les journaux, c'est que les gens de radio n'ont rien compris aux relations publiques! C'est à nous de prendre notre place au soleil.

Medias like medias.

L'obtention d'espace dans les journaux devrait d'ailleurs être notre principal objectif étant donné que ce média est naturellement complémentaire au média radio et que les journaux accordent généralement plus de place aux faits divers que ne le fait la télévision.

Dans plusieurs petites villes, vous aurez toutefois à faire face à un directeur de journal qui perçoit les dollars de publicité dépensés à la radio comme de l'argent retiré de ses poches et qui ne voit rien d'autre que cela! ...même si vous lui montrez de pleines pages consacrées à la télévision et à la radio dans La Presse et le Journal de Montréal.

Mais avant de condamner les autres médias parce qu'ils ne veulent pas parler de vous et de lancer la serviette, prenez vous-même l'initiative de parler d'eux sur vos ondes, avec respect. Avec un peu d'imagination, vous pouvez certainement établir le contact. Invitez le directeur du journal à votre émission en lui suggérant de venir parler d'une «bonne cause» dont il est le président d'honneur, par exemple. Cela pourrait être l'élément déclencheur d'un rapprochement entre vos deux entreprises.

En général, les journaux et les magazines ont besoin de sujets d'articles, les émissions de variétés ont besoin d'invités et les bulletins de nouvelles télévisées veulent de plus en plus de faits divers faisant sourire leurs téléspectateurs. Et vous, vous voulez faire parler de vous. Alors, voilà!, vous n'avez qu'à faire le lien entre les deux. Mais attention! «Faire votre publicité» n'est pas un sujet nécessairement intéressant pour eux! Trouvez une façon de le maquiller. Trouvez une façon de faire parler de vous qui sera intéressante pour les consommateurs du média visé. C'est la première règle à retenir dans votre offensive médiatique.

Ne vous concentrez pas uniquement sur les journalistes des pages culturelles ou les chroniqueurs traitant de télévision et de radio. Certaines de vos actions peuvent être intéressantes, par exemple, pour un journaliste sportif ou un chroniqueur de mode. Les publications nationales et spécialisées devraient aussi faire partie de vos cibles même si elles ne rejoignent pas vos auditeurs: les acheteurs de publicité nationale les lisent!

Dites-leur ce qu'ils
veulent entendre!

Règles générales pour faire parler de soi dans un autre média:

L'intérêt pour le média visé.

Pour obtenir des résultats positifs d'une tentative de faire parler de soi dans un autre média, il faut d'abord analyser le type de sujet traité par le média visé et son style rédactionnel. C'est à vous de vous assurer que le matériel fourni correspond aux critères éditoriaux du média visé. C'est, encore une fois, le principe du décodeur: vous décodez votre message publicitaire pour en extraire l'essence et, ensuite, vous le recodez en message d'intérêt public pour le média dans lequel vous voulez faire parler de vous. Rien n'emmerde plus efficacement et rapidement un chroniqueur qu'un individu qui lui téléphone sans avoir la moindre idée du type de chronique qu'il écrit.

Les bons résultats ne s'obtiennent pas en envoyant une tonne de paperasse à tout le monde mais plutôt en concentrant ses efforts sur un sujet et sur les seuls médias susceptibles d'en parler. Et, vice versa, en identifiant ce qui intéresse le média visé et en lui envoyant ce qu'il veut. Dites-leur ce qu'ils veulent entendre!

L'intérêt pour la personne-clef.

Avant d'intéresser les auditeurs du média visé, vous devez intéresser le chroniqueur du média en question ou, plutôt, la personne qui décidera si on parlera de vous ou non. Pour les émissions de variétés à la télévision, vous devrez probablement passer par un recherchiste.

Un média ne prend pas de décision. Des individus en prennent! Et vous pouvez facilement apprendre à les connaître, découvrir ce qui les motive et les intéresse, en lisant leurs articles ou en écoutant leurs émissions de télévision. Vous devriez tenter de développer des contacts personnels avec les personnes susceptibles de parler de vous dans leurs émissions ou leurs chroniques.

Un truc classique pour briser la glace consiste simplement à écrire une lettre complimentant l'auteur d'un article publié dans la plus récente édition du journal. Vous pourriez ajouter un petit commentaire et un élément d'information complémentaire pour ne pas faire trop «téteux». Tout le monde conserve les lettres de félicitations reçues: pour les montrer éventuellement à son avocat en cas de congédiement et parce que les lettres de plaintes sont tellement plus fréquentes! Quelques semaines après avoir expédié cette lettre, vous pourriez téléphoner au destinataire pour l'inviter à un dîner entre collègues du monde des communications. Pourquoi pas?

La présentation.

Envoyez toujours vos communiqués de presse à l'attention d'un individu en particulier. N'êtes-vous pas, vous-même, porté à ouvrir d'abord les lettres qui vous sont adressées personnellement? Et quelquefois même, à ne pas avoir le temps d'ouvrir les autres lettres? Mais soyez sûr d'écrire son nom correctement, sinon vous risquez de l'insulter avant même qu'il ait ouvert l'enveloppe!

Pour que votre envoi ait un peu plus l'allure d'une nouvelle, ne lésinez pas sur les moyens. Les nouvelles ne sont pas véhiculées dans le courrier régulier de Postes Canada mais par télécopieur ou par livraison spéciale.

Le *timing.*

Soyez au courant des dates et heures de tombée du média visé. Ça peut faire toute la différence dans la décision de vous publier ou non, parce que si vous ratez l'édition de cette semaine d'un journal hebdomadaire, votre «nouvelle» risque d'être jugée trop vieille la semaine suivante.

La persistance et la diplomatie.

En bout ligne, il ne vous reste plus qu'à être persistant, patient et diplomate. Et lorsqu'un média parle finalement de vous, soyez un peu politicien en soulignant la mention, lorsque cela est possible, par une petite note de commentaires positifs.

LA PRÉPARATION D'UNE POCHETTE ET D'UN COMMUNIQUÉ DE PRESSE

De nombreuses stations de radio n'envoient jamais de communiqués de presse et se demandent pourquoi on ne parle jamais d'eux! D'autres se servent fréquemment de ces outils de communication, mais en rédigeant des communiqués ressemblant étrangement à de vulgaires messages publicitaires. Même si pour vous la ligne de démarcation entre la nouvelle et la publicité peut sembler floue, pour un journaliste ou un chroniqueur, elle est très claire. Parlez-en avec le directeur de l'information de votre station!

Celui-ci pourra du même coup vous confirmer que les menteurs passent rapidement à la guillotine. Un seul petit mensonge ou une vérité trop déformée détruira votre crédibilité personnelle de même que celle de votre station et vous fermera à jamais les portes du média que vous avez ainsi induit en erreur et de tous ceux qui en auront entendu parler. N'oubliez jamais que le monde des communications est très petit.

L'honnêteté vous oblige aussi à fournir toute l'information. Si vous envoyez un communiqué pour annoncer l'arrivée d'un nouvel animateur du matin, précisez le nom de celui qui était là avant lui, même s'il n'est pas nécessairement à votre avantage d'en parler. En tentant de cacher des éléments nécessaires à la rédaction d'une bonne chronique, vous augmentez radicalement les chances que le chroniqueur, ne voulant pas se donner la peine de chercher lui-même l'information manquante, mette machinalement votre communiqué à la poubelle. C'est le principe de «la prochaine question logique»: lisez votre communiqué et demandez-vous ce que les personnes à qui il est destiné vont se poser comme question en le lisant.

En parlant d'attirer l'oeil: joignez toujours des photos à vos communiqués de presse. Une bonne photo peut faire toute la différence dans la décision d'imprimer ou non, une histoire. Une bonne photo peut faire toute la différence dans la décision d'un lecteur du journal de lire ou non, l'article. Joignez une photo de la personne de votre station concernée par le communiqué et deux ou trois photos de l'événement mentionné, si cet événement a déjà eu lieu. L'éditeur aura le privilège de choisir.

Tout comme l'envoi d'une tonne de documentation superflue vous nuit plutôt que de vous aider, il est inutile d'envoyer n'importe quelle photo. Une bonne photo est une photo qui raconte une histoire. Le gros plan de votre visage n'est pas vraiment intéressant. Soyez un peu plus imaginatif que ceux qui prennent ces fameuses photos sur lesquelles on voit deux individus se serrant innocemment la main en tenant conjointement un chèque.

Historiquement, toutes les photos devaient être prises en noir et blanc mais de nos jours, il n'y a plus aucun inconvénient pour un journal à imprimer en noir et blanc une photo prise en couleurs. Une variable n'a toutefois pas changé: il faut que ce soit une photo professionnelle!

Le principe de «la prochaine question logique» a été exposé dans la section sur les tribunes téléphoniques dans le chapitre sur l'animation (page 130).

Une bonne photo est une photo qui raconte une histoire.

Au verso de toutes les photos que vous envoyez, inscrivez le nom et le titre de toutes les personnes apparaissant sur la photo et pourquoi elles y sont. Précisez la date et le lieu où a été prise la photo et ajoutez quelques mots descriptifs de l'événement. Un seul petit détail manquant sur vos photos ou votre communiqué et le tout risque de se retrouver à la poubelle.

Ce qui nous amène au sujet de la rédaction d'un communiqué de presse. Le respect des quelques règles suivantes vous aidera à propager une image professionnelle, à être lu et, ultimement, à être publié.

Le principe de la «pyramide inversée» a été exposé dans la section sur le langage radiophonique présentée dans le chapitre sur l'animation (page 87).

- Un communiqué de presse ne devrait jamais dépasser une page «8½ x 11» dactylographiée à double interligne.

- Le premier paragraphe doit contenir toute l'information pertinente. Les autres paragraphes ne font qu'apporter des détails complémentaires. C'est le principe de «da pyramide inversée».

- La provenance du communiqué doit être identifiée explicitement. Le nom de votre station doit apparaître sur le papier à en-tête avec l'adresse. En bas du communiqué, à gauche, la mention «SOURCE:» doit être suivie du nom et du numéro de téléphone de la personne à contacter pour obtenir plus d'information.

- En haut de la page, à droite, vous indiquez la mention «communiqué de presse». Immédiatement sous cette mention, vous précisez «Pour diffusion immédiate» ou «Embargo jusqu'au (date et heure)», selon le cas.

- En haut, au centre, suggérez un titre accrocheur résumant la nouvelle en moins de 10 mots.

- Le premier paragraphe débute par le nom de la ville d'où est émis le communiqué et la date à laquelle la diffusion est permise, en majuscules.

- Au bas de la feuille du communiqué, au centre, vous inscrivez «-30-», une convention internationale qui signifie «fin de la nouvelle».

LES DOSSIERS À MAINTENIR À JOUR

Lorsque votre station ou qu'un de ses employés accomplit un fait notable, vous devez être en mesure de réagir rapidement. Les items de la liste suivante devraient donc toujours être disponibles. Cela pourrait faire toute la différence dans votre temps de réaction.

- Le Curriculum Vitae officiel de chaque animateur, représentant publicitaire et membre de la direction rédigé de façon brève et attrayante dans un but de diffusion publique.

- L'historique de la station, incluant les dates importantes de son évolution et la description de ses participations à des actions communautaires.

- La description légale complète de tous les concours et promotions que vous avez effectués, incluant la liste des personnes gagnantes et leurs coordonnées.

- L'horaire des émissions et le nom des animateurs de chaque émission.

Vos classeurs devraient également contenir les photos:

- de chaque animateur, représentant publicitaire et membre de la direction;

- des studios, de l'édifice et des autres installations de votre station;
- des moments forts de toutes les récentes promotions effectuées par votre station (incluant la remise des prix des concours);
- de quelques animations en extérieur effectuées par votre station.

Les messages d'intérêt public comme outils promotionnels

Avant de vous fendre en quatre pour promouvoir l'idée que vous êtes beau et fin, soyez-le! Notamment, en offrant gratuitement du temps d'antenne aux organismes communautaires et sociaux sans but lucratif de votre région.

Mais pour réaliser une vraie bonne opération de relations publiques et améliorer du même coup votre programmation, accordez une attention toute particulière au choix des organismes et à la production des messages.

Plutôt que de diffuser une tonne de messages d'intérêt public choisis aléatoirement parmi tous ceux qui vous arrivent par la poste et qui visent bien souvent à quêter de l'argent auprès de vos auditeurs, prenez le temps de bien choisir ceux qui touchent le plus aux cordes sensibles de votre public-cible. Faites d'ailleurs très attention aux collectes de fonds: même si presque toutes les «bonnes causes» sont bonnes, il y a toujours une limite à quêter de l'argent. Trop c'est trop! Vos auditeurs peuvent devenir écoeurés de se sentir coupables de ne pas donner ou de se sentir obligés de donner parce que c'est une «bonne cause».

Votre objectif est de maximiser l'impact promotionnel de tous vos dons de temps d'antenne. Par exemple, si vous recevez une demande pour la diffusion d'un message sur la loto-pompier pour venir en aide aux grands brûlés, plutôt que de simplement mettre en ondes ce message et de l'oublier, contactez les pompiers de votre région, demandez-leur s'ils aimeraient que vous les aidiez gratuitement puis mettez en ondes le message. Ensuite, vous pourriez confirmer votre décision de diffuser gratuitement ce message en envoyant une lettre à toutes les casernes de pompiers de la région. Votre lettre sera probablement affichée sur leur babillard et vous recevrez ainsi de l'*exposure*. Autrement dit, assurez-vous toujours que tous les gens que vous aidez sachent que vous les aidez.

Une autre bonne façon de faire parler de vous consiste à offrir une campagne publicitaire gratuite à une association de votre patelin que vous auriez identifiée comme rejoignant les préoccupations de votre auditoire-cible. Les gens à qui vous offrirez une telle campagne publicitaire gratuite seront probablement très heureux d'accepter votre cadeau, en parleront à tous les autres membres de leur association et tomberont peut-être même en amour avec votre station. Mais contactez-les avant de lancer la campagne publicitaire si vous voulez qu'ils le sachent et qu'ils en parlent à tous les membres de leur association! Et pour éviter les erreurs et les frustrations, faites-leur approuver le message comme s'il s'agissait d'une production effectuée pour un client normal. Un impact négatif est 100 fois pire qu'aucun impact. Abordez donc la production des messages d'intérêt public de façon aussi sérieuse que la production de vos messages d'autopublicité.

Cette pratique a toutefois un gros inconvénient: les gens ainsi choyés risquent d'être amèrement déçu si vous leur refusez ce privilège, la fois suivante.

L'idée de transformer des communiqués d'association en messages publicitaires est particulièrement utile pour un réseau radiophonique diffusant la même émission sur chacune des stations membres tout en diffusant de la publicité différente dans chaque marché.

Cette section est complémentaire à celle sur le carnet communautaire présentée dans le chapitre sur l'animation (pages 106 et 107).

LES ACTIVITÉS PROMOTIONNELLES

Lorsque vous participez à une activité publique ou que vous en organisez une vous-même, vous effectuez des relations publiques. Ces activités vous permettent d'établir le contact et de développer des relations avec vos auditeurs. Mais elles servent aussi à rejoindre des individus pouvant devenir éventuellement des auditeurs.

Exécutées professionnellement, les activités promotionnelles constituent de l'excellente publicité et font partie de toute stratégie d'avenir. Vos compétiteurs auront de la difficulté à briser les liens personnels établis entre vous et l'organisation du tournoi de pitoune, par exemple.

Et en prime, les activités promotionnelles constituent habituellement une occasion en or pour avoir du plaisir et resserrer les liens entre les employés de la station.

LE CHOIX DES ACTIVITÉS

Les activités promotionnelles ont généralement lieu à l'extérieur du studio bien qu'une journée «portes ouvertes» invitant les gens à venir visiter vos studios constitue aussi une activité promotionnelle.

Il existe une variété illimitée d'activités possibles, aussi illimitée que les ressources de votre créativité. Vous ne devez pas avoir peur de prendre le leadership de créer vous-mêmes des événements sociaux. C'est la meilleure façon de garantir qu'ils s'adresseront directement à votre public-cible et qu'ils rencontreront vos exigences en la matière.

Dans les annales de la radio...

À la fin des années 80, une station de radio AM voulait affirmer son leadership social et redorer son blason auprès des commerçants de sa région, alors que la situation monopolistique dans laquelle elle avait grandi pendant plusieurs décennies venait de prendre fin avec l'arrivée d'un compétiteur FM. Cette station de radio AM devint le fondateur d'un Club de l'excellence misant sur les nouveaux mots fétiches des entrepreneurs modernes: excellence et qualité totale.

À chaque semaine, lors du dîner hebdomadaire de la Chambre de commerce régional, on remettait une plaque honorifique à la personnalité de la semaine de cette région. Cette nouvelle personnalité de la semaine était ensuite l'invitée d'honneur d'une émission radiophonique d'une heure diffusée le samedi matin.

Cette activité, en plus de mettre hebdomadairement en évidence la station de radio devant les membres de la Chambre de commerce, a permis à cette station radiophonique d'établir des contacts avec des représentants de tous les secteurs économiques et sociaux qui avaient été invités à participer au comité consultatif d'identification des candidats au titre de personnalité de la semaine. On y avait invité le maire, le gérant des arénas, le directeur général du Conseil de la culture, les présidents et les directeurs généraux des principales entreprises de la région, des commerçants, les directeurs des bureaux régionaux des divers ministères provinciaux et fédéraux, l'évêque du diocèse, des femmes d'affaires, le directeur bien connu du service des incendies et, bien sûr, le président et le directeur général de la Chambre de commerce.

Ce n'était, en fait, qu'une vieille idée, le journal La Presse nous ayant habitué à sa personnalité de la semaine. Mais c'était une idée nouvelle pour le milieu. Et le fait de le faire hebdomadairement dans un marché relativement petit était remarquable.

●●●●●●●●●●●●●●●●●●●●●●●●●●●●●●●●●●

Mais si vous êtes à court d'idées, vous pouvez simplement vous coller à des événements déjà existants en laissant croire à la population que vous en êtes un rouage important. Être présent et surtout, visible sur les lieux d'événements de foule, qu'il s'agisse d'une collecte de sang de la Croix-Rouge, d'une course de démolition, d'un festival des arts de la scène, d'une joute de l'équipe de hockey junior du coin ou des festivités entourant la St-Jean-Baptiste, est une bonne façon d'accroître la visibilité de la station dans le milieu et de vous rapprocher humainement de vos auditeurs.

Vous pouvez en profiter pour démontrer l'efficacité de votre média à offrant aux organisateurs d'animer en direct du lieu de l'événement. Face à un succès, vous pourrez prendre une bonne partie du mérite et les représentants publicitaires de votre station pourront s'en servir comme argument de vente. En plus, vous aurez démontré aux gens présents que vous aviez les mêmes intérêts qu'eux. Vous vous en préoccupiez suffisamment pour vous déplacer!

Pour choisir à quelles activités votre station participera ou s'associera, le premier critère est toujours le même: le public-cible rejoint par cette activité, le public de clients-auditeurs et de clients-annonceurs. Par exemple, si la plupart des bénévoles impliqués dans l'équipe de hockey junior de votre localité sont des hommes d'affaires, vous avez sans doute avantage à vous y impliquer.

Il y a, bien sûr, une longue liste de critères secondaires possibles. Quelle campagne promotionnelle entourera l'événement: envoi postal, publicité à la télévison, impression de *T-Shirts*? Y aura-t-il de la place pour votre logo sur tout le matériel publicitaire? Est-ce que vous pouvez «posséder» l'événement en incluant votre indicatif d'appel dans le nom de l'événement (les «Courses de stock-car CXXX», par exemple)? Quelle visibilité aurez-vous sur place? Y-a-t-il possibilité d'association à long terme? Aurez-vous l'exclusivité radio?

Pesez le poids des réponses à toutes ces questions en rapport avec l'implication requise et les coûts qui y sont reliés. Il est préférable de prendre le temps de bien choisir les activités annuelles auxquelles on s'associe et de s'y associer pour de nombreuses années, plutôt que de tourner sans cesse en rond. La reconnaissance et la confiance viennent avec le temps.

VOTRE NIVEAU D'IMPLICATION

Peu importe l'activité utilisée pour développer vos relations avec le public, la qualité de votre implication dans cette activité sera tout aussi déterminante pour le succès de l'opération que le choix même de l'activité. Une implication boiteuse dans un organisme de votre patelin peut même être 10 fois pire qu'aucune implication. Même si les groupes qui bénéficient de vos services ne payent pas, s'ils sont déçus, ils conserveront une image extrêmement négative de votre station. N'oubliez jamais que vous travaillez avec des bénévoles souvent émotivement impliqués dans leur organisme. Faites attention! Ils pourraient vous percevoir comme un opportuniste n'étant venu les voir que pour en tirer des avantages, pour les exploiter. Même si cela est vrai, efforcez-vous de prouver le contraire!

Vous n'êtes pas un fonctionnaire, vous ne travaillez pas de 9 à 4. Vous êtes plutôt comme un représentant de compagnie de bière qui ne compte pas ses heures. Mieux vaut s'embarquer dans moins d'activités, mais se donner à fond dans toutes celles choisies.

Pour maximiser l'impact de votre implication dans un organisme communautaire, vous devriez vous poser en spécialiste des communications. Offrez-leur, par exemple, de préparer leurs communiqués de presse et d'en faire la distribution. Cela vous donnerait l'occasion de rencontrer vos collègues de la télévision et des journaux au nom d'un autre organisme tout en mettant votre expérience au service de cet organisme. Vous voulez rendre service mais vous voulez aussi en tirer profit!

LA QUESTION DE L'EXCLUSIVITÉ

L'exclusivité est un sujet très délicat qui revient habituellement très fréquemment dans les discussions.

Lorsque vous investissez beaucoup d'énergie à organiser une promotion, avec et pour un groupe local, et que vous leur fournissez de la publicité gratuite, vous espérez toujours être le seul à obtenir le crédit du succès en étant la seule station de radio visible sur place. Mais la plupart des groupes essaieront d'obtenir l'appui de tous les médias, y compris de toutes les stations de radio.

Il n'y a pas de règle générale concernant l'exclusivité. Chaque situation est différente. C'est à vous de juger si vous pouvez demander l'exclusivité pour votre station de radio ou si vous ne devriez pas plutôt jouer le rôle du «bon gars» qui n'a pas peur de la compétition.

Si l'association, entre votre station et le groupe, est plus un privilège pour vous que pour eux, vous aurez évidemment plus de difficulté à demander l'exclusivité.

UN SERVICE D'ANIMATION MOBILE

Un service d'animation mobile peut constituer une pièce importante sur l'échiquier de la promotion. Il peut s'agir d'un service d'animation de soirées, ce qu'on appelait autrefois une «disco mobile», mais il peut aussi s'agir simplement d'une unité mobile vous permettant d'animer n'importe où: sur un terrain de camping, comme en face de l'aréna lors de la pré-vente des billets du spectacle de Céline Dion.

Votre unité mobile devrait être équipée d'un système de son avec lecteurs de disques audionumériques et de cassettes, d'un amplificateur, d'un *mixer*, d'un égaliseur graphique, de deux microphones et d'une paire de hauts-parleurs. Le tout devrait être constamment en disponibilité dans une vannette identifiée aux couleurs de la station et équipée elle-même d'un système d'animation publique (*PA System*) avec flûtes sur le toit. Pour compléter l'ensemble, vous devriez ajouter à votre liste d'équipement, une table et un kiosque identifiés à la station de même qu'une grande bannière avec le logo de votre station incluant le trio d'identification bande-fréquence-indicatif d'appel. Il ne sert à rien de déployer tant d'efforts si vous n'imprègnez pas votre «nom» dans la tête des gens présents.

Ce type de présence dans le milieu accomplit beaucoup plus que simplement le fait de vous faire voir. Vous démontrez aux gens de quelle façon vous êtes en mesure de leur fournir du plaisir: par la musique et l'animation.

Ainsi équipé, vous pourrez vous pointer n'importe où, n'importe quand, sous un aspect véritable de station de radio. Le journal peut arriver, lui, avec un simple appareil photographique. C'est ça, un journal! Mais vous, vous devez continuer dans la vie de tous les jours à fournir le plaisir que vous diffusez en ondes. Une station de radio et des gens de radio doivent être vus en public comme une station de radio et des gens de radio. Sinon, pourquoi faire de la promotion?

Dès qu'ils connaîtront l'existence de ce service d'animation mobile, la plupart des groupes sociaux vous le demanderont pour leurs soirées de groupe. Et comme la plupart des gens n'oublient pas ceux qui leur ont rendu service lorsqu'il leur est demandé de remplir un bulletin de vote appelé cahier de sondage de cotes d'écoute...

Évidemment, lorsqu'on vous demandera votre service d'animation pour une soirée au lieu de faire appel à une «disco mobile», vous pouvez demander une rémunération. Mais votre objectif devrait être simplement de récupérer les coûts d'opération reliés directement à la soirée. Vous ferez des profits avec l'augmentation de votre notoriété publique. Vous pouvez aussi laisser les animateurs louer tout l'équipement à prix modique pour leurs propres soirées, même s'ils en retirent de bons profits.

Mais quel que soit votre mode d'opération, faites la promotion de ce service en ondes. Comme les vendeurs de votre station s'évertuent à le faire comprendre aux commerçants de votre patelin: il est inutile d'offrir un produit si vous ne le publicisez pas.

UN BULLETIN DE LIAISON

La production et la distribution d'un bulletin d'information peut être un excellent moyen de promotion auprès de vos clients-annonceurs auxquels vous ne pouvez pas facilement parler directement et explicitement en ondes. Un tel bulletin vous permet de véhiculer toutes les nouvelles ou promotions intéressantes pour vos clients-annonceurs mais non pour l'ensemble de vos auditeurs: des rabais sur la carte de tarifs, des statistiques sur l'économie, des conseils de marketing.

Avec la technologie informatique maintenant offerte à très bas prix, vous pourriez même informatiser un système d'envoi personnalisé, par télécopieur, des nouvelles de dernière heure. Le mariage du courrier et du télécopieur constitue généralement un mix média efficace pour rejoindre les clients-annonceurs.

Même si cela concerne surtout les représentants publicitaires, participez à la préparation de ce bulletin de liaison. La publicité qui sera faite de votre station dans ce bulletin peut vous gagner quelques auditeurs supplémentaires.

LE RÔLE PROMOTIONNEL DES JOURNALISTES

Même si on croit à l'information pure et libre de toute attache, il reste que les journalistes aussi doivent participer au développement de leur image s'ils veulent que quelqu'un écoute leur version de la vérité! En fait, ils ont même un rôle de premier plan à jouer dans les relations publiques et la promotion d'une station de radio.

Le journaliste est, avec le représentant publicitaire, la personne de la station la plus régulièrement en contact avec le public. L'image qu'il projette sera assimilée à l'image de la station.

Lorsqu'il est présent sur les lieux d'un événement ou d'une conférence de presse, il peut en profiter pour mettre la station bien en évidence en plaçant, par exemple, la voiture du service des nouvelles identifiée à la station bien en vue sur le trottoir en face de l'édifice où se déroule l'événement ou en plaçant le micro identifié à la station devant les caméras de télévision.

Faire voir son logo est de la publicité gratuite mais en plus, dans le cadre d'un événement quelconque, c'est un élément contribuant au développement d'une image d'entreprise impliquée dans son milieu. De plus, ceux qui ont vu votre voiture sur place seront instinctivement portés à écouter vos bulletins d'information même si, bien souvent, ils n'apprendront rien de plus que ce qu'ils ont appris en étant eux-mêmes sur place. Le plaisir de le l'entendre à la radio!

LES CONCOURS

Les concours peuvent être perçus de bien des façons par les employés d'une station de radio: généralement, le directeur de la programmation les voit comme un outil pour augmenter le nombre d'heures d'écoute de la station; le directeur général, comme une grosse dépense à soustraire des revenus, un mal nécessaire; les représentants publicitaires, comme un outil de vente, un moyen de se rapprocher de certains clients; et les avocats de la station, comme un bon moyen d'être pris en défaut sur quelques règlements obscurs. Vos clients-annonceurs, eux, les verront probablement comme un moyen d'évaluer l'efficacité publicitaire de votre station.

Les concours promotionnels visent ordinairement à encourager les auditeurs actuels à demeurer plus longtemps à l'écoute de la station. Mais certains concours promotionnels auront un objectif plutôt similaire à celui des relations publiques, soit d'augmenter la connaissance de votre média auprès des non-auditeurs en faisant la promotion de votre station dans les autres médias. Si vous savez en tirer le maximum, un concours servira simultanément les deux objectifs.

Faites toujours beaucoup de pré-publicité, de façon à ce que le plus de monde possible sache que le concours existe et ait une bonne idée de son fonctionnement avant qu'il ne commence. Deux semaines de pré-promotion constituent un minimum. Vous devez prendre le temps d'attirer l'attention des gens, de mousser leur intérêt et de développer leur désir de participer au concours.

Ensuite, une fois que le concours est terminé, sachez en tirer profit au-delà de ce qu'il vous a déjà rapporté en publicisant son immense succès. Félicitez les gagnants et rappelez les moments forts.

LE CHOIX D'UN CONCOURS ET D'UN PRIX À ATTRIBUER

Les concours doivent cadrer parfaitement bien dans votre programmation et avec l'image que vous voulez propager pour votre station. Ainsi, une station qui voudrait développer une image «fofolle» avec une émission matinale outrageante pourrait avoir raison de faire une promotion dans le style «Quelle est la plus grosse folie que vous êtes prêt à faire pour $25 000?».

À l'exception des concours faisant l'attribution de gros prix (une maison, une voiture, 25 000$), vous vous rendrez compte que de nombreux gagnants se présenteront à votre réceptionniste pour réclamer leur prix sans savoir exactement ce qu'ils ont gagné. Ces gens participent simplement pour le plaisir de participer. Le prix n'est donc pas toujours très important. Vous pourriez même avoir plus d'impact avec une promotion faisant l'attribution de plusieurs petits prix qu'avec un concours ne faisant qu'un seul grand gagnant.

Certaines stations de radio ont d'ailleurs obtenu un très bon impact promotionnel en effectuant en ondes des concours caricaturant les promotions exagérées de leurs compétiteurs et en remettant quelques cents noirs à chacun de leurs gagnants. 103¢, par exemple, pour le FM 103.

Dans les annales de la radio...

La station de radio WNOK de Columbia, dans l'état américain de la Caroline du Sud, avait mis en ondes, à l'été 1991, un concours faisant l'attribution d'un voyage, à chaque semaine. Sa cote d'écoute avait baissé.

À l'automne, ils ont mis de côté les gros concours et se sont consacrés à l'implication sociale et au «marketing direct» par la poste. La cote d'écoute a rebondi de 8.0 à 9.3.[1]

[1] Information extraite d'un article de Sean ROSS, Top 40 Stations That Actually Went Up: More Street Promo, Less Cash, Less Hype, magazine américain Billboard, 8 février 1992, p. 64.

La décision d'organiser ou non un concours doit être prise en se basant sur les objectifs de marketing de votre station. Ensuite, le choix des prix à attribuer et de la procédure d'attribution sera également effectué en fonction de ces objectifs.

Ainsi, si vous voulez augmenter le nombre d'heures d'écoute par auditeur, vous pourriez faire l'attribution de 250 paires de billets pour le spectacle d'un artiste très populaire auprès de votre public-cible en en donnant une paire «à tout moment» pendant deux semaines. Mais si votre objectif est plutôt de faire augmenter la portée totale rapportée dans les données de BBM, vous seriez probablement mieux de remettre 250 paires de billet à 15h00 mercredi, par exemple, en l'annonçant au moins deux semaines à l'avance dans tous les autres médias à votre disposition. Les gens croiront alors davantage en leur chance de gagner et vous irez chercher de nombreux auditeurs qui vous écouteront pendant au moins 15 minutes durant la période de sondage de cotes d'écoute, même s'ils n'avaient jamais écouté votre station auparavant et ne l'écouteront jamais plus.

LES INGRÉDIENTS DU SUCCÈS

Il n'y a pas de recette-miracle pour garantir le succès d'un concours, mais il y a quand même plusieurs ingrédients essentiels...

L'INTÉRÊT POUR CEUX QUI NE PARTICIPENT PAS

Vous remarquerez que ce sont toujours les mêmes personnes qui téléphonent à tous vos concours. En fait, la très grande majorité des auditeurs n'essaieront jamais de participer à un concours.

Ces auditeurs non participants sont précisément ceux pour qui le concours doit être intéressant: ils forment la majorité de l'auditoire et ils écoutent le concours. Il en va d'ailleurs de même pour les émissions-quiz à la télévision.

Procédez donc à la réalisation d'un concours comme vous le feriez pour la production d'un message publicitaire. Évitez de répéter inutilement les mêmes phrases-clichés et procédez de façon rapide, dynamique et efficace. Vous pourriez également utiliser des effets sonores pour ajouter de la vie et souligner les moments forts du déroulement du concours.

Si votre programmation est principalement musicale, la durée d'un concours en ondes ne devrait pas dépasser 30 secondes. Même le concours le plus intéressant sur la planète ne plaira pas à l'auditeur qui ne fait qu'attendre impatiemment la diffusion de sa chanson favorite.

L'APPARENCE DE CHANCE RAISONNABLE

L'apparence de chance raisonnable, c'est surtout la simplicité dans le processus de sélection du gagnant. Si les gens sont totalement convaincus de ne pas pouvoir gagner, ils ne participeront pas. Le concours doit se dérouler sous le signe du plaisir plutôt que sous celui de l'élimination des concurrents.

Prenons un exemple. Vos auditeurs sont invités à téléphoner pour faire inscrire leur nom sur un bulletin de participation qui sera déposé dans un baril. Le vendredi suivant, un tirage au sort a lieu en ondes. La personne dont le bulletin est extrait du baril et le nom, annoncé en ondes, doit rappeler dans les quinze minutes suivantes pour obtenir le droit de participer au tirage final qui sera effectué six semaines plus tard. Ce concours comporte beaucoup trop d'étapes et trop de contraintes: il faut obtenir la communication téléphonique durant des périodes limitées pour s'inscrire, il faut que son nom soit choisi au hasard le vendredi suivant alors que vous devez absolument être à l'écoute et être en mesure de rappeler dans les 15 minutes. Tout cela, simplement, pour ensuite, courir la chance d'être à nouveau choisi au hasard!

> Le public-cible de vos concours: ceux et celles qui ne participent pas.

241

Une très grosse multinationale américaine, oeuvrant dans le domaine de la restauration, avait organisé dans les années 80 un concours faisant l'attribution à une personne gagnante d'une somme d'un million de dollars. Intéressant! Mais ce fut un échec. Les organisateurs de ce concours avaient choisi une procédure d'élimination très complexe nécessitant de nombreuses actions de la part des candidats, en prenant sans doute pour acquis que les gens seraient disposés à faire n'importe quoi pour un million de dollars. Ils avaient tort. En fait, vous devriez plutôt considérer comme acquis que la plupart des personnes pouvant être intéressées par votre concours sont gênées et lâches! Les procédures de participation doivent donc être extrêmement simples et non compromettantes.

Aucun concours ne devrait être effectué en plus de deux étapes: l'inscription, puis la détermination du gagnant.

Dans le cas d'un concours invitant les auditeurs à s'inscrire pour participer à un tirage, vous devriez procéder de façon à ce que le plus grand nombre d'auditeurs possible puissent s'inscrire, en prenant par exemple les inscriptions de tous ceux qui téléphonent sur une période de 15 ou 20 minutes. L'élimination se fera lors du tirage au sort, non lors de l'inscription. Avec une telle formule, les gens qui croient qu'il est impossible d'être «le septième appel» sur la ligne des concours seront plus portés à participer. Et plus il y a de noms dans le baril, plus il y a de personnes parlant du concours à leurs amis!

D'autre part, faites attention à la formulation de vos explications. Elle peuvent aussi décourager les gens. L'apparence de chance raisonnable, même présente dans la structure du concours, peut disparaître si vous employez une formulation assommante. Par exemple, si un auditeur gagne un prix insignifiant, mais court la chance de gagner un voyage autour du monde, n'allez pas dire en ondes que celui-ci «mérite en plus la chance de peut-être pouvoir gagner un voyage». La «chance» de «peut-être» «pouvoir» «gagner»... Les chances commencent à être petites!

LA FACILITÉ À EXPLIQUER LE CONCOURS

Pour que les gens aient le goût de participer à un concours, il faut d'abord qu'ils puissent comprendre comment il fonctionne! Trop souvent les concours sont tellement bien pensés par leurs créateurs que plus personne ne comprend comment ils fonctionnent! Vos auditeurs n'ont pas le même temps que vous pour réfléchir au concours et l'analyser.

Les représentants publicitaires de votre station expliquent régulièrement à vos clients-annonceurs qu'ils ne peuvent pas mettre 300 détails dans un même message parce que celui-ci n'aurait plus aucun impact. Alors, ne le faites pas vous-même!

Chaque concours doit être explicable et compréhensible en 30 secondes, dès la première fois. Si ce n'est pas le cas, modifiez-le jusqu'à ce que ce le soit.

Le meilleur test pour s'en assurer consiste à expliquer le concours en 30 secondes à un employé de la station autre qu'un animateur. Si cette personne ne comprend pas, vos carottes sont cuites!

UN TITRE ACCROCHEUR ET EFFICACE

On dit, avec raison, qu'un bon titre, c'est la moitié d'un concours. Un bon titre, c'est un titre accrocheur et efficace. Accrocheur, pour éveiller l'attention. Efficace, pour vous aider à accomplir votre mission promotionnelle.

C'est pour cette deuxième raison que votre indicatif d'appel ou votre position sur la cadran du récepteur radio devraient toujours être inclus dans le titre. C'est ce que vous voulez promouvoir et c'est ce que vous voulez que les gens inscrivent

---

Supposez que la plupart des personnes sont gênées et lâches...

Vos auditeurs n'ont pas le même temps que vous pour réfléchir au concours...

dans leur cahier de sondage de cotes d'écoute. D'ailleurs, si les gens parlent en ville du concours de «La minute CXXX», vous en tirerez probablement plus de bénéfices que s'ils parlent de «La minute chanceuse».

Dans les annales de la radio...

À l'été de 1991, une nouvelle station de radio FM offrait à ses auditeurs un concours qui fonctionnait de la façon suivante: pour gagner un voyage aller-retour à Montréal en avion et l'hébergement pour deux nuits dans un hôtel de Montréal, votre nom devait être pigé au hasard parmi les finalistes des semaines précédentes (un finaliste était choisi à chaque semaine). Pour être un de ces finalistes, votre nom devait avoir été pigé au sort un vendredi, parmi les cinq gagnants quotidiens de la semaine. Mais ce n'est pas tout, pour avoir été un gagnant quotidien, vous deviez avoir réussi à obtenir la ligne téléphonique lorsque la question du jour était posée et y avoir répondu correctement. Et pour être en mesure de répondre correctement à la question du jour, vous deviez avoir sous les yeux une liste d'éphémérides publiée dans le journal hebdomadaire du coin.

Les procédures de participation à ce concours atteignent un niveau rare de complexité. Il est difficile d'expliquer le concours en peu de mots, l'auditeur moyen a l'impression de n'avoir aucune chance de survivre aux innombrables étapes d'élimination et, en plus, l'intérêt pour ceux qui ne participent pas au concours est totalement nul. D'autant plus que les éphémérides utilisés n'avaient même pas rapport avec la semaine du concours! Par exemple, durant la semaine du 25 juin 1991, on relatait des événements de février et de mars.

D'autre part, le prix offert était bien sûr intéressant financièrement pour le gagnant mais il n'offrait, tout compte fait, aucun aspect émotif fort, les résidents de ce coin de pays étant habitués de se rendre régulièrement à Montréal.

Bref, la totalité des ingrédients de base nécessaires au succès d'un concours radiophonique étaient absents.

LES CONCOURS TÉLÉPHONIQUES

LE FILTRAGE DES APPELS

Afin d'éviter que ce soit toujours les mêmes personnes qui gagnent tout le temps dans le cadre des concours du type «vous gagnez si vous êtes la 7e personne à nous rejoindre», plusieurs animateurs utilisent un truc vieux comme la terre quoique plus ou moins légal. Plutôt que de répondre au téléphone en disant quelquechose comme «CXXX, vous êtes l'appel numéro 7», ils répondront «CXXX. Qui appelle, s'il vous plait?» La personne à l'autre bout du fil dira peut-être «j'appelle pour le concours», au lieu de répondre à votre question, mais en l'entendant parler, vous pourriez reconnaître une personne qui téléphone régulièrement et qui aurait déjà gagné à plusieurs autres concours. Dans un tel cas, vous pourriez enchaîner par «Désolé, vous êtes l'appel 6!» Et dans le cas contraire, par «Félicitations, vous gagnez (...)».

LE NOMBRE D'APPELS

Occasionnellement, vous pourriez vous permettre quelques extravagances dans le style «Le 137e appel, gagne.», mais en général, il est inutile de demander un

> **Un bon titre, c'est la moitié d'un concours.**

Cette section sur les concours téléphonique est un complément à celle traitant de l'utilisation, en ondes, de conversations téléphoniques (page 125 et suivantes).

grand nombre d'appels. Les gens normaux ne seront pas emballées par l'idée de recomposer inlassablement le même numéro et vous n'aurez finalement, avec vous, que les fanatiques. D'un autre côté, prendre le premier appel est tout autant injuste pour ces gens normaux qui ne sont pas assis à côté de leur téléphone en attendant que vous mentionnez l'heure du concours. Il est donc préférable de choisir entre le 5e et le 15e appel.

Ensuite, donnez-vous la peine de répondre à tous les appels que vous avez annoncés de façon à ce que le plus grand nombre possible de personnes puissent dire qu'elles ont failli gagner.

La formule de clôture

«Quelle est votre station de radio préférée?»

Cette phrase utilisée fréquemment pour clore les concours effectués par téléphone est devenue d'une absurdité totale. Le cliché par excellence! Une véritable perte de temps. Tout le monde connaissant la réponse, l'intérêt des auditeurs pour une telle conversation est tout à fait inexistant.

Félicitez le gagnant, demandez-lui depuis combien de temps il écoute votre station, suggérez-lui de téléphoner à ses amis pour les inciter à participer au concours ou utilisez votre imagination pour conclure le concours par téléphone de façon surprenante et intéressante. Mais sans développer de nouveaux clichés!

Les concours par correspondance

Encore une fois, la simplicité dans les procédures de participation et l'intérêt pour tout le monde, sont des éléments importants. Ne demandez pas à vos auditeurs d'écrire un texte de 25 mots expliquant pourquoi ils écoutent votre station. C'est trop compliqué et tout à fait inintéressant pour les auditeurs. Si vous leur demandez d'écrire, limitez-vous à leur demander d'inscrire un ou quelques mots. C'est le cas, notamment, dans l'exemple classique du concours dans lequel on demande aux gens de deviner le nombre de bouchons de bouteilles bière dans une voiture en exposition dans un centre commercial.

Pour vous simplifier grandement la vie dans la gestion du concours, vous pourriez exiger l'utilisation de cartes postales. Mais soyez alors conscient que vous éliminerez ainsi de nombreuses personnes qui ne sont pas intéressées à se déplacer pour aller acheter une carte postale.

Les aspects légaux

Même si personne n'est venu, jusqu'à présent, vous demander une copie des règlements officiels de vos concours, cela pourrait arriver la prochaine fois et vous pourriez faire face à de gros problèmes si vous n'êtes pas en mesure de les fournir ou si ceux-ci contiennent des éléments ne correspondant pas au déroulement réel du concours. Pensez à vos compétiteurs qui pourraient se payer le malicieux plaisir d'envoyer un copain prendre une copie de vos règlements officiels simplement pour tenter de vous prendre en défaut! Évitez donc de rédiger les règlements officiels à la dernière minute comme une corvée désagréable. Une réputation est si facilement et si rapidement salie!

Lorsque vous rédigez les règlements officiels du concours, prenez le temps de bien peser vos mots et de penser à toutes les éventualités. Vérifiez la législation provinciale et fédérale sur le sujet.

Au Québec, obtenez auprès de la Régie des loteries et courses du Québec (RLCQ) les règles relatives aux concours publicitaires et les formulaires prescrits pour les aviser. Un tel avis doit être donné au moins 30 jours avant le début du concours en ondes et être accompagné du paiement des droits qui s'établissent à 10% de la valeur des prix attribués.

La liste suivante présente des exemples de points à surveiller ou de questions à se poser lors de la préparation des règlements officiels:

- Est-ce que les participants doivent avoir plus de 18 ans? Pensez-y sérieusement. Cette restriction s'applique à bien des concours si vous ne voulez pas avoir de problèmes avec les parents et si vous ne voulez pas assumer la responsabilité des conséquences qui pourraient découler de la remise du prix à un adolescent ou à un enfant.

- Il peut être avantageux de spécifier que la participation au concours est limitée à une inscription par personne ou à une, par famille. Des gens passent presque leur vie entière à courir les concours! Ne froissez pas inutilement ces gens en les rabrouant cavalièrement, ils sont vos auditeurs, mais protégez-vous en précisant dans les règlements officiels votre politique de «Un seul prix par personne» ou de «Une seule inscription par personne», si c'est ce que vous voulez.

- Si le concours s'effectue par téléphone, précisez que vous n'êtes pas responsable si des problèmes techniques surviennent au cours de la conversation téléphonique et qu'un gagnant potentiel se trouve ainsi privé de sa chance.

- Si vous faites l'attribution d'une voiture «neuve», précisez que celle-ci aura un peu de millage puisque vous vous en servirez tout au long de la promotion.

- Si vous faites l'attribution d'un voyage, précisez en détails ce qui est inclus et ce qui ne l'est pas. Par exemple, est-ce que le transport pour se rendre à l'aéroport de Mirabel (Montréal) est inclus? L'est-il aussi si la personne gagnante est un individu de Vancouver qui était de passage à Montréal?

CHAPITRE 7

VOTRE CARRIÈRE

Il n'existe aucune recette-miracle pouvant garantir le succès, ni à la radio ni ailleurs. D'autant plus qu'il y a bien des définitions différentes du succès! Si vous demandez à 10 animateurs-vedettes leur définition du succès, vous obtiendrez 10 réponses différentes et 10 cheminements de carrière différents.

Toutefois, même s'il est impossible de définir un cheminement gagnant, il est possible d'affirmer comme le faisait un auteur inconnu:

> «Si vous ne savez pas où vous voulez aller, il est probable que vous arriverez ailleurs.»

...comme il est fort probable que vous ne vous rendiez pas à destination, si vous ne vous donnez pas la peine d'établir le plan pour vous y rendre. Personne ne peut bâtir votre carrière à votre place. C'est à vous d'en gérer stratégiquement le développement.

Dans une station de radio, vous êtes un employé. Mais par rapport à votre carrière, vous êtes un entrepreneur artisan et vous devez travailler à son développement comme un président travaille au développement de son entreprise.

L'ACCÈS À LA PROFESSION

L'apprentissage à tâtons a été longtemps la seule méthode d'apprentissage du métier d'animateur radio. C'était passablement vrai jusqu'au milieu des années 80, alors que la plupart des stations de radio éloignées des grands centres urbains jouissaient d'un privilège, celui d'être la seule station de radio dans leur patelin. Une station de radio, dans une telle situation monopolistique, pouvait se permettre de recruter des jeunes inexpérimentés et de les laisser se pratiquer en ondes pendant des mois sinon des années.

Aujourd'hui, après que le CRTC ait permis et encouragé la prolifération des licences de radiodiffusion, ces mêmes stations de radio doivent offrir un produit de meilleure qualité pour faire face à la compétition et aux émissions de Montréal retransmises sur les stations affiliées des grands réseaux. Elles doivent simultanément assumer une réduction de leurs revenus publicitaires qui ont fondu au fur et à mesure que la tarte publicitaire se segmentait. La façon la plus rapide d'équilibrer l'équation budgétaire est simple: la retransmission d'un plus grand nombre d'émissions en réseau ou l'automatisation de la programmation, particulièrement dans les créneaux horaires traditionnellement confiés aux apprentis, c'est-à-dire ceux de fin de soirée et de nuit.

Les recrues des années 90 doivent donc être en mesure de produire très rapidement des émissions de qualité. L'accès à la profession et la survie au cours des premières semaines passent de plus en plus par une bonne préparation. Cela inclut la maîtrise de la diction et de la phonétique, l'acquisition d'un vocabulaire varié, l'apprentissage des techniques d'opération de studios et le développement d'une solide personnalité.

L'aspirant au métier d'animateur doit donc investir du temps, mais aussi de l'argent, pour se préparer adéquatement. Il lui faudra probablement quelques cours de formation pour corriger ses points faibles.

Pourtant, et paradoxalement, on rencontre de plus en plus d'individus parachutés en ondes sans aucune expérience ni formation préalable. C'est vrai! Mais c'est surtout le cas des vedettes, très peu celui des gens ordinaires. Il y a de plus en plus de dirigeants de stations de radio qui pensent règler leurs problèmes en dépensant une fortune dans l'embauche de vedettes, croyant que le nom et la réputation de ces vedettes suffiront pour attirer les auditeurs et accroître les revenus publicitaires. Malheureusement pour ces vedettes parachutées dans le rôle d'animateur radio, malheureusement pour les animateurs professionnels et malheureusement pour la qualité de l'animation sur les ondes radiophoniques, ces animateurs improvisés n'ont, bien souvent, même pas eu 15 minutes de formation sur les principes de base de l'animation radio. Gilles Proulx a d'ailleurs très bien résumé cette situation des temps modernes:

> «On remarque que n'importe qui ou presque devient annonceur. Oui, n'importe qui peut grimper à l'antenne. En autant qu'on a une réputation un peu fofolle, qu'on a fait du bruit, qu'on a été ministre ou même lutteur, on devient animateur matutinal dans une station pour attirer la population. Oyez! Oyez! Écoutez-moi, j'ai à vous dire... Le speaker d'hier est donc en voie d'extinction.»[1]

Cela signifie que la porte d'entrée se referme encore davantage sur les personnes qui voudraient faire d'un emploi d'animateur radio, une véritable profession.

Mais il y a une très bonne façon de réagir à tout cela: faire encore mieux! Viser l'excellence. Se distinguer des autres.

Le portrait type d'un animateur radio

Le portrait type d'un animateur radio proposé par Bob Paiva dans son livre The Program Director's Handbook[2] est pour le moins frappant.

Selon Bob Paiva, l'animateur type est un individu fondamentalement insécure et sensible. Au niveau émotif, il en est encore au stade de l'enfance, période durant laquelle il a manqué d'amour ou de sécurité. Pour compenser ce manque, il a un besoin profond de reconnaissance publique. Il a besoin d'être apprécié malgré le fait qu'il ait de la difficulté à accepter que quelqu'un d'autre puisse l'aimer. L'animateur type de Bob Paiva a un flair hors du commun pour trouver cette appréciation: c'est sa capacité à «se vendre» partout. Par contre, comme il est très dépendant des autres et qu'il souffre facilement d'anxiété, il a souvent l'impression que son travail n'est pas apprécié. Il a alors tendance à réagir avec rage et à tenter d'être quitte envers celui qui ne l'a pas apprécié. De plus, cet animateur type aurait de la difficulté à accepter l'autorité et à se soumettre aux

Citations

[1] PROULX, Gilles, La Radio d'hier à aujourd'hui, Éditions Libre Expression, Canada, 1986, p. 179.

[2] PAIVA, Bob, The Program Director's Handbook, Tab Books, États-Unis, 1983, p. 6, 12 et 13.

procédures, tout comme il aurait de la difficulté à gérer son argent, à développer des relations stables avec le sexe opposé et à se contrôler face à l'alcool et aux jeux de hasard.

Ce portrait d'apparence sombre peut être, au contraire, un excellent gage de succès en radio. Bob Paiva affirme d'ailleurs que les personnes répondant à ce portrait type sont généralement des personnes très motivées et débordantes d'énergie. Elles ont une très grande confiance en elles même si cette confiance découle d'un sentiment d'infériorité. Elles sont prêtes à faire face au défi de la compétition pour obtenir la reconnaissance que leur procureront le prestige, l'argent et le statut social. Autrement dit, ce que certains pourraient définir comme un problème de personnalité peut devenir un actif sur lequel vous capitaliserez pour atteindre le succès.

Mais ne vous découragez pas si votre personnalité ne ressemble en rien à cette description! C'est tout à fait normal. Même s'il existe une liste de traits de caractères se retrouvant chez un grand nombre d'animateurs, les exceptions à la règle générale sont très nombreuses.

LE PREMIER EMPLOI

À QUOI S'ATTENDRE

De nombreux jeunes hommes et jeunes femmes décidant de faire carrière dans la radio pour la notoriété publique, le prestige et la liberté de créer tout en étant rémunérés, désenchantent assez vite lorsque leur premier emploi se trouve dans un village perdu où presque personne ne les écoute, que leur travail est composé de nombreuses tâches astreignantes et non créatives, que leur émission suit une formule pré-établie et coulée dans le béton, que leur salaire couvre à peine le coût du loyer et que le palmarès musical est déterminé sans qu'on les consulte.

La plupart des animateurs ont commencé par là. C'est bon! C'est même préférable! Comme Terry DiMonte expliquait en 1989, lors d'un séminaire à Toronto:

> «Si vous ne passez pas par les petites stations où on vous apprendra les règles de base de la radio et où vous travaillerez pour un directeur de la programmation qui ne vous laissera jamais vous éloigner d'une seule de ces règles, vous ne comprendrez jamais les principes de la radio. Et si vous ne comprenez pas ces principes, vous ne pourrez jamais faire un bon *morning show*.»[1]

Le fait que vous débutiez votre carrière dans une petite station a le très gros avantage de vous donner l'occasion de «toucher un peu à tout» dans la station, l'équipe de travail étant beaucoup plus petite et le travail moins segmenté. Cela «accélérera votre apprentissage et vous assurera d'une bonne formation générale favorisant votre avancement par la suite».[2] Dans certaines stations, si vous le désirez, vous pouvez même être représentant publicitaire à temps partiel en plus d'être animateur!

Mais pour passer par là, vous devez vous attendre à un salaire de départ variant entre le salaire minimum et quelques centaines de dollars par semaine, tout étant fonction de la «grosseur» et des besoins de la station de même que du nombre de personnes disponibles, à ce moment-là, pour satisfaire ces besoins.

Le choix d'un homme ou d'une femme dépendra aussi des besoins de la station à ce moment-là.

Citations

[1] Traduction libre d'une déclaration de Terry DiMonte (animateur matinier de CJFM-FM à Montréal) devant la sixième ANNUAL MUSIC INDUSTRY CONFERENCE présenté à Toronto en 1989 par le magazine canadien THE RECORD. Cette déclaration a été reprise dans le livre de Dan O'Day, Personality Radio, Volume Two: The Dangerous Air Personality, États-Unis, 1991, p. 225 et 226.

[2] ASSOCIATION CANADIENNE DES RADIODIFFUSEURS, Carrières en radiodiffusion, Canada, 1988, p. 4.

COMMENT L'OBTENIR

On entend souvent dire que pour entrer dans ce métier, il faut avoir «des contacts». Dans certains cas, c'est sans doute vrai. Mais généralement, votre entrée dans l'industrie de la radio est simplement dépendante des fameux 4 «P» du marketing: le produit, la promotion, le prix et le pipe-line (la distribution).

Le produit, c'est vous. Nous y reviendrons dans la section sur la formation. Le prix, c'est le salaire que vous demandez. Il faudra peut-être que vous consentiez à vous serrer encore davantage la ceinture! La distribution et la promotion, ce sont les méthodes que vous employez pour offrir vos services. Et si cela nécessite d'avoir des contacts, eh bien, développez-les!

Si vous pensez que votre produit est prêt à être offert sur le marché, il vous reste encore à définir qui est susceptible de pouvoir en bénéficier. À vous de faire des recherches, de trouver qui a besoin ou risque d'avoir besoin d'un animateur radio débutant. N'hésitez surtout pas à couvrir l'ensemble des stations de radio du Canada. Plus grands seront vos horizons, plus grandes seront vos chances de trouver.

Ensuite, il n'y a qu'une seule façon d'entrer en contact avec quelqu'un: celle qui vous fera remarquer sans choquer! Encore une fois, vous devrez faire des recherches. S'il le faut, entrez en contact avec un animateur travaillant à cette station pour lui demander conseil sur la façon d'aborder son patron. Pourquoi pas? Mais encore là, vous devrez user de diplomatie, ne vous mettez pas tout le monde à dos avant même d'entrer dans la bâtisse pour votre première entrevue! Vous devez démontrer votre intérêt sans harceler les gens. Le succès réside dans le juste équilibre des choses.

LE PREMIER DÉMO

La recherche d'un premier emploi constitue une tâche relativement ardue, principalement parce qu'il vous est difficile de prouver vos aptitudes en ondes: vous n'y avez jamais été! Et il est plutôt difficile de produire un démo sans avoir accès à un studio de production. Mais cette situation difficile est précisément l'occasion de prouver votre ingéniosité.

D'abord, au niveau technique, les possibilités sont là. Les écoles privées de radio et la plupart des collèges ont des studios d'enregistrement d'ailleurs très souvent mieux équipés que ceux des stations de radio commerciales.

Et pour le contenu? Ça dépend de ce que vous voulez vendre et de la personne à qui vous voulez le vendre. Écoutez la station qui vous intéresse et inspirez-vous de son style et de sa programmation pour préparer votre démo en prenant bien soin de toujours y inclure quelques messages publicitaires de votre cru en plus de votre animation. Vous pourriez aussi y insérer la livraison d'un court bulletin de nouvelles.

Dans les annales de la radio...

Au milieu des années 80, un homme dans la trentaine décide d'être animateur radio. Il prépare un démo-maison avec de l'équipement-maison et l'envoie à une seule petite station de radio indépendante: la plus près de chez lui.

Le directeur de cette station n'est évidemment pas impressionné par la qualité technique de l'enregistrement. Mais la qualité du contenu compense largement: une très bonne diction, un style intéressant, un ton personnel, des commentaires démontrant une personnalité attachante et un délicieux sens de l'humour. On sent la communication avec l'auditeur. On sent aussi l'absence de prétention.

Vous faire remarquer sans choquer.

Autres informations

Étant donné que le démo et le curriculum vitae sont des outils promotionnels qui vous serviront durant toute votre carrière, nous reviendrons sur la question de la préparation de l'offre de service, du démo et du curriculum vitae, dans la section traitant de votre propre promotion (page 262).

Le directeur-auditeur est ravi de cette écoute. «Ça tombe bien, j'avais justement besoin d'un nouvel animateur de week-end.»

Deux jours plus tard, cet homme était en ondes!

● ●

LA PREMIÈRE ÉMISSION

Obtenir un emploi est une chose. Le conserver plus de 24 heures en est une autre!

Lorsqu'on vous confiera votre première émission, n'allez pas croire que le tour est joué. Il est préférable de penser que vous allez vous casser la gueule que d'avoir trop confiance en vos capacités. Préparez-vous comme jamais personne ne s'est préparé. Et ne soyez pas frustré si le directeur de la programmation exige que vous vous en teniez strictement à la formule de programmation prescrite: commencez par prouver que vous êtes capable de mettre en ondes professionnellement cette formule avant de demander plus de liberté d'action.

Et si, en plus, vous êtes l'opérateur de mise en ondes de votre émission, demandez à pouvoir pratiquer cet aspect de votre emploi plusieurs jours avant d'y ajouter l'animation. Même si vous avez acquis une formation pratique exhaustive, la maîtrise de la technique d'opération d'un studio de mise en ondes est difficile à acquérir ailleurs que dans le studio même, d'autant plus qu'il n'existe pas deux studios de mise en ondes identiques. Si vous en avez la chance, il serait certes préférable d'avoir préalablement acquis un peu d'expérience à ce niveau (dans le studio de mise en ondes d'une radio étudiante, par exemple).

LA FORMATION REQUISE

La formation académique n'est pas un élément suffisant en soi, et encore moins essentiel, pour obtenir un emploi en radio. Certains employeurs hésitent même à engager des gradués universitaires parce que ceux-ci auraient, semble-t-il, une certaine tendance à prétendre tout savoir! Les employeurs considérant qu'une certaine formation préalable est primordiale deviennent quand même de plus en plus nombreux alors que la vieille méthode «d'apprentissage sur le tas» disparaît.

Il est donc préférable d'avoir acquis une certaine formation en communication qui pourra, au moins, vous aider à vous distinguer d'un autre candidat dont le dossier serait, autrement, de qualité équivalente. Le nombre de candidats étant demeuré relativement stable alors que le nombre de portes d'entrée a diminué, les candidats possédant le plus d'atouts auront forcément plus de chances. D'une façon ou d'une autre, cette formation vous aidera sans doute à voir un peu plus clair, en cours de route, dans l'évolution rapide de votre milieu de travail.

La formation générale est, également, de plus en plus importante. Il faut comprendre son époque, comprendre le monde qui nous entoure, comprendre les pulsations quotidiennes des gens que vous tentez de rejoindre. Une formation académique n'est évidemment pas le seul aspect d'une telle formation. Votre expérience de vie, vos voyages et vos aventures en font partie. On parle, ici, du développement de votre personnalité et de votre capacité à vous adapter à différentes situations. En ce sens, une formation en marketing ou en relations publiques peut être tout aussi utile qu'une formation en communication.

Mais comme vous devez aussi maîtriser la communication verbale, une formation plus pratique en diction et en français serait certes souhaitable. La maîtrise du français est particulièrement importante pour comprendre les textes dans lesquels vous puiserez des sujets d'animation et pour augmenter votre capacité à nuancer des opinions. L'art de manier les mots et les phrases va de pair avec l'art de manier les idées. Il faut connaître la signification précise des mots pour être en mesure de synthétiser des textes et des idées avec précision et brièveté.

Une liste d'institutions d'enseignement est présentée dans le carnet d'adresses annexé au présent ouvrage.

Citations

[1] SAUVAGEAU, Florian, L'enseignement du journalisme et de la communication: La «confusion» nord-américaine, article publié dans le livre réalisé sous la direction de Jean-Marie CHARON, L'état des médias, Éditions du Boréal, La Découverte, Médiaspouvoirs et CFPJ, Canada et France, 1991, p. 417 et 418.

[2] PROULX, Gilles, La radio d'hier à aujourd'hui, Éditions Libre Expression, Canada, 1986, p. 180.

LES INSTITUTIONS D'ENSEIGNEMENT

Plusieurs écoles privées, collèges et universités, offrent un programme d'études en communications et, dans certains cas, un programme en animation radio.

Évidemment, plus le niveau est élevé, plus la formation est théorique et moins elle vous sera utile à court terme. Comme l'a écrit Florian Sauvageau, dans les universités, les cours sont davantage orientés vers «la réflexion critique et les effets socioculturels des *mass media*. Des débats stériles se sont engagés entre théoriciens et professionnels venus à l'Université pour enseigner leur métier.»[1] Autrement dit, si vous désirez développer votre esprit critique face aux médias et développer votre culture générale, afin d'augmenter vos chances d'avancement dans votre carrière post-animation, vous pouvez avoir avantage à vous offrir un cours universitaire. Mais vous ne devez pas compter sur cette formation pour obtenir un premier emploi.

Quant aux écoles privées de radio, il en existe plusieurs, mais la qualité d'enseignement de certaines est pour le moins discutable. Gilles Proulx est d'ailleurs assez catégorique à ce sujet: selon lui, les écoles d'animateurs radio constituent, dans bien des cas, «la plus épouvantable escroquerie dans le domaine de l'éducation».[2] Il est vrai que la qualité des cours offerts par ces écoles privées dépend largement de l'intégrité et du professionnalisme du directeur et des professeurs, ce qui s'applique, toutefois, tout autant aux cours universitaires. Il est donc important de bien s'informer avant de choisir une école.

Faites particulièrement attention à ceux qui essaieront de vous faire croire qu'ils sont en mesure de vous garantir un emploi après votre cours. Les vendeurs de rêve existent partout. Les cours offerts par les écoles privées ne constituent qu'un maillon de votre préparation à la carrière d'animateur, une introduction au métier. Vous suivez d'ailleurs ce cours pour votre développement, pas pour vous en vanter. Vous seriez surpris du nombre d'individus que les directeurs de stations rencontrent et qui ont une attitude de «Regardez-moi, je sors de l'école UNETELLE qui m'a tout appris. Je suis une aubaine pour vous!» C'est la meilleure façon de s'assurer de ne pas décrocher de boulot!

QUALITÉS ET APTITUDES À DÉVELOPPER

Tout comme il n'existe aucun portrait-robot d'un animateur radio, il n'existe aucune liste absolue des qualités et des aptitudes qui vous aideront dans votre métier. Celles suggérées ci-dessous doivent être considérées comme des suggestions qui pourraient vous être utiles dans le développement de votre carrière ou dans la production d'une bonne émission.

Votre réussite dépendra surtout de votre capacité à vous adapter aux différentes situations et de votre détermination à tout faire ce qui doit être fait pour réussir.

Quelques qualités et aptitudes avantageuses:

...en plus, évidemment, de la créativité dont nous avons déjà fréquemment discuté.

La patience et la persévérance

La patience est utile dans plusieurs situations. Face aux cotes d'écoute qui évoluent souvent plus lentement qu'on ne le voudrait. Face à votre carrière, parce qu'il n'est pas facile d'obtenir un premier emploi d'animateur et parce que vous ne serez pas *Morning Man* à Montréal ou à Québec demain matin. Et face au directeur de la programmation, pour savoir attendre le moment propice pour demander plus de latitude.

La persévérance sert lorsque la patience commence à vous lâcher...

La confiance en soi

Vous devrez avoir une dose de confiance suffisante pour être en mesure de créer et d'expérimenter dans un monde souvent réticent à faire place aux innovations et pour avoir l'énergie de recommencer inlassablement après chaque erreur, mais aussi pour être en mesure de réagir rapidement face aux besoins et aux goûts constamment en évolution de votre clientèle.

L'intransigeance et la minutie

Notre meilleur maître est celui qui nous a fait suer, celui qui nous a poussé à dépasser nos limites. Sachez faire de même avec vous-même! Ne visez rien de moins que l'excellence. Le succès de votre émission repose sur la perfection d'un ensemble de détails.

L'humilité

La confiance en soi est nécessaire, mais elle ne doit pas être excessive. Vous devez viser la perfection et croire que vous êtes capable de l'atteindre, mais ne prétendez jamais y être parvenu. Le jour où vous serez totalement satisfait de vous-même, vous arrêterez de chercher à vous améliorer. C'est Apollinaire qui disait: «On imagine difficilement à quel point le succès rend les gens stupides et tranquilles».

Ne vous prenez jamais pour une super-vedette même si vous en êtes une: votre authenticité et votre humilité vous attireront davantage de support de la part de vos collègues et de vos auditeurs. Traitez tout le monde comme vous aimeriez être traité.

Vous aurez d'ailleurs besoin d'une forte dose d'humilité face à la critique souvent sévère de votre patron et même, de vos voisins. Il n'existe aucun animateur radio qui plaît à tout le monde. Si votre voisin vous déteste ou déteste votre station, ne vous en formalisez pas. Consacrez plutôt votre énergie à demeurer en contact avec votre public-cible, avec les gens qui vous écoutent et qui vous aiment. Et invitez quand même votre voisin à votre barbecue!

La tolérance à la frustration

Une des plus grandes frustrations au travail est, sans doute, d'avoir l'impression que son talent et ses efforts ne sont pas reconnus. Mais cela n'est pas une raison pour se démotiver. La tolérance à la frustration est un indice de maturité.

La détermination

La détermination... pour résister aux tentations de tout lâcher et pour avoir la patience d'éternellement recommencer.

Si vous travaillez dans une station de radio où tout le personnel semble avoir perdu toute trace de motivation, vous devrez faire preuve d'encore plus de détermination et de créativité pour sortir de là le plus rapidement possible! Si vous lancez la serviette, c'est vous qui serez le grand perdant.

La capacité de renouvellement

Tout ce que vous avez imaginé et réalisé, aussi fantastique que cela ait pu être hier, n'est probablement plus bon demain. Tôt ou tard, les auditeurs se lassent de la répétition et s'ennuient. Vous devez donc constamment vous ressourcer. Évaluez tout ce que vous faites, analysez la compétition, faites du remue-méninges. Améliorez, modifiez, évoluez. De temps à autre, de façon drastique; quotidiennement, un peu ici et là.

Les gens qui ont peur du changement ne devraient pas travailler dans le **monde de la radio!**

> **Ne visez rien de moins que l'excellence.**

> **«Le succès rend les gens stupides et tranquilles.»**

253

La capacité d'analyse et de synthèse

Un bon esprit d'analyse vous aidera à aborder toute situation de manière systématique et à la disséquer pour en extraire l'essence, dans le but de trouver de nouvelles solutions, de nouvelles approches ou une nouvelle façon de traiter un vieux sujet.

Un bon esprit de synthèse vous aidera à livrer le résultat de vos analyses de façon brève et explicite.

Le sens de l'humour

L'humour a énormément d'influence dans votre vie en contribuant notamment à réduire les tensions et à maintenir une ambiance de travail agréable. Faites-vous donc un point d'honneur de rire de vous-même et de votre travail. La plupart de vos collègues apprécieront leurs instants de relaxation en votre compagnie et, parce que vous êtes capable de rire de vos propres erreurs, ils seront moins portés à prendre trop au sérieux vos défauts et vos erreurs.

UNE CARRIÈRE AU FÉMININ

La radio est encore un monde d'hommes. Ça saute aux oreilles! Les voix féminines sont très rares sur les ondes radiophoniques nord-américaines et la très grande majorité de celles que vous entendez jouent un rôle de support dans les émissions du matin et du retour à la maison. Les autres, animent traditionnellement le créneau de mi-journée avec le mandat de parler de sujets bien précis. C'est d'ailleurs un peu ce que soulignait Monique Simard, l'ex-vice-présidente de la CSN recyclée en animatrice radio, lorsqu'elle déclarait à la journaliste Monique Roy:

> «Sur toutes les radios privées, je suis la seule femme qui anime solo une émission d'affaires publiques, une émission d'idées où c'est mon opinion qui compte. Il y a des journalistes merveilleuses mais dont le mandat est l'objectivité et qui ne peuvent pas se prononcer.»[1]

La radio est non seulement un monde d'hommes, c'est un monde d'hommes chauvins. Vous entendez partout des gens dire qu'il est normal qu'il n'y ait pas plus de femmes en ondes, des études ayant démontré que la voix grave de l'homme est plus agréable pour l'auditeur. Quelles études? Vous entendez aussi des absurdités dans le style «On a déjà confié ce poste à une femme et ça n'a pas marché». Mais quand vous donnez ce poste à un homme et que ça ne marche pas, que faites-vous?

De nombreux directeurs de la programmation ont longtemps cru que l'émission de mi-journée était faite sur mesure pour les femmes à la maison et qu'une autre femme pourrait leur parler des sujets qui les intéressent. Aujourd'hui, ils ont compris qu'un homme peut tout autant parler aux femmes et qu'il n'y a pas juste des femmes qui écoutent en mi-journée. Le nombre de femmes occupant ce créneau est donc à la baisse. Mais il n'est pas simultanément en hausse dans les autres créneaux!

Ainsi, pour vous trouver un boulot d'animatrice radio, vous devrez faire preuve d'une très grande détermination. Soyez prête à vous faire dire régulièrement: «Désolé, mais on a déjà une femme dans le personnel d'animateurs», comme s'il s'agissait d'une maladie qu'on ne voulait pas répandre!

Puis, lorsque vous aurez finalement obtenu une première offre d'emploi, vous devrez faire preuve de jugement et de vision d'avenir pour ne pas vous retrouver coincée dans une situation sans issue. Si on vous offre d'être la catin-soit-douce-et-lis-nous-le-bulletin-de-météo-avec-ta-voix-excitante de l'émission du matin

[1] Déclaration de Monique Simard extraite d'un article de Monique ROY, Monique Simard: Une femme en mouvement, magazine canadien MADAME AU FOYER, janvier/février 1992, p. 42.

de la station numéro un à Montréal, vous devrez peut-être y penser sérieusement avant d'accepter: une image est difficile à changer. Il vaudrait peut-être mieux, pour vous, de choisir l'émission de nuit dans une petite station de radio en province, histoire de développer votre propre personnalité radio. L'idée, c'est de prendre le chemin qui vous conduira là où vous voulez aller, même s'il est plus long.

QUELQUES ÉTAPES DE CARRIÈRE

LA CONQUÊTE DU SUCCÈS

Animateur radio. La reconnaissance publique, la popularité, la gloire! Le chemin semble tout tracé après l'obtention du premier emploi, tout tracé et tellement simple! ...jusqu'au jour où nous nous retrouvons devant un micro pour la première fois. Bafouillages, erreurs techniques, nervosité et, le lendemain, moqueries de la part de ceux que nous croyions être nos amis, nous ramènent très rapidement sur terre: le métier d'animateur radio est un métier difficile. Vous êtes comme un artiste sur scène, à une différence près: vous êtes devant une salle remplie exclusivement d'aveugles!

Atteindre l'excellence dans ce métier nécessite énormément d'efforts, de détermination et de volonté. Volonté de se remettre constamment en question, de toujours chercher à s'améliorer et de ne jamais prendre le succès pour acquis.

Il est particulièrement vital de ne jamais s'asseoir sur ses lauriers. Ce serait la meilleure garantie d'entamer rapidement la courbe descendante. Comme disait l'américain Tom Peters: «Le succès attire l'échec.»[1] Ou, autrement dit, après le beau temps, la pluie. Même le meilleur animateur radio a encore des choses à apprendre et il doit constamment s'améliorer et s'adapter au marché s'il ne veut pas être dépassé.

Bref, l'attitude que vous adopterez tout au long de votre carrière et plus particulièrement dans votre premier emploi, sera l'élément le plus déterminant dans votre course au succès. Il est vrai que vous travaillez pour votre *boss*, mais ne comptez pas sur lui pour avancer. Ayez de l'initiative et sachez vendre vos idées à votre patron. Cela fait aussi partie de votre boulot.

Évitez de vous enfermer dans une tour d'ivoire. Écoutez le plus grand nombre possible de stations de radio. Écoutez tout, macroscopiquement et microscopiquement. Analysez ce que les autres font, comment ils le font et pour quelles raisons ils le font. Vérifiez les tendances des cotes d'écoute (ne vous limitez pas aux beaux slogans lancés par le directeur de la programmation pour faire plaisir à son propre patron) et tenez-vous au courant de l'évolution des valeurs de la société.

L'AUTOCRITIQUE

En principe, le directeur de la programmation doit vous critiquer et vous aider à vous améliorer. Mais n'oubliez jamais que sa principale préoccupation est d'assurer son propre avenir. Alors, ne vous surprenez pas si, en pratique, vous êtes souvent laissé à vous-même. On vous dira quoi faire, mais on négligera de vous dire comment le faire. On vous dira que ceci est bon et que cela n'est pas bon, mais on ne vous dira pas pourquoi. Il est donc vital que vous soyez capable de vous autocritiquer.

> Vous donnez un spectacle devant une salle remplie exclusivement d'aveugles.

> «Le succès attire l'échec.»

Citation

[1] Traduction libre d'un extrait du discours du consultant en management, l'Américain Tom Peters, à la GAVIN CONVENTION de 1989, et repris dans le livre de Dan O'DAY, Personality Radio, Volume Two: The Dangerous Air Personality, États-Unis, 1991, p. 258.

Dès le début de votre carrière et régulièrement tout au long de votre carrière, vous devriez enregistrer votre émission au moins une fois par semaine pour ensuite vous écouter et vous critiquer.

Pour une critique valable, vous devriez enregistrer un long segment de votre émission sinon la totalité. Sur cet enregistrement, vous devez retrouver de tout: animation, publicité, météo, nouvelles. Pour éviter de changer trop radicalement votre style d'animation le jour où vous vous enregistrez, demandez plutôt à l'un de vos collègues de le faire une fois par semaine sans que vous ne le sachiez. Vous pourriez, bien sûr, lui rendre la pareille.

L'écoute de cette cassette devrait ensuite se faire en deux phases. D'abord, en faisant autre chose: en conduisant votre voiture, en lisant, en prenant votre douche ou en faisant n'importe quoi qui correspond à ce que votre public-cible peut faire en écoutant votre émission. Ensuite, à tête reposée, en vous concentrant sur l'analyse détaillée de votre émission. La première écoute vous permettra d'évaluer l'ambiance générale alors que la deuxième, vous permettra d'analyser les éléments spécifiques: combien de fois vous avez parlé de météo, combien de fois vous vous êtes nommé, quels mots étaient mal prononcés ou inaudibles, quelles expressions sont revenues trop fréquemment, quelles erreurs de mise en ondes ont été commises.

Par la suite, vous devez vous fixer des objectifs précis. Notez, par ordre de priorité, ce que vous devez changer et travaillez sur le premier point. Même s'il est bon d'être exigeant avec soi-même, il faut quand même demeurer réaliste, sinon le découragement s'installera rapidement. Mieux vaut travailler un point à la fois. Lors de la séance d'autocritique suivante, ce point étant réglé, vous pourrez vous féliciter et vous fixer un nouvel objectif. C'est ainsi que vous atteindrez les plus hauts sommets de la réussite professionnelle.

Obtenir un meilleur emploi

La meilleure façon d'obtenir un meilleur emploi le jour où vous en voulez un, c'est de vous préparer alors que vous n'en voulez pas. La meilleure promotion de vos services est celle qui s'effectue simultanément à l'accomplissement de votre emploi actuel, parce que vous avez alors à votre disposition toutes les ressources nécessaires pour faire votre propre promotion et parce que vous n'êtes pas pressé par le temps.

Si votre objectif est de faire le saut dans la grande ville après quelques mois ou quelques années dans une station de province, pensez-y deux fois. Vous étiez le roi de votre patelin, vous deviendrez le pion d'un grand royaume! Parce que pour vous, c'est le retour à la «case départ». Vous devez rebâtir votre crédibilité et votre popularité dans un nouveau marché, là où vous ne pouvez pas vous attendre à être aussi connu que dans un village. Il y a plus de monde, mais il y a aussi plus de stations de radio! Et la compétition est d'autant plus féroce. Les succès sont plus retentissants mais les échecs, d'autre part, sont plus cuisants.

Mais le défi n'en est que plus intéressant...

Faire face à un congédiement

Dans l'introduction de son livre Personality radio, l'Américain Dan O'Day écrivait que le premier chapitre d'un livre écrit pour les animateurs radio devrait expliquer comment charger une remorque U'Haul[1]. Il a un peu raison: vous devez être prêt à déménager de temps à autre. Il y a bien sûr des cas où des animateurs ont débuté leur carrière dans une station de radio et y ont travaillé pendant 25 ans. Mais ces exemples se font de plus en plus rares.

Autres informations

Une section complète est consacrée à votre propre promotion (page 258 et suivantes).

Citation

[1] O'DAY, Dan, Personality Radio, États-Unis, 1987, p. 6.

Même si vous croyez que tout va bien dans votre emploi actuel, un grand patron peut décider, du jour au lendemain, de faire le grand ménage dans sa station et de lui donner une nouvelle image. Avec l'augmentation du niveau de compétition entre les médias et la vitesse de changement des goûts et des modes dans la société, ces revirements risquent de se produire de plus en plus fréquemment.

Si votre congédiement est dû à un changement de formule de programmation ou à une réduction du personnel, continuez simplement votre chemin. Mais si la cause réelle de ce congédiement est un problème au niveau de vos aptitudes comme animateur, de la qualité de votre travail ou de votre attitude générale, prenez le temps de vous analyser humblement. Attention! Cela ne veut pas dire que vous devrez ensuite forcément tout changer. Même si une station de radio vous juge inapte au métier d'animateur, une autre pourra faire de vous un génie. Mais vous avez certainement quelques torts et c'est à votre avantage de les identifier et de les corriger.

Il n'y a donc pas de honte à être congédié, mais il serait gênant de ne pas s'y être préparé. Ayez toujours des cartes cachées dans votre jeu. Toujours! D'autant plus que, dans le monde de la radio, votre congédiement devient généralement effectif dès l'instant où vous l'apprenez. On ne peut pas laisser un animateur en ondes pour deux semaines alors qu'il sait qu'il doit partir et qu'il est probablement en maudit contre la direction.

Ainsi, sachant qu'à tout instant, le directeur de la programmation peut vous indiquer la porte ou que le directeur général peut indiquer la porte simultanément à votre patron et à vous, vous devriez toujours avoir un curriculum vitae et un démo disponibles. Et vous devriez avoir commencé depuis longtemps à faire votre propre promotion. Ensuite, la persévérance sera votre seule alliée pour l'obtention du prochain emploi et du suivant, et du suivant, et...

D'autre part, demeurez digne dans la sortie. Gardez le sourire et prenez le temps de serrer la main à tout le monde même si vous n'avez pas le coeur à ça. Le monde est petit. Le monde de la radio l'est encore plus. Si vous voulez qu'un jour le vent souffle à nouveau en votre faveur, il faut que vous soyez capable d'accepter avec dignité même les pires humiliations.

PRÉPARER UNE DEUXIÈME CARRIÈRE

Animateur jusqu'à 65 ans? C'est peu probable. Savoir préparer longtemps à l'avance sa retraite ou une deuxième carrière, fait donc partie de la carrière d'animateur. Savoir reconnaître quand vous n'êtes plus dans le jeu, aussi.

Vous vous sentez dépassé par les événements ou éprouvez de la difficulté à vous adapter aux nouvelles contraintes d'un marché et d'une industrie en pleine évolution? Vous avez réalisé vos objectifs et n'avez plus la motivation d'antan? Ou vous avez simplement le goût de faire autre chose? Passez immédiatement à l'étape suivante. Ne vous accrochez pas. La qualité de votre travail s'en ressentirait assez rapidement. Et comme on se souviendra de vous avec la dernière image projetée, profitez plutôt de votre position au sommet pour passer à l'étape suivante.

Les opportunités de travail offertes aux anciens animateurs sont nombreuses et parmis les plus classiques, notons directeur de la programmation, conseiller publicitaire, recherchiste, agent de relations publiques et vendeur. Mais, en fait, vous pouvez travailler dans n'importe quel domaine. La seule chose vraiment importante, c'est d'y avoir pensé à l'avance et de s'être préparé adéquatement (en prenant des cours du soir, par exemple).

VOTRE PROPRE PROMOTION

Pourquoi se donner la peine de faire parler de soi? Parce que la notoriété ne vient pas d'elle-même. Vous faites carrière dans un milieu très compétitif et vous devez y faire votre place.

Bien sûr, à court et à moyen terme, la promotion que vous ferez de vous-même et de votre émission sera principalement rentable pour votre station. Mais à long terme, c'est vous qui en sortirez gagnant. Dans «votre carrière» il y a un mot extrêmement important: «votre». Personne d'autre que vous, ne peut garantir votre succès. Et personne d'autre que vous, ne peut être tenu responsable de votre échec.

Même si vous êtes tout à fait heureux là où vous êtes et voulez y rester pour le reste de vos jours, faire votre promotion n'est pas de l'énergie perdue, puisque cela pourra vous aide à garder votre emploi en vous incitant constamment à vous dépasser et en renforçant votre présence dans le marché.

C'est d'ailleurs pour cela que le directeur de la station de radio où vous travaillez aura peut-être peur de toute la publicité vous entourant, même s'il en profite. Peur de vous perdre, peur d'être «diminué» en vous voyant prendre de plus en plus de place, peur de l'incontrôlable.

COMMENT PROCÉDER

La précision de vos objectifs...

Votre propre promotion peut être effectuée de bien des façons différentes mais, à la base, comme dans le cas de la promotion de votre station de radio, le succès dans la réalisation d'un objectif dépend de votre précision à définir cet objectif. Si vous êtes animateur radio à Chapais et que vous rêvez de faire le saut dans la grande ville de Montréal, il vous faudra penser à faire imprimer votre nom et votre photo dans les magazines spécialisés de l'industrie, dans LA PRESSE et dans LE JOURNAL DE MONTRÉAL. Par contre, si votre objectif est simplement de travailler un jour pour la station de radio de l'autre côté de la rue, le journal local peut être suffisant. Dans un cas comme dans l'autre, pour faire parler de vous, vous devez avoir quelque chose d'intéressant à souligner, comme nous en avons discuté dans le chapitre sur la promotion radio.

En ce qui concerne votre promotion auprès de votre communauté locale, la pierre angulaire de celle-ci demeurera toujours votre implication dans cette communauté. Aussi souvent que vous le pouvez, faites des sorties officielles en public. Dans ce domaine, il est presque impossible de faire trop d'apparitions publiques (*overexposure*). Avant que cela n'arrive, vous avez du chemin à parcourir!

Offrez vos services bénévoles à tous les organismes de charité ou groupes sociaux pouvant en bénéficier, dans un cadre satisfaisant vos objectifs. Tous les organismes peuvent accueillir un bénévole supplémentaire mais cela ne vous intéressera que si vos talents de communicateur sont utilisés et mis en vedette. Ne vous gênez donc pas pour spécifier diplomatiquement que vos talents résident dans l'animation et les communications. Vous devriez être le maître de cérémonie du gala annuel de la Chambre de Commerce et laissez les autres bénévoles faire le reste. Chacun son métier et les vaches seront bien gardées!

Vous devriez évidemment accorder une attention toute particulière à ce qui vous donnera le maximum d'*exposure*: l'animation télévisée d'un téléthon très populaire, par exemple.

Donnez-leur ce qu'ils veulent.

Ensuite, lors de toutes vos sorties en public, rappelez-vous la règle numéro un du succès en marketing et en relations publiques: donnez-leur ce qu'ils veulent. Ce que vous voulez dire n'a aucune espèce d'importance, c'est ce qu'ils veulent entendre qui doit primer.

Lors de toutes vos sorties officielles en public, assurez-vous que quelqu'un prend des photos de vous. Si le responsable des promotions de votre station ne s'en occupe pas, trouvez vous-même une caméra, un film et quelqu'un pour prendre des photos. Celles-ci vous seront notamment utiles pour les magazines spécialisés. Ne lésinez donc pas sur les directives au photographe: vous avez besoin de bonnes photos. Et ne jouez pas à Séraphin: prendre un très grand nombre de photos est la seule façon de s'assurer que vous en aurez au moins une, parfaite.

D'autre part, si vous effectuez des sorties en public et que vous ne parlez à personne, c'est pire que de ne pas en faire! Les gens retiendront que vous êtes une tête enflée qui ne leur a pas parlé. Même s'il est souvent difficile pour un animateur, habitué à être seul face à un micro, de nouer contact avec des inconnus, foncez! Introduisez-vous auprès des gens, sans détour, en les regardant dans les yeux, en leur serrant vigoureusement la main et en vous nommant. Ils répondront. Et le lendemain, ils vous écouteront en se sentant plus près de vous que de votre compétiteur.

Mais votre promotion ne s'arrête pas aux activités officielles. Dans la vie de tous les jours, vous pouvez aussi vous introduire auprès des gens que vous rencontrez. Certains d'entre eux se transformeront en source d'information sur ce qui se passe en ville. D'autres, recevront un cahier de sondage de cotes d'écoute!

Évidemment, cela ne signifie pas de vous introduire à toutes les personnes que vous croisez sur le chemin, vous avez aussi besoin de périodes pour «décompresser» en privé. Mais à la caissière de l'épicerie qui a de la jasette cette journée-là, tendez soudainement la main et dites «Jean Machin-Truc de CXXX». Elle vous serrera probablement la main et répondra peut-être avec un commentaire sur votre station. Plus tard, elle dira à ses amies que Jean Machin-Truc est un de ses clients réguliers avec qui elle est copine. C'est de la publicité gratuite! Et le jour où vous voudrez obtenir le commentaire d'une caissière sur un sujet quelconque, vous saurez à qui téléphoner.

LES CONGRÈS ET LES SÉMINAIRES

Pour bien des gens, les congrès et les séminaires ne sont que des *party*. Ce qui est occasionnellement vrai, surtout lorsque les organisateurs du congrès ne sont pas sérieux, mais il n'en tient qu'à vous d'en tirer profit et, en même temps, d'avoir du *fun*!

Les trois raisons principales pour participer à un congrès ou à un séminaire sont:

*   le voyage et le *party* (gratuit, en plus de ça, si votre station en défraie les coûts);
*   pour développer des «contacts» dans le milieu;
*   pour apprendre, en côtoyant des experts et des collègues.

Si le troisième objectif est prioritaire pour vous, faites évidemment bien attention au choix du séminaire ou du congrès. Ne vous fiez surtout pas aux dépliants publicitaires et ne vous limitez pas au Québec. Regardez aussi et même surtout du côté de la France et des États-Unis. Élargissez vos horizons et allez à la découverte de nouvelles idées. Les voyages forment la jeunesse, après tout!

Aux États-Unis, par exemple, la NATIONAL ASSOCIATION OF BROADCASTERS (NAB) organise chaque année un séminaire sur la programmation. L'édition de 1991 a eu lieu en septembre à San Francisco. Le contenu des conférences n'avait d'égal

259

que la cuisine chinoise! On parlait de l'avenir de la radio dans les années 90, de l'utilisation de banques de données dans le marketing de la radio, de stratégies à employer en période de sondage de cotes d'écoute, de la création de promotions «payantes» et du développement de la créativité pour les animateurs matiniers. On discutait originalité et contenu. Mais on abordait aussi des sujets comme l'embauche et la gestion de personnes créatives, le financement de la radio, l'avènement de la radio digitale et la gestion des ventes dans un petit marché.

De son côté, le journal américain RADIO & RECORD offrait, lors de sa réunion annuelle de 1992 à Los Angeles, des tables-rondes sur les différentes formules de programmation radio, sur le développement d'une personnalité radio et sur les nouveaux défis de la radio.

Évidemment, si votre principal objectif est de développer vos «contacts» pour obtenir éventuellement un meilleur emploi, vous devriez plutôt regarder du côté des congrès d'associations et d'organismes québécois et canadiens.

Si vous voulez connaître du monde dans cette industrie et faire votre promotion, il faut foncer. Évidemment, l'idéal serait d'être invité comme conférencier, mais vos chances sont limitées particulièrement en début de carrière et considérant le fait qu'il y a relativement peu de congrès francophones au Canada: celui de NTR, la RENCONTRE de RADIOACTIVITÉ et celui de l'ACRTF. Vous pouvez quand même contacter les organisateurs et leur offrir vos services. Mais faites-le après y avoir assisté au moins une première fois pour juger du type de congrès dont il s'agit. Puis, préparez-vous comme jamais auparavant! Il est préférable de rire dans la salle que de faire rire de soi en avant!

Pour rencontrer du monde, faites preuve de détermination. Il est très drôle de voir certains animateurs revenir de ces congrès en racontant des sornettes du style «Pierre Pascau et moi, on est maintenant deux grands *chums*» alors qu'en réalité, ils ne lui ont dit que «bonjour» et qu'ils ont passé la majeure partie de leur temps dans un coin en espérant que quelqu'un leur adresse la parole.

Peu importe quel est l'objectif qui vous motive à assister à ce séminaire ou ce congrès, vous devez en profiter pour faire votre propre promotion. Pourquoi ne pas faire parler de vous dans BILLBOARD? Pourquoi ne pas faire souligner par votre journal local votre présence à ce séminaire international?

S'il s'agit de votre première participation à un congrès et que vous ne connaissez personne dans la salle, le mur de glace peut être difficile à briser. Vous pourriez prévoir le coup en vous organisant, avant le congrès, pour établir des contacts avec des gens qui y seront présents. Votre station est probablement affiliée à un réseau radiophonique, alors pourquoi ne pas contacter, avant le congrès, quelqu'un qui travaille pour la station de radio affiliée à ce réseau dans la ville où a lieu le congrès? Demandez une référence à votre patron ou contactez vous-même quelqu'un qui travaille à cet endroit. Expliquez-lui que vous en serez à votre première visite là-bas et que vous aimeriez le rencontrer d'autant plus que vous êtes très impressionné par son travail. Le mariage se consumera forcément beaucoup plus facilement si vous vous adressez à quelqu'un qui a commencé exactement là où vous vous trouvez. Une fois au congrès, ne lui collez toutefois pas sur le dos comme une sangsue à moins que vous ne sentiez, hors de tout doute, un intérêt pour votre présence. Votre objectif est simplement de vous trouver en sa compagnie assez longtemps pour qu'il vous présente à deux ou trois autres personnes qui elles, pourront vous présenter chacune à deux ou trois autres et ainsi de suite.

Ne vous contentez pas de diriger votre attention sur les gros noms de la radio: les petits deviendront grands et se rappelleront de leurs vrais amis, ceux qu'ils avaient lorsqu'ils étaient petits! Les gens moins connus sont d'ailleurs généralement les

«Pierre Pascau et moi, on est maintenant deux grands chums.»

Les petits deviendront grands.

gens les plus faciles à approcher puisqu'ils sont comme vous: ils espèrent parler à quelqu'un. Et vous aurez probablement plus de points en commun pour meubler vos discussions.

Mais comment faire pour approcher une grosse vedette? La majorité des gens approchent en zig-zag, se placent pas trop loin de la proie, hésitent, disent bonjour discrètement, attendent que quelque chose se passe et regardent disparaître la proie. Faites l'inverse! Présentez-vous de face, tendez la main et dites quelque chose de positif et gratifiant comme «Bonjour! Mon nom est Jean Machin-Truc. Je vous écoutais tout le temps lorsque j'étais aux études à Québec. Vous avez été un exemple et une source de motivation pour moi. Merci!». La vedette ne pourra que vous serrer la main et dire «Merci!». C'est là que vous devrez être préparé à enchaîner avec quelque chose d'autre, afin que la discussion continue. La plupart des gens aiment parler d'eux et de ce qu'ils font, mais d'autres détestent parler boulot en dehors du bureau. Si vous connaissez quelqu'un qui a déjà travaillé avec cette personne, cela pourrait constituer un excellent terrain neutre pour amorcer la conversation.

D'autre part, si vous voulez rencontrer des gens, n'économisez pas sur le prix de l'hôtel: choisissez celui où le congrès se tient. Placez-vous au coeur de l'action, là où vous rencontrerez des gens dans le lobby, au bar et à la piscine. Informez-vous, avant de partir en voyage, sur la façon habituelle de se vêtir des gens qui assistent à cet événement. Montrez que vous avez de la classe et surtout, que vous «faites partie de la *gang*». Bien que cela soit déplorable, plusieurs personnes ont encore des préjugés envers tout ce qui bouge et qui ne leur ressemble pas.

Finalement, si vous voulez que votre opération promotionnelle fonctionne, appliquez toujours la règle d'or suivante: vous ne devez jamais profiter d'un congrès pour offrir vos services, ni même avoir le moindrement l'air de chercher un emploi. Ce n'est pas la place et ça laisserait à votre interlocuteur une bien mauvaise impression de vous. Vous seriez rapidement étiqueté et verriez des murs de glace se dresser partout autour de vous. Attendez au moins deux semaines après le congrès pour envoyer votre démo à la personne rencontrée («parce que vous avez vraiment confiance en son jugement») en lui demandant simplement ce qu'elle en pense.

> **N'ayez même pas l'air de chercher un emploi...**

LES VACANCES?

Les vacances sont très importantes pour faire le vide et relaxer, mais une petite visite à une station du voisinage ne vous tuera pas! Si vous prenez vos vacances au Canada, allez au moins visiter la station affiliée au même réseau radiophonique que votre station.

Téléphonez au directeur de la programmation de la station que vous voulez visiter, mentionnez que vous êtes en voyage dans la région, que vous écoutez sa station depuis deux jours et que vous aimeriez faire une courte visite de courtoisie, d'un maximum de cinq minutes, puisqu'après tout, vous êtes en vacances. Demandez-lui alors si quelqu'un, n'importe qui, pourrait vous faire visiter. Par politesse et respect, ne le demandez pas, lui, en particulier même s'il est fort probable qu'il se propose lui-même comme guide. Si ce n'est pas le cas, au pire, vous courez la chance de le croiser dans un corridor de la station.

Bien sûr, certains directeurs refuseront de vous recevoir. Tant pis pour eux! Contactez une autre station.

Il est très utile de développer son réseau de connaissances car c'est ainsi que vous apprendrez les postes disponibles, rarement annoncés dans les journaux, et les opportunités de toutes sortes.

Vous aurez aussi l'occasion de vous faire une première idée de cette station, si vous êtes assez brillant, pendant votre visite, pour poser des questions discrètes mais très pertinentes.

Comme les rencontres informelles sont toujours les meilleures pour vous «vendre», vous pourriez, du même coup, augmenter la qualité de la réponse qui vous sera faite lorsqu'un mois plus tard, vous ferez parvenir votre démo à la station que vous avez visitée, en soulignant que vous avez apprécié l'ambiance de la station. Évidemment, il est primordial de ne pas envoyer votre démo et votre curriculum vitae avant d'appeler pour cette visite de vacances. Le but de votre démarche serait alors trop évident.

L'OFFRE DE SERVICE

Même s'il serait sans doute intéresssant pour un directeur de la programmation de pouvoir écouter tous les démos qui lui sont envoyés, la plupart des directeurs en reçoivent une quantité industrielle et n'ont vraiment pas le temps de tous les écouter. Ils procéderont donc, généralement, à une première analyse en séparant les candidatures en trois piles:

- la pile des candidats dont le nom leur est familier, dont ils ont déjà entendu parler ou qu'un ami leur a demandé de recevoir en entrevue;
- la pile des offres de service dont la présentation et la cassette-démo démontre du professionnalisme et éveille leur curiosité;
- l'autre pile, celle des offres de services qui se retrouveront à la poubelle quelquefois après qu'une lettre de «remerciements pour l'intérêt que vous nous portez» ait été envoyée. C'est habituellement la plus grosse des 3 piles!

Dans votre recherche d'un boulot, le démo compte pour au moins 90% et le curriculum vitae pour pas plus de 10% dans la décision de vous convoquer ou non en entrevue. Mais la décision d'écouter le démo repose sur la présentation générale de l'envoi incluant celle du curriculum vitae et de la lettre d'accompagnement. Votre CV doit donc être court, bref, précis et attrayant: il ne sert qu'à convaincre le directeur de la programmation de passer à l'étape suivante, celle de l'écoute du démo.

Si vos moyens financiers sont limités, il est préférable de n'envoyer que quelques excellentes présentations, à un nombre limité de stations de radio bien choisies, plutôt qu'un paquet de présentations mal faites à toutes les stations de radio francophones de la planète.

N'essayez pas, non plus, d'épargner quelques dollars en envoyant seulement un CV et en indiquant qu'un démo sera envoyé sur demande. Personne ne vous le demandera. De même, les histoires du type «C'est un vieux démo, mon émission était meilleure que cela à la fin» sont ridicules. On s'attend à ce que vous nous fassiez écouter le meilleur de vous-même. Si le démo est pourri, imaginez le reste!

Il en va de même pour la rédaction et la préparation de votre curriculum vitae. À moins d'être vous-même un pro de la rédaction des CV et d'avoir accès à une imprimante au laser, dépensez quelques dollars pour faire préparer, professionnellement, votre CV et une lettre de présentation. Il y a de nombreuses compagnies offrant ce service.

Puisque la préparation d'un bon démo et la rédaction d'un bon CV requièrent du temps, planifiez et organisez tout cela au moment où vous en avez le temps: maintenant! Profitez du studio de production, de la dactylo, de l'ordinateur, du traitement de texte et de l'imprimante au laser de votre employeur actuel pendant que le tout est disponible. Mais attention! N'allez pas envoyer vos offres de service avec des cassettes, des enveloppes et du papier à lettre identifiés aux couleurs de votre station: cette utilisation à des fins personnels du bien de votre employeur actuel serait remarquée et mal perçues.

Autrement dit, comme un scout, soyez toujours prêt. Ou, comme l'expliquait le général américain Norman Schwarzkopf, commandant des forces alliées durant la guerre du golfe au début de 1991: *Hope for the best but plan for the worst*. Il faut être prêt à faire face à la pire des situations même si on espère ne jamais s'y retrouver.

LE DÉMO

Le démo est la plus importante production publicitaire de votre carrière.

Comme dans le cas de la production d'un message publicitaire, le contenu et la forme de votre démo dépendent de ce que vous voulez vendre et à qui vous voulez l'offrir. À vous de déterminer vos objectifs et d'identifier les attentes du destinataire.

S'il s'agit du premier démo que vous enverrez dans une petite station dans le but d'obtenir un emploi à temps partiel dans lequel vous aurez à faire un peu de tout, la vieille suggestion d'inclure un peu de tout sur votre démo demeure bonne: un bulletin de nouvelles, quelques messages publicitaires, quelques présentations de disques, quelques interventions Ad Lib et un *remote*. Vous pouvez emprunter le contenu de votre bulletin de nouvelles à une station de radio mais il est préférable que vous inventiez vous-même les messages publicitaires, le *remote* et vos interventions.

Si, par contre, vous êtes déjà à l'emploi d'une station de radio, limitez-vous à ne présenter que ce que vous avez vraiment fait, à moins que vous vouliez «faire de l'épate»...

Dans un cas comme dans l'autre, les deux principaux critères d'évaluation de votre démo sont l'originalité et le professionnalisme. En ce qui concerne ce dernier point, voici quelques suggestions. Plutôt que de laisser un blanc (un silence) entre chaque élément, mixez ensemble les différents segments de votre démo pour que le résultat final ressemble à une émission dont les éléments défilent harmonieusement. Les 30 premières secondes doivent être «accrochantes» si vous voulez que le reste soit écouté. La durée totale ne devrait ordinairement pas excéder cinq minutes. Et prenez toujours le temps de terminer professionnellement votre production: réembobinez la cassette et inscrivez votre nom sur le bon côté de celle-ci.

Comme on le mentionnait précédemment, il faut être toujours prêt. Alors, n'attendez pas le jour où le directeur de la programmation vous rencontrera pour vous dire qu'il procède à un changement de programmation impliquant votre départ immédiat, pour vous décider à produire un démo: il sera trop tard pour enregistrer votre émission d'hier et en prendre les meilleurs extraits!

Si vous suivez le conseil énoncé précédemment d'enregistrer une de vos émissions à chaque semaine pour vous autocritiquer, prenez le temps, ensuite, d'en extraire les meilleurs moments, ceux les plus susceptibles de vous aider à vous «vendre» auprès d'un autre directeur de la programmation. Pour ce faire, il est recommandé que ces enregistrements soient effectués à partir d'un récepteur radio conventionnel et non à la sortie de la console du studio. Votre produit sera plus «normal» après être passé à travers toutes les pièces d'équipement de transmission du signal sonore, incluant le compresseur.

«*Hope for the best but plan for the worst.*»

La plus importante production publicitaire de votre carrière...

Le sujet de l'autocritique a été abordé dans la section sur la conquête du succès (page 255).

Cet exercice pourrait être effectué une fois par mois, avec les enregistrements des semaines précédentes. Vous pourriez conserver sur un ruban-maître vos meilleurs extraits et, de temps à autre, produire un démo final prêt à être envoyé. Votre démo devrait être produit sur ruban magnétique enregistré à la vitesse 15 po/s pour faciliter le montage par joints de ruban. Ainsi, modifier votre démo pour y ajouter un meilleur extrait réalisé plus récemment n'est pas compliqué: il s'agit simplement d'enlever le bout de ruban se trouvant entre deux joints de ruban, pour en insérer un nouveau.

Le fait de préparer mensuellement votre démo, vous aidera, d'ailleurs, à vous autocritiquer: la recherche des meilleurs moments de vos émissions vous permettra aussi d'identifier les moins bons moments.

LES RELATIONS INTERPERSONNELLES

La gestion de l'ensemble de vos relations interpersonnelles constitue un élément de votre propre promotion, parce que les gens que vous rencontrez sont ceux qui vous permettront d'avancer ou du moins, ceux avec qui vous avancerez. Ce n'est donc pas un sujet à prendre à la légère.

Un problème fréquemment rencontré dans plusieurs entreprises est le manque d'écoute et d'attention des uns envers les autres. Ne commettez pas cette erreur avec vos collègues et votre patron. Même si votre patron le fait avec vous!

Si, au cours de votre carrière, vous devez travailler avec ou sous la supervision d'un incompétent, ne vous en formalisez surtout pas, ne cherchez pas à le critiquer outre mesure et ne tentez pas vainement de le convertir à votre point de vue. Faites votre propre chemin en vous rappelant que les arbres poussent toujours plus haut que la mauvaise herbe. Et vous vous surprendrez peut-être vous-même à réaliser, quelques années plus tard, que cet «incompétent» était au contraire un génie!

Avec vos collègues

La radio étant un média de divertissement, ses employés doivent avoir du plaisir à y travailler ensemble car sinon, on le sentira en ondes. Faites un effort...

Avec votre patron

La qualité de vos relations avec votre patron sera presque entièrement déterminée durant les toutes premières semaines à la suite de votre arrivée ou de son arrivée. Lorsque vous devez travailler avec un nouveau patron, identifiez rapidement les raisons pour lesquelles il a été engagé et efforcez-vous d'identifier ses forces et ses faiblesses. Vous pourrez ainsi mieux prédire ses actions et mieux comprendre ses demandes. Tentez d'identifier ses plans puis organisez-vous pour en devenir un élément important.

Bien sûr, c'est le directeur de la programmation qui a la responsabilité de s'occuper de vous et non l'inverse. Mais si ça ne fonctionne pas entre lui et vous, c'est lui qui peut vous donner une promotion comme prestataire d'assurance-chômage! Alors, c'est surtout vous qui avez avantage à trouver une façon pour que vos relations fonctionnent bien. Au départ, cela demande que vous l'acceptiez tel qu'il est et que vous le respectiez. Si vous voulez accumuler de l'expérience pour prendre sa place, ou connaître suffisamment de succès pour obtenir un meilleur emploi ailleurs, vous devez travailler avec le directeur actuel.

Comme de nombreux directeurs ne vous fourniront que très peu de *feedback,* ou du *feedback* à peine perceptible, il est primordial que vous appreniez à lire entre les lignes. Sachez percevoir les messages cachés avant qu'il ne soit trop tard pour vous!

Tout cela demande des efforts et même un peu de psychologie mais la récompense en vaut la peine. Vous pourriez même avoir ainsi l'occasion de développer une solide amitié! De nombreux directeurs de la programmation ont de la difficulté à échanger avec autrui: ils étaient de bons communicateurs en ondes mais sont de pauvres communicateurs en face à face. Cela n'enlève rien à leur valeur ni à la qualité de ce qu'ils peuvent vous apprendre si vous réussissez à établir le contact. Et n'oubliez pas que vous vous retrouverez peut-être, un jour, dans sa situation! Ne soyez donc pas trop sévère. Tout le monde a des défauts et votre patron aussi a le droit d'en avoir. Ne vous en servez jamais contre lui. Aidez-le plutôt dans ses points faibles et il vous aidera dans les vôtres.

AVEC LES JOURNALISTES

Apprendre à travailler avec les journalistes représente quelquefois une expérience hors du commun. Ceux-ci ont ordinairement une personnalité, une approche et une vision des choses bien différentes de celles d'un animateur.

Certains journalistes ont tendance à percevoir les animateurs comme des putains assoiffées de popularité et de cotes d'écoute alors que vous, vous serez peut-être portés à les prendre pour des Don Quichotte défenseurs de la veuve et de l'orphelin.

Même s'il faut reconnaître que le conservatisme de certains journalistes massacre la qualité des bulletins de nouvelles de leur station de radio, vous rencontrerez de très nombreux autres journalistes qui sauront livrer l'information, pure et exacte, dans un cadre satisfaisant les buts de votre programmation et de votre émission. Il n'y a pas plus de journalistes incompétents qu'il n'y a d'animateurs incompétents!

AVEC LES REPRÉSENTANTS PUBLICITAIRES

Les représentants publicitaires peuvent non seulement vous aider à boucler vos fins de mois en vous recommandant pour des messages publicitaires en extérieur, ils peuvent constituer une source d'information importante pour vous et surtout, ils peuvent être très influents auprès du directeur général qui perd généralement tout contrôle lorsqu'on lui montre des signes de piastres! Accordez-leur donc une attention toute particulière. Prenez le temps d'aller dîner avec eux, un à un. Et faites-les parler de leur boulot. Tout le monde (ou presque) aime parler de soi. Ils sentiront votre intérêt pour eux et vous apprécieront!

La question de vos relations avec les représentants publicitaires a été traitée dans le chapitre sur l'animation, dans la section sur la recherche et la documentation (page 115).

Un truc classique de relations publiques consiste à saluer personnellement les clients des représentants publicitaires de votre station. Vous devez d'abord mettre la main sur une liste de quelques clients de la station avec le nom du représentant et le nom de la personne-ressource chez ce client. Ensuite, chaque fois que vous en avez l'occasion, lors de votre magasinage, vous demandez à quelqu'un dans le magasin de vous indiquer qui est madame Unetelle (la personne-ressource inscrite sur votre liste). Vous allez la voir et vous vous présentez avec une phrase dans le style: «Madame Unetelle. Mon nom est Jean Machin-Truc, animateur à CXXX. Joseph le Vendeur m'avait suggéré de magasiner ici. Ça fait plaisir de vous rencontrer.» Puis disparaissez, à moins que madame Unetelle insiste pour poursuivre la discussion. Le client sera surpris du professionnalisme des gens de votre station, ce qui aidera le représentant qui, en retour, aura une bonne opinion de vous. Et vous récolterez peut-être un auditeur et un *remote* de plus! Mais n'allez toutefois pas vous vanter de procéder ainsi. Tôt ou tard, votre patron et le directeur général en entendront parler et votre image en sortira grandie, par le fait d'avoir été professionnel et de ne pas vous en être vanté.

AVEC VOS DÉTRACTEURS

Partout, vous rencontrerez des gens qui ne vous aiment pas. Et plus vous serez connu, plus vous en rencontrerez. Aussi difficile et frustrant que cela puisse être, vous devez traiter ces gens de la même manière que celle établie pour les gens qui vous téléphonent pour vous insulter ou se plaindre: diplomatiquement et poliment.

AVEC VOS *FANS*

De grâce! Occupez-vous de vos *fans,* même s'ils vous tapent sur les nerfs et semblent quelquefois être des malades mentaux: ce sont des auditeurs assidus. Ils viendront probablement à toutes les activités où on vous aura annoncé et participeront à tous les concours. C'est normal: vous avez réussi à les convaincre que vous étiez bon. Ils vous admirent. Dieu merci, ça marche, votre affaire! Vous vouliez être populaire, vous l'êtes. Assumez maintenant vos responsabilités.

Si vous ne pouvez pas leur consacrer plus de temps, au téléphone ou en personne, dites-le poliment, en vous excusant. Traitez-les comme de la famille. Vous ne savez jamais quand ils vous renverront l'ascenseur.

Comme disait je ne sais plus trop qui, n'oubliez jamais que s'il est agréable d'être important, il est plus important d'être agréable.

Dans les annales de la radio...

Au début des années 80, un jeune cégepien téléphone à un animateur-vedette de la station de radio alors Numéro UN à Québec. Il aime cette station de radio et veut savoir comment il devrait procéder pour devenir animateur radio.

L'animateur-vedette qui lui répond n'a pas le temps de parler très longtemps au téléphone au moment de cet appel et demande au jeune de le rappeler un peu plus tard, à une heure à laquelle il sera plus disponible. Le jeune rappelle au moment convenu et ils discutent ensemble pendant près d'une heure au téléphone.

Quelques années plus tard, l'animateur-vedette est sans emploi. Il appelle le directeur de la programmation d'une station où il aimerait mettre les pieds et est engagé... par le jeune en question qui avait suivi ses conseils à la lettre et était devenu directeur de la programmation après avoir travaillé quelques années comme animateur!

Effet du hasard? Sans doute. Les chances que cela se produise sont faibles? Non. Pas si faibles que cela! Le monde est petit...

AVEC VOS AMIS

On l'a dit et on le répète: le client est roi et maître.

À la radio, votre problème est évidemment de savoir quel est le portrait type de votre client de façon à y adapter votre programmation et votre animation. Mais

---

Autres informations

La façon de réagir face à ses détracteurs a été discutée dans le chapitre sur l'animation, dans la section sur les différents types d'appels téléphoniques reçus (page 123).

> «Même s'il est agréable d'être important, il est plus important d'être agréable.»

il est fort probable que le portrait type de cet auditeur ne corresponde pas à celui de vos amis du collège.

Autrement dit, vous ne faites pas de la radio pour vos proches amis ou pour épater la fille du voisin. Vous ne devez jamais chercher à faire plaisir ou à étonner les copains que vous rencontrez lors de vos sorties personnelles. Vous faites de la radio pour le public que votre station de radio vise.

C'est souvent la première erreur commise par le jeune animateur débutant qui veut être fier, auprès de ses amis, de ce qu'il fait: il oublie qu'il anime une émission dont le public-cible est constitué des femmes de 35 ans et plus, par exemple. Dépêchez-vous de revenir sur terre! S'il est normal de vouloir être fier de ce que l'on fait, il est professionnel et payant de travailler à obtenir de bons résultats, peu importe ce que nos amis en pensent.

CONCLUSION

Dans le présent ouvrage, nous avons tenté d'établir un portrait global du métier que vous exercez ou voulez exercer. Toute cette information ne constitue toutefois qu'un ensemble de points de repères. Ce sont les instruments de navigation du marin. Aussi bien équipé que soit son navire, le capitaine devra toujours choisir lui-même le port de destination, définir le chemin pour s'y rendre et diriger son bateau en fonction des courants, des marées et des vents. Et Dieu sait que les changements de direction et de force des vents peuvent être radicaux!

Les instruments de navigation du marin...

Si nous avions à résumer en trois points le contenu du présent ouvrage, nous jetterions certainement les bouées de sauvetage suivantes:

- la satisfaction du client,
- le plaisir,
- la recherche constante de l'excellence.

La satisfaction du client, c'est votre première raison d'être, comme ce serait le cas dans n'importe quel autre emploi, dans n'importe quelle autre entreprise. Le client-auditeur et le client-annonceur.

Le plaisir, c'est le divertissement, l'émotion et la magie que vous offrez à vos auditeurs, mais c'est aussi votre allégresse à réaliser un rêve. Lorsque vous n'éprouvez plus aucun plaisir à faire ce que vous faites, retirez-vous! Votre tâche exige un niveau de motivation extrême.

Et la recherche de l'excellence, c'est la nécessité d'être le meilleur dans un monde et à une époque où la compétition est de plus en plus féroce et le client de plus en plus difficile à contenter.

Comprendre et satisfaire simultanément ces trois exigences constitue un défi de taille. Bonne chance!

BIBLIOGRAPHIE SÉLECTIVE

Les livres et les magazines inclus dans la liste suivante contiennent de l'information pouvant vous aider autant dans l'apprentissage de votre métier que dans l'avancement de votre carrière. Cette liste n'a toutefois pas la prétention d'être exhaustive, elle contient simplement les publications que nous avons jugées intéressantes et utiles pour un animateur radio.

Les commentaires inscrits sous chaque titre résument notre opinion quant à l'avantage pour un animateur radio de prendre connaissance du contenu de cet ouvrage. Ces commentaires ne doivent donc, en aucun cas, être interprétés comme un jugement sur la valeur générale de l'oeuvre.

Ne vous surprenez pas si certaines de ces publications contiennent de l'information contredisant une quelconque partie du contenu du présent ouvrage: nous croyons dans le bienfait du choc des idées!

LIVRES

Certains livres de la liste ci-dessous peuvent être difficiles à trouver, n'ayant été publiés par aucun éditeur officiel et n'étant pas disponibles en librairie. C'est le cas des livres dont la description est suivie du symbole (Ð). Ces ouvrages peuvent toutefois être commandés à l'adresse suivante:

> O'Liners
> 11060 Cashmere Street
> Los Angeles, CA 90049
>
> téléphone: (213) 478-1972
> télécopieur: (213) 471-7762

À cette même adresse, vous pouvez commander le MINI WHOLE O CATALOGUE dans lequel on vous propose une grande variété de livres et de séminaires sur la radio américaine.

ANIMATION ET PROGRAMMATION

AMERICAN COMEDY NETWORK (THE), <u>The Method To The Madness: Radio's Morning Show Manual</u>, préface de Don Imus, États-Unis, 1985, 61 p. (Đ)

> *Le livre de chevet des animateurs de l'émission matinale. «70 Personalities Tell You What it Takes to Have a Funnier, More Creative, and More Successful Morning Show.»*

CUTLER, Jim, <u>The Overnight Radio Handbook</u>, États-Unis, 1983, 85 p. (Đ)

> *Le livre de chevet des animateurs de nuit.*

GENDRON, Jean-Denis, <u>Phonétique orthophonique à l'usage des Canadiens français</u>, Les presses de l'université Laval, Canada, 1973, 264 p.

> *La prononciation des voyelles et des consonnes. Les accents, le rythme et les intonations. Inclut des exercices de correction.*

LARUE-LANGLOIS, Jacques, <u>Manuel de Journalisme radio-télé</u>, Éditions Saint-Martin, Canada, 1989, 230 p.

> *Même si ce livre est destiné aux journalistes, l'ensemble de son contenu sur la radio pourrait tout aussi bien s'adresser aux animateurs. Un «Must» pour l'animateur sérieux dans sa démarche de carrière.*

O'DAY, Dan, <u>Personality Radio</u>, États-Unis, 1987, 259 p. (Đ)

> *Ouvrage de référence réputé. Dan O'Day est reconnu pour la pertinence de ses articles dans Radio & Record et l'excellence de ses séminaires de formation.*

O'DAY, Dan, <u>Personality Radio, Volume Two: The Dangerous Air Personality</u>, États-Unis, 1991, 264 p. (Đ)

> *La suite, non moins percutante, du premier volume.*

PAIVA, Bob, <u>The Program Director's Handbook</u>, Tab Books, États-Unis, 1983, 162 p. (Đ)

> *Pour ceux qui veulent poursuivre leur carrière comme directeur de la programmation.*

SORMANY, Pierre, <u>Le métier de journaliste: Guide des outils et des pratiques du journalisme au Québec</u>, Editions du Boréal, Canada, 1990, 406 p.

> *Même si cet ouvrage s'adresse aux journalistes, incluant ceux de la presse écrite, il contient de l'information et des conseils pouvant être très utiles aux animateurs radio.*

TERRELL, Neil, <u>How To Create Radio Comedy</u>, États-Unis, 1980. (Đ)

> *Excellent ouvrage pour ceux qui s'intéressent sérieusement au style humoristique. De la théorie et des exercices.*

TROESTLER, Hubert, <u>Nota Bene: Fiches linguistiques et terminologiques à l'intention des médias</u>, Gouvernement du Québec, Office de la langue française, Canada, 1983, 80 p.

> *Ouvrage de référence pratique apportant des précisions sur de nombreuses expressions fautives que l'on entend régulièrement sur les ondes des stations de radio francophones.*

WARREN, Steven, The Programming Operations Manual: Formatting Systems and Radio Programming Strategy, The Programming Co-Op, États-Unis, 1986. (Đ)
> *Lecture complémentaire pour ceux qui en redemandent ou qui veulent poursuivre leur carrière comme directeur de la programmation.*

PROMOTION, PUBLICITÉ, PRODUCTION ET CRÉATION PUBLICITAIRE

ALLARD, Jean-Marie, La Pub: 30 ans de publicité au Québec, Le Publicité-Club de Montréal, Éditions Libre Expression, Canada, 1989, 228 p.
> *Pour ceux qui veulent savoir sur quels chemins l'industrie de la publicité a grandi au Québec.*

COHEN, Robert, The Ad Game, Recreating Creativity... to Sell, CCH Canadian Limited, Canada, 1987, 260 p.
> *Survol complet des différents aspects du marketing d'un produit. De la recherche marketing au placement média, en passant par la création publicitaire, la définition d'une niche et la création de logos et de slogans.*

COSSETTE, Claude, Comment faire sa publicité soi-même, Collection Les Affaires, Publications Transcontinental inc., Canada, 1988, 139 p.
> *Excellent ouvrage pour les rédacteurs-créateurs publicitaires, mais aussi pour le responsable de la promotion et de la publicité de la station.*

COSSETTE, Claude et René DERY, La publicité en action: comment élaborer une campagne de publicité ou ce qui se passe derrière les murs d'une agence, Les éditions Riguil Internationales et Éditions du Publicitaire, Canada, 1988, 510 p.
> *Ce livre est intéressant pour tous ceux qui oeuvrent dans un domaine relié à la publicité. Un portrait complet de l'industrie de la publicité: du marketing à l'évaluation des résultats d'une campagne promotionnelle, en passant par l'analyse du marché, le positionnement du produit, la planification stratégique et la création publicitaire.*

DUPONT, Luc, 1001 trucs publicitaires, Collection Les Affaires, Publications Transcontinental, Canada, 1990, 270 p.
> *Lecture complémentaire pour les rédacteurs-créateurs publicitaires quoique l'ouvrage traite surtout de la publicité écrite.*

MACDONALD, Jack, The Handbook of Radio Publicity and Promotion, Tab Books, États-Unis, 1970, 372 p. (Đ)
> *Recueil d'idées de concours et de promotions.*

OCEAN, Bobby, Terry MOSS et Dan O'DAY, Tasty Radio Production Tips, États-Unis, 1989, 76 p. (Đ)
> *Des conseils pratiques pour ceux qui travaillent à la création et à la production de messages publicitaires à la radio.*

PUBLICITÉ CLUB DE MONTRÉAL (LE), L'industrie de la publicité au Québec: 1989-1990, étude annuelle, Canada, 1990, 173 p.
> *L'état de l'industrie de la publicité au Québec. Pour situer la publicité radio dans son contexte.*

Sujets généraux

CHARON, Jean-Marie (sous la direction de), L'état des médias,
Éditions du Boréal, Éditions La Découverte, Médiaspouvoirs et
CFPJ, Canada et France, 1991, 461 p.
> *Survol complet de l'industrie médiatique: radio, télévision, journaux,
> magazines, livres, télécommunications. Les contenus et les contenants. Les
> interrelations entre les médias, la société et la culture. Un ouvrage à dévorer...
> Pour votre culture générale.*

COSSETTE, Claude, La créativité, une nouvelle façon d'entreprendre,
Collection Les Affaires, Publications Transcontinental, Canada,
1990, 196 p.
> *Un «Must» pour ceux qui veulent réussir! À quoi sert la créativité et,
> surtout, comment s'en servir efficacement.*

DUBUC, Robert, Vocabulaire bilingue de la production télévision:
anglais-français, français-anglais, Editions Leméac, Canada,
1982, 402 p.
> *Document de référence pour les mordus du bon parler français.
> Malheureusement, les termes proposés ne s'appliquent pas tous à la radio, ce
> livre ayant été préparé pour la télévision.*

OFFICE DE LA LANGUE FRANÇAISE, Vocabulaire de la radio et de la
télévision: anglais-français, Gouvernement du Québec, Les
Publications du Québec, Canada, 1990, 31 p.
> *Référence officielle de l'industrie de la radio et de la télévision.
> Malheureusement, comme dans d'autres publications du genre, la télévision
> prend toute la place au détriment de la radio.*

PROULX, Gilles, La radio d'hier à aujourd'hui, Éditions Libre
Expression, Canada, 1986, 187 p.
> *L'histoire de la radio. Ses débuts, son évolution et ses nouveaux défis.*

MAGAZINES SPÉCIALISÉS

Dans chaque catégorie, les publications sont présentées par ordre alphabétique.
À vous de choisir!

Québécois

Chansons d'aujourd'hui

6 numéros par année. Articles et entrevues avec des artistes et auteurs-compositeurs de la francophonie mondiale. Étant donné le coût minime, vous n'avez aucune raison de ne pas y être abonné.

> Office des communications sociales
> 1340, boul. St-Joseph Est
> Montréal, QC, H2J 1M3   (514) 524-8223

Compositeur (Le)

4 numéros par année. Articles consacrés aux auteurs et aux compositeurs canadiens. Son pendant, au Canada anglais, est le magazine CANADIAN COMPOSER.

> SOCAN Québec
> 600, boul. de Maisonneuve Ouest, suite 500
> Montréal, QC, H3A 3J2   (514) 844-8377

Écouteur (L')

Bi-hebdomadaire ayant vu le jour en 1992 et distribué gratuitement «partout où la musique règne». Journal grand public consacré à la musique et aux artistes.

33, rue Prince, suite 234
Montréal, QC, H3C 2M7   (514) 393-1117

Info-Presse Communications

«Le mensuel de la publicité et des médias au Canada». Une source d'information intéressante pour ceux qui veulent avoir une vue d'ensemble de l'industrie. Des chiffres et des graphiques de cotes d'écoute.

4316, rue St-Laurent, bureau 400
Montréal, QC, H2W 1Z3   (514) 842-5873

Qui fait quoi

Mensuel généraliste. Télévision et radio, films et vidéo, publicité, disques et arts de la scène.

1276, rue Amherst
Montréal, QC, H2L 3K8   (514) 842-5333

Milieu (Le)

Bulletin mensuel distribué 4 fois par année à l'intérieur du magazine Le Compositeur. Son pendant, au Canada anglais, est Probe.

SOCAN Québec
600, boul. de Maisonneuve ouest, bureau 500
Montréal, Qc, H3A 3J2   (514) 844-8377

Musicien Québécois

Bi-mensuel s'adressant aux musiciens professionnels.

70, rue de la Barre, bureau 120
Longueuil, Qc, J4K 5J3   (514) 928-1726

Radio Activité

Hebdomadaire. La référence de l'industrie québécoise de la musique populaire. Un outil de travail pour le directeur musical.

3981, boul. Saint-Laurent, bureau 715
Montréal, QC, H2W 1Y5   (514) 849-1236

Volt-Fax

Hebdomadaire expédié par télécopieur chaque lundi matin. Des nouvelles de l'industrie du disque et des artistes.

1604, rue Panet
Montréal, QC, H2L 2Z5   (514) 597-1026

Canadiens anglais

Broadcaster

Mensuel s'adressant surtout aux gestionnaires. L'industrie de la radio et de la télévision au Canada. Des nouvelles du CRTC.

Southam Business Communications
1450, Don Mills Road
Don Mills, ON, M3B 2X7   (416) 445-6641

Broadcast Technology

10 numéros par année. Excellente source d'inspiration pour rêver au bonheur que vous auriez à travailler avec les appareils les plus récents et les plus perfectionnés!

6, Farmer's Lane
P.O. Box 420
Bolton, ON, L7E 5T3   (416) 857-6076

Canadian Composer

4 numéros par année. Articles consacrés aux auteurs et compositeurs canadiens. Certains articles peuvent être les mêmes que ceux publiés dans Le Compositeur.

SOCAN
41, Valleybrook Drive
Don Mills, ON, M3B 2S6   (416) 445-8700

Canadian Musician

Bi-mensuel s'adressant aux musiciens professionnels.

Norris Publications
23, Hannover Dr., unit 7
St-Catharines, ON, L2W 1A3   (416) 641-3471

Marketing

Hebdomadaire s'adressant surtout aux représentants publicitaires mais pouvant, aussi, être intéressant pour le responsable de la promotion et pour les rédacteurs-créateurs publicitaires.

Maclean Hunter Ltd.
777, Bay Street, 5th Floor
Toronto, ON, M5W 1A7   (416) 596-5000

Music Express

Mensuel grand public consacré au rock nord-américain.

K. Sharp Music Enterprises
219, Dufferin Street, suite 100
Toronto, ON, M6K 3J1   (416) 538-7500

Probe

Mensuel. Équivalent anglais du bulletin Le Milieu.

SOCAN
41, Valleybrook Drive
Don Mills, ON, M3B 2S6   (416) 445-8700

RPM

Hebdomadaire. L'équivalent du Radio Activité québécois.

6, Brentcliffe Road
Toronto, ON, M4G 3Y2   (416) 425-0257

SoundCan

Bi-mensuel consacré exclusivement à la musique canadienne. Petit frère de Music Express.

K. Sharp Music Enterprises
219, Dufferin Street, suite 100
Toronto, ON, M6K 3J1   (416) 538-7500

THE RECORD

Hebdomadaire. Le compétiteur de RPM.

David Farrell & Associates Inc.
P.O. Box 201, Station M
Toronto, ON, M6S 4T3   (416) 533-9417

AMÉRICAINS

BILLBOARD

Hebdomadaire. La bible du *showbusiness* américain. Excellent source d'information sur la musique, les artistes et les tendances. Publie aussi le guide annuel WORLD RADIO TV HANDBOOK (WRTH).

BPI Communications Inc.
One, Astor Plaza
1515 Broadway, New York, N.Y. 10036 (212) 764-7300

BPME IMAGE

Mensuel publié par l'Association des professionnels de la promotion et du marketing des médias électroniques. L'abonnement est inclus dans le prix du membership. Excellente source d'idées et de conseils pratiques.

Broadcast Promotion & Marketing Executives
6255, Sunset Boulevard, suite 624
Los Angeles, CA 90028   (213) 465-3777

GALAXY

Bi-mensuel. Bonne source d'information sur les artistes en vedette sur les palmarès américains. L'information est livrée en phrases courtes et prêtes à être utilisées en ondes.

3860, Kellogg Avenue
Las Vegas, NV 89115-0224   (702) 651-9119

GAVIN REPORT (THE)

Hebdomadaire créé par Bill Gavin. Similaire au magazine canadien THE RECORD.

140, Second Street
San Francisco, CA 94105   (415) 495-1990

MONDAY MORNING REPLAY

Hebdomadaire consacré presqu'exclusivement à l'analyse des palmarès des stations de radios américaines.

Mediabase Research Corporation
28530, Orchard Lake Road, suite 102
Farmington Hills, MI 48334-4700   (313) 737-0027

RADIO ONLY

Mensuel. Articles sur la programmation, les ventes, la promotion et la gestion. Excellente source d'idées de promotions et de sujets de réflexion sur votre programmation. Un «Must», surtout que ce magazine est peu dispendieux. De plus, RADIO ONLY offre sous le nom de INSIDE RADIO un bulletin quotidien d'informations sur l'industrie de la radio américaine. Ce bulletin est envoyé par télécopieur.

Inside Radio inc.
1930, East Marlton Pike, suite S-93
Cherry Hill, NJ 08003-9939   (609) 424-6800

Radio Promotion Bulletin (The)

Mensuel. Quelques pages d'idées de promotions et de concours.

> The Sullivan Co.
> P.O. Box 37236
> Houston, TX 77237   (713) 684-6914

Radio & Records

Journal hebdomadaire. La référence de l'industrie de la radio depuis le début des années 80. Excellente source d'idées et d'information sur la programmation et la promotion radio. Conseils judicieux pour la gestion de votre carrière. De plus, Radio & Records offre conjointement avec MTV (l'équivalent américain de Musique Plus) un service d'informations artistiques par télécopieur: c'est le MTV/R&R Music Fax.

> Westwood One
> 1930, Century Park West
> Los Angeles, CA 90067   (310) 553-4330

Radio World

Bi-mensuel. Un coup d'oeil sur ce qui se passe dans l'industrie de la radio, ailleurs dans le monde.

> PO Box 1214
> Falls Church, VA 22041   (703) 998-7600

Rolling Stone

Mensuel. Sujets variés. Excellente source d'information sur les artistes, à la condition d'être prêt à lire des articles de plusieurs pages. Nombreuses entrevues.

> P.O. Box 51933
> Boulder, CO 80321-1933   (212) 758-3800

SPIN

Mensuel. Sujets variés. Traite de musique un peu plus marginale. Bon moyen de varier vos lectures et vos sources d'information.

> Camouflage Associates
> P.O. Box 420193
> Palm Coast, FL 32142-0193   (212) 633-8200

Européens

Broadcasting

Mensuel s'adressant principalement aux techniciens et aux producteurs radio et télévision. Publie aussi le répertoire annuel Directory of International Broadcasting.

> International Thomson Business Publishing
> c/o Demograffix Ltd.
> Admiral House
> Cardinal Way
> Wealdstone
> Middlesex
> England HA3 5SQ   (011.44) 81.863.4114

BULLETIN DES ROTATIONS (LE)

Bi-mensuel. Équivalent français du RADIOACTIVITÉ québécois.

B.P. 26
43400 Le Chambon-sur-Lignon
France   (011.33.1) 45.86.84.66

MELODY MAKER

Journal hebdomadaire. Nouvelles et potins sur les artistes populaires.

IPC Magazines Ltd.
Oakfield House
Perrymount Road
Haywards Heath
West Sussex
England RH16 3DH   (011.44) 071.261.5670

MUSIC & MEDIA

Hebdomadaire. Le BILLBOARD des européens.

Rijnsburgstraat 11
1059 AT Amsterdam
The Netherlands   (011.31) 20.6691961

NEW MUSICAL EXPRESS

Journal hebdomadaire au contenu souvent cinglant. Publié par le même éditeur que MELODY MAKER.

IPC Magazines Ltd.
Freepost 1061
Oakfield House
Perrymount Road
Haywards Heath
West Sussex
England Rh16 3ZA   (011.44) 071.261.5185

SHOW MAGAZINE

Bi-mensuel. «Le journal des professionnels (français) de la musique et de la vidéo».

East Side West Side
Publications SNC
36, rue de Lisbonne
75008 Paris
France   (011.33.1) 42.89.20.50

CARNET D'ADRESSES

ÉCOLES

ÉCOLES PRIVÉES

N'ayant voulu porter aucun jugement de valeur sur les institutions incluses dans la présente liste, nous vous les présentons par ordre alphabétique. Les institutions incluses dans cette liste sont celles offrant des cours de formation spécifiquement en animation radio. Plusieurs autres institutions offrent des cours de formation en diction et en communication orale.

CART

Collège des Annonceurs Radio Télévision. École fondée en 1957 par Roger Gagnon et maintenant dirigée par Maurice Roberge et Denise Verville. Un jour, nous l'espérons, ils changeront leur nom pour Collège des *Animateurs* Radio Télévision!

> 1245, chemin Ste-Foy, bureau 141
> Québec, QC, G1S 4P2   (418) 687-9944

CFTR

Collège de Formation en Télévision et Radio. École dirigée par Henri St-Georges.

> 640, rue Saint-Paul ouest, bureau 603
> Montréal, QC, H3C 1L9   (514) 397-8522

CJLP

Communications Jacques Le Page. École dirigée, bien sûr!, par Jacques Le Page.

> 6881, rue Jarry est
> St-Léonard, QC, H1P 1W7   (514) 355-5771

CRTC

Collège Radio Télévision Communications. École dirigée par Jean-Marc Pageau.

751, Côte d'Abraham
Québec, QC, G1R 1A2   (418) 647-2095

Promédia

École de radio et d'élocution Promédia. École dirigée par Pierre Dufault et Pierre Boislard.

1118, rue Ste-Catherine ouest, bureau 700
Montréal, QC, H3B 1H5   (514) 861-8951

Studio Jean Malo

École dirigée, bien sûr!, par Jean Malo.

2445, boul. Portland
Sherbrooke, QC, J1J 1V4   (819) 821-2230

Collèges publics

Cité collégiale

Premier collège public de langue française en Ontario à offrir un programme d'arts appliqués et de technologie des médias. Ce collège a été créé lors de la séparation des divisions anglaise et française du Collège Algonquin.

2465, boul. Saint-Laurent
Ottawa, ON, K1G 5H8   (613) 786-2144

Cégep de Jonquière

Seul cégep au Québec à offrir un programme en «Art et technologie des médias» (ATM) conduisant à un DEC. Quatre options sont offertes: presse écrite, radio, télévision et publicité.

2505, rue Saint-Hubert
Jonquière, Qc, G7X 7W2   (418) 547-2191

Universités

Plusieurs universités offrent un programme en communications, mais la plupart se concentrent sur le journalisme en négligeant tous les autres aspects de cette industrie.

Au Québec, à notre connaissance, l'Université du Québec à Montréal est la seule à offrir un programme adéquat sur des sujets autres que le journalisme. En fait, quatre options sont offertes à l'UQAM: journalisme, télévision, radio et cinéma. Un programme de maîtrise est également offert. C'est pourquoi nous n'avons inscrit que cette université dans la présente liste, mais nous vous encourageons quand même à faire le tour des autres universités pour déterminer quel programme universitaire correspond le plus à vos attentes et à vos objectifs.

Université du Québec à Montréal
Module de communication, bureau J-1615
C.P. 8888, succursale «A»
Montréal, Qc, H3C 3P8   (514) 987-3637

ORGANISMES ET ASSOCIATIONS PROFESSIONNELLES

ACFR *(CWRT)*

Association Canadienne des Femmes en Radiotélévision *(Canadian Women in Radio and Television)*. Organisme regroupant les femmes de l'industrie de la radio, de la télévision, de la câblodistribution, du cinéma, de la musique et des autres domaines connexes.

95, chemin Barber-Greene, bureau 104
Don Mills, ON, M3C 3E9   (416) 446-5353

ACR *(CAB)*

Association Canadienne des Radiodiffuseurs *(Canadian Association of Broadcasters)*. Association regroupant à la fois les radiodiffuseurs et les télédiffuseurs de langue française et de langue anglaise.

350, rue Spark, suite 306
Ottawa, ON, K1R 7S8   (613) 233-4035

ACRTF

Association Canadienne de la Radio et de la Télévision de langue Française. Comme l'ACR, l'ACRTF regroupe à la fois les radiodiffuseurs et les télédiffuseurs.

C.P. 127
St-Lambert, QC, J4P 3N4   (514) 923-5455

ADISQ

On pense souvent qu'il s'agit de l'Association du Disque et de l'Industrie du Spectacle Québécois (ADISQ) alors qu'il s'agit, officiellement, de l'Association québécoise de l'industrie du disque, du spectacle et de la vidéo inc. Cette association procède annuellement à la remise des trophées Félix lors du fameux Gala de l'ADISQ.

3575, boul. Saint-Laurent, bureau 706
Montréal, QC, H2X 1T6   (514) 842-5147

ARCQ

Association des Radiodiffuseurs Communautaires du Québec.

3575, boul. St-Laurent, bureau 704
Montréal, QC, H2X 2T7   (514) 287-9094

BBM

Bureau of Broadcast Measurement.

615, boul. René-Lévesque ouest, bureau 750
Montréal, QC, H3B 1P5   (514) 878-9711

BUREAU DE COMMERCIALISATION DE LA RADIO DU QUÉBEC

Le pendant québécois du *Radio Marketing Bureau*, comme l'ACRTF est le pendant de la *CAB* (ACR).

3629, rue St-Denis
Montréal, QC, H2X 3L6   (514) 844-2346

LE MÉTIER D'ANIMATEUR RADIO

CONSEIL DES NORMES DE LA PUBLICITÉ

Organisme administrant les normes et les codes d'éthiques de l'industrie de la publicité.

4823, rue Sherbrooke ouest, bureau 130
Montréal, QC, H3Z 1G7   (514) 931-8060

CRIA

Canadian Recording Industry Association.

1255, Young Street, suite 300
Toronto, ON, M4T 1W6   (416) 967-7272

CRTC

Conseil de la Radiodiffusion et des Télécommunications Canadiennes.

1, Promenade du Portage
Terrasses de la Chaudière
Hull, QC   (819) 997-0313

ou, à Montréal:

Complexe Guy-Favreau
200, boul. René-Lévesque ouest, bureau 602
Montréal, QC, H2Z 1X4   (514) 283-6607

FÉDÉRATION PROFESSIONNELLE DES JOURNALISTES DU QUÉBEC

Là où vous pouvez vous procurer une copie de la Charte du journalisme!

2083, rue Beaudry, bureau 302
Montréal, QC, H2L 3G4   (514) 522-6142

NAB

National Association of Broadcasters. L'association des radiodiffuseurs américains, l'équivalent du CAB canadien.

1771, N Street, NW
Washington, DC
USA 20036-2891   (202) 775-4972

QUEBEC RECORD POOL

Association regroupant les D.J. du Québec. Elle publie bi-mensuellement un palmarès québécois des succès de clubs de danse.

2345, Grand Trunk, suite 7
Montréal, QC, H3K 1M8   (514) 937-7665

RADIO MARKETING BUREAU

Organisme remplaçant l'ancien Bureau canadien de la radio (*Radio Bureau of Canada*) et visant à promouvoir l'industrie de la radio auprès, notamment, des annonceurs publicitaires.

146, Yorkville
Toronto, ON, M5R 1C2   (416) 922-5757

SOCAN

Société canadienne des auteurs, compositeurs et éditeurs de musique.

41, Valleybrook Drive
Don Mills, ON, M3B 2S6   (416) 445-7108

ou

600, boul. de Maisonneuve ouest, bureau 500
Montréal, Qc, H3A 3J2   (514) 844-8377

LEXIQUE BILINGUE

Coincé entre la terminologie nord-américaine de langue anglaise et le français américanisé de la France, le vocabulaire radiophonique québécois doit aussi survivre à la négligence des linguistes québécois s'intéressant davantage à la télévision qu'à la radio. De nombreux termes proposés, dans les lexiques officiels, comme traduction à des termes anglais sont tout à fait inutilisables dans le contexte d'un studio de radio. Ainsi, pour nous, un animateur n'est pas un technicien responsable de la production de dessins animés!

La création d'un lexique sommaire adapté à la radio nous a donc semblé nécessaire pour aider, peut-être, à franciser notre milieu de travail mais surtout, nous l'espérons, pour guider les débutants dans un milieu où le vocabulaire est aussi spécialisé que les livres sur le sujet sont rares.

Bien sûr, nous nous sommes efforcés de respecter le plus intégralement possible les recommandations de l'Office de la langue française du Québec et du service de linguistique de la Société Radio-Canada, mais de nombreux écarts ont dû être effectués afin d'adapter celles-ci aux réalités du monde de la radio.

Ce lexique bilingue marie les traditionnels lexiques «anglais-français» et «français-anglais». La traduction française suggérée pour chaque terme anglais est inscrite immédiatement à la droite de ce terme anglais. Et vice versa. Pour permettre ce mariage tout en évitant la confusion, les termes anglais et les anglicismes sont présentés en italiques et en minuscules alors que les termes français sont écrits en lettres majuscules.

Afin de réduire la longueur de ce lexique, les définitions et les nuances entre différents termes ou expressions ne sont présentées qu'une seule fois. C'est pourquoi des renvois à un autre mot du lexique sont fréquemment suggérés par l'expression «voir».

Veuillez noter que les termes déjà traduits et expliqués dans le présent ouvrage, dans la section sur le **vocabulaire du CRTC** et dans celle sur le **vocabulaire des cotes d'écoute**, n'ont pas été repris ici.

> Un animateur n'est pas un technicien responsable de la production de dessins animés!

A CAPPELLA — Voir *Cold*

AD LIB. — *Ad Lib*
Abréviation de «Ad Libitum», expression latine signifiant «au gré de l'exécutant».

Advertiser — Voir ANNONCEUR

Advertising — PUBLICITÉ
(Voir *Commercial*).

Aircheck — ENREGISTREMENT-TÉMOIN
Enregistrement d'une émission à partir d'un récepteur radio afin d'obtenir une copie exacte de ce qui a été diffusé en ondes.

Air Time — Voir TEMPS D'ANTENNE

ALBUM — Voir *LP*

ALIMENTATION — Voir *Feed*

AM — MA
AM et FM sont des abréviations anglaises, signifiant respectivement *Amplitude Modulation* et *Frequency Modulation*. En français, il faudrait théoriquement utiliser MA et MF pour modulation d'amplitude et modulation de fréquence. Mais, en pratique, l'utilisation des abréviations AM et FM est internationalement reconnue et acceptée.

AMORCE — Voir *Lead*

Anchor Man — PRÉSENTATEUR
Animateur radio qui assure la coordination d'une émission dans laquelle s'insèrent divers éléments provenant généralement de sources multiples et qui effectue les transitions entre ces divers éléments.
Lorsque cet animateur intervient activement dans une émission réunissant des invités, il s'agit d'un présentateur-modérateur (voir *Moderator*).

ANIMATEUR RADIO — *Radio Announcer*
À ne pas confondre avec annonceur (voir *Announcer*).

ANNEXE — Voir *Tag*

ANNONCE-AMORCE — Voir *Teaser*

ANNONCE PUBLICITAIRE — Voir *Commercial*

ANNONCEUR — *Advertiser*
(Voir *Announcer*).

Announcer (Radio) — ANIMATEUR RADIO
Nous sommes portés à traduire *Radio Announcer* par «annonceur». Pourtant, les annonceurs sont vos clients effectuant la publicité de leurs produits ou de leurs services sur vos ondes alors qu'un animateur radio, lui, fait beaucoup plus qu'annoncer, il anime!
Les linguistes de Radio-Canada semblent avoir rejeté cette traduction parce que dans l'industrie du cinéma et de la télévision, l'animation est davantage associée au dessin animé.
Le terme «présentateur» a aussi été suggéré mais il est beaucoup trop limitatif pour décrire l'ensemble des animateurs radio quoiqu'il décrive bien le travail spécialisé de certains (voir *Anchor Man*).
En France, les termes «speaker» et «speakerine» sont utilisés.

ANTENNE — *Antenna*
(D'ANTENNE: voir *Off Air*).

ATTENTE (Être en) — Voir *Stand By (On)*

ATTENTION! — Voir *Stand By!*

Audience — AUDITOIRE
L'ensemble des personnes écoutant une station ou une émission. (Voir *Target Audience*).

AUDITION — *Audition*
Séance d'essai visant à évaluer l'aptitude d'un animateur à répondre aux exigences d'un poste.

AUDITOIRE — Voir *Audience*

AUTOPUBLICITÉ — Voir *Promotion*

AVANCE RAPIDE — *Fast Forward*

Background Music — Voir FOND MUSICAL

Back Timing — CHRONOMÉTRAGE À REBOURS
Technique consistant à vérifier l'horaire de diffusion des prochains éléments d'une émission et à déterminer l'heure précise du début et de la fin de la diffusion de chaque élément, afin de respecter le plus exactement possible cet horaire.

Back-to-back — EN CHAÎNE ou ENCHAÎNEMENT
Diffuser deux chansons *back-to-back*, c'est diffuser deux chansons **en chaîne**.
Un **enchaînement** est le résultat de la diffusion **en chaîne**.

BANDE-AMORCE — Voir *Leader*

BANDE GÉNÉRATRICE — Voir *Master*

BANDE MAGNÉTIQUE — Voir *Tape*

BANDE-TÉMOIN *Log tape*

Bande magnétique sur laquelle est enregistré tout ce qui a été diffusé en ondes.

Bed (Music) Voir FOND MUSICAL

BEIGNE Voir *Donut*

BLOC PUBLICITAIRE Voir *Spot Set*

Bridge TRANSITION

Courte séquence, musicale ou parlée, reliant en ondes deux segments d'émission ou deux éléments de la programmation.

Broadcaster (Radio) RADIODIFFUSEUR

Personne ou compagnie exploitant une station de radio. Le terme *broadcaster* s'applique autant aux radiodiffuseurs qu'aux télédiffuseurs.

CACHET *Fee*

Rémunération versée aux participants d'une émission.

CAHIER DE PRESSE Voir *Press Kit*

Call Letters INDICATIF D'APPEL ou LETTRES D'APPEL

Groupe de quatre lettres servant à identifier une station de radio. L'attribution de ces lettres relève du ministère fédéral des communications. Au Canada, tous les indicatifs d'appel commencent par la lettre C.

La traduction internationale idéale est «indicatif d'appel», d'autant plus que dans certains pays l'indicatif d'appel est composé de lettres et de chiffres. En Amérique du Nord, on peut toutefois tolérer l'utilisation de «lettres d'appel», ce qui permet d'éviter la confusion avec les indicatifs musicaux (voir INDICATIF).

CAR DE REPORTAGE Voir *Mobile Unit*

CAROTTE Voir *Teaser*

CARTE DE TARIFS Voir *Rate Card*

CARTOUCHE Voir *Cartridge*

Cart Recorder/Player CARTOUCHIÈRE ou MAGNÉTOPHONE À CARTOUCHE

Magnétophone destiné aux cartouches (voir *Cartridge*). Dans le langage familier: un *Toaster*!

Cartridge CARTOUCHE

Abréviation usuelle: cart. Cassette ressemblant physiquement aux anciennes cassettes 8 pistes mais dont la bande magnétique forme une boucle sans fin sur laquelle un seul enregistrement utilise toute la largeur de la bande.

CASQUE D'ÉCOUTE *Headphones*

CD DISQUE AUDIONUMÉRIQUE

CHAÎNE (En) Voir *Back-to-back*

CHAMP (En) Voir *On Mike*

CHAMP (Hors) Voir *Off Mike*

CHRONIQUE Voir *Feature*

CHRONOMÉTRAGE Voir *Timing*

(CHRONOMÉTRAGE À REBOURS: voir *Back Timing*).

Cold A CAPPELLA

Qualificatif d'un message enregistré ou livré sans musique de fond. «A cappella» est une expression italienne utilisée originalement pour le chant.

COMMANDITAIRE Voir *Sponsor*

COMMANDITE Voir *Sponsorship*

COMMENTATEUR *Commentator*

Animateur procédant à la description et à l'analyse d'un événement spécial. Il s'agit souvent d'une compétition sportive.

Commercial MESSAGE PUBLICITAIRE ou ANNONCE PUBLICITAIRE

Message radiodiffusé faisant la publicité d'un produit ou d'un service. *Commercial* est le terme anglais désignant un message particulier alors qu'*advertising* désigne la publicité en général. En anglais, on dira aussi *spot* pour parler d'un message publicitaire.

COMMUNIQUÉ DE PRESSE *Press Release*

Texte d'une information, préparé et rédigé spécialement dans le but d'être remis aux journalistes de divers médias.

Compact Disc DISQUE AUDIONUMÉRIQUE

CONFÉRENCE DE PRESSE *Press Conference* ou *News Conference*

Réunion à laquelle sont convoqués les journalistes de plusieurs médias et au cours de laquelle une ou plusieurs personnes s'adresseront aux invités, habituellement sur un sujet précis.

CONSOLE *Control Board*

(Voir *Mixer*).

CONTINU (en) Voir *Non-Stop*

Control Board CONSOLE

(Voir *Mixer*).

Copywriter Voir RÉDACTEUR PUBLICITAIRE

CORDON DE RACCORDEMENT
Voir **Patch Cord**

Coverage Area   Voir RAYONNEMENT

Cue (a)   SIGNAL DE DÉPART
ou TOP SONORE
ou MARQUE SONORE
ou REPÈRE

Le **signal de départ** est le terme général, mais ce signal peut être donné de différentes façons et porter un nom plus spécifique.

La phrase inscrite sur le devant d'une cartouche afin d'indiquer à l'opérateur de mise en ondes l'instant auquel il doit enclencher la cartouche suivante, est appelée un **repère**. Dans ce cas précis, on pourrait aussi parler de la signature du message.

Le signal sonore enregistré sur une bande magnétique et permettant au magnétophone de repérer le début ou la fin d'un segment, est une **marque sonore** ou un **repère sonore**.

Lorsqu'il est question d'un signal sonore donné à des individus présents dans le studio afin de leur indiquer le début d'un segment de l'émission, on parle d'un **top sonore**.

Cue (to)   POINTER
ou MARQUER
ou REMETTRE EN POSITION DE DÉPART

Enregistrer le *cue* sur le ruban d'une cartouche, c'est la **marquer**. On dira aussi marquer le repère.

Placer l'aiguille sur un disque à l'endroit précis où il doit commencer à jouer, c'est le **pointer** (et non pas le *cuer*!)

Et lorsque l'on parle de la cartouche qui se re-*cue*, on parle d'une cartouche qui se **remet en position de départ**.

Cut-in   INSERTION

Faire une insertion, c'est insérer la diffusion d'un élément de programmation, souvent un message publicitaire, dans une émission provenant d'un réseau ou dans une émission diffusée en différé.

Deadline   HEURE DE TOMBÉE

La date et l'heure à respecter pour la remise d'une production.

DÉCROCHAGE (Facteur de)
Voir **Tune-out Factor**

Delayed Broadcast   Voir DIFFÉRÉ (En)

DÉMAGNÉTISEUR   **Tape Eraser**

Appareil effaçant totalement le contenu d'une bande magnétique en la démagnétisant.

DIFFÉRÉ (En)   **Pre-recorded**
ou **Delayed Broadcast**

Une émission présentée en différé est une émission entièrement produite et enregistrée, avant diffusion, sur bande magnétique ou autre support.

DIRECT (En)   Voir **Live**

DIRECTEUR DE LA PROGRAMMATION
Voir **Program Director**

DIRECTEUR DES ÉMISSIONS
Voir **Program Director**

DIRECTEUR DE STATION
Voir **Station Manager**

DIRECTEUR GÉNÉRAL   **General Manager**
(Voir *Station Manager*).

DIRECTEUR MUSICAL   Voir **Music Director**

DISCOTHÈQUE   **Music Library**
ou **Record Library**

Lieu où l'on range et conserve les disques.

Discrepancy Report
Voir RELEVÉ DES INCIDENTS

DISQUE   **Record**

Terme désignant à la fois les disques audionumériques et les disques de vinyle, que ce soit en format 33 tours, 45 tours ou maxi-45 tours (communément appelés «12 pouces»). (Voir *Single* et *LP*).

DISQUE AUDIONUMÉRIQUE   **CD**
ou **Compact Disc**

Distortion   DISTORSION

Déformation du son lors de la reproduction.

Donut   BEIGNE

Ritournelle publicitaire composée d'une ouverture et d'une signature mais laissant place, au milieu, à une insertion, généralement sur fond musical.

Drive Home   RETOUR À LA MAISON

Émission de fin d'après-midi, généralement entre 15h et 18h, baptisée ainsi parce qu'étant celle couvrant la période durant laquelle la plupart des travailleurs «retournent à la maison».

DROITS DE DIFFUSION   **Music License Fees**
ou **Music Rights**

Somme d'argent devant être payée en échange du droit de diffuser une oeuvre musicale. Au Canada, la SOCAN se charge de percevoir ces sommes auprès des stations de radio canadiennes et de les distribuer aux artistes.

Dubbing   REPIQUAGE

Opération consistant à copier intégralement un enregistrement sonore d'une bande magnétique sur une autre. Ce terme peut aussi s'appliquer à la même opération effectuée avec tout autre support technique.

E

ÉCHO   Voir *Reverb*

Editing   MONTAGE
(Voir *Mix*).

EFFETS SONORES   *Sound Effects*
ou *Special Effects*
Bruits généralement produits artificiellement dans le but de créer une impression particulièrement chez l'auditeur ou simplement d'attirer son attention.

ÉLÉMENT DE PROGRAMMATION   *Programming Element*
Un segment homogène et répétitif de la programmation. La publicité, la musique, les interventions de l'animateur, les bulletins de nouvelles et les chroniques sont tous des éléments de programmation.

ÉMETTEUR   *Transmitter*
Équipement technique installé aux pieds de l'antenne et permettant d'émettre les signaux de la station à une puissance donnée et sur une fréquence spécifique.

ÉMISSION   Voir *Program*

ÉMISSION DE L'AVANT-MIDI   *Mid-Morning Show*
Émission habituellement diffusée entre 9h et midi.

ÉMISSION DE MI-JOURNÉE   *Mid-Day Show*
Émission habituellement diffusée entre 10h et 14h ou entre midi et 15h.

ÉMISSION MATINALE   *Morning Show*
Émission habituellement diffusée entre 6h et 9h. On dira aussi émission du matin.

ENCHAÎNEMENT   Voir *Back-to-back*

ENREGISTREMENT   *Recording*

ENREGISTREMENT-TÉMOIN   Voir *Aircheck*

ENTREVUE   *Interview*

EXPERT INVITÉ   Voir *Panelist*

EXTÉRIEUR (En)   *Remote*
ou *On Location*
(Voir HORS STUDIO).

EXTRAIT D'ALBUM   Voir *Single*

F

Fade (to)   FONDRE
ou FAIRE UN FONDU
(Voir *Fade in* et *Fade out*).

Fade in   INTRODUCTION EN FONDU
Introduction d'un élément dans une émission par augmentation graduelle du niveau sonore de retransmission de cet élément.
Les termes «ouverture en fondu» et «fermeture en fondu» proposés par certains linguistes, portent à confusion en radio puisque les *fade in* et *fade out* ne sont généralement pas associés à des ouvertures ou fermetures d'émissions ou de segments d'émissions mais plutôt au simple mixage de deux éléments de l'émission.
À la radio, la sortie en fondu (d'une chanson, par exemple) est beaucoup plus fréquente que l'introduction en fondu.

Fade out   SORTIE EN FONDU
Diminution graduelle du volume sonore d'un élément de l'émission jusqu'à le rendre inaudible.
(Voir INTRODUCTION EN FONDU).

Fast Forward   AVANCE RAPIDE

Fault Report   Voir RELEVÉ DES INCIDENTS

Feature   CHRONIQUE
Court segment d'émission consacré à un sujet particulier. Il peut s'agir d'un élément diffusé à la requête d'un annonceur qui paye pour le temps d'antenne ainsi utilisé, comme l'énumération des décès du jour, ou d'un élément mis en ondes pour le bénéfice de la programmation, comme les bulletins de condition des routes.

Fee   Voir CACHET

Feed (the)   ALIMENTATION
ou SIGNAL
Son provenant d'une source quelconque.
Par exemple, le *feed* réseau est l'alimentation en provenance du réseau. On peut alors parler du signal-réseau.

Feed (to)   ALIMENTER
Action de transmettre le son.

Feedback   RÉTROACTION
Reprise par le microphone du son émis par un haut-parleur. Cette rétroaction produit un son extrêmement aigu et augmentant graduellement en intensité.

FERMETURE   Voir *Sign Off*

Flash   NOUVELLE-ÉCLAIR
Première annonce, très brève, d'une information qui fera, ultérieurement, l'objet d'un traitement plus approfondi.

Flash-back　　　RETOUR DANS LE TEMPS

Diffusion d'une chanson ayant connu du succès il y a plusieurs années.

FM　　　MF

Abréviation signifiant modulation de fréquence. (Voir *AM*).

FOND MUSICAL　　　*Background Music* ou *Music Bed*

Musique accompagnant un message, publicitaire ou non, de façon à créer une certaine ambiance, sans voler la vedette à la voix de l'animateur livrant le message.

FONDU　　　Voir *Fade*

Format　　　FORMULE

Structure générale de la programmation d'une station ou d'une émission.

Forward (Fast)　　　AVANCE RAPIDE

Free-lancer　　　Voir PIGISTE

General Manager　　　DIRECTEUR GÉNÉRAL

(Voir *Station Manager*).

GRILLE DE PROGRAMMATION　　　Voir *Schedule*

HAUT-PARLEUR　　　*Speaker*

On dira un haut-parleur aigu au lieu d'un *tweeter* et un haut-parleur grave plutôt qu'un *woofer*.

Headlines　　　Voir MANCHETTES

Headphones　　　CASQUE D'ÉCOUTE

On peut aussi parler de casque à écouteurs.

HEURE DE TOMBÉE　　　Voir *Deadline*

HEURES DE GRANDE ÉCOUTE　　　*Prime Time* ou *Peak Listening Period*

Heures durant lesquelles l'écoute de la radio est la plus intense, c'est-à-dire durant lesquelles les auditeurs sont relativement nombreux.

Hit　　　SUCCÈS

HORAIRE DES ÉMISSIONS　　　Voir *Schedule*

HORS CHAMP　　　Voir *Off Mike*

HORS CIRCUIT　　　*Off*

HORS STUDIO　　　*On Location* ou *Remote*

Une émission produite *on location* est une émission produite **en extérieur** ou **hors studio**.

De même, un message *remote*, c'est-à-dire un message publicitaire produit et diffusé en direct du magasin de l'annonceur ayant payé pour le temps d'antenne ainsi utilisé, est une publicité **en extérieur** ou **hors studio**.

Hum　　　Ronflement

Bruit de fond grave émis par un haut-parleur.

INDICATIF　　　*Station identification* ou *Station I.D.* ou *Ident*

Message diffusé en ondes afin d'identifier la station, le réseau radiophonique, une émission ou un animateur.

L'identification de la station peut être effectuée par l'énumération simple des lettres d'appel ou par la diffusion de tout slogan ou nom que s'est donné cette station de radio. S'il s'agit des lettres d'appel, on précisera qu'il s'agit de l'**indicatif d'appel**. Si cet indicatif sert à identifier un réseau radiophonique plutôt qu'une seule station de radio, on précisera qu'il s'agit d'un **indicatif réseau**.

Si l'identification est effectuée par une ritournelle, on précisera qu'il s'agit d'un **indicatif musical** ou, si c'est le cas, d'un **indicatif chanté**. Nous réservons ainsi le terme ritournelle aux messages publicitaires diffusés au profit des clients-annonceurs (voir *Jingle*).

Si cet indicatif sert à identifier spécifiquement une émission ou un animateur, on précisera qu'il s'agit d'un **indicatif d'animateur** ou d'un **indicatif d'émission**.

Différentes combinaisons sont possibles. Ainsi, s'il s'agit d'un thème musical servant à identifier une émission, on parlera de l'**indicatif musical de l'émission**.

INFORMATEUR　　　Voir *Stringer*

INFORMATIONS　　　Voir *News*

INSERTION　　　Voir *Cut-in*

Interference　　　PARASITES ou INTERFÉRENCE

Les **parasites** sont causés par des perturbations atmosphériques ou par le fonctionnement de moteurs et d'appareils électriques. Elles donnent l'impression à l'auditeur de ne pas syntoniser la bonne fréquence.

L'**interférence** est un phénomène provoqué par l'empiètement du signal d'un émetteur radio sur le signal d'un autre émetteur radio. Ce phénomène crée du sifflement.

Dans les deux cas, le problème n'est perceptible que dans le récepteur radio.

Interview   ENTREVUE

INTRO   *Intro*

Segment strictement musical au début d'une chanson.

INTRODUCTION EN FONDU   Voir **Fade in**

i.p.s.   PO/S

Abréviation de *Inches per second* ou pouces par seconde. Vitesse de déroulement d'une bande magnétique. Les vitesses usuelles sont 3¾, 7½ et 15 po/s.

Jingle   REFRAIN PUBLICITAIRE
ou RITOURNELLE PUBLICITAIRE

Mélodie vantant un produit ou un service à des fins publicitaires. À ne pas confondre avec indicatif (voir INDICATIF).

JOINT DE RUBAN   Voir **Splice**

LACONISTE   *One Liner*

Animateur comique formulant ses farces en peu de mots («en une ligne»).

Lead   AMORCE
ou PRÉAMBULE

Introduction d'un sujet de manière à éveiller l'attention de l'auditeur.

Leader   BANDE-AMORCE

Bande silencieuse précédant la bande magnétique enregistrée et aidant l'opérateur à trouver l'endroit précis du début de l'enregistrement.

LECTURE   Voir **Playback**

LETTRES D'APPEL   Voir Call Letters

Ligne ouverte   Voir TRIBUNE TÉLÉPHONIQUE

Live   EN DIRECT

Émission produite simultanément à sa diffusion. Antonyme: en différé.

Log sheet   Voir REGISTRE DES ÉMISSIONS

Log tape   Voir BANDE-TÉMOIN

LP   MICROSILLON
ou ALBUM
ou 33 TOURS

LP est l'abréviation de *Long Play* décrivant un disque sur lequel on retrouve un recueil de chansons par opposition au 45 tours qui ne comporte traditionnellement qu'une seule chanson (voir *Single*). *Long-jeu* est un anglicisme.

Dans le cas d'un disque audionumérique, seuls les termes microsillon et album peuvent être utilisés.

MA   Voir **AM**

MAGNÉTOPHONE   *Tape Recorder/Player*

MAGNÉTOPHONE À BOBINES   *Reel-to-reel*

MAGNÉTOPHONE À CARTOUCHE
Voir **Cart Recorder/Player**

MANCHETTES   *Headlines*

Principaux titres des nouvelles, livrés généralement au début ou avant la diffusion du bulletin de nouvelles.

MARQUE SONORE   Voir **Cue (a)**

MARQUER   Voir **Cue (to)**

Master   BANDE ÉTALON
ou BANDE GÉNÉRATRICE

Produit final d'une émission ou d'un message publicitaire enregistré sur ruban magnétique pour diffusion en différé.

MATINIER   Voir **Morning Man**

MÉDIA   *Media*

Terme générique définissant tous les moyens de communication. Les principaux médias de masse (*Mass Media*) sont la radio, la télévision et les journaux.

MÉLANGEUR   Voir **Mixer**

MESSAGE D'INTÉRÊT PUBLIC   Voir **p.s.a.**

MESSAGE PUBLICITAIRE   Voir **Commercial**

MF   Voir **FM**

MICROPHONE   *Mike*

MICROSILLON   Voir **LP**

Mid-Day Show
Voir ÉMISSION DE MI-JOURNÉE

Mid-Morning Show

Voir ÉMISSION DE L'AVANT-MIDI

Mike

MICROPHONE
ou MICRO

Mix

MIXAGE
ou MONTAGE

En anglais, le produit final est le *mix*, alors que l'opération elle-même est l'*editing*.

En français, on parlera de **montage** pour décrire l'opération consistant à choisir et à assembler les segments sonores devant constituer la version finale d'une émission ou d'un segment d'émission, mais on parlera de **mixage** pour décrire celle consistant simplement à enchaîner deux éléments spécifiques.

L'expression **montage sonore** décrit un montage composé d'extraits de plusieurs chansons savamment mélangées.

Mixer

MÉLANGEUR
ou PUPITRE DE MIXAGE

Appareil permettant d'effectuer le mixage.

S'il s'agit du mélangeur principal des studios de mise-en-ondes et de production, on parlera plutôt de la console (*Control Board*).

Mobile Unit

CAR DE REPORTAGE

Véhicule équipé de matériel technique permettant la réalisation de reportages et d'émissions hors studio.

MODÉRATEUR

Moderator

Animateur intervenant dans un débat, dans le but d'en modérer les possibles excès de langage ou de tenter de concilier des points de vue différents. Il s'agit, le plus souvent, d'un présentateur-modérateur (voir *Anchor Man)*.

Monitor

RÉCEPTEUR DE CONTRÔLE

Récepteur et haut-parleur permettant d'écouter ce qui est diffusé en ondes et, par le fait même, d'en vérifier la qualité. (Voir *Off Air*).

MONTAGE

Voir **Mix**
ou **Editing**

MONTAGE PAR COLLAGE

Voir **Splicing**

Morning Man

MATINIER
ou ANIMATEUR MATINAL

Animateur de l'émission du matin, généralement entre 6h00 et 9h00.

Morning Show

Voir ÉMISSION MATINALE

Music Director

DIRECTEUR MUSICAL

Personne responsable de coordonner la programmation musicale de la station et de préparer le palmarès musical.

Même si l'expression directeur musical est linguistiquement boiteuse parce qu'elle sous-entend que le directeur en question est lui-même musical, elle ne pourrait que rarement laisser place au titre de DIRECTEUR DE LA

PROGRAMMATION MUSICALE, puisque cette programmation est généralement effectuée par le directeur de la programmation. Le directeur musical doit généralement se contenter de coordonner les opérations de façon à satisfaire la programmation définie par le directeur de la programmation.

Music Library

Voir DISCOTHÈQUE

Music License Fees

Voir DROITS DE DIFFUSION

Network

RÉSEAU

Organisation regroupant plusieurs stations de radio diffusant une ou plusieurs émissions identiques et, le plus souvent, simultanément.

News

NOUVELLES
ou INFORMATIONS

Ensemble du contenu verbal des émissions ou segments d'émissions fournissant aux auditeurs des renseignements sur les événements de l'actualité.

News Conference

Voir CONFÉRENCE DE PRESSE

Newsroom

SALLE DES NOUVELLES

Salle où sont situés les outils de travail des journalistes et où ceux-ci travaillent lorsqu'ils sont à la station.

News Update

NOUVELLES RÉVISÉES
ou MISE À JOUR DE L'INFORMATION

NICHE

Niche

Segment du marché total dominé par votre station de radio dans la région couverte par celle-ci. À ne pas confondre avec le public-cible qui peut être identique à celui de votre niche, mais qui peut aussi être constitué d'un segment additionnel de la population dans lequel l'écoute de votre station n'est pas encore solidement implantée (vous n'y avez pas encore de niche) mais en fonction duquel vous développez vos émissions et effectuez votre promotion.

Non-Stop

EN CONTINU

Émission ou segment d'émission se déroulant de façon continu (sans interruption publicitaire, par exemple).

NOUVELLE-ÉCLAIR

Voir **Flash**

NOUVELLES

Voir **News**

NOUVELLES RÉVISÉES

News Update

Off HORS CIRCUIT
ou ÉTEINT

Off Air D'ANTENNE

Désigne un appareil de contrôle (voir *Monitor*) recevant le signal de l'émetteur comme le reçoivent les auditeurs.

L'expression *Off Air Monitor* décrit le récepteur de contrôle d'antenne.

Off Mike HORS CHAMP

Qualificatif d'un animateur ou d'un invité qui parle hors du champ normal de prise d'un micro.

On EN CIRCUIT
ou ALLUMÉ

On Air EN ONDES

One Liner Voir LACONISTE

On Location Voir HORS STUDIO

On Mike EN CHAMP

Qualificatif d'un animateur ou d'un invité qui parle dans le champ normal de prise d'un micro.

Open Line Voir TRIBUNE TÉLÉPHONIQUE

OUVERTURE *Opening*
ou *Sign On*

L'ouverture, dans le sens d'*opening*, c'est un élément diffusé spécialement pour marquer le début d'une émission ou d'une chronique.

L'ouverture, dans le sens de *sign on*, c'est l'ouverture quotidienne d'une station de radio ne diffusant pas 24 heures par jour.

Panelist EXPERT INVITÉ
ou PARTICIPANT

Personne participant à une émission au cours de laquelle un ou des sujets sont discutés entre divers intervenants.

Patch (to) RACCORDER
ou BRANCHER

Patch (a) RACCORD

Patch Board TABLEAU DE RACCORDEMENT

Tableau permettant le raccordement de divers appareils techniques non reliés par défaut.

Patch Cord CORDON DE RACCORDEMENT

Cordon servant à effectuer un raccordement.

PARASITES Voir *Interference*

Peak Listening Period Voir HEURES DE GRANDE ÉCOUTE

PIGISTE *Free-lancer*
ou *Stringer*

Individu effectuant du travail à la pige, c'est-à-dire sur demande et en travaillant à son propre compte au bénéfice de plus d'une entreprise. (Voir *Stringer*).

Playback LECTURE

Action de faire jouer un enregistrement.

Ce terme est aussi utilisé en production pour décrire le son à la sortie du magnétophone ou de la cartouchière plutôt qu'à l'entrée, c'est-à-dire le son lu immédiatement après son enregistrement sur le support final.

Plug PUBLICITÉ CLANDESTINE

Publicité d'un produit effectuée en mentionnant celui-ci subtilement et avantageusement au cours d'une émission, en-dehors des segments consacrés à la publicité et généralement gratuitement.

POCHETTE DE PRESSE Voir *Press Kit*

POINTER Voir *Cue (to)*

PO/S Voir *i.p.s.*

PRÉAMBULE Voir *Lead*

Pre-recorded Voir DIFFÉRÉ (En)

PRÉSENTATEUR Voir *Anchor Man*

Press Conference Voir CONFÉRENCE DE PRESSE

Press Kit CAHIER DE PRESSE
ou POCHETTE DE PRESSE

Ensemble des documents généralement réunis dans une pochette et destinés à renseigner les journalistes de divers médias sur un sujet donné.

Press Release Voir COMMUNIQUÉ DE PRESSE

Prime Time Voir HEURES DE GRANDE ÉCOUTE

PRIMEUR Voir *Scoop*

Producer RÉALISATEUR

Individu responsable de la conception et de la réalisation artistique et technique d'une émission. Dans plusieurs stations de radio, l'animateur est aussi réalisateur.

Program   **PROGRAMMATION**
ou ÉMISSION

Le mot *program* est utilisé en anglais autant pour désigner une émission que pour parler de l'ensemble des émissions. En français, la **programmation** désigne l'ensemble des **émissions** d'une station.

Program Director
DIRECTEUR DES ÉMISSIONS
ou DIRECTEUR DE LA PROGRAMMATION

Le **directeur de la programmation** est la personne responsable de l'ensemble de la programmation.

On utilisera le titre **directeur des émissions** pour désigner l'adjoint au directeur de la programmation ou le coordonnateur local d'une programmation contrôlée par le directeur de la programmation réseau.

Programming Element
Voir ÉLÉMENT DE PROGRAMMATION

Promotion   **PROMOTION**
ou AUTOPUBLICITÉ

La **promotion** est l'ensemble des actions prises par la station dans le but de promouvoir son produit auprès des clients-auditeurs et des clients-annonceurs.

Les messages d'**autopublicité** constituent un des outils utilisés pour la promotion. Ce sont des messages publicitaires diffusés par la station, sur ses ondes, dans le but de promouvoir son produit. On entend fréquemment parler d'une «promo».

p.s.a.   **MESSAGE D'INTÉRÊT PUBLIC**

P.S.A. est l'abréviation de *Public Service Announcement*.

Les messages d'intérêt public (MIP) sont des messages publicitaires annonçant les services, les produits ou les activités d'un organisme sans but lucratif. Ces messages sont généralement mis en ondes gratuitement par la station.

PUBLIC-CIBLE   *Target Audience*
(Voir NICHE).

PUBLICITÉ   *Advertising*
(Voir *Commercial*).

PUBLICITÉ CLANDESTINE   Voir *Plug*

PUPITRE DE MIXAGE   Voir *Mixer*

RACCORD   Voir *Patch*

RADIODIFFUSEUR   *Radio Broadcaster*
(Voir *Broadcaster*).

Radio Station   **STATION DE RADIO**

Rate Card   **CARTE DE TARIFS**

Document, généralement d'une seule page, indiquant le tarif exigé d'un annonceur publicitaire pour l'utilisation de périodes de temps d'antenne radio de 15, 30 ou 60 secondes.

RAYONNEMENT (Aire de)   *Coverage Area*
ou *Station Coverage*

Territoire sur lequel le signal de la station peut être adéquatement capté par un récepteur radio.

RÉALISATEUR   Voir *Producer*

Rebroadcasting Station   Voir **RÉÉMETTEUR**

RÉCEPTEUR DE CONTRÔLE   Voir *Monitor*

RECHERCHISTE   *Research Assistant*

Personne chargée de trouver et de réunir des éléments intéressants pour la réalisation d'une émission.

Record   Voir DISQUE

Recording   **ENREGISTREMENT**

Record Library   Voir DISCOTHÈQUE

RÉDACTEUR PUBLICITAIRE   *Copywriter*
ou *Script Writer*

Personne chargée de la rédaction des textes des messages publicitaires. Les termes scripteur et scripte peuvent aussi être utilisés.

Reel-to-reel   **MAGNÉTOPHONE À BOBINES**

RÉEMBOBINER   *To Rewind*

RÉÉMETTEUR   *Repeater*
ou *Rebroadcasting Station*
ou *Satellite Station*

Station de radio ne faisant que retransmettre la programmation d'une autre station de radio.

REFRAIN PUBLICITAIRE   Voir *Jingle*

REGISTRE DES ÉMISSIONS   *Log sheet*
ou *Program Log*

Registre sur lequel toutes les informations pertinentes à la diffusion des émissions sont inscrites.

RELÈVE (De)   Voir *Stand By*

RELEVÉ DES INCIDENTS   *Fault Report*
ou *Discrepancy Report*

Rapport écrit sur lequel est relaté chaque incident survenu lors de la mise en ondes.

Remote   Voir HORS STUDIO
ou EXTÉRIEUR (En)

Remote Control TÉLÉCOMMANDE

Équipement permettant de commander un ou des appareils à distance. Chaque studio de mise en ondes radio doit être équipé d'une télécommande permettant de contrôler l'émetteur.

Repeater Voir RÉÉMETTEUR

REPÈRE Voir **Cue (a)**

REPIQUAGE Voir **Dubbing**

Research Assistant Voir RECHERCHISTE

RÉSEAU Voir **Network**

RETOUR À LA MAISON Voir **Drive Home**

RETOUR DANS LE TEMPS Voir **Flash-back**

RÉTROACTION Voir **Feedback**

Reverb ÉCHO

Reverb est l'abréviation usuelle de reverberations.

Rewind (to) RÉEMBOBINER ou REBOBINER

Rewinder RÉEMBOBINEUSE ou REBOBINEUSE

RITOURNELLE PUBLICITAIRE Voir **Jingle**

RONFLEMENT Voir **Hum**

ROUTAGE **Traffic**

Opération consistant à préparer les registres des émissions en y inscrivant notamment les messages publicitaires devant être diffusés.

r.p.m. T/MIN ou TOURS-MINUTE

Le nombre de tours par minute est une mesure de la vitesse de lecture d'un disque sur un tourne-disque. R.p.m. est l'abréviation de Revolutions per minute.

RUBAN MAGNÉTIQUE Voir **Tape**

SALLE DES NOUVELLES Voir **Newsroom**

Satellite Station Voir RÉÉMETTEUR

Schedule HORAIRE DES ÉMISSIONS ou GRILLE DE PROGRAMMATION

Tableau indiquant le jour et l'heure de diffusion de toutes les émissions faisant partie de la programmation de la station.

Scoop PRIMEUR

Nouvelle généralement importante ou sensationnelle obtenue et rendue public par un média avant tous les autres.

Script Writer Voir RÉDACTEUR PUBLICITAIRE

SECOURS (De) Voir **Stand By**

SIGNAL **Signal**

Le son décomposé en ondes électrique. (Voir Feed).

SIGNAL DE DÉPART Voir **Cue (a)**

Signature SIGNATURE

Élément ou ensemble d'éléments diffusé spécialement à la fin d'une émission. Ce terme désigne aussi une phrase utilisée systématiquement par un client pour la conclusion de ses messages publicitaires. À ne pas confondre avec annexe (voir Tag) ni avec fermeture (voir Sign Off).

Sign Off FERMETURE

La fermeture quotidienne de la station dans le cas d'une station de radio ne diffusant pas 24 heures par jour. À ne pas confondre avec signature (voir Signature).

Sign On Voir OUVERTURE

SIMPLE Voir **Single**

Single SIMPLE ou 45 TOURS ou EXTRAIT D'ALBUM ou EXTRAIT DE MICROSILLON

Il y a quelques années, les chansons-succès d'un microsillon étaient toutes offertes en single. Et même s'il était possible d'en trouver sur cassette, la presque totalité des singles étaient vendus sur disque 45 tours. Le terme 45 tours était donc utilisé en français comme traduction à single. Mais aujourd'hui, les singles peuvent être offerts sur un disque audionumérique tout autant que sur une cassette ou un 45 tours, ces derniers tendant toutefois à disparaître de la surface de la planète.

Le terme **45 tours** ne peut donc pas être utilisé, ni d'ailleurs **extrait d'album** ou **extrait de microsillon** puisque ce n'est pas toujours le cas: plusieurs singles sont lancés sur le marché avant qu'un album ne soit produit.

Pour toutes ces raisons, le terme **simple** semble faire de plus en plus l'unanimité même si cela ressemble étrangement à un anglicisme.

SORTIE EN FONDU Voir **Fade out**

Sound Effects Voir EFFETS SONORES

Speaker Voir HAUT-PARLEUR

Special Effects   Voir EFFETS SONORES

Splice (a)   JOINT DE RUBAN

Dans le langage familier, un *splice* est le résultat du montage par collage (voir *Splicing)*.

Splicing   MONTAGE PAR COLLAGE

Action d'effectuer un montage en procédant au collage bout-à-bout de deux segments de bande magnétique.

Sponsor   COMMANDITAIRE

Annonceur qui patronne une émission ou qui achète de la publicité dans une émission spécifique.

Sponsorship   COMMANDITE

Terme décrivant le patronnage d'une émission par un commanditaire.

Spot   ANNONCE PUBLICITAIRE
ou MESSAGE PUBLICITAIRE

(Voir *Commercial*).

Spot Set   BLOC PUBLICITAIRE

Une série de messages publicitaires diffusés consécutivement en ondes.

Stand By   DE RELÈVE
ou DE SECOURS

Adjectif qualifiant l'équipement, ou la personne, qui n'est pas utilisé de façon régulière mais qu'on garde en réserve pour intervenir et aider rapidement dans le cas d'une panne ou d'un incident empêchant la diffusion ou la production prévue avec le personnel et les appareils réguliers.

Stand By!   ATTENTION!

Avertissement verbal donné avant le début d'une émission ou d'un enregistrement.

Stand By (On)   ÊTRE EN ATTENTE

État de la personne ou de l'équipement en disponibilité pour répondre aux besoins de la production ou de la mise-en-ondes.

STATION DE RADIO   *Radio Station*

Station Identification   Voir INDICATIF

Station Manager   DIRECTEUR DE STATION
ou DIRECTEUR GÉNÉRAL

Le **directeur général** est la personne chargée de tous les aspects de la gestion de la station de radio.

On utilisera le terme **directeur de station** pour désigner l'individu ayant la responsabilité de diriger localement les activités d'une station de radio membre d'un réseau selon les directives du directeur général de la station maîtresse.

Stringer   REPORTER PIGISTE
ou INFORMATEUR

Le **reporter pigiste** est un pigiste communiquant à la salle des nouvelles de l'information sur des événements locaux non couverts par l'équipe permanente de journalistes de la station (voir PIGISTE).

On utilisera le terme **informateur** lorsque l'information est recueillie auprès d'individus collaborant sans rémunération.

STUDIO   *Studio*

Local conçu et réservé à la réalisation et à la production d'émissions. Une station de radio possède habituellement un **studio de production** et un **studio de mise en ondes**.

SUCCÈS   *Hit*

TABLEAU DE RACCORDEMENT
Voir *Patch Board*

Tag   ANNEXE

Court message ajouté à la fin d'un message publicitaire. Par exemple, la mention du nom et de l'adresse d'un détaillant local à la fin d'un message publicitaire ayant été produit pour être utilisé par tous les détaillants du pays.

Tape   BANDE MAGNÉTIQUE
ou RUBAN MAGNÉTIQUE

On parlera généralement d'un **ruban magnétique** lorsque le ruban est vierge et d'une **bande magnétique** lorsqu'un enregistrement est transmis sur le ruban.

Tape Eraser   Voir DÉMAGNÉTISEUR

Tape Recorder/Player   MAGNÉTOPHONE

Target Audience   PUBLIC-CIBLE

(Voir NICHE).

Teaser   CAROTTE
ou ANNONCE-AMORCE
ou ANNONCE-MYSTÈRE

Quelques mots diffusés en ondes dans le but d'aguicher les auditeurs, d'exciter leur curiosité et de développer leur intérêt pour une émission ou un segment d'émission devant être diffusée ultérieurement sur les ondes de la station de radio.

Le terme carotte établit la similitude avec le légume qu'on présenterait brièvement à un lapin, les auditeurs étant vus comme des clients sautant rapidement d'une station de radio à l'autre comme un lapin bondit allègrement dans un jardin.

TÉLÉCOMMANDE   Voir *Remote Control*

TEMPS D'ANTENNE   *Air Time*

Terme générique désignant le temps pendant lequel la station diffuse une ou des émissions.

Timing   CHRONOMÉTRAGE

Action de déterminer la durée des éléments d'une émission de façon à en coordonner le déroulement.

TOP SONORE	Voir *Cue (a)*
TOURNE-DISQUE	Voir *Turntable*
TOURS-MINUTE	Voir *r.p.m.*
Traffic	Voir ROUTAGE
TRANSITION	Voir *Bridge*
Transmitter	Voir ÉMETTEUR

TRIBUNE TÉLÉPHONIQUE   ***Open Line***

Émission au cours de laquelle le public est invité à intervenir par communication téléphonique. L'expression *ligne ouverte* est un anglicisme.

Tune-out Factor

FACTEUR DE DÉCROCHAGE

Élément de la programmation qui, par son contenu ou sa présentation, pousse certains auditeurs à fermer leur récepteur radio (*tune-out*) ou à changer de station.

Turntable   TOURNE-DISQUE

Table tournante est un anglicisme.

Update   MISE À JOUR

(Voir *News Update*).

VU Meter   VUMÈTRE

VU Meter est l'abréviation de *Volume unit meter*. C'est l'indicateur localisé sur la console ou le pupitre de mixage et indiquant le niveau des sons produits à la sortie de la console ou du pupitre de mixage.

Des vumètres peuvent aussi être disponibles sur les cartouchières, les magnétophones et les autres appareils d'enregistrement.

Achevé d'imprimer
en mars 1993 par

imprimerie
taillefer enr.
Valleyfield, Qc
Canada